HOLLANDE
BELGIQUE
FLANDRES
Meuse
Lille
Ascq
Anzin
Valenciennes
NORD
Cambrai
Givet
ARDENNES
Sedan
Donchery
LUXEMBOURG
Moselle
Rhin
SARRE
AISNE
ARDENNES
Compiègne
Château-Thierry
MARNE
Verdun
MOSELLE
Metz
MEUSE
Bar-le-Duc
MEURTHE
Nancy
BAS-RHIN
Strasbourg
Marne
Lagny
SEINE ET MARNE
Fontainebleau
AUBE
HAUTE-MARNE
VOSGES
Gérardmer
LES VOSGES
Colmar
HAUT-RHIN
Mulhouse
YONNE
Montargis
Auxerre
Luxeuil
Belfort
Montbéliard
TERRITOIRE DE BELFORT
HAUTE-SAONE
COTE-D'OR
Pontailler
DOUBS
Besançon
NIEVRE
Nevers
Saône
Chalon
JURA
LES JURA
Morez
SAONE ET LOIRE
ALLIER
Montluçon
Vichy
Mâcon
Oyonnax
Nantua
Bellegarde
Genève
Bonneville
HAUTE-SAVOIE
AIN
Roanne
Pontgibaud
DE DOME
LOIRE
Clermont-Ferrand
Lyon
Sathonay
Bourgoin
SAVOIE
MASSIF
CENTRAL
St-Etienne
ISERE
Pont-de-Claix
AUVERGNE
CANTAL
HAUTE-LOIRE
HAUTES-ALPES
LES CEVENNES
ARDECHE
DROME
LOZERE
Montélimar
EYRON
BASSES-ALPES
GARD
VAUCLUSE
ALPES-MARITIMES
Nice
Nimes
Montpellier
HERAULT
BOUCHES DU RHONE
Aix
VAR
Marseille
Toulon
Narbonne
La Seyne
Méditerranée
Perpignan
ALLEMAGNE
AUTRICHE
SUISSE
ITALIE
CORSE
Argenteuil
Pierrefitte
Seine
Drancy
Aubervilliers
Puteaux
PARIS
Marly
Suresnes
Vincennes
Billancourt
Versailles
Sceaux
Marne
Bièvre
Orly

LA RÉPUBLIQUE DU SILENCE

The Story of French Resistance

EDITED BY A. J. LIEBLING
OF "THE NEW YORKER"

AND EUGENE JAY SHEFFER
COLUMBIA UNIVERSITY

. . . Ne peut-on souhaiter que cette République de grand jour, qui va venir, conserve au soleil les austères vertus de la République du Silence et de la Nuit?

JEAN-PAUL SARTRE

1946
HARCOURT, BRACE AND COMPANY, *NEW YORK*

[a · 3 · 46]

PRINTED IN THE UNITED STATES OF AMERICA

LA
REPUBLIQUE
DU
SILENCE

A Record
of
French
Resistance

Edited
by
A. J. Liebling
and
Eugene Sheffer

Published
by
Harcourt,
Brace
and
Company

$2.75 List

A new book of French literature for intermediate students today, the finest literature produced in France between 1939 and 1945.

A book, too, of history -- the most desperate and triumphant chapter in the story of a great nation -- told by the men and women who lived it.

Authentic source material which gives the facts about the activities of the French underground, correlated by 30,000 words of background material in English, and edited with detailed annotations and a complete vocabulary.

A new book of French literature for intermediate students today, the finest literature produced in France between 1939 and 1945.

A book, too, of history -- the most desperate and triumphant chapter in the story of a great nation -- told by the men and women who lived it.

Authentic source material which gives the facts about the activities of the French underground, correlated by 30,000 words of background material in English, and edited with detailed annotations and a complete vocabulary.

TO RAYMOND WEEKS

Professor of Romance Philology
at Columbia University, retired

PREFATORY

WE wish here only to call attention to our method of editing the selections. We had in mind the use of this text fairly early in a student's study of the French language; hence, the footnotes have been prepared with the idea of making the chosen texts available to students with a background of one year of college French or two or three years of high-school French. Certain footnotes of an informational or anecdotal character have been supplied by Mr. Liebling and they are identified by the initial L.

This book would have been impossible without the help of many people in suggesting material and in bringing together the selections.

Particular thanks are due M. George Adam, managing editor of *Les Lettres françaises* and Secretary of the Comité National des Ecrivains, through whose efforts many of the selections were identified as to authorship and who was instrumental in obtaining copyrighted material from *Les Lettres françaises;* to M. Jean-Paul Sartre for his cooperation in obtaining permission to use material copyrighted by the Comité National des Ecrivains and to adopt *La République du Silence*, the title of one of his articles included in this book, as the title of this volume; and to Mme Yvonne Desvignes of Aux Editions de Minuit for permitting the republication of copyrighted material; also, to Pantheon Books, Jacques Schiffrin, editor, for permission to reproduce excerpts from *L'Armée des ombres* and *Le Silence de la mer;* to Vladimir Pozner for permitting republication of two chapters from *Deuil en 24 heures;* to Duell, Sloan and Pearce for "Les Bons Voisins"; and to *Les Cahiers politiques* of Paris for permission to reprint "Notre 'Narbonne' de la Résistance," by Georges Altman.

For aid in the preparation of the material we thank Professor Horatio Smith of Columbia University, who first suggested our collaboration; Mr. André Mesnard of Barnard College; Mr. W. Henry Miller, Jr., of Columbia College; Mr. Georges Roncalez of Phillips Exeter Academy; Prof. Ramon Guthrie, of Dartmouth College; Miss Ginette Delmas of the French Ministry of Information; Ione and Peter C. Rhodes; Troup and Alice Mathews; Miss Noelle Davis, and Mr. Claymer Schluter.

Monsieur Bernard Gaston-Chérau and Miss Blanche Finley of the French Press and Information Bureau were most helpful in obtaining for us originals and facsimiles of newspapers published under the oppression and also the photostatic reproductions we have used as illustrations for this book.

A.J.L.
E.J.S.

February 9, 1946

TABLE DES MATIÈRES

THE VICTORY

THE SUMMING UP

ARGUMENT OF THIS BOOK

"DON'T sell America short," is a phrase of the twenties that has lasted. Like most phrases that catch on, it is needless. Self-deprecation has never been an American fault. "Don't sell France short," would have been a more useful reminder, for no country has been so underestimated by another as France by us in the summer of 1940, after the defeat of her armies and the conclusion by Marshal Pétain's government of the armistice that left her defenseless. Even before that armistice was signed, Charles De Gaulle, speaking from London, proclaimed that France had lost "a battle, but not the war." But few people here believed him. The proof of their disbelief is surprisingly simple. Enrollment in college French courses dropped about 50 per cent between the academic years 1939–40 and 1940–1. A high percentage of American undergraduates (and, I suspect, of the faculty advisers who assisted them in their choice of subjects) were ready to credit the demise of France as unhesitantly as a newspaper notice of an old man's death. They thought, apparently, that it was not worth their while to begin the study of a language that would be obsolete by the time they received their degrees.

Fortunately for my state of mind, I was not aware then how widely the concept prevailed that French had gone to join the dead languages. I was to hear about it only after the liberation of France, when in retrospect it merely puzzled me. The knowledge, in 1940, would have depressed me to an even lower point than I had already reached, after having followed the wartime French Government in its retreat from Paris to Bordeaux and then having crossed the Spanish frontier and so made my way back, comfortably enough, to the unacademic offices of the *New Yorker*. I was confident then that France would survive, because I could not conceive of the world after her disappearance, but I did not know how she would manage it, or how long it would take her to re-emerge. The Hundred

Years' War, from which she had arisen greater than before, offered an encouraging analogy if I took the long view, but I was not reconciled to waiting a hundred years this time. I could not foresee that five years later I would be pasting together a record of her struggle and her triumph, to offer in evidence to a not greatly later generation of college students that France is as tough as her native briar root and as hard to destroy. Like the briar she is capable of taking a high polish, but there is nothing effete about her texture.

Looking back I've had a feeling that a good part of the American misconception of the nature of France — where it existed — may have been due to the kind of texts on which students formed their early notions of the language. In quest of texts that would be at the same time simple, "correct" (that is, not too colloquial), "literary" (that is, by someone mentioned in large-format histories of French literature) and inoffensive (interpreted too often as meaning without relevance to life), compilers had gone too often to writers remembered in France with the same amused indulgence reserved for Second Empire *bibelots* (knick-knacks; example: a bowl of wax fruit and a stuffed hummingbird under a glass bell). The stories were too often sentimental and what the French call *niais* (corny; example: "La Chèvre de Monsieur Seguin," by Alphonse Daudet).

"La Chèvre de Monsieur Seguin" merits citation and analysis here. Monsieur Seguin, in the story, has a white nanny goat which he tethers near his house, where there is plenty of tender grass for the beast to eat. But the goat wants to go up on the mountain, where it can be free. "Remain attached by your cord," says Monsieur Seguin. "Here you are a captive, but you are safe. If you like, I will make your tether a little longer, providing you are a good goat. But if you try to free yourself, the bad wolf will eat you." Monsieur Seguin, it will be noted, speaks with the voice of Monsieur le Maréchal Pétain. The refractory goat slips its tether and goes up on the mountain, where the bad wolf eats it. Before the goat dies it acknowledges to itself that Monsieur Seguin was right. That is in the story.

In real life the men of the French Resistance resembled the goat rather than the "realistic" Monsieur Seguin-Pétain. They freed themselves and they went to the mountains. For they knew that in this world the best the meek inherit is a kick in the pants, and in most cases that is far too good for them. At that point, however, the stories diverge. For the Resistance men knew that the Wolf has power only over those who fear him. So when the Nazi wolf came after them they beat the tar out of him, cut off his ears and tail, and nailed them to the barn door. I once thought of calling this book "Monsieur Seguin avait tort," or alternately, "La Chèvre avait raison," but I decided against a title that it would take four paragraphs to explain.

At any rate, the story illustrates my thesis that, since our opinion of a strange culture is likely to be based upon our first contact with it, the American inducted into French culture via the *niaiseries* of Monsieur Daudet would be likely to go through the rest of his life believing that Frenchmen were quaint imbeciles. Students who begin French in the first year of high school and hit Messieurs Coppée, Daudet, Edmond About, et cetera, at a preadolescent period may not suffer too badly from them. But college men and women are likely to be repelled by the disparity between the intellectual content of what they discuss in their courses in the Social Sciences or Comparative Literature and what, an hour earlier or later in the day, they are forced to translate in an intermediate language class.

This book is not an exercise in reading French, but in understanding human beings in a critical, often desperate situation, through the medium of the language in which they thought. French here is not a *bibelot*[1] to be acquired, but a tool to understand with. Yet it is only by purposeful use of a tool that one masters it. Reading inanities to learn French is about as sensible as hitting a light bag to learn boxing.

The selections that I have tried to arrange in an approxima-

1. *See above, page 2.*

tion of a pattern in the following pages were all written by Frenchmen between May 10, 1940, when the German Army opened the lightning campaign that ended with the Pétain armistice, and early September, 1944, a couple of weeks after the liberation of Paris. All the selections, with two or three exceptions, were written in France, which means in the overwhelming majority of cases, under the German occupation. Some, a number that surprised me when I looked back after making the selections, are by writers who had excellent and well-founded reputations even before this war — for example Louis Aragon and François Mauriac. Others are by professional writers like Vercors and Vladimir Pozner, whose art is a wartime development. But many, as you will see, are by complete novices, like a boy of seventeen setting down his last thoughts before facing a firing squad, or a corporal in an armored division recording his first sight of refugees. And still more are anonymous, pieces culled from that great clandestine press which arose under the occupation and waged a war of ideas that turned public opinion completely against the conquerors — who had, to aid them in *their* propaganda, only limitless funds, powerful radio stations, all the printing establishments of France, and some thousands of miserable traitors. Concerning these last, you will find a great deal in this book. The fact of betrayal is an integral part of the story of France under the occupation, as it is of the New Testament. Many of the clandestine writers were such only in that they put words on paper, and not in the professional sense at all. Their writings are simply colloquial speech fixed in ink, and as such are examples of the kind of French that you will be able to talk some day if you don't think of it as an elegant game. That, of course, is incidental.

The approximation of a pattern that I have tried to follow in my selections and their arrangement is simple, but hard to classify. It might be called a case history of a sick nation, beginning with the crisis of the disease, and following through to convalescence and recovery. But there is something entirely too passive in the concept of France as a patient, and perhaps too flattering in that of Fascism as a microbe. Or it might be called The Autobiography of a Nation, 1940–44, except that that is too pretentious. It certainly isn't an anthology, if you think of an anthology as a selection of the "best" writing of a period. And I have omitted many fine things written during the four years that didn't seem to me to fit into the book, as well as many others that I have not happened to read. I am not a student of resistance literature; the experts will have their crack at it later. Then there will be bibliographies, and theses, and monographs on minor writers, and in time chairs of Resistance Literature endowed by the descendants of cartel millionaires.

The book, the French language part of it, that is, begins with the catastrophe. But it is the catastrophe as seen by four or five men involved in it. It goes on through selections that tell how Frenchmen viewed their plight and what they thought about it, and what they thought were the chances of getting out of it. And what they did, and what life and death were like, at different periods of the occupation; for moral and material conditions were very different in 1940–1 from 1942–3, for example. The bits of language show how hope grew, and how the fear and cruelty of the occupant kept pace with it. Finally there are some accounts of how men felt during the liberation and immediately afterward.

In the Spring of 1944, when I was in London waiting for D-Day, I had the opportunity to see some hundreds of resistance newspapers of all sorts that were flown out of France to the headquarters of the Provisional Government, which we of course did not then recognize as even a provisional government. From them I made up a kind of mosaic of what life must be in France under the occupation. I compared the process to salvaging scraps of paper dropped from a house where a friend was held prisoner by kidnappers, each paper with a word or two written on it, and then putting the papers together and trying to read a continuous message. I wrote three long pieces for the *New Yorker*, following that scheme, and arrived at a result that I found afterward had been pretty accurate — much more so than that achieved by our own State

Department, for example, which apparently had been getting its information from somebody in Washington looking into a crystal ball. The Department had the quaint notion that there was somewhere in France a non-De Gaullist, inactive, Monsieur Seguin kind of a collaborationist resistance movement that would come to light once danger was past and gratefully receive France from the hands of a third secretary of legation. This book is the same kind of a reconstruction, but one on which the world has had a chance to check.

Men seldom write as ingenuously ten years after the event as when they are in its grip. This is particularly true when it involves national *amour-propre* or the apportionment of individual and party responsibilities. Samuel Pepys, writing at Clapham in his retirement concerning the years 1660–9 covered in his diary, would have presented a much less veracious record of what had happened, as well as a duller one. He would have written about what, by that time, he thought must have happened, in the light of his own later opinion of himself. So I have a high esteem for history that may be picked out of accounts as contemporary as these, like the sweet meat from the claws of a lobster.

I once knew a school committeeman named Rowland Palmer in Exeter, Rhode Island, who held that it was foolish ever to buy new history-books of the Civil War, because, he said, it stood to reason that the sooner after the War a man wrote the more he would remember about it. The flaw in his argument against buying the books, I think, was that the old ones hadn't been written soon *enough* after the War. For history written a hundred years after the event is more accurate than the kind written ten years after it. After a century the participants are dead and the historian doesn't have to justify his friends. To form his conclusions he goes back to the contemporary sources and ignores most of the stuff written in between.

In reading this book, therefore, you will learn not only French, but a better grade of European history than will be academically available for ninety-eight years, and should receive double credits toward graduation, although the volume is sold at a single price. It reminds me of a little Japanese picture-book I have, with text in Japanese, Chinese and English. "By this book," the English foreword says, "you may see all world-renowned sites of beautiful Japan, without making any travel, and spending only a trifle for it."

PERHAPS it would be a good idea for me now to explain why I felt impelled to put this book together, just as it would be a good idea for every instructor, at the beginning of a course, to deliver a talk, brief if possible, on "Why I Am a Teacher." A man should have some reason for anything he does. I love France, just as I love New York City or the smell of burning leaves on a Long Island lawn. This does not mean that I love all the French or everything French, but the things I do not like I can often find excuses for. This is a pretty sure sign of an emotional attachment. In this book I am not an author but a go-between. I shall try to fill in gaps in continuity and to supply bits of background when it would be difficult otherwise to understand the motivation of certain pieces. I should call myself a master of ceremonies if that term were not reminiscent of night-club and music-hall brashness, and if this were not an extremely serious book. There is a French term, *compère*, for a chap who explains what is going to happen in a revue, and as he goes off-stage generally pinches (*pelote*) the showgirls. But that also has too flippant a connotation. Nevertheless, I am very conscious of the master-of-ceremonies analogy. It is a role difficult not to overplay, and I remember with misgiving some of the hams I have seen getting between show and audience instead of bringing them together. I will try not to get in the way of the performance. But it seems I should make some allusion here to what had happened before May 10, 1940, when the curtain rises.

IT has become a commonplace to speak of France before the War as a sick nation. It is true after a fashion, but it is difficult to name any other nation that at that time presented evidences of glowing health. The struggle against periodic business slumps in the United States, and the officially-proclaimed "distressed areas" in Britain, scarcely could have been considered indications of high form. The hectic flush of Nazism reflected fever rather than the pink of condition in Germany. The heavy Mussolinian rouge on Italy's face was an attempt to hide her deathly pallor. Nor were the political trials in Russia symptoms of national well-being.

France at that time might have been compared to a man with a touch of flu, something of a temperature, a sprained ankle, and possibly a bit of a hangover — none of them an affliction in itself likely to be fatal, but all grave because of the circumstance that he has an immediate date to box fifteen rounds with the heavyweight champion of Europe. The Third Republic would have been viable under ordinary conditions but it could not win a war. The knowledge that this unwelcome war was inevitable aggravated its domestic conflicts. As war came perceptibly closer, the search for an instant remedy of internal troubles became more frantic and more futile. And the shock of war itself sent the Third Republic toppling, as a right hand to the jaw would drop a sick boxer.

François Mauriac, at times a great writer and at times a great man, told me shortly after the liberation of Paris that the four or five years that preceded the war had been, for an intellectual, more terrible than the occupation. "There was no danger of arrest, no threat of torture," he said, "but you had the sensation of being a passenger in an automobile without brakes or steering gear, that dashed on toward an abyss. And you could do nothing. It was like a nightmare. And then after 1935 there was the sensation of humiliation, of having been discounted in advance by a world that saw us yielding to every threat of the Fascists."

Mauriac, a leading French Catholic and by tradition a man of the Right, had strongly supported the Loyalist Government in Spain, joining in that two eminent Catholic philosophers, Georges Bernanos and Jacques Maritain. There were at the same period lifelong Socialists like Marcel Déat and Paul Faure who advocated truckling to the Fascists. These political paradoxes added to the confusion of the time, but they were atypical. In general the Conservatives favored appeasement, or at least emulation, of the authoritarian regimes set in Rome and later in Berlin, while the men "left of centre" (a demonstrated majority in all elections) did not know quite what to do to avert disaster. The left-of-centres had been anti-militarists and preachers of conciliation until about the time of the Ethiopian War. They were fumbling, reluctant protagonists of a stern foreign policy; they had not thought sufficiently about national defense to recognize what a mess the surviving generals of the Other War had made of things. Unlike Hitler, the ex-corporals and junior officers who had risen to the control of French politics retained their awe of their former commanders. After all, *their* generals in 1914–18 had been winners. Also they were interested in social reforms like the forty-hour week, vacations with pay and collective bargaining, which the conservatives found "untimely." There is no instance in history of a conservative finding that a proposed reform *was* timely.

A Conservative's impression of the years just before the War was given me by Pierre-Etienne Flandin, a cold, shrewd man of State. Until the emergence of General De Gaulle, Flandin was known and caricatured as the tallest man in French politics. Flandin, a former Prime Minister and Minister of Foreign Affairs (the second time under Pétain) was more *prévoyant* and also more fortunate than other Vichy ministers. In 1941 he bought a 1000-acre estate in North Africa to which he fortunately or advisedly removed just before the Allies landed and cut it off from occupied France. Flandin may have expected to be asked by the Allies to form a government, but he was disappointed. For months before the advent of De Gaulle, however, he lived on excellent terms with British and Americans, with whom he passionately loved to talk politics, as old jockeys love to talk horse or old actors show business.

"The course of the great industrialists was set in 1932," Flandin once told me calmly. "In that year they contributed great funds to insure the election of a Chamber of Deputies that would choose André Tardieu as *Président du Conseil*."

(That is, Prime Minister. The *Président de la République* had so little power that it wasn't worth five francs to have him on your side.) "When they failed they said that democracy was a farce — you couldn't even buy an election. So they began backing French fascist organizations patterned after Mussolini's blackshirts. Hitler wasn't an assured success yet. But the 'leaders' they put at the head of these parties proved incompetent fools. They attempted a *coup* in February, 1934, and couldn't carry through. By that time Hitler was firmly established. So the industrialists decided that the only salvation for their version of France was entrance into the German orbit as a junior partner. From then on they were interested in submission, without war if possible, but through military defeat if necessary. 'Better Hitler than Blum,' they said in 1936, but Blum had little to do with it." So, while left and right wrangled, Mauriac's "automobile" dashed on.

THE DEBACLE

THE DEBACLE

ANDRÉ CHAMSON'S novel, *La Galère*, published in 1939 is an excellent reflection of those times and their reactions on members of the French middle class, which was split as never before in its history. Chamson's *Quatre Mois*, incidentally, is an almost equally good picture of how French soldiers felt during the first months at the front, when there was no activity beyond small raids. It was a winter of severe discomfort on the line and of uncertainty in the rear areas, as well as inaction, but the national morale was decidedly better than it had been for several years preceding the war.

I remember with what apprehension I went to Paris in the beginning of October, 1939, when it seemed possible that the Germans would follow up their victories in Poland by a blitz attack on France. But as months went by and nothing happened I took this state of suspended warfare for granted, and actually went poking about France for subjects for articles. I felt a sense of personal outrage, as if at an intrusion, when the anti-aircraft guns woke me early on the morning of May 10, 1940. Going out on the balcony of my hotel room, I looked up and for the first time saw a German plane in daylight over Paris. It was part of the wide-flung air reconnaissance accompanying the ground attack, which had already started. The sleepy people, leaning against their windowsills and peering upward from the buildings on all four sides of the quiet square I inhabited, seemed to sense that the war was on at last, but none of them headed for shelters. I had a luncheon appointment with Captain de Villelume Sombreuil, a friend I had made on the front in Alsace, but he telephoned to say that his leave had been canceled and he was returning to his division immediately. During the day, although there were vague reports of disaster, the crowds were fascinated rather than panic-stricken. Only a few politicians and their French journalistic confidants, and a few high officers of the Army knew what probably impended. They knew how weak the Army really was, and how insignificant the *Armée de l'Air*, the Air Force.

A few sensible Frenchmen, intellectuals like Jacques Debû-Bridel, the author of the fragment of *Pages de journal* which is the first selection in this book, had a presentiment that something was somehow amiss, that the "automobile" was still without steering gear. But the premonition was based on small, alarming details like the one he describes rather than upon positive knowledge. As for the Army rank-and-file, their feelings are expressed in the short letter sent to me on the morning of the tenth by my good friend Jean-Paul Salen, at that time a *caporal-dépanneur* in the Seventeenth Battalion, Chasseurs à Pied, serving as armored infantry. A *dépanneur* is a chap who repairs vehicles *en panne*, which means out of whack. In an armored division he functions on the battlefield. Jean-Paul was at that time an intelligent, good-humored man of twenty-nine, with the equivalent of an American prep school education. He had been an automobile draughtsman in civil life and had played a lot of ice hockey. He had not been untouched by the economic and political troubles of the late thirties. For one thing his father had lost his money, which had left Jean-Paul a member of the middle class only by courtesy and education. For another, many friends among his contemporaries had joined fascist and pseudo-royalist groups and urged Jean-Paul to come along. There, as in some circles here before the war, it had become a fashion to blame democracy for every personal misfortune or shortcoming. When Jean-Paul declined, his friends had accused him of being *veule*, which means spineless. This is Jean-Paul's letter:

Vendredi 10 mai

Dear Jo,

Merci mille fois pour l'envoi que j'ai bien reçu. Que dire sinon que l'on fait l'impossible pour garder son sang-froid[1] et sa patience?

Nous en sommes toujours à[2] nous perfectionner et l'on

1. *garder son sang-froid:* keep cool. 2. We are still in the process of.

ronge le frein[1] à rester sur place. Mais peut-être partirons-nous bientôt, surtout après lcs événements d'aujourd'hui.

Aujourd'hui nous avons vu un défilé constant de voitures venant du Luxembourg. On voyait bien[2] que ces gens avaient ramassé leurs biens et avaient filé.[3] Particularité[4]: 90% de voitures américaines.

Personnellement je suis toujours chef d'équipe[5] au garage et le moins que l'on puisse dire c'est que l'on ne chôme pas.[6] D'après les dernières lectures que j'ai pu faire, j'ai l'impression que les Etats-Unis ne tarderont pas à rentrer dans la danse.[7]

Je crois que la vraie bagarre[8] va commencer dans un certain sens. Tant mieux, cela sera comme un abcès que l'on crève,[9] en tout cas cela sera l'approche de cette fin tant voulue.

Il m'est impossible de ne pas penser continuellement à mes parents qui à Paris sont plus exposés que moi.

Merci encore pour tout ce que vous faites pour nous et trouvez ici mes amitiés les plus sincères.

JEAN-PAUL

The letter contrasts sharply with a note I had had from him in November, 1939, during the *drôle de guerre*, the "funny war," when nothing happened. I think "funny" or "strange," by the way, is a better rendering of the French phrase *drôle de guerre* than "phoney war." Most Frenchmen felt that the war was genuine enough, but it just didn't proceed like any other war they had ever heard of.

14 novembre

Depuis deux jours, je suis à Verdun[10] et ma foi,[11] c'est très calme, il est vrai qu'on entend assez souvent la D.C.A.[12] mais cela mis à part,[13] on a parfois de la peine de se croire en guerre.

Nous prenons notre mal comme il vient et, avec la dé-

1. (*lit.*, champs the bit): chafes at inaction. **2.** It was obvious. **3.** (*colloq.*): beat it. **4.** (a) detail. **5.** *chef d'équipe:* foreman (of a tank-repair) crew. **6.** *l'on . . . pas:* we're not loafing. **7.** *rentrer . . . danse:* join in. **8.** scrap. **9.** (*lit.*, bursts): breaks open. **10.** Fortified town in N.E. France, scene of repeated German checks in World War I. **11.** really. **12.** *Défense contre avions:* anti-aircraft defense. **13.** *cela mis à part:* with that exception.

brouillardise[1] bien caractéristique du petit[2] soldat français, on arrive à se faire une petite vie à soi et on arrive à se persuader qu'il y a des plus malheureux que nous.

Meilleures amitiés à vous et aux autres.

J. P.

In neither of these letters, however, will you notice any pessimism or unwillingness to fight. As a matter of fact the armored division to which Jean belonged fought well, although it was ordered into a series of retreats that the men naturally had difficulty in understanding. The French High Command, among other whimsies, stuck to the seventeenth-century doctrine that a unit must pull out as soon as it is flanked, which the Germans disregarded. The division finished the campaign intact, and earned the nickname of *La Division Malgré*, the In-Spite-of-Everything Division. The armored division to which Vladimir Pozner, a young man of Russian parentage born in Paris, was attached did not fare so well, as you will judge from *La Bataille de la Loire*, the long narrative that you will soon read. And yet even there you will note that the protagonists volunteered for what seemed a dangerous duty (although of course they grumbled), and you will see how the tight-fisted and apparently apathetic peasants could still be wheedled into giving up their precious gasoline to help win a battle.

The story that the French Army was "rotten to the core" and the men unwilling to fight, even before the breakthrough began, is a lie or at most a small fraction of a truth. Most of the bad things said about the military doctrine, the functioning of command and the lack of preparation, however, are unfortunately true. It was after the promised French airplanes failed to materialize above the battle lines, after the men had lost confidence in their officers, after they had found that 25-millimetre "anti-tank" guns are as effective as anti-tank bean shooters, that morale began to crack. Tell it not at a Fourth of July celebration, but there were several occasions later in the war when the morale of American units going into action

1. ability to get along. **2.** common.

for the first time was uncertain, too. Success breeds confidence; failure from the outset will ruin almost any troops.

With Debû-Bridel's little piece, we find ourselves in the sphere where there was foreboding, even at the kick-off. Debû-Bridel, who is about forty years old now, was of course mobilized in 1939. Before the war he had already written several novels, and had won the second most important annual award for novels, *Le Prix Fémina*, with *Jeunes Ménages* in 1936. He was not a Marxist. On the occasion of the award of the Prix Fémina he had got into a violent literary quarrel with Claude Morgan, a young Communist writer who had written a review panning the prize book unmercifully. This is worth mentioning only because later, in the Resistance movement, Debû-Bridel and Morgan became close associates.

This fragment of his journal, written in occupied France, was first published, illegally of course, at Easter, 1943, in *Chroniques interdites*, the "Forbidden Annals." *Chroniques interdites* was a book gotten out by *Les Editions de Minuit*, "Midnight Publications," a Resistance publishing house that functioned for two years under the noses of the Germans. The piece first appeared under Debû-Bridel's Resistance signature, Argonne. No Resistance writer, naturally, dared use his own name. There was a fashion among these literati of taking the names of regions or towns (not of provinces or departments properly speaking) as pseudonyms. It is as if in an American underground men took names like Panhandle or Catskills or Eastern Shore. A man did not take the name of the district where he was born, or lived, because that might identify him. I don't know why Debû-Bridel chose Argonne. He had several other names in the Resistance — Octave and Duval were among them. Debû-Bridel's misgivings because the newspapers published Hitler's speech without comment, paralleled the disquiet of American correspondents who learned on the same day that German air attacks on railroad centres had been virtually unopposed and precious airplanes had been destroyed on the ground, although the French High Command had had nine months to study the lessons of the Polish campaign. Not even the censors were functioning, Debû-Bridel noticed.

PAGES DE JOURNAL[1]

PAR JACQUES DEBÛ-BRIDEL (ARGONNE[2])

Paris, 10 mai 1940

LES ÉDITIONS SPÉCIALES[3]

Mettant à profit mon premier jour de permission,[4] je sortis tardivement. Le ciel bleu, l'air frais de Paris, le roucoulement[5] des pigeons se faisant des grâces,[6] trempant leurs pattes de corail[7] dans l'eau du ruisseau, deux petites communiantes[8] s'en allant vers l'église Saint-Sulpice,[9] la perspective de partir bientôt rejoindre les miens[10] en Bretagne, c'en était assez pour effacer l'impression douloureuse de notre brutal réveil. C'était le printemps après tout!

Dans la rue, le regard grave, l'air de commisération avec lesquels parurent me considérer deux vieux charpentiers revenant de leur travail, me surprit. Un groupe d'étudiants me dépassa, ils parlaient haut.

—Je te dis que c'est impossible. Aucun rapport avec[11] 1914, aucun rapport, tu m'entends?

— Ils sont forts pourtant. Pense à Trondjem![12]

— Trondjem? Aucun rapport.

Voilà les étudiants qui daignent s'occuper de la guerre! C'est sans doute l'effet de l'alerte.[13]

— Epouvantable! oui, ma pauvre dame, épouvantable de revoir ça à notre âge, confiait sur le pas[14] de sa porte la mercière[15] du « Petit Bénéfice » à une cliente qui semblait très émue et se borna à répondre:

— Et pas moyen[16] d'avoir un journal.

Les journaux du matin achetés par Jean et laissés dans

1. From *Chroniques interdites*. **2.** The names under which the authors wrote during the Resistance will be indicated in parenthesis. **3.** newspaper extras. **4.** leave, furlough. **5.** cooing. **6.** *se . . . grâces:* preening themselves. **7.** *de corail:* coral-colored. **8.** girls going to church for their first communion. **9.** church near the Boulevard St.-Germain. **10.** my folks. **11.** (*il n'y a*) *aucun rapport avec:* it has nothing in common with, nothing to do with. **12.** Trondheim, Norwegian port which the Germans took in the invasion of Norway in 1940. **13.** air-raid alarm. **14.** threshold. **15.** drygoods dealer (*f.*). **16.** *pas moyen de . . .:* no way to . . .

l'entrée annonçaient simplement l'occupation de l'Islande[1] par l'armée anglaise et traitaient[2] longuement de la double crise[3] ministérielle de Londres et de Paris: Chamberlain là-bas, ici les sous-secrétaires d'Etat de Paul Reynaud. Boulevard Raspail, autour du vendeur d'une édition spéciale, hommes, femmes, enfants étaient assemblés s'arrachant les exemplaires.[4]

Les passants s'abordaient, se penchaient sur la feuille du voisin, discutaient.

— Nul doute, le bombardement de la nuit avait dû faire de sérieux dégâts.[5]

Je hâtai le pas vers l'essaim.[6] Un détail m'intrigua. Les titres s'élargissaient, en lettres hautes d'un pouce,[7] sur les cinq colonnes de la première page du premier journal que j'aperçus; les sous-titres semblaient remplir toute la page.

— Cela a donc été si grave?

— Oh! oui, Madame, fit[8] derrière moi un gros homme à moustache blanche, cette nuit la Belgique, la Hollande et le Grand Duché de Luxembourg...

C'était donc ça?...

L'invasion de la Belgique! Comme un film très rapide quelques souvenirs de 1914 défilèrent,[9] le roi Albert,[10] sa photographie aux côtés de la reine Elisabeth et de deux jeunes princes de mon âge, la résistance de Liège.[11]... Sans transition, je vis apparaître deux uhlans[12] à cheval, lance à la main, une image de mon livre de lecture quand j'avais dix ans, une scène de 1870. Puis d'autres cavaliers, sabre au clair,[13] qui sortaient, ceux-là, d'un volume d'Erckmann et Chatrian.[14] Quelque chose me serrait le cœur, par en bas, le sang tapait contre mes tempes. Par un réflexe stupide, je me mis à rire niaisement,[15] rire indécent qui me secouait, garçonnet déjà,[16] lorsque j'avais fait une sottise, que je redoutais une punition,

1. Iceland. **2.** discussed. **3.** the fall of Chamberlain in England and the shakeup in the State Department in France. **4.** copies. **5.** damage. **6.** (*lit.*, swarm): crowd. **7.** inch. **8.** *fit = dit.* **9.** paraded by. **10.** the gallant King of Belgium, Albert the First, who valiantly resisted the Germans after they had violated his country's neutrality in 1914. **11.** Belgian city famed for its heroic resistance to the Germans in 1914. **12.** (Prussian) lancers. **13.** *sabre au clair:* with drawn sabre. **14.** Erckmann and Chatrian were co-authors of popular French historical novels published at the end of the 19th century. **15.** foolishly. **16.** *garçonnet déjà:* when still a little boy.

ou lorsque j'apprenais une triste nouvelle. Ce rire à contretemps,[1] que de reproches, que de gifles, que d'avanies[2] il m'avait attiré! Je n'en étais point guéri. Une voix acerbe[3] me le fit regretter une fois de plus.

5 — Tu ne riras pas toujours! Tu verras!

C'était une jambe de bois[4] de l'autre guerre, indigné par mon accès d'hilarité insolite.[5] Exaspéré de ma sottise, je parvins non sans peine jusqu'à la marchande; je lui arrachai des mains les éditions spéciales « L'INTRANSIGEANT » et « PARIS-
10 SOIR. » D'un trait,[6] renonçant à tous mes projets, je regagnai l'appartement, toujours poursuivi par les cavaliers, sabre au clair, du volume d'Erckmann et Chatrian.

Sur huit colonnes en lettres hautes de trois centimètres, *Paris-Soir*[7] imprimait: « Les Allemands ont envahi ce matin la
15 Hollande, la Belgique et le Luxembourg », et en lettres de six centimètres:

L'ARMÉE FRANCO-ANGLAISE
appelée au secours
A FRANCHI LA FRONTIÈRE BELGE

20 Puis les quatre colonnes de droite annonçaient:

Nancy, Lille, Colmar, Lyon, Pontoise,
Luxeuil sont bombardées
par les Allemands
Il y a des morts et des blessés dans la
25 **population civile**

1. out of place, at the wrong time. **2.** humiliations. **3.** harsh. **4.** *une jambe de bois:* (a man with) a wooden leg. **5.** out of place. **6.** *d'un trait:* in a jiffy. **7.** *L'Intransigeant* and *Paris-Soir* were well-known Parisian evening

Bien sûr! Cette affirmation était par trop niaise.[1] Fait-on la guerre sans tuer? Depuis quand?

> En raison des circonstances, M. Paul Reynaud a remanié[2] son cabinet. MM. Louis Marin et Ybarnégaray[3] deviennent ministres d'Etat et membres du cabinet de guerre. 5

La colonne de droite nous apportait un relan[4] des débats de la veille, déjà vieillis, d'un autre monde.[5] Malhabile[6] à entreprendre la lecture de ce journal tout en capitales, véritable 10 affiche,[7] je pris l'autre. Ici, tous les titres s'étalaient sur la page entière:

> **BELGIQUE, HOLLANDE ET LUXEMBOURG ENVAHIS PAR LES TROUPES ALLEMANDES**
>
> **Les armées françaises et britanniques sont immédiatement entrées en action** 15

Et en plus petits caractères,[8] cette étrange répétition:

> « Aux premières lueurs du jour les troupes allemandes ont commencé à pénétrer en Hollande, en Belgique et en Luxembourg. 20 Les troupes françaises avaient été alertées pendant la nuit. »

---

papers of pre-war days. Both affected a snappy, "American" style of journalism, with lively make-up, numerous photographs, many by-line writers, frequent editions and an elaborate pretense of objectivity, in contrast with the old overtly political type of French newspaper. *Paris-Soir*, founded later than its rival, soon surpassed it. It had a circulation of 1,500,000 in 1939. Its founder and pulisher, Jean Prouvost, heir to a textile fortune, was later Minister of Information in the Vichy Government. L. The six cities mentioned in the dispatch are located respectively in Eastern France, in Northern France, in Alsace, in the Rhône Valley, near Paris, and near Switzerland.

1. *par trop niaise:* too foolish for words. **2.** reshuffled. **3.** two rightist politicians. **4.** *nous apportait un relan:* gave us a rehash. **5.** *d'un autre monde:* (already) belonging to another (bygone) world. **6.** Unequal. **7.** poster. **8.** in smaller type.

Puis de nouveau des lettres de cinq centimètres:

DE NOMBREUSES VILLES FRANÇAISES BOMBARDÉES, DES MORTS, DES BLESSÉS, DES MAISONS DÉTRUITES

5 Enfin, revenant aux caractères ordinaires[1] des titres, ces précisions:

> « L'aviation allemande qui a survolé[2] le territoire français a bombardé cette nuit et ce matin un certain nombre de
> 10 nos villes.
> Des dépêches laconiques informent que des appareils[3] ennemis ont lancé des bombes sur Pontoise, Lille, Colmar, Nancy, Lyon, Luxeuil, etc. . . . On si-
> 15 gnale des morts et des blessés à Nancy, des soldats tués à Lyon, des usines détruites aux environs de Lille. Trois bombes ont été lancées sur Colmar. »

Plus bas encore, des titres énormes, mais divisés chacun sur
20 un tiers de la page.

A gauche à la place d'honneur:

LE FÜHRER ANNONCE: L'HEURE DES COMBATS DÉCISIFS EST ARRIVÉE

Une proclamation de Hitler aux soldats allemands
25

1. to the regular type. 2. flew over. 3. planes.

Par le caprice étrange de ce journal, c'est une proclamation de Hitler qui devait mettre de prime abord [1] le lecteur français en contact avec l'événement. Hitler nous parle. Hitler seul! J'écoute donc le Führer:

> « L'heure des combats décisifs est arrivée, nous dit-il. Depuis trois cents ans, les dirigeants [2] anglais et français se sont efforcés de faire échouer une consolidation réelle de l'Europe, mais surtout de l'Allemagne. Ils ont tenu l'Europe, mais surtout l'Allemagne dans la faiblesse et dans l'impuissance pour atteindre ce but. »

Trois cents ans! Je ne suis pas fort en mathématiques, je dois calculer, 1940 à 1840, 1740, 1640. . . . Ah! oui, le traité de Westphalie, 1648, [3] « le chef-d'œuvre de la diplomatie française », le début de la liberté religieuse, les libertés germaniques. . . . Impossible de ne pas rêvasser. [4] C'est à l'équilibre [5] européen que le Führer s'en prend, [6] l'équilibre ou l'Empire. Revoilà le défilé des cavaliers d'Erckmann et Chatrian suivi par la progression des uhlans de mon livre de lecture . . . 1815, [7] 1870, [8] 1914 [9] . . .

Je reprends ma lecture:

> « La France seule en deux cents ans a déclaré la guerre à l'Allemagne trente-et-une fois. »

Deux cents ans, 1940 à 1840 . . . 1740 . . . Trente-et-une fois! . . . J'essaie de rassembler mes souvenirs. L'Allemagne?

1. *de prime abord:* at first, from the very first. **2.** rulers. **3.** The Treaty of Westphalia, between German princes, France and Sweden, put an end to the Thirty Years' War, and gave to the princes of Northern Germany religious liberties and the right to make separate alliances. Thus it hindered the Austrian policy of hegemony. It also gave Alsace to France. **4.** dream idly, muse. **5.** balance of power. **6.** *s'en prend* (*s'en prendre à*): assails. **7.** *1815:* Waterloo, where Prussian troops contributed to the final defeat of Napoleon. **8.** The war between Prussia and the France of Napoleon III. **9.** The beginning of World War I.

Qu'est-ce à dire en 1740?[1] Autriche?[2] Prusse?[3] Bavière?[4] Frédéric II.[5] Marie Thérèse.[6] Joseph II.[7] Guerres de Louis XV.[8] Terrain mouvant.[9] 1740 . . . guerre de succession de Pologne,[10] guerre de succession d'Autriche,[11] guerre de 5 sept ans.[12] Puis la paix jusqu'en 1792.[13] Louis XVI et l'Autrichienne,[14] puis, hum, la Révolution, 1799,[15] 1802,[16] 1804,[17] 1807[18] . . . Est-ce la France qui déclarait la guerre 1810,[19] 1815, 1870, 1914? . . . Allons, cela fait douze fois, Rien à faire, je ne comprends pas. Il dit trente-et-une, mais 10 oui, et une fois.[20] Je demanderai à Rouvier, le professeur sait tant de choses que j'ignore! Mais pourquoi diable[21] imprimer cela en première page de ce journal, sans explication, sans rectifier, sans remettre au point,[22] sans discuter? Tous les pauvres gens encore plus ignorants que moi, hommes et femmes, 15 vont le lire. Et ils le croiront. Ils en discutent déjà!

— Pourtant, t'as vu, c'est nous qui avons déclaré trente-et-une fois la guerre à Hitler, non, je veux dire à l'Allemagne, en deux siècles.

1. What did it (the word "Germany") mean in 1740? (A natural question to ask, since German unity was only attained in 1871, after the defeat of Napoleon III.) **2.** Austria, which first tried to unify Germany. **3.** Prussia, which from the time of Frederick the Great, was Austria's outstanding rival, in the struggle for hegemony over Germany. **4.** Bavaria, a southern province of Germany, long an independent kingdom hostile to Prussia and Austria. **5.** Frederick the Great (1712–1786), King of Prussia, and architect of Prussia's military power. **6.** Maria-Theresa (1717–1780) of Austria fought both the Elector of Bavaria and Frederick II of Prussia. **7.** Joseph II (1741–1790), son of Maria-Theresa, Holy Roman Emperor, famous throughout central Europe for ushering in the age of enlightenment. **8.** The wars of Louis XV (1710–1774) of France, enumerated several lines below. **9.** shifting ground. **10.** War of the Polish Succession (1733–1735), fought against Austria, to uphold Stanislas Leszinsky's pretentions to the throne of Poland. **11.** War of the Austrian Succession, also fought against Austria. It ended with the peace of Aix-la-Chapelle (1748). **12.** The Seven Years' War, fought against Prussia and England (1756–1763). **13.** *1792:* when the Kings of Europe declared war on the French Revolution. **14.** King Louis XVI, who began to reign in 1774, was guillotined in 1793. Marie-Antoinette, daughter of Maria-Theresa, his unpopular wife, was nicknamed "l'Autrichienne" (the Austrian woman). **15.** *1799:* Napoleon assumed power through a coup d'état; he went on fighting Austria until a peace treaty was signed in 1801. **16.** *1802:* Peace Treaty of Amiens with the English. **17.** *1804:* Napoleon became Emperor. Shortly after, he undertook his 1805 campaign against Prussia, Russia, and Austria, and crushed them at Austerlitz. **18.** *1807:* Following a new successful campaign against Prussia in 1806, Napoleon fought the Russians and signed the Peace of Tilsit (1807). **19.** *1810:* Napoleon at the height of his power, married Marie-Louise of Austria. **20.** *trente-. . . fois:* thirty and one, and I really mean *and one*, times. **21.** why on earth. **22.** *sans . . . point:* without due correction.

— Oh ! c'est pas vrai,[1] c'est pas vrai !

— Si je te dis, c'est dans *L'Intran*. Tiens, là, regarde !

— Mais farceur,[2] c'est Hitler qu'a dit ça.[3]

— Oui, oui. Mais si c'était pas vrai, du bluff, quoi, ils le diraient bien sur le journal. S'ils disent rien, c'est que c'est la vérité. Leur déclarer la guerre trente-et-une fois, c'est beaucoup !

Il me semblait entendre discuter mes camarades à la cantine. J'assistais au triomphe d'Antoine, l'homme de main du P.P.F.,[4] le fasciste ! J'observais l'œil vague,[5] la mine dégoûtée et inquiète de mes braves[6] paysans, des postiers consternés[7] faisant appel aux bribes[8] des souvenirs de leur certificat d'études.[9] Ils ne voulaient pas y croire ! Trente-et-une fois la guerre déclarée à l'Allemagne en deux siècles !

Une fois tous les sept ans !

Ils doutaient un peu maintenant de notre cause. C'était écrit là, en première page sur le journal, sans protestation aucune et cela quand les Allemands entraient en Belgique comme en 1914.

Bon sang ![10] A quoi rêvait le journaliste imbécile qui avait mis en vedette[11] ce discours?

A quoi cela rimait-il?[12]

En une heure si grave j'étais distrait de ce qui menaçait nos vies, essayant de m'expliquer à quoi correspondaient ces trente-et-une déclarations de guerre. D'autres par milliers s'inquiétaient du rôle joué par leur pays ou bien s'empressaient déjà de condamner son impérialisme pour justifier leur répugnance à tout risquer pour le défendre.

A quoi servait la censure?[13] Quelque puissance mystérieuse travaillait-elle vraiment sans relâche[14] à jeter le trouble[15] parmi nous? . . .

1. *c'est pas vrai = ce n'est pas vrai.* In popular speech the particle *ne* is often suppressed. Cf. *S'ils disent rien* a few lines further. **2.** (*lit.*, you joker): "you dope." **3.** *colloq. for "qui a dit ça."* **4.** *homme . . . P.P.F.:* henchman (hired gunman) of the Parti Populaire Français (*a fascist organization*). **5.** the blank gaze. **6.** good. **7.** dismayed postal employees. **8.** odds and ends. **9.** *certificat d'études:* examination given to French school boys around the age of twelve, when they have completed their course of elementary education. **10.** Good grief ! **11.** *mis en vedette:* featured. **12.** What was the point of all this? **13.** censorship. **14.** *sans relâche:* unremittingly. **15.** confusion.

ANOTHER note from Jean-Paul conveys a different tone and tempo. "I can't say where or how I'm still alive." The souvenir he sent was a bit of metal from a Dornier[1] which he had fashioned into a watch charm. On that day, in Paris, there was a strong rumor that the Germans had penetrated the city limits. A patrol had arrived pretty close to it, but the city was not to fall for four more weeks.

Vendredi 17

Dear Jo,

Juste un petit mot pendant un instant de répit pour vous envoyer un petit souvenir d'un Dornier qui est tombé non loin de nous il y a huit jours. Ainsi j'ai eu le temps de le façonner[2] et de le rendre un peu plus présentable.

Impossible de vous dire par où ni comment je suis encore en vie. Tout ce que je peux dire c'est que le hasard fait parfois bien les choses.

Mille amitiés.

J.P.

Pozner's piece, which follows, is I think a great picture of the disintegration of an army, the saddest thing a man can see. I like to think that at least a few of the Germans who took part in the campaign of France survived to witness the disintegration of their own. "Six weeks," the soldier Mirabelle says, "and to think that there once was a time when they fought a Hundred Years' War." The selection is formed out of the third and sixth chapters of Pozner's novel, *Deuil en 24 heures*, "Mourning on Short Notice," which he wrote and published in America in the fall of 1940, after escaping from France. The novel is formed of several intertwined narratives, of which the history of the last tank is one. Nothing that happens in chapters four or five interferes with the continuity of this particular story.

1. German medium bomber used in the early part of the war. 2. work on it.

DEUIL EN 24 HEURES[1]

PAR VLADIMIR POZNER

UN CHAR CHERCHE SON CHEMIN

Ils sentaient[2] le cuir, le tabac, l'essence, et plaisaient aux femmes. Le lieutenant les dévisagea avant de leur parler. Leur casque sans visière, bourrelé de cuir[3] par devant, avec sa large jugulaire,[4] affinait[5] les figures où brillaient les yeux rougis par la conjonctivite, maladie professionnelle des tankeurs. 5
Il était jeune, le lieutenant, et il aimait les belles phrases.

— Il m'en faut trois, dit-il, pour une mission dangereuse, mais il y va du bien de la patrie.[6]

Pataud,[7] Vandervenne s'avança le premier. L'officier examina les autres, évitant des yeux Moustier dont la démarche 10 dégingandée,[8] la manière de saluer sans y croire, impliquaient un subtil mépris pour le métier auquel il était momentanément astreint.

— De quoi s'agit-il? demanda Moustier de sa voix traînante,[9] et après une fraction de seconde, il ajouta: Mon lieutenant.[10] 15

Ce n'est pas réglementaire,[11] pensa l'officier, mais la situation ne l'était pas davantage, et il n'avait plus de secrets pour cette poignée d'hommes — tout ce qui restait de leur bataillon.

— Il s'agit du tank, dit-il.

Le char se reposait à l'ombre des arbres, énorme et bis- 20 cornu,[12] triplement camouflé de couleurs, de boue et de branches vertes. A travers la portière ouverte, on apercevait les obus de 47,[13] rangés dans leurs alvéoles,[14] et des bandes[15] de mitrailleuses accrochées à la paroi.[16] L'antenne avait été emportée par un éclat,[17] ce qui importait peu, la T.S.F. du 25 bord[18] ne fonctionnant plus. Cela non plus n'avait pas d'im-

1. The title comes from the stock phrase of business firms specializing in making funeral clothes on short notice, *i.e.*, on 24-hours' notice. **2.** smelled of. **3.** *bourrelé de cuir:* leather-padded. **4.** chin-strap. **5.** accentuated. **6.** *il y va . . . patrie:* the welfare of our country is at stake. **7.** awkward(ly). **8.** gangling. **9.** drawling. **10.** In the French army, it is customary to use the possessive adjective *mon* when addressing an officer. **11.** according to regulations. **12.** shapeless. **13.** 47-mm. shells. **14.** compartments. **15.** cartridge-belts. **16.** wall (of the tank). **17.** shell fragment. **18.** *T.S.F. du bord:* (*lit.*, the radio aboard); the tank radio. T.S.F. is the abbreviation for *télégraphie sans fil.*

portance: le char n'avait plus d'ordres de combat à recevoir, plus de combats concertés à livrer. Tous ceux de son espèce étaient restés sur la Meuse, leurs réservoirs taris[1] au bout de quelques kilomètres, leurs munitions épuisées quelques heures 5 plus tard. Seul survivant d'un genre éteint, il s'était évadé: son poste de T.S.F. rendu sourd-muet[2] au milieu du combat, le radio,[3] incapable d'interpréter des ordres de suicide, s'était trouvé dans l'obligation de se fier à son bon sens. Le surlendemain, l'équipage retrouvait les renforts égarés. Il constata[4] 10 que les citernes[5] étaient pleines d'essence, et les camions, d'obus. Au cours des semaines qui suivirent, des réchappés[6] de la Meuse étaient venus s'agréger, par un phénomène de capillarité,[7] autour du tank-souvenir.[8]

— C'est le dernier char du bataillon, dit le lieutenant. Pour 15 rien au monde, il ne doit tomber aux mains des Allemands.

Il réfléchit: si le commandant était là, il changerait peut-être d'avis sur mon compte.[9] Mais le commandant n'était pas là, parce qu'on ne peut pas être dans deux endroits à la fois, et qu'il avait fui, l'avant-veille,[10] avec deux autres officiers, 20 dans la Peugeot[11] de l'état-major.

— Trois d'entre vous, poursuivit le lieutenant, feront l'impossible pour franchir les lignes ennemies et mettre le tank en sûreté. Nous autres, nous ferons un crochet par le nord,[12] à travers bois.

25 Il faillit ajouter: en prenant le chemin qu'a suivi la voiture du commandant, mais s'arrêta à temps. Quant au char, sa réserve d'essence ne lui permettait qu'une fuite rectiligne.[13]

— Si vous êtes encerclés, vous tirerez vos munitions jusqu'au bout et vous détruirez le char.

30 C'est trop demander, se dit-il. Il fut pris d'attendrissement pour ces hommes qu'il condamnait à mort, pour lui-même qui était condamné, lui aussi.

1. dried up. **2.** *rendu sourd-muet:* (*lit.*, deaf-mute); put out of commission. **3.** radio operator. Note that in the feminine, *la radio* means "radio." **4.** observed, noticed. **5.** refueling tanks. **6.** some who escaped, survivors. **7.** capillary action. **8.** *tank-souvenir:* souvenir tank (so called because, as the author explains in the next line, it is the last remaining tank in the battalion). **9.** (*lit.*, on my account): about me. **10.** the day before yesterday. **11.** make of French automobile, here used as a staff car. **12.** we'll loop around by the north. **13.** in a straight line.

— Je ne vous l'ordonne pas, dit-il, je vous le demande, entre hommes et Français. Vous êtes libres de . . .

— Ça colle,[1] dit Moustier.

Le lieutenant nota qu'un mégot[2] éteint pendait à sa lèvre inférieure, il eut envie de fumer, et s'attendrit encore davantage. 5

— Il m'en faut un troisième, dit-il.

Un soldat qui répondait au gai nom de Mirabelle[3] se détacha du groupe.

— J'irai où les potes iront,[4] dit-il en prononçant « potes iront » en un seul mot. Des rires discrets accueillirent sa 10 plaisanterie.

— Vous n'auriez pas une carte, mon lieutenant? demanda Moustier avec la même imperceptible hésitation avant le grade,[5] et sans attendre la réponse, il ajouta une de ses phrases favorites: Mais ça n'a aucune importance. 15

Les cartes devaient se trouver dans la pochette[6] de la Peugeot: le commandant avait tout prévu. Je pourrais leur donner la boussole, songea le lieutenant qui savait que celle du char était brisée. Mais les autres? Et moi?

— Nos cartes ne vous auraient servi de rien, fit-il, plus 20 sèchement. Elles s'arrêtaient à la Somme. Ici, nous devons être à une trentaine de kilomètres au nord de Paris. Roulez vers le sud, dit-il, parce qu'il venait de songer à la boussole, toujours au sud.

— C'est pas pratique, un char, dit Moustier. De l'intérieur, 25 on voit pas bien les étoiles.

Je dois la garder, songea le lieutenant, je dois la garder si je veux m'en sortir.[7] Je ne dois pas tomber prisonnier. La boussole lui brûlait la poche.

— Vous partirez immédiatement, dit-il. Je vous confie ce 30 char. Sauvez-le. Les Allemands ne l'auront pas: n'oubliez pas qu'il a coûté . . . Il n'avait aucune idée du prix d'un tank, et choisit un chiffre qui impressionnerait . . . il a coûté

1. (*colloq.*): O.K. It's a deal. **2.** cigarette butt. **3.** A *mirabelle* is a type of plum which grows extensively in eastern France. **4.** In slang, *pote* means "buddy." Mirabelle makes a pun on the word by running it together with the verb *iront* thus making it sound like *potiron*, a pumpkin. The pun may be preserved in English by translating as follows: "I'll go where any buddy (anybody) goes." **5.** Moustier is reluctant to address the officer by his rank. **6.** car pocket. **7.** *m'en sortir:* come out of it O.K.

un million. Il chercha une belle phrase, n'en trouva pas, répéta maladroitement: Je vous confie ce char.

— Et si les Fritz[1] sont déjà à Paris? s'informa Moustier.

Qu'a-t-il besoin d'insister? Que veut-il que je lui dise? 5 pensa le lieutenant. Il avait envisagé cette possibilité et, faute de solution,[2] s'était interdit d'y réfléchir. Il savait que la question de Moustier n'avait pas été dictée par la peur et ne lui en voulait que davantage.[3] Je devrais leur dire que Paris est libre. Il n'osa pas mentir. Une belle phrase, enfin, vint 10 le tirer d'embarras.

— Il y a encore de la place pour se battre en France, dit-il d'une voix malheureuse.

Les trois hommes s'étaient retirés à l'écart et rangeaient leur barda.[4] Ils avaient enlevé leur casque et pris figure humaine: 15 l'officier observa à la dérobée[5] les yeux à fleur de peau[6] dans le visage rond de Mirabelle, aux bajoues[7] couvertes de poils prématurément gris, la bouche en lame de couteau,[8] le nez aigu de Moustier, la grosse tête à la tignasse embroussaillée[9] de Vandervenne, ses bons yeux fidèles que la conjonctivite 20 faisait ressembler encore plus que d'habitude à ceux d'un saint-bernard. Ils se relevèrent, remirent leur casque, redevinrent pareils tous les trois, et semblables aux autres.

— J'y vais,[10] dit Vandervenne qui n'avait pas encore parlé, et il poussa difficilement son corps massif à travers l'étroite 25 ouverture dans le flanc du char.

— Givet,[11] c'est dans les Ardennes, dit Mirabelle, et il grimpa à son tour. Moustier monta le dernier.

— Salut,[12] les potes, dit-il. On se reverra un jour avec alcools.[13]

30 L'officier l'admira. Il y en a qui ont le courage facile, pensa-t-il. Il sourit, se reprocha aussitôt ce signe de nervosité, serra[14] dans la main de Moustier sa boussole et referma lui-même la lourde portière.

1. nickname for German soldier; *cf.* the American expression "Kraut." **2.** lacking a solution. **3.** *ne lui . . . davantage:* it angered him all the more. **4.** (*colloq.*): equipment, pack. **5.** *à la dérobée:* on the sly. **6.** *yeux . . . peau:* bulging eyes. **7.** (*familiar*): jowls. **8.** *bouche . . . couteau:* thin-lipped mouth. **9.** *tignasse embroussaillée:* shock of unruly hair. **10.** I'm off. **11.** A pun; *J'y vais* and *Givet* are pronounced identically. **12.** So long. **13.** over a bottle. **14.** pressed.

Il faisait nuit. Le char longeait la route serrant[1] la forêt qui la côtoyait[2] à gauche pour pouvoir, à la première alerte, se jeter sous bois. Assis sur le bas siège métallique, Vandervenne conduisait. Mirabelle se tenait à ses côtés. Moustier s'était installé dans la tourelle. Trois paires d'yeux scrutaitent les ténèbres extérieures. Le macadam de la chaussée, les troncs, étaient d'encre[3]; entre les cimes noires des arbres qui bordaient la route, on devinait une coulée d'ardoise mate[4]: le ciel.

Le moteur vrombissait.[5] Les chenilles[6] mordaient dans l'herbe humide, pulvérisant au passage les bornes kilométriques.[7]

A la lumière de sa torche électrique, Moustier consulta la boussole. La route s'écartait légèrement du sud vers l'est. On verra bien, pensa-t-il. Il se passa la langue sur les lèvres en évitant le mégot éteint qui y était resté collé.

Vandervenne se pencha pour regarder la jauge d'essence.[8] Il y en avait encore de quoi[9] rouler une trentaine de kilomètres. On en trouvera à Paris, songea-t-il. Il ne connaissait pas Paris. Dans le civil, il était chauffeur de poids lourds[10] et conduisait des camions aux mines d'Anzin.[11] Le Nord sera encore tout détruit, réfléchit-il. On avait mis vingt ans à le reconstruire. Il faudra remettre[12] ça pendant vingt ans. C'est dur, quarante années de guerre,[13] c'est trop dur. Il éprouva une vague envie d'en parler à Mirabelle, mais se tut, comme d'habitude.

Des reins,[14] il sentit que le char venait de franchir un minuscule obstacle, un arbre sans doute. Il ne voyait rien et longeait la forêt comme un aveugle avance en se tenant à un mur. Les paroles du lieutenant lui revinrent subitement à la mémoire. Un million, pensa-t-il, mon Dieu, un million.

Un canon gronda tout près.

— Arrête ! hurla Mirabelle à l'oreille de Vandervenne, mais

1. hugging. **2.** bordered. **3.** ink-black. **4.** *coulée . . . mate:* dull slate-colored streak. **5.** roared. **6.** treads. **7.** kilometer markers; *cf.* milestones. **8.** gas-gauge. **9.** *encore de quoi:* enough left. **10.** *chauffeur . . . lourds:* truck-driver. **11.** coal mines in the North of France. **12.** (*colloq.*)*:* do it all over again. **13.** Vandervenne considers the present war a continuation of World War I. **14.** In the small of his back.

déjà le char avait viré et s'était tapi[1] entre les arbres. Ça y est,[2] pensa Mirabelle.

Les trois hommes attendirent le coup suivant. Il ne venait pas.

5 — Coupe les gaz,[3] dit Mirabelle.

Le silence emplit le tank comme l'eau un verre.

— Je vais jeter un coup d'œil dehors? proposa Moustier.

— Tu es fou, dit Mirabelle. Il avait chaud et mal au ventre. De l'extérieur, parvenaient des craquements de branches. 10 Mirabelle vit se profiler dans la nuit un canon de fusil, deux, trois fusils braqués sur[4] la portière du char.

— N'ouvre pas, chuchota-t-il, tu n'entends donc pas.

Des frôlements ridaient la surface du silence, des bruits de pas, des froissements sourds. Le canon se taisait.

15 — Ils attendent, dit Mirabelle.

Un corps mou fit plouf![5] sur le toit du char. Vandervenne leva la tête, gravement, ne dit rien.

— Tu as les foies, coco,[6] affirma Moustier en souriant des yeux, sans s'adresser à personne en particulier, et il ajouta: 20 Moi aussi.

Il écouta quelques instants; on ne savait pas s'il guettait[7] les bruits, à l'extérieur, ou sa propre peur.

— Mais ça n'a aucune importance, conclut-il, et d'un mouvement brusque il entr'ouvrit la portière et regarda de-25 hors.

Du fond de son abîme,[8] Mirabelle entendit le ricanement de son camarade et sa voix qui disait:

— Venez voir.

La forêt était toujours aussi noire, mais à présent chaque 30 branche se découpait sur le ciel cramoisi.[9] Des reflets roses miroitaient[10] à la surface de l'asphalte humide de la route.

— Incendie quelque part en France, fit Moustier, et il sauta par terre.

Mirabelle s'approcha prudemment de la sortie, regarda à 35 son tour. Moustier s'était penché et flattait[11] de la main un

1. had taken shelter. **2.** This is "it." **3.** Cut the motor. **4.** pointed towards. **5.** went "plump!" **6** *Tu . . . coco* (*colloq.*): You're scared stiff, kid. **7.** was listening to. **8.** cavernous depth. **9.** crimson. **10.** were mirrored, glistened. **11.** was patting.

petit veau. Tout jeune, noir et blanc, il tremblotait sur ses pattes trop grêles.[1] En apercevant son camarade qui l'observait, Moustier se redressa brusquement.

— L'incident est liquidé, fit-il: une autre de ses expressions favorites.

Mirabelle ne dit rien; enfant,[2] dans l'étable de son père, il avait le droit de caresser le poil encore humide des veaux nouveau-nés.

Une fois de plus installé dans la tourelle, Moustier regardait fuir le ruban rose de la route. Il consulta la boussole. La route filait droit au sud.

Surgie à droite,[3] entre les arbres, une rivière — un canal peut-être — s'accola[4] à la chaussée, la dédoubla.[5] Machinalement, Moustier chercha des yeux un pont, n'en trouva pas. Tout d'un coup, sur sa gauche, la forêt prit fin, et il aperçut les flammes.

A huit cents mètres devant lui, la rivière, embrasée,[6] s'incurvait à gauche, et dans le creux du coude,[7] un village semblait monter au ciel en un feu d'artifice.[8] Des toits se cabraient,[9] aspirés par la chaleur, et les murs, enduits[10] de flammes, palpitaient avant de s'écrouler dans le brasier.[11] Un clocher vacilla, se pencha, hésita — profilant sa flèche[12] noire sur le ciel orange — plongea la tête la première: Moustier crut entendre le tintement des cloches.

A sa gauche, dans la plaine, des milliers de camions neufs s'alignaient comme des soldats à la revue. On distinguait ceux de la première rangée, chacun vêtu de ses propres flammes, mais au-delà s'étalait une mer de feu où montaient par endroits les vagues plus claires des réservoirs d'essence éclatés.[13] Plus à gauche encore, commençait la forêt, arrosée de flammèches[14] et d'étincelles, et déjà des nids[15] de feu se logeaient entre les branches.

Mirabelle tira[16] Moustier.

— Viens vite! cria-t-il.

1. frail. **2.** as a child. **3.** Emerging on the right. **4.** clung. **5.** ran parallel. **6.** in flames. **7.** hollow of the bend. **8.** *en . . . d'artifice:* in a shower of fireworks. **9.** bulged. **10.** (*lit.*, coated): licked by flames. **11.** red-hot fire. **12.** spire. **13.** (which had) exploded. **14.** sprinkled with flaming brands. **15.** (*lit.*, nests): balls. **16.** tugged at.

Le char s'était arrêté, et dans le silence du moteur, on entendait gronder le feu.

— Alors?[1] dit Mirabelle.

Moustier sauta à terre, s'adossa au char, roula une cigarette, passa son paquet de gris[2] à Vandervenne qui était venu se mettre à la portière.

— Alors? dit-il à son tour.

— On pourrait essayer de revenir en arrière? suggéra Mirabelle sur un ton peu convaincu.

Il regarda Moustier qui allumait sa cigarette sans rien dire, et répondit lui-même:

— On n'a plus assez d'essence.

De nouveau, il jeta vers Moustier un regard rusé.

— Vous savez nager? s'informa-t-il.

Il attendit la réponse qui ne venait pas.

— Si l'on se tirait?[3] proposa-t-il à voix basse, mi-interrogateur mi-affirmatif. On traverse la rivière et là on se débrouillera[4] toujours, dit-il rapidement. C'est trois fois rien à traverser,[5] cette rivière, je te parie qu'on la passe à pied, ajouta-t-il, soulagé.

Moustier avait l'air de réfléchir.

— Et le char? demanda-t-il.

C'était la question que redoutait Mirabelle.

— On a fait ce qu'on a pu, s'écria-t-il avec irritation. Dis, Moustier, on se tire, on se tire, dis, dis, Moustier?

— Demande voir à Vandervenne,[6] fit Moustier, et il avala la fumée de sa cigarette.

— Oh, lui! Mirabelle haussa les épaules. — Mais toi, tu es d'accord, dis?

— Faut pas influencer le joueur,[7] dit Moustier: c'était la dernière de ses phrases favorites. Demande voir à Vandervenne.

— Non, dit soudain Vandervenne, et il se tut.

1. Well, what now? **2.** package of regulation tobacco issued by the army. It derives its name from the color (gray) of the paper wrapper in which this type of tobacco is packaged in civilian stores. **3.** *Si . . . tirait?* Let's beat it! **4.** we'll manage somehow. **5.** *C'est . . . traverser!* (*lit.*, it's three times nothing): It's a cinch to cross! **6.** Ask Vandervenne what he thinks. **7.** *Faut . . . joueur:* Mustn't "kibitz."

— Quoi, non? Comment, non? Qu'est-ce que tu racontes, ballot?[1] Mirabelle sautillait[2] d'impatience et de rage.

— Non, répéta Vandervenne, et il se détourna.

Moustier sourit des yeux et, mâchonnant entre les lèvres le mégot éteint, se mit à rouler une nouvelle cigarette. 5

— Tu veux te faire tuer, s'égosillait[3] Mirabelle, te faire griller vif, te faire trouer la peau[4] pour cette ordure?[5]

Il donna un coup de poing sur le flanc du tank. Il le haïssait, ce char stupide, il haïssait le lieutenant qui les avait envoyés à la mort, Vandervenne qui se taisait obstinément. 10

— Mais parle donc, espèce de salaud,[6] explique-toi, cria-t-il.

Vandervenne n'avait pas envie de parler. Il savait qu'il ne quitterait pas le char, quoi qu'il arrivât. La voix de Mirabelle l'agaçait: il avait besoin de silence. Il dit enfin:

— J'aime l'ouvrage bien fait. 15

Moustier sourit, et Mirabelle qui le guettait reprit espoir.

— Nous sommes trois, dit-il, il n'y a qu'à voter. Pour qui votes-tu, Moustier, pour moi ou pour ce ballot?

Moustier aspira la fumée, fit mine[7] d'hésiter. Ses yeux se plissèrent.[8] 20

— Je vote pour le ballot, dit-il.

Sans rien dire, Vandervenne remonta dans le char, attendit que les deux autres l'eussent suivi, remit le moteur en marche.

Ils avançaient lentement, bordés d'eau à droite, de feu à gauche, et droit dans le feu: la route s'enfonçait au milieu du 25 village embrasé.

Du revers de la main, Vandervenne essuya la sueur qui l'aveuglait. Par l'étroite fente devant lui, il ne voyait que le feu. Sur sa langue pâteuse,[9] il sentit un goût de sang: il avait dû se mordre les lèvres. Il devina que derrière lui Mira- 30 belle enlevait son casque.

— Garde-le, dit-il difficilement: ses lèvres lui faisaient mal.

— On est fichu,[10] cria Mirabelle.

On est fichu, pensa Vandervenne. Des poutres[11] enflammées venaient s'écraser contre les parois du char. 35

1. "you dope." **2.** hopped up and down. **3.** screamed. **4.** *trouer la peau* (*lit.*, have your skin riddled): get killed. **5.** this piece of junk. **6.** you dirty dog. **7.** *fit mine:* pretended. **8.** *Ses yeux . . . plissèrent:* He screwed up his eyes. **9.** parched. **10.** (*colloq.*): Our number's up! **11.** rafters.

— Le réservoir! hurla Mirabelle, n'y tenant plus.[1]

— Tais-toi! ordonna Vandervenne.

Il entendit derrière lui une nouvelle présence.

— Et maintenant . . . fit la voix de Moustier.

La route avait abouti à un pont de pierre. La bombe avait dû le toucher au flanc et le traverser de part en part,[2] il reposait sur les deux piles extrêmes, déchiré au milieu sur toute sa largeur. Vandervenne se tourna pour regarder par la fente de gauche. Les flammes affleuraient[3] le bord de l'eau.

— Tu t'arrêtes? glapit[4] Mirabelle.

Vandervenne avait du mal à garder les yeux ouverts. La sueur lui dégoulinait de sous le casque,[5] des sourcils, le long du nez, plus salée que le sang. La déchirure du pont était large de deux mètres, ou de trois. Elle se rapprochait, et à mesure qu'elle se rapprochait, ses lèvres semblaient s'écarter. Jamais le char n'y passerait. Vandervenne regarda par la fente de gauche, aperçut l'incendie renversé[6] dans la rivière noire. Le char se pencha en avant. Vandervenne ne vit plus le trou devant lui, pensa qu'il devenait fou. Le tank penchait toujours davantage. Ça y est,[7] se dit Vandervenne, il venait de comprendre. Il regarda sous ses pieds comme s'il allait y apercevoir le vide. Il ralentit encore. Je vais compter jusqu'à dix, songea-t-il.

L'avant du char remontait légèrement. Le pont hésita, tressaillit, ne s'écroula pas. Sur son épaule, Vandervenne sentit la main de Moustier. Devant lui, tout devint noir. Me voilà aveugle, pensa-t-il sans étonnement. Il dit:

— Prends ma place. Je vois mal.

Il se roula en boule[8] et s'endormit.

Lorsqu'il se réveilla, le char était arrêté, sa portière ouverte. Mirabelle et Moustier avaient disparu. La tête encore lourde, il descendit.

La nuit était toujours aussi opaque. D'abord Vandervenne ne vit rien. A tâtons, il contourna[9] le char. Dans le cercle de lumière d'une torche électrique, il aperçut un homme, assis

1. *n'y tenant plus:* unable to contain himself any longer. 2. through and through. 3. licked. 4. yelped. 5. *dégoulinait . . . casque:* dripped from under his helmet. 6. *incendie renversé:* inverted reflection of the fire. 7. This is the end. 8. *se . . . boule:* curled up. 9. Groping, he circled around.

sur le talus[1] de la route. Il était nu-tête, portait une chemise kaki et avait les mains empêtrées[2] dans du tissu, kaki également. Sa tête d'albinos pencheé,[3] il semblait absorbé dans un travail dont Vandervenne ne discerna pas la nature. Il se rapprocha de la lumière. La voix de Moustier retentit au-dessus de 5 l'endroit où se trouvait la torche.

— Est-ce que le chemin est libre? demanda-t-il.

L'homme déplaça la main droite, et Vandervenne aperçut, au bout de ses doigts, la lame d'un canif.

— Dis, coco, répéta Moustier, est-ce que le chemin est 10 libre?

Quelque chose brilla dans le tissu kaki, et l'homme y plongea avidement son couteau. Qu'est-ce qu'il peut bien faire?[4] se demanda Vandervenne. Il n'était pas sûr d'être réveillé.

— Alors, quoi?[5] La voix de Moustier se teintait[6] d'im- 15 patience.

L'homme leva la tête qui tremblotait comme un œuf mollet[7]: il ressemblait à un lapin sans oreilles.

— Mes respects,[8] dit-il, mes respects.

De nouveau, il enfonça la lame dans le tissu qui lui couvrait 20 les genoux.

— Est-ce que le chemin est libre? demanda Moustier pour la troisième fois.

L'homme réfléchit.

— Mais non, fit-il enfin avec un sourire d'enfant, mais non. 25 Les Allemands sont en face. Ils tuent les officiers. Vous ne passerez pas.

— Où est Paris? s'informa Moustier.

— Les Allemands sont à Paris, dit l'homme.

Vandervenne regarda sa chemise, en soie, ses bottes claires. 30 Il est en train de découdre ses galons,[9] comprit-il soudain. C'est un gradé.[10] Il faut prévenir Moustier.

— Je suis encerclé, dit l'officier avec un petit rire. Et vous aussi. Ils sont partout. Il n'y a qu'à s'asseoir et attendre.

L'idée lui plut. 35

1. bank. **2.** involved. **3.** *Sa tête . . . penchée:* His tow-haired head bent forward. **4.** What can he be up to? **5.** Well, come on! **6.** *se teintait de:* was edged with. **7.** *œuf mollet:* medium-boiled egg. **8.** Greetings. **9.** stripes. **10.** officer.

— C'est ça, asseyez-vous, messieurs, dit-il. Nous attendrons ensemble. Vous autres, vous n'avez rien à craindre.

Sa tête de lapin se fondit[1] dans la nuit: Moustier avait abaissé la torche.

5 — Ça n'a aucune importance, dit-il.

Le rond de lumière éclaira par terre trois minces galons d'or.[2]

— Merci, mon capitaine, dit Moustier sans hésiter avant le grade.

— On part?[3] demanda Vandervenne.

10 — Et ça?[4] s'enquit Mirabelle en indiquant de la tête l'endroit où devait se trouver l'officier.

— Oh, ça! . . . fit Moustier. On le laisse brouter.[5]

Ils remontèrent dans le char.

— On essaie de passer à travers les Fritz? demanda Moustier.

15 — Si Paris est pris . . . Mirabelle était indécis.

— Nous en avons encore pour une douzaine de kilomètres, dit Vandervenne en consultant la jauge d'essence.[6]

Moustier fit tourner la boussole.

— Essayons toujours, dit-il.

20 Ils chargèrent un obus de 47 et vérifièrent les mitrailleuses. Le char démarra.

Il faisait toujours nuit, mais l'on commençait à distinguer la route. Large et lisse,[7] elle était peuplée d'ombres. Le tank virait dans des chicanes d'ombres,[8] se cabrait[9] devant des 25 fossés d'ombres.[10] Il a dit que les Allemands sont en face, songea Mirabelle. Il était pris[11] de la torpeur qui suit les nuits d'insomnie, l'idée du danger l'effleura à peine.[12] On aurait dû emmener le pitaine,[13] réfléchit-il, il peut se faire mal avec son canif.

30 Une détonation emplit le char qui s'arrêta. Ça commence, se dit Mirabelle. Presque aussitôt, il vit le visage confus[14] de Moustier.

— J'ai cru que ça y était,[15] dit celui-ci, et j'ai tiré. Comme

1. faded away. **2.** *trois . . . d'or:* three thin gold stripes (of a French Army captain). **3.** Shall we be off? **4.** And that guy? (*Ça* is very contemptuous when used of a person.) **5.** graze. **6.** gas-gauge. **7.** smooth. **8.** *virait . . . d'ombres:* swerved in a criss-cross of shadows. **9.** reared. **10.** shadowy ditches. **11.** overcome. **12.** *l'effleura à peine:* scarcely grazed him. **13.** *pitaine=capitaine.* **14.** embarrassed look (on Moustier's face). **15.** *que . . . était:* that we had run into it.

un imbécile. Sur des arbres. S'ils sont par ici, nous voilà repérés.[1]

Cette pensée même ne fut pas trop désagréable à Mirabelle.

— Et puis?[2] dit-il.

Ils avaient sommeil tous les trois et ne comprenaient pas bien ce qu'ils disaient.

— Les Allemands sont en face, fit Mirabelle, et il partit d'un éclat de rire.[3] Qu'est-ce que tu en dis, Vandervenne?

Vandervenne regardait dehors. Les ombres étaient devenues grises, et la route s'étalait, plate, humide de rosée.[4] Une maisonnette surgit à gauche, puis une autre, puis tout un essaim[5] de maisonnettes, pareilles avec leur grille d'entrée[6] et les trois marches du perron.[7] Il y en avait toujours davantage des deux côtés de la route, devenue rue. Des terrains vagues[8] séparaient de longues bâtisses aux toits vitrés[9] dont les cheminées ne fumaient pas. Un jour blême se levait sur des tas de mâchefer[10] et de ferrailles,[11] sur des dahlias poussiéreux et de maigres salades.[12] A présent, le char roulait sur du pavé de pierre, entre deux rangées ininterrompues de maisons grises aux volets clos. Autour des poubelles[13] renversées, des chats et des chiens se battaient pour les ordures.

Le tank déboucha sur une place, contourna un monument, s'engagea dans une descente. Soudain, Vandervenne fit halte.

— Venez, descendons, dit-il.

Paris, éclairé par derrière, déroulait devant leurs yeux neufs[14] la plus ample enfilade[15] d'avenues au monde. La voie passait sur un pont à moitié achevé. Plus loin, à droite, Vandervenne indiqua, profilée sur le ciel où le soleil, qui montait face à eux,[16] chassait les dernières effilochées[17] de brume, une silhouette ajourée[18] qu'ils avaient cent fois vue au cinéma, en photo, en dessin, en cendriers,[19] dessus de cheminée, presse-papiers, pieds de lampes.

— C'est la tour Eiffel? dit-il sans trop y croire.

1. spotted. **2.** So what? **3.** *partit . . . rire:* burst out laughing. **4.** dew. **5.** group. **6.** *pareilles . . . d'entrée:* with their front gates all alike. **7.** porch (flight of steps). **8.** empty lots. **9.** glassed-in. **10.** slag. **11.** scrap-iron. **12.** stunted greens. **13.** garbage cans. **14.** *yeux neufs:* first curious gaze. **15.** network. **16.** opposite them. **17.** wisps. **18.** lacy. **19.** *cendriers . . . lampes:* ashtrays, mantel-pieces, paper-weights, lamp-stands.

Il ne leur restait plus qu'un pont à franchir, qui n'était pas gardé: ils avaient devancé les Allemands.

— Ce que j'ai pu avoir la trouille,[1] cette nuit, dit Mirabelle, et il partit d'un sifflement admiratif.[2]

5 — Pas autant que moi, fit Moustier. Seulement je n'ai rien dit: j'aime pas me vanter.

Au-dessus de la capitale, exsangue[3] d'hommes, dans le ciel or et bleu de juin, voué aux avions et à la DCA,[4] les oiseaux, méfiants, volaient bas.

10 Aucun des trois ne connaissait Paris: Vandervenne avait passé sa vie aux mines d'Anzin, Mirabelle était Périgourdin,[5] et Moustier, Auvergnat.[6]

— On trouve des officiers, dit celui-ci, on leur remet le char, et l'on va casser la croûte.[7]

15 Mais tout le long de l'avenue, ils n'aperçurent pas un seul uniforme.

— On tourne à droite?[8] proposa Moustier en consultant la boussole.

Les maisons se faisaient plus rares. Au loin, on entendait 20 le canon. De nouveau, le char s'engagea dans un bois. Il n'était pas pareil aux forêts qu'ils avaient traversées dans le nord, percé d'allées qui contournaient des lacs où flottaient des canots et des cygnes. Il y avait des écriteaux[9] partout, et, autour des pelouses,[10] du fil de fer qui n'était pas barbelé.[11] 25 Des soldats passaient, isolés ou par petits groupes, barbus, certains casqués, la plupart nu-tête, quelques-uns traînant leur fusil, tous les autres désarmés. Ils avançaient lentement, d'un pas lourd, sans regarder autour d'eux, sans regarder le char. Il y avait des Français et des Nord-Africains, des Sénégalais[12] 30 et des Annamites,[13] des Antillais[14] et des Malgaches[15]: l'Empire.[16]

1. *Ce . . . trouille* (*colloq.*): How scared I was. *Trouille* is "funk"; *trouillard* one addicted to it. **2.** *partit . . . admiratif:* let out an admiring whistle. **3.** drained. **4.** *Défense Contre Avions:* anti-aircraft. **5.** native of Périgord in southwestern France. **6.** native of Auvergne in central France. **7.** *casser la croûte:* get a bite to eat. **8.** Shall we turn right? **9.** signs. **10.** grass plots. **11.** *fil . . . barbelé:* wire which was not barbed (since it was used to enclose new lawns). **12.** Senegalese soldiers from French Equatorial Africa. **13.** Annamite soldiers from Indo-China. **14.** soldiers from French West Indies. **15.** Madagascans. **16.** *i.e.*, the French Colonial Empire.

Mirabelle descendit pour chercher des officiers. Des grappes de soldats s'affalaient[1] sur les pelouses. Il en arrivait encore et encore. Ils mangeaient d'abord et s'endormaient aussitôt. De nouveaux vagabonds[2] s'approchaient, criaient: — Quelle division? Dans un groupe de six hommes, cinq réponses différentes partaient à la fois: — La dix-neuvième . . . La trente-troisième . . . La . . . Aucune n'était la bonne, et, à leur tour, les derniers venus se laissaient pesamment[3] tomber dans l'herbe. On est bien là, disaient-ils avec étonnement, et ils s'endormaient.

— Où sont vos officiers? s'informa Mirabelle, et un soldat, qui n'avait gardé qu'un pantalon de toile et une chemise, l'interrogea à son tour:

— Et les tiens?

— C'est bien Paris ici? hasarda Mirabelle.

— Paris 16ème,[4] le Bois de Boulogne, dit l'autre.

Mirabelle courut vers le tank.

— C'est le Bois de Boulogne, cria-t-il de loin.

Ils contournèrent un vaste champ bordé d'une piste de terre battue[5] et flanqué de gradins de bois,[6] et se retrouvèrent en ville.

— Attention, dit Moustier, un poste d'essence.[7]

Il n'y avait personne, et le tuyau[8] traînait sur le bord du trottoir. Ils eurent beau pomper[9]: rien ne venait.

Le long d'une avenue, entre une double rangée d'arbres, le char descendit vers une place. Les portes cochères[10] des maisons étaient toutes fermées, les volets tous clos. Ils n'aperçurent, appuyé contre un arbre, qu'un gros ours en peluche,[11] la tête penchée, le bras gauche tendu dans le salut hitlérien.

La tour Eiffel surgit à leur droite, toute proche. Ils s'arrêtèrent pour la regarder.

— J'ai des cousins qui sont montés là-haut, dit Mirabelle.

— On a pas le temps, dit Moustier, une autre fois.

Un camion les doubla,[12] rempli de valises sur lesquelles étaient juchés[13] des soldats. Un sous-officier cria:

1. were slumped. **2.** stragglers. **3.** heavily. **4.** *16th arrondissement,* one of the administrative districts of Paris. **5.** *piste . . . battue:* track of rolled earth. **6.** wooden stands. **7.** filling station. **8.** hose. **9.** No matter how hard they pumped. **10.** carriage entrances. **11.** *un gros . . . peluche:* a huge stuffed bear. **12.** passed. **13.** perched.

— Doucement aux virages ! [1]

— Ça doit être la bonne direction, dit Moustier.

Le tank traversa la place, tourna, se trouva à l'entrée d'un pont. Le quai fuyait [2] à droite et à gauche.

5 — C'est la Seine, dit Mirabelle, excité.

Ils longèrent le fleuve, à gauche. Des palais se succédaient dont ils ignoraient le nom, et des ponts, larges et bombés, [3] ornés de statues et de lampadaires. [4] A un coin de rue, un monsieur en guêtres [5] blanches gonflait avec une pompe de 10 bicyclette le pneu [6] d'une quarante-chevaux, [7] bourrée de valises.

Le quai déboucha sur une nouvelle place. Elle était vaste comme un continent, avec ses champs d'asphalte où régnaient des femmes de pierre couronnées, [8] avec ses bassins desséchés, 15 les troncs de fonte [9] de ses centaines de réverbères, [10] et, au milieu, s'élançant d'un moutonnement de sacs de sable [11] amoncelés par la Défense Passive, [12] une aiguille de pierre [13] gravée d'oiseaux, de serpents et de soleils. Des estafettes [14] en motos, casqués, mousqueton en bandoulière, [15] viraient sur la place et 20 dévalaient [16] le quai.

— Un journal, dit Moustier, et de nouveau le char s'arrêta.

Depuis deux semaines, ils étaient restés sans nouvelles. Ce n'était qu'un lambeau crasseux, [17] abandonné au bord du trottoir. D'un côté, il y avait seulement de petites annonces. [18] 25 De l'autre, un énorme placard. [19]

— « Que leur faut-il ? » lut Mirabelle. « Des chars ! *Des chars!* DES CHARS ! » Et, plus bas: « Souscrivez aux Bons d'Armement. » [20]

— Nous sommes à la mode, [21] observa Moustier.

1. Easy on the curves ! **2.** spread out. **3.** arched. **4.** lamp-posts. **5.** spats. **6.** tire. **7.** horse-power (automobile). **8.** *où. . . couronnées:* where crowned ladies (sculptured) in stone held sway. The reference is to the female figures representing eight French cities who wear as a crown replicas of their ancient walled fortifications. They are placed around the Place de la Concorde, a large and renowned square in the centre of Paris. **9.** *troncs de fonte:* cast-iron posts. **10.** street lamps. **11.** *moutonnement . . . sable:* heap (swaddling) of sand-bags. **12.** Civilian Defense. **13.** (*lit.*, needle of stone): the reference is to the Obelisk of Luxor in the centre of the Place de la Concorde. **14.** despatch-riders. **15.** *mousqueton en bandoulière:* their rifles slung over their shoulders. **16.** whisked down. **17.** soiled shred of paper. **18.** classified ads. **19.** announcement. **20.** *Souscrivez . . . d'armement:* Buy War Bonds. **21.** in style.

Vandervenne l'interrompit:

— Je n'ai presque plus d'essence. Qu'est-ce qu'on fait?

— On reste ici, décida Moustier, et l'on attend les amateurs de chars.[1]

A une extrémité de la place, Vandervenne avait repéré[2] des marronniers.[3] Il y conduisit le tank qu'il rangea soigneusement sous le feuillage des arbres, à l'abri des avions. Puis ils s'assirent tous les trois sur un banc et attendirent.

L'avenue que bordaient les marronniers était large comme la Seine, elle montait d'un mouvement grave et ininterrompu pour se jeter sous un arc rectangulaire que le soleil éclairait en face. Moustier réfléchit.

— Si c'est l'Arc de Triomphe,[4] dit-il, nous sommes aux Champs-Elysées.[5]

Un quart d'heure s'écoula. Le soleil montait, projetant sur le pavé le réseau d'ombre des feuilles de marronniers. Des points noirs apparurent au loin qui descendaient lentement la chaussée[6] vers l'endroit où se tenaient les trois soldats.

— Les Fritz, dit Mirabelle, et il se leva.

— On a le temps, dit Moustier.

Ils attendirent. A présent, on distinguait des silhouettes et des voitures, trop petites pour être des autos-mitrailleuses,[7] trop lentes pour des sidecars.

— Des civils, dit Moustier, ils vont à pied. Mais qu'est-ce qu'ils poussent?

— Encore une invention des Fritz, dit Mirabelle sur un ton convaincu.

Ils se cachèrent entre les arbres, prêts à remonter dans le char au premier signe de danger. Machinalement, Moustier inspecta le terrain. Les voies de retraite étaient nombreuses, le pont n'était pas miné, et, arrivés sur la place, les assaillants s'exposaient, à découvert, au tir du char.

— Je crois que je deviens fou, dit Vandervenne, je vois des voitures de gosses.[8]

Mirabelle éclata de rire.

1. (*ironical*): tank fanciers. **2.** spotted. **3.** horse-chestnut trees. **4.** Superb Triumphal Arch begun by Napoleon I and completed in 1836. **5.** Main artery in Paris comparable to New York's Fifth Avenue. **6.** avenue. **7.** armored cars. **8.** baby-carriages.

— Il a raison, dit Moustier, je veux être pendu si[1] je...

Il s'arrêta brusquement.

Une voiture d'enfant roulait vers eux, ses ressorts[2] ployés sous le poids des hardes[3] qui la remplissaient. Un vieux couple la poussait, lui, en bras de chemise, elle, sans chapeau, ébouriffée,[4] comme s'ils avaient dû se lever au milieu de la nuit et fuir en hâte. Une autre voiture les suivait, puis deux autres, d'autres encore. Il en venait toujours plus, des voitures neuves, silencieuses,[5] aérodynamiques,[6] dont les garde-boue chromés avaient été passés à la peinture bleue, et d'autres, antiques, qui avaient transporté en grinçant[7] des générations de nouveau-nés, des voitures noires, café au lait,[8] bleu clair, ivoire, roses, débordant de valises, de paquets, de ballots, de vaisselle, de l'indispensable et de ce qui tombe sous une main affolée: un abat-jour peint à l'aquarelle,[9] une bergère[10] de porcelaine — trente années de souvenirs, de vie de famille. Seuls les nourrissons[11] avaient droit à une place, coincés[12] entre une pile d'assiettes et une machine à coudre; les enfants qui savaient marcher, ne fût-ce qu'en butant,[13] les jambes encore titubantes[14] entraînées par le poids d'une tête trop grosse, marchaient. Les mères, les sœurs, les grands-parents, les réformés[15] servaient d'attelages. Ils étaient trop pressés, las, avaient trop chaud pour regarder les Champs-Elysées que la plupart voyaient pour la première fois, et ils n'étaient qu'au début de leur voyage.

Silencieux, les trois soldats observaient l'écoulement des voitures d'enfants.

— Rien que des civils, dit Moustier, et Vandervenne:

— Tu as vu les mômes?[16]

Moustier réflechit, observa:

— En 14, il y a eu les taxis de la Marne.[17]

1. *je... si:* I'll be hanged if... **2.** springs. **3.** personal belongings. **4.** dishevelled. **5.** noiseless. **6.** streamlined. **7.** creaking. **8.** *café au lait:* light coffee-color. **9.** *un... aquarelle:* a hand-painted lamp-shade. **10.** shepherdess. **11.** infants. **12.** jammed. **13.** *ne... butant:* even haltingly. **14.** unsteady. **15.** disabled veterans. **16.** (*colloq.*): kids. **17.** In 1914 every taxi was requisitioned in Paris to rush all available men to the front, where they halted the German advance at the Marne. Such at least is the popular legend, although the taxi-borne troops had small effect on the outcome of the battle. There were only a few hundred of them. L.

Un petit vieux sortit d'entre les arbres, s'approcha, examina le tank avec indifférence comme s'il le voyait là tous les matins en allant à son travail, passa son chemin. Moustier le rappela pour lui demander l'adresse d'une caserne.[1]

— La garnison est partie, dit le vieillard, depuis hier. Paris est ville ouverte. Tout le monde est parti.

Il sourit.

— On peut circuler dans Paris, fit-il, il y a de la place.

Stupidement, Mirabelle répéta:

— La garnison est partie? Alors?

— On ne sait rien, dit l'homme. Nous n'avons plus de journaux, plus de nouvelles. Les derniers sont partis cette nuit, à pied.

Vandervenne se leva.

— Venez, dit-il, on va les rattraper.

— On ne sait rien, répéta le vieillard. Il paraît que les Allemands sont du côté de Melun. Essayez toujours la porte d'Italie.[2]

— C'est au sud? demanda Moustier.

— C'est par là, je ne connais pas bien le quartier, dit le vieil homme, et il s'en alla, indifférent comme s'il avait passé sa vie à renseigner, au coin des Champs-Elysées et de la place de la Concorde, des équipages de chars d'assaut.

De nouveau, Vandervenne conduisait. Moustier le guidait, sa boussole à la main. Le char traversa des quartiers déserts, entre des centaines de milliers de volets clos, enfila[3] des avenues, se perdit dans des rues dont il occupait toute la largeur.

Ils s'arrêtèrent une seule fois, devant une grande maison grise dont l'entrée de marbre les fascina.

— Les Invalides, dit Mirabelle.

Une pauvresse[4] en sortit.

— Qu'est-ce que c'est? s'enquit Moustier.

— Une maison.

— Quelle maison?

— Une maison, quoi! Un immeuble.[5]

Les rues se faisaient plus étroites, les maisons plus crasseuses.[6]

1. barracks. 2. One of the southern entrances to Paris. 3. rolled along. 4. pauper (*f.*). 5. apartment house. 6. grimy.

Il y avait du monde[1] dehors, les uns finissaient de charger des voitures d'enfants, des brouettes,[2] d'autres attendaient sur le pas[3] de la porte. Moustier guidait:

— A droite ! A gauche ! Tout droit ! Tout droit ! cria-t-il, mais Vandervenne venait de tourner dans une rue latérale. Il avait aperçu un poste d'essence.

La pompe, abandonnée, n'avait pas été vidée. Ils puisèrent à tour de bras,[4] cinq litres par cinq litres. Vingt-cinq, trente, trente-cinq, l'aiguille se déplaçait sur le disque avec un déclic,[5] l'essence montait en bouillonnant et refluait d'un seul coup. Puis, elle tarit.[6]

La rue s'élargit, tourna, se jeta dans une avenue. Une plaque noire se dressa devant eux, avec une inscription blanche: « Porte d'Italie ». La rue continuait au-delà. Pendant que le char s'y engageait, Moustier consulta à nouveau la boussole: l'aiguille indiquait le sud.

Elle était large, la route, et bordée de trottoirs. Une épaisse gelée[7] de fuyards la remplissait à ras bords.[8] Des camions, camionnettes,[9] ambulances, autos, fourgons,[10] citernes,[11] canons, tracteurs, autobus, caissons, taxis, roulottes,[12] autocars,[13] arroseuses municipales,[14] s'agglutinaient autour des immenses chariots de paysans,[15] attelés de trois ou quatre chevaux de labour,[16] chargés de veaux, d'enfants, de hardes,[17] de gros pains pour les hommes et de fourrage[18] pour les bêtes. Les moindres interstices entre les véhicules étaient bouchés avec des voitures d'enfants, des voitures à bras,[19] à chiens, à femmes, à vieillards, à gosses,[20] avec des triporteurs,[21] avec des motocyclistes, des cyclistes qui poussaient à la main leurs vélos bâtés[22] d'ustensiles de ménage. La garnison de Paris était sur la route, tous régiments, toutes armes[23] mélangés: infanterie, DCA, marins, aviateurs, train,[24] intendance, artillerie, génie.[25]

1. people. **2.** wheelbarrows. **3.** threshold. **4.** *à . . . bras:* as quickly as possible. **5.** click. **6.** went dry. **7.** *épaisse gelée:* (*lit.*, thick jelly), dense crowd. **8.** *à ras bords:* from curb to curb. **9.** light trucks. **10.** vans. **11.** gasoline supply trucks. **12.** trailers. **13.** busses. **14.** *arroseuses municipales:* street sprinklers. **15.** *chariots de paysans:* farm wagons. **16.** *chevaux de labour:* plow horses. **17.** household belongings. **18.** fodder. **19.** *voitures à bras:* pushcarts. **20.** *i.e., voitures à gosses:* carts pulled by "kids." **21.** three-wheeled delivery cars. **22.** bikes loaded. **23.** branches of service. **24.** transportation; *intendance:* quartermaster corps. **25.** engineering corps.

Des soldats se perchaient sur les marchepieds[1] des voitures civiles, des civils s'agrippaient[2] à des affûts de canons.[3] Les autos louvoyaient,[4] se mettaient de travers, montaient sur le trottoir, refoulant les piétons dans les fossés, dans les champs, s'élançant pour gagner dix centimètres, s'immobilisant pendant un quart d'heure, repartant toutes à la fois, dans le vrombissement des moteurs emballés à vide.[5] Les moteurs crachaient, soufflaient, ahanaient,[6] toujours en première vitesse, et la route tout entière était comme un immense cimetière d'autos, ressuscitées pour le Dernier Jugement.[7]

Vandervenne conduisait. Par la portière ouverte, Moustier et Mirabelle regardaient la cohue.[8] La plupart des boutiques étaient fermées, et tous les postes d'essence.

Une femme dépassa le char traînant une caisse sur quatre roulettes[9] que poussait en courant une fillette de cinq ans.

— Maman, je peux me reposer un peu? dit la fillette, mais la mère ne s'arrêtait pas de marcher, ne répondait pas, et l'enfant devait courir en boitillant,[10] le visage écarlate sous son béret blanc.

Le char rattrapa une procession de vieillards — quelqu'asile[11] en fuite — l'un poussé dans un fauteuil à roulettes,[12] les autres clopinant[13] dans une profusion de cannes et de béquilles.[14] Aucun ne se rangea[15] pour laisser passer le tank, et pendant quelques minutes Vandervenne dut rouler au milieu de cette Cour des Miracles.[16]

Un corbillard[17] automobile les dépassa, bourré de monde et de bagages. Des familles, nombreuses comme un jour de noces ou d'enterrement, entouraient leurs voitures, déjà vides d'essence, les poussant d'une pompe à l'autre, taries, elles aussi. De plus en plus souvent, des autos se remorquaient[18] les unes les autres. De tous les chemins latéraux, des fuyards débouchaient sur la route nationale.

Mirabelle leva la tête.

1. running boards. **2.** clung. **3.** gun carriages. **4.** zig zagged. **5.** racing in neutral. **6.** chugged. **7.** Day of Judgment. **8.** mob. **9.** small wheels. **10.** limping slightly. **11.** home (for the aged). **12.** *fauteuil à roulettes:* wheel chair. **13.** clumping along. **14.** crutches. **15.** got out of the way. **16.** *Cour des Miracles:* beggars' meeting place in Paris during the Middle Ages. **17.** hearse. **18.** were towing.

Dans le ciel bleu, taché de quelques nuages, une frange blanche se déroulait.

— Les Fritz, dit Mirabelle.

Il y eut un nouvel embouteillage.[1] Le tank s'arrêta à côté
5 de la fillette au béret blanc que sa mère avait fini par installer dans la caisse. La femme regarda le ciel.

— Qu'est-ce que c'est? dit-elle. De la publicité?

— Oui, dit Moustier. De la publicité pour Hitler.

Les voitures s'ébranlèrent. Le tank et la caisse à roulettes
10 avançaient côte-à-côte.

— Tant que la fumée est en ligne droite, dit Moustier à la femme, c'est pas grave. Si l'avion trace un cercle au-dessus de nous, couchez-vous dans le fossé.

De nouveau, un embouteillage les immobilisa. La route,
15 jusqu'à l'horizon, bourdonnait de voitures. Leurs occupants s'étaient installés sur le talus et observaient oisivement le ciel qui se raya d'une deuxième frange, perpendiculaire à la première. Las d'attendre, des piétons prenaient[2] à travers champs. Le vrombissement d'une escadrille[3] fit lever les têtes.
20 Au-dessus des fuyards, un mince cercle de fumée blanche venait de se refermer dans le ciel.

D'un camion, des soldats de la DCA sautèrent sur la chaussée.

— Vous avez une jumelle[4]? crièrent-ils à la ronde.
25 — Ce sont des Heinkel,[5] dit leur sergent.

Les avions décrivirent un large demi-tour en piquant.[6]

— Attention, dit le sergent, et il ficha le chargeur[7] sous son fusil-mitrailleur.[8]

— Tu prends le premier, lui dit un soldat.
30 Les avions virèrent encore, toujours plus bas, s'éloignèrent, virèrent, revinrent.

— Ils arrivent, dit le soldat.

— Ils filent,[9] dit le sergent.

— Ils arrivent, répéta le soldat.
35 Les civils les observaient avec indifférence.

1. bottleneck. **2.** made their way. **3.** squadron (of planes). **4.** pair of binoculars. **5.** German bombers. **6.** diving. **7.** pushed the (cartridge) clip. **8.** automatic rifle (like our Browning). **9.** (*colloq.*): They're going away.

— Une bombe suffira, dit Moustier, une seule bombe. Cinquante mille morts. La panique. Les gens sont bêtes.

Inscrits dans le cercle de fumée, les avions piquaient. Le sergent épaula son fusil-mitrailleur. Serrées sur le talus, les familles avaient sorti des sandwiches, des bouteilles de bière. 5 Seuls les soldats et les enfants regardaient le ciel, et les soldats seuls avaient peur.

— Vas-y ! [1] dit un réserviste au sergent de la DCA.

Les avions s'éparpillèrent en éventail. [2]

— Ils filent, dit le sergent. 10

— Ils se moquent de nous, dit Moustier.

Les avions pirouettaient dans le ciel.

Le sergent était petit, trapu,[3] noiraud.[4]

— Dis donc, coco, lui demanda Moustier, où allez-vous?

— On suit le mouvement, dit l'autre en clignant de l'œil. 15 On colmate la poche. [5]

— On fait quoi?

— Mais d'où sors-tu?

— Des Flandres, expliqua Moustier.

— Vous ne lisiez donc pas les journaux, là-haut? 20

— Pas tous les jours, s'excusa Mirabelle.

— Alors vous ne savez pas que Weygand, [6] lorsqu'il a pris le commandement, a annoncé que les Fridolins [7] avaient creusé une poche dans nos lignes et qu'il s'occupait à la colmater. Ça fait trois semaines qu'on colmate. J'y étais aussi dans les 25 Flandres, ajouta-t-il. Mais j'ai vite compris.

— Comment ça? s'informa Moustier.

— On nous a mis dans une casemate, [8] du côté de Valenciennes, avec l'ordre de tenir jusqu'au bout. On avait nos mains pour nous défendre. Très peu pour moi. [9] 30

Au loin, les voitures s'ébranlaient. Les familles, la bouche pleine, se précipitèrent vers leurs autos. Les mères gloussaient [10] en poussant devant elles leurs petits sous une pluie de taloches. [11] Un bébé pleura.

1. Get him! **2.** spread out fan-wise. **3.** thick-set. **4.** swarthy. **5.** They're closing off the pocket. **6.** General Maxime Weygand was hurriedly recalled from Syria to assume command of the Army when Reynaud took over the government in May, 1940. **7.** "Krauts." **8.** pillbox. **9.** *On . . . moi:* With only our bare hands for fighting. Not for me! **10.** were clucking (like hens). **11.** slaps.

— On devait leur livrer la bataille de la Seine, dit le sergent. A présent, ils n'ont qu'à la franchir sur les ponts de Paris. Alors, on va leur livrer la bataille de la Loire.

Il monta dans le camion.

5 — Quoiqu'il arrive, cria-t-il à Vandervenne, ne nous poussez pas par derrière.

— La bataille de la Loire, dit Mirabelle. C'est dans quelle direction, la Loire?

— En tout cas, c'est au sud, dit Moustier. Et ne me demande 10 pas de te montrer une carte, je n'en ai pas.

— L'Etat-Major[1] a prévu toutes les éventualités, dit Mirabelle.

— Mais ça n'a aucune importance, dit Moustier.

A midi, ils partagèrent leur dernière demi-boule[2] de pain 15 qui avait l'âge de la bataille de France, et Mirabelle remplaça Vandervenne aux commandes.[3] Pour toute boisson, ils eurent la fraîcheur de la forêt de Fontainebleau[4] et la vue d'une section de pontonniers,[5] leurs barques posées sur des camions. La ville même s'évacuait. On apercevait sur les trottoirs des 20 camions militaires, camouflés de verdure, et, dans les cours, des canons bâchés.[6] Des soldats dormaient par terre, écarlates de fatigue et de chaleur, la bouche ouverte. Le char fit un détour pour retomber, à la sortie de Fontainebleau, sur la route nationale et les convois.

25 Il y en avait encore plus que le matin: des files d'autobus parisiens déchargeaient des réfugiés; des civils dans l'herbe regardaient passer l'armée; sur les rails qui longeaient la chaussée, un train, rempli d'évacués, descendait de Paris; un train à marchandises[7] remontait au front, bourré de Séné-30 galais: Vandervenne en distingua un, en bras de chemise, une rose rouge au casque, trente-deux dents dehors.[8] Un troisième train suivait.

Les soldats qui montaient demandèrent à ceux qui fuyaient:

— Ça va mal, là-haut? et, à tout hasard, ceux-ci mentirent:

35 — Non.

1. Headquarters. **2.** half-loaf (French army loaves are round). **3.** controls. **4.** resort south of Paris, famous for its beautiful forest. **5.** sappers, bridge builders. **6.** canvas-covered. **7.** freight train. **8.** showing all thirty-two teeth.

Dans un embouteillage, un lieutenant aviateur descendit de son auto pour dire:

— Quelle honte!

Il y avait beaucoup d'officiers conduisant eux-mêmes, et, assise à côté d'eux, leur femme. Des sous-officiers couraient le long des convois faisant retentir leur sifflet. Le char avançait, s'arrêtait, repartait, stoppait, ses flancs battus par une nuée de cyclistes. Il y en avait une multitude, tous de jeunes garçons avec un baluchon[1] ou une valise de deux sous.[2] 5

Des voix retentirent: 10

— Il y a des ambulances qui arrivent. Laissez au moins passer les blessés.

La procession démarra sans se soucier des ambulances, coincées[3] entre d'autres voitures.

Des postiers, des gendarmes à bicyclette se faufilaient[4] entre les camions. Un vieillard, solennel, conduisait un rouleau compresseur.[5] A la tombée du soir, le char pénétra dans Montargis.[6] 15

Toute la population de la ville était assise sur des valises, dans la grande cour de la gare. Les gens devaient attendre depuis plusieurs heures, depuis la veille peut-être. L'énervement[7] du début avait cédé la place à l'indifférence. Il n'y avait pas de trains, il n'y en avait plus, les gens, droits et immobiles sur leurs valises, les attendaient quand-même, eux, ou les Allemands. Devant la gare, s'écoulaient les convois. La nuit tombait sur les voitures, sur les rails, sur les hommes, figés dans la grande cour. 20 25

Perdu au milieu des convois, un garçon en uniforme d'aviateur s'efforçait à lui seul de régler la circulation. A tout instant, il devait sauter de côté pour éviter une voiture. 30

— Dis donc, coco, l'interpella Moustier, tu connais une autre route que la nationale pour sortir de Montargis?

— Je ne suis pas d'ici, répondit le garçon. Il hurla: Doublez pas! Restez en file![8]

Il disparut derrière un corbillard. 35

1. bundle. **2.** *de deux sous:* cheap. **3.** wedged. **4.** wove in and out. **5.** steam roller. **6.** small town south of Paris. **7.** excitement. **8.** *Doublez . . . file:* No cutting in! Stay in line!

Au premier carrefour, Moustier dit:

— Prends à gauche.

Le char tourna.

— Si nous suivons les autres, expliqua Moustier, nous sommes perdus. On va essayer les petits chemins.[1]

Subitement, ce fut le vide et le silence. La route étroite filait au milieu des champs. De temps à autre, on apercevait quelques maisonnettes ou, sur le talus, une auto arrêtée. Ses occupants, installés dans l'herbe pour la nuit, causaient et fumaient. Moustier regarda sa boussole.

— Au premier carrefour, tu prendras à droite, dit-il.

Depuis un moment, ils roulaient à l'est. Il n'y avait pas de carrefours, rien que des passages pour bestiaux[2] dans les clôtures des champs, des pistes[3] qui se perdaient dans les prés. Le char s'arrêta.

Moustier essaya de s'imaginer la carte de la France.

— Qu'est-ce qu'il y a à l'est de Montargis? demanda-t-il.

— Auxerre,[4] proposa Vandervenne.

— Les Fritz, suggéra Mirabelle.

Il était trop tard pour faire demi-tour.

— Tant pis, dit Moustier, on va prendre à travers champs. On finira bien par trouver une route.

— Et la récolte?[5] Le ton de Vandervenne était désapprobateur.

— Pour ce qui en restera de toute façon . . .[6]

Le char renversa une clôture, et les chenilles[7] s'enfoncèrent dans la terre molle. Ils avançaient à peine, la nuit était tombée, aussi épaisse que la veille.

— Qu'est-ce qu'ils cultivent par ici? demanda Vandervenne après un silence.

— Du macaroni, répondit Mirabelle, et il rit, seul.

Le char voguait à travers la nuit. Il roulait et tanguait,[8] enfonçait des haies vives,[9] traversait des fossés, éparpillait des meules de foin.[10] Par la portière ouverte, l'air froid pénétrait à l'intérieur. Ils coupèrent une route qui, elle aussi, filait à

1. side roads. **2.** cattle. **3.** (cattle) paths. **4.** town southeast of Paris. **5.** harvest. **6.** A lot of difference it will make, for all that will be left anyway. **7.** treads. **8.** rolled and pitched. **9.** *haies vives:* thorn hedges. **10.** *meules de foin:* haystacks.

l'est,[1] escaladèrent des collines, écrasèrent une touffe d'arbrisseaux.[2] Vandervenne avait cédé les commandes à Mirabelle. Ils n'avaient pas mangé, ni dormi depuis la veille. Enfin, ils s'aperçurent qu'il ne leur restait presque plus d'essence.

— Qu'est-ce qu'on fait? demanda Mirabelle, et Moustier répondit:

— On dort.

Ils roulèrent encore quelque dizaines de mètres jusqu'à une meule qu'ils renversèrent sur le char pour le camoufler. Ils s'étendirent à côté, dans le foin, eux aussi.

— Mon frère est de la classe onze,[3] dit Vandervenne. Il a fait toute l'autre guerre. Il est parti au régiment à vingt et un ans et en est revenu à vingt-huit: trois ans de service,[4] et puis la guerre. A l'armistice, on leur avait laissé leur casque. Il est revenu à la maison, est entré chez nous, à la forge, a jeté son casque sur l'enclume[5] et s'est mis à frapper, à frapper. Il était fou. Il a passé un an avant de se remettre à travailler.

— C'est lui qui a la forge? demanda Mirabelle.

— A présent, il a dû partir. Nous sommes du Nord, nous.

Il s'endormit. Déjà, Mirabelle ronflait.[6] La bataille de la Loire, se dit Moustier. Il essaya de voir clair. Nous sommes partis hier, ou avant-hier, ou hier. Il s'endormit à son tour.

LA BATAILLE DE LA LOIRE

Moustier eut faim et se réveilla.

Le jour s'était levé. Ses camarades dormaient encore, à moitié cachés dans le foin. Du poil gris avait poussé au menton de Mirabelle. Les lèvres de Vandervenne s'ouvraient imperceptiblement pour laisser passer toutes les paroles qu'il n'avait pas dites éveillé.

Le char, enfoui dans la meule,[7] était couvert de rosée,[8] de fleurs et de brins d'herbe secs. Des mottes[9] de terre noire s'étaient logées dans les chenilles, incrustées de cailloux et

1. ran eastward. **2.** clump of bushes. **3.** *la classe onze = la classe 1911:* In France men are called to military service when they reach the age of twenty. All men called in the same year belong to the "class" of that year. **4.** Before 1914, military service lasted three years. **5.** anvil. **6.** was snoring. **7.** buried in the haystack. **8.** dew. **9.** clods.

d'épis[1] de blé. Des fils de la Vierge[2] flottaient aux flancs du tank, et une toile d'araignée tendue entre les gueules[3] des mitrailleuses s'irisait de gouttelettes.[4]

A trois cents mètres de l'endroit où ils avaient passé la nuit, Moustier aperçut un village. Il n'était pas là hier soir, pensa-t-il, on a dû le replier du Nord.[5]

— Crois-tu que nous y trouverons à manger? dit la voix de Mirabelle à côté de lui.

Vandervenne se réveilla.

— Et de l'essence, dit-il.

— Et une carte, dit Moustier.

La tourelle dans laquelle il avait pris place arrivait à la hauteur des premiers étages.[6] Par une fenêtre ouverte, il entendit une voix familière qu'il reconnut presque aussitôt.

— . . . nos troupes, dit la voix, se retirent en bon ordre et en combattant sur des positions préparées d'avance.

La T.S.F.[7]

On ne voyait personne dans l'unique rue, sauf des chiens qui contemplèrent le tank avec une méfiance respectueuse. Ils virent en émerger des hommes et, soulagés, aboyèrent en chœur.

Les soldats partirent à la recherche de l'essence et du pain. Les deux boulangeries du village étaient fermées, et de pompe, il n'y en avait pas. Lorsqu'ils revinrent, les mains vides, vers le char, il était entouré d'une foule de paysans. Il n'y avait que des vieux, des femmes et des enfants qui l'examinaient, silencieux et hostiles. Ils s'écartèrent à peine pour laisser passer les soldats, et une femme tira brusquement vers elle un mioche[8] qui s'était aventuré à toucher des doigts une chenille.

Moustier les dévisagea.

— Où est-ce qu'on trouve du pain chez vous? demanda-t-il.

Silence.

— On a faim, dit Mirabelle.

1. ears. **2.** *fils . . . Vierge:* gossamer threads. **3.** muzzles. **4.** *s'irisait . . . gouttelettes:* was covered with a dewy film. **5.** *on . . . Nord:* it must have been evacuated from the North. **6.** *arrivait . . . étages:* reached the second-floor level. (In France the first floor is called *rez-de-chaussée.*) **7.** (abbreviation for *télégraphie sans fil*)*:* radio. **8.** brat.

— Les réfugiés et les soldats ont tout mangé, dit une femme, il n'en[1] reste plus pour nous-mêmes.

— On paiera, dit Moustier, on a faim.

— Puisqu'on[2] vous dit qu'il n'en reste pas pour nous.

— Est-ce qu'il y a un garage par ici?[3] demanda Moustier. Silence.

— Non! cria enfin un garçonnet; une main, sortie de la foule, le happa[4] par l'épaule, et il disparut entre les jupes.

— Ce qu'il leur faudrait, murmura Mirabelle, c'est une bonne rafale de mitrailleuse,[5] pour leur apprendre à vivre. On est des Français, quoi![6] plaida-t-il. On paiera.

Le village se taisait, désapprobateur. Les enfants, graves, suçaient le pouce. Fini,[7] pensa Moustier. C'était bien la peine[8] de traverser le village en flammes, le pont bombardé, Paris, un quart de la France. Il n'y avait qu'à partir à pied, devant soi.

— Combien est-ce qu'il en reste, de l'essence? demanda-t-il.

— Ça ne vaut même pas le coup[9] de le remettre en marche, répondit Vandervenne.

Mirabelle les prit à part.

— On pourrait toujours trouver à manger, dit-il.

Il songea: après tout, on est armé, n'osa pas le dire à haute voix, ajouta:

— Evidemment, ça ne ferait pas bien.[10]

— Et après? s'informa Moustier, et il chercha dans ses poches le paquet de gris[11]: il était vide.

Il a saisi,[12] réflechit Mirabelle, embarrassé.

— Bien sûr, fit-il, c'est pas ça qui nous ferait démarrer.[13] Il paraît que bientôt on pourra remplacer l'essence avec de l'eau de mer.

— Tu me passeras la recette,[14] dit Moustier, et tu y joindras un bout de mer.[15]

1. *en* refers to "food". **2.** *Puisque:* But. **3.** around here. **4.** grabbed. **5.** *une . . . mitrailleuse:* a good machine-gunning. **6.** We're Frenchmen, aren't we? **7.** (*colloq.*): washed up. **8.** *C'était . . . peine:* A lot of good it had done. **9.** *Ça . . . coup:* It isn't even worth the trouble. **10.** *ça . . . bien:* it wouldn't look so good. **11.** *See page 33, note 2.* **12.** caught on. **13.** *c'est . . . démarrer:* that won't help us get started. **14.** recipe. **15.** *bout de mer:* little sea water.

Tant de mots pour rien, songea Vandervenne. Tant de mots.

Moustier fouilla encore dans ses poches, en sortit un vieux papier qu'il déplia. C'était la page de journal qu'il avait 5 ramassée à Paris et où il était dit que chacun devait souscrire aux bons d'Armement parce qu'il « leur fallait des chars ».

— Sans fleurs ni couronnes,[1] dit-il, et il déchira le papier. Des papillottes[2] grises voltigèrent[3] dans l'air.

— Et puis zut![4] s'écria Mirabelle. Le sang avait afflué à 10 son visage. — Tant pis! On ne va quand-même[5] pas s'atteler au char. On a fait ce qu'on a pu, et peut-être bien même un tout petit peu plus. Je voudrais voir ce que le lieutenant ferait à notre place. Il causait bien, le lieutenant, mais pour le reste! Je te parie que . . .

15 — Qu'est-ce que tu veux dire? l'interrompit Moustier.

— Ce que je veux dire? Il nota avec irritation que Vandervenne ne l'écoutait pas. — Qu'il faut les mettre,[6] voilà ce que je veux dire.

— On ne te retient pas, dit Moustier d'une voix douce.

20 — Comment?

Interloqué[7] par ce manque de résistance, Mirabelle regarda son camarade d'un air incrédule.

— Où veux-tu que j'aille tout seul?

Il songea que si Moustier le laissait partir, c'est qu'il avait 25 lui-même fléchi, et il ajouta sur un ton de persuasion:

— Allons, on part ensemble. On se débrouillera bien,[8] tu verras, réflechit-il tout haut.

— J'aime pas marcher, fit Moustier avec nonchalance. Ça me fatigue.

30 Mirabelle comprit qu'il s'était trompé. Il cracha par terre.

— Tu me dégoûtes![9] Eh bien, restez là avec votre cher trésor.

Il agita violemment le bras dans la direction du char.

— Vous boufferez de l'obus,[10] et peut-être que ces pingres-là[11]

1. (*lit.*, without flowers or wreaths). *Cf.* English phrase "Please omit flowers" which often appears in obituary notices. **2.** shreds of paper. **3.** fluttered. **4.** To heck with it. **5.** all the same. **6.** (*colloq.*): We've got to scram. **7.** Flabbergasted. **8.** *on . . . bien:* We'll manage. **9.** You make me sick! **10.** (*slang*, eat): You can fill your belly with shells. **11.** (*colloq.*): skinflints.

voudront bien vous vendre un peu de jus de puits[1] à boire. Moi, je m'en vais. Vous direz bonjour de ma part aux Fritz lorsqu'ils viendront vous cueillir[2] ici. Il postillonnait,[3] pris d'une rage bouffonne.[4] — S'ils vous demandent qui vous êtes, dites-leur: On est deux pauvres ballots qui ont pris un char en nourrice,[5] seulement on peut pas le quitter vu qu'il ne sait pas encore marcher. Quant à moi, très peu.[6] Tu le vois, l'autre veau avec ses yeux de merlan frit,[7] cria-t-il en indiquant Vandervenne qui fixait sur lui, sans le voir, un regard méditatif. Mais toi, Moustier, je te croyais plus intelligent. Bon, bon, je me suis trompé. Et maintenant, salut![8] Je pars. Je vous enverrai des cartes postales. Je vous dis que je les mets.[9] Adieu!

Il ne fit même pas semblant de s'en aller. Les trois hommes demeurèrent silencieux. Les villageois n'avaient pas bougé. Muets, ils contemplaient les soldats comme si ceux-ci venaient de tomber de la lune avec leurs vestes de cuir, leurs casques, leur soif d'essence, et les enfants scrutaient les flancs du tank, déçus de ne pas y découvrir, pris entre les chenilles, des débris de météores ou des queues de comètes. Plus haut, dans la rue, la T.S.F. s'égosillait.[10] Elle se tut à son tour.

— Attendez, dit Vandervenne.

Il avait enlevé son casque, et ses cheveux ébouriffés,[11] mélangés à du foin, lui faisaient[12] un bonnet de fourrure.

— L'ânesse de Balaam![13] s'exclama Mirabelle, sarcastique.

— Ferme ça![14] ordonna Moustier d'une voix dure, et ils regardèrent Vandervenne marcher vers la foule.

Massif, large d'épaules, il dominait les villageois. Ceux-ci l'observèrent s'approcher en silence. Il s'arrêta, les dévisagea,[15] se passa la langue sur les lèvres.

— Pour le pain, on s'en fiche,[16] dit Vandervenne. C'est

1. (*lit.*, well-juice): water. **2.** to round you up. **3.** sputtered. **4.** comical. **5.** *qui . . . nourrice:* who have taken on a tank to wet nurse. **6.** *Quant . . . peu:* As for me, no soap! **7.** *l'autre . . . frit:* (*lit.*, the other calf with the eyes of a fried fish); that big calf with the fishy stare. (A *merlan* is a whiting.) **8.** so long! **9.** I'm going to beat it. **10.** was blaring. **11.** dishevelled. **12.** *lui faisaient:* crowned him with. **13.** Balaam's she-ass (Num. XXII). Mirabelle remembers only that the she-ass was stubborn and talked back to Balaam. He thinks Vandervenne both looks and acts the donkey. **14.** (*slang*): Shut up! **15.** looked intently at them. **16.** *on s'en fiche:* we don't give a hoot.

pour le char. C'est le dernier du bataillon. Il coûte un million. Faut pas que les Allemands le prennent.

— Combien? demanda un vieux.

— Un million, répéta Vandervenne.

5 Il réfléchissait.

— On est parti avant-hier, dit-il pesamment.[1] On a roulé tout le temps. C'était . . .

Il renonça à expliquer.

— C'est le dernier char du bataillon, répéta-t-il. Nous 10 devons l'amener sur la Loire. On se bat sur la Loire.

Il se souvint du morceau de journal que Moustier venait de déchirer.

— Que leur faut-il, aux copains?[2] interrogea-t-il d'une voix exigeante et passionnée. Des chars. Des chars pour la 15 bataille de la Loire.

Il se tut.

A quoi bon![3] pensa Moustier en épiant la foule: des visages taillés dans du bois, creusés de plis comme de rainures,[4] les yeux perçants sous les sourcils broussailleux[5] des vieillards, les 20 lèvres pâles et serrées des femmes.

Celle qui, la première, avait répondu que le village manquait de pain pour se nourrir lui-même, fit d'un air incrédule:

— Je crois qu'il me reste un petit bidon. Si vous en voulez . . .

25 Déjà, les enfants s'éparpillaient[6] dans toutes les directions. La femme revint portant un bidon dont la couleur était presque entièrement partie.

Mirabelle haussa les épaules.

— Qu'est-ce qu'on va faire de cinq litres? dit-il.

30 Vandervenne prit le bidon, fit gravement:

— Merci, madame.

D'autres bidons arrivaient, grands et petits, ronds et carrés, rafistolés[7] avec des bouts de bois, bouchés[8] avec des chiffons, couverts de poussière, de toiles d'araignée, de fumier.[9] L'es-35 sence glougloutait[10] joyeusement dans le réservoir.

1. thickly. **2.** buddies. **3.** What's the use! **4.** *creusés . . . rainures:* lined with furrow-like creases. **5.** bushy. **6.** were scattering. **7.** patched up. **8.** stoppered. **9.** manure. French peasants often hide valuables in their farmyard manure pile for safe-keeping. **10.** gurgled.

— Par ici, par ici ! criait Mirabelle. C'est de l'essence unique. Tous les dons, je veux dire, tous les bidons sont les bienvenus.[1]

Des vieillards sourirent, amusés, et Mirabelle dit à Moustier:

— Qu'est-ce que tu en dis, de notre ânesse? Lorsqu'elle se met à parler, c'est du cousu-main.[2] Il baissa la voix: Dis, je t'ai fait peur tout à l'heure? Tu as cru que j'allais vous plaquer[3] et partir?

— Bien sûr que non.

— Ça me fait passer les nerfs.[4]

— Et puis, tu aimes causer.

— Pardi ! Je suis pas une bête,[5] moi !

Il y avait aussi du pain au village, et des œufs, et de la soupe, et du vin, et même du tabac. Ils reçurent autant d'invitations pour le repas de midi qu'il y avait de feux dans la grand'rue, mais ils étaient pressés de repartir. Ils perdirent pourtant cinq minutes à toucher la main à tout le monde, et tout le monde les accompagna jusqu'à la sortie du pays,[6] et les chiens et les gosses, même les plut petits, les trébuchants,[7] ceux dont ç'allait être le premier souvenir, au-delà.[8]

Ce qui, la nuit, avait paru chargé d'inconnu et de menaces, se révélait presque frivole à force de familiarité. Il y avait, bien entendu, des côteaux, et quelques touffes[9] d'arbres, des prés succédant à des champs de blé, des mûres[10] et du chèvrefeuille[11] tout le long de la route poudreuse qui tourniquetait[12] sans raison apparente, passant sur des ponts à parapets de pierre par-dessus des filets d'eau[13] hantés des libellules[14] d'un vert bleu sombre, traversant dix paysages divers.

Le long des petits chemins de France, bordés de haies vives,[15] des fleurs qui fleurissent dans les haies vives, des oiseaux qui chantent dans les haies vives, le long des ruisseaux à écrevisses et des ruisseaux à brochets,[16] au milieu des fleurs de France,

5. *Tous . . . bienvenus:* (*lit.*, All gifts, I mean all cans, are welcome). Note pun on the words *dons* and *bidons*. **2.** *c'est du cousu-main:* (*lit.*, it's hand sewn), she does a fine job. The reference of course is to Vandervenne. *See page 56.* **3.** (*colloq.*): leave you in the lurch. **4.** *Ça . . . nerfs:* It helps calm my nerves. **5.** Conveys a double meaning — "a fool" or "an ass". **6.** *Here used in the sense of* village. **7.** toddlers. **8.** (even) beyond. **9.** clumps. **10.** blackberry bushes. **11.** honeysuckle. **12.** twisted and turned. **13.** rivulets. **14.** dragonflies. **15.** *haies vives:* thorn hedges. **16.** *ruisseaux à écrevisses . . . brochets:* brooks abounding in crayfish and pike.

coquelicots, bluets, marguerites,[1] la France fichait le camp.[2] Voitures remorquées,[3] voitures en panne,[4] voitures abandonnées, voitures dans le fossé, voitures chargées de hardes,[5] avec des soldats accrochés à un marchepied[6] ou couchés sur
5 une aile,[7] avec, dans le pneu de secours,[8] une cage où se tenaient sagement deux perruches[9] vertes, voitures à pleurs d'enfants,[10] à caquetements[11] de poules, à jappements,[12] à blasphèmes.

Vers onze heures, ils retrouvèrent les autobus parisiens égaillés[13] dans les villages, et qui servaient de dortoirs. Quel-
10 ques-uns avaient conservé leurs plaques[14]: « Bastille », « Gare de l'Est », « Opéra ».

— Nous devrions déjà être sur la Loire, dit Moustier.

Ils venaient de s'engager sur la place d'une petite ville, noire de réfugiés. Devant la mairie, un colonel était en train
15 de bavarder avec un lieutenant-colonel.

— Arrête, dit Moustier, on va leur demander des tuyaux.[15]

De sa démarche dégingandée,[16] il s'approcha des deux officiers et attendit pour finir sa cigarette avant de leur parler.

20 — Je viens d'Evreux, racontait le lieutenant-colonel qui portait, à ses écussons,[17] les feuilles d'acanthe de l'intendance,[18] nous avons été bombardés plusieurs fois.

— Nous aussi, nous avons été bombardés, dit le colonel.

— J'ai expédié trois-cent-soixante-quinze employés hier à
25 Toulouse, dit le lieutenant-colonel, et j'en attends trois cents autres ici, ce soir, mais je ne trouve rien pour les loger.

— J'ai quatre mille bonshommes[19] à rassembler, dit le colonel, et je ne sais pas où ils sont.

— J'ai trois ordres de repli[20]: les Pyrénées, Bordeaux et le
30 Massif Central, dit le lieutenant-colonel.

— Excusez-moi, mon colonel, dit Moustier en jetant son mégot,[21] notre lieutenant nous a confié, à mes camarades et à moi, un char pour le sauver des Allemands. Nous devions le

1. poppies, cornflowers, daisies. **2.** *fichait le camp:* was on the run. **3.** towed. **4.** broken down. **5.** household belongings. **6.** running board. **7.** fender. **8.** spare tire. **9.** love birds. **10.** *voitures . . . enfants:* cars filled with the wailing of infants. **11.** cackling. **12.** yapping (of dogs). **13.** scattered. **14.** route signs. **15.** (*colloq.* tips): *here* information. **16.** gangling. **17.** service insignia. **18.** The acanthus leaf is the symbol of the quartermaster corps in the French Army. **19.** *Cf.* G.I.'s. **20.** withdrawal. **21.** cigarette butt.

conduire à Paris, mais Paris était évacué. Qu'est-ce que nous devons faire à présent?

—Je ne comprends rien à cette histoire,[1] dit le colonel. Et vous, colonel?

—Absolument rien, dit le lieutenant-colonel.

—Vous manquez d'ordres? demanda le colonel à Moustier. Eh bien, nous aussi.

Il s'adressait à son voisin, et les deux colonels sourirent en gens bien élevés.

—Allez toujours au sud de la Loire, suggéra le lieutenant-colonel, à moins que . . .

Mais déjà, Moustier, au garde-à-vous,[2] saluait. Il entendit derrière lui la voix d'un des officiers:

—Dites-moi, colonel, n'avez-vous pas connu à Evreux le colonel Pilavoine? . . .

Tous les réfugiés, à la fois, se précipitèrent vers la boulangerie pour profiter d'une fournée[3] fraîche. Pilavoine, Pilavoine, rageait Moustier, et, à ses camarades qui l'attendaient:

—Qu'est-ce que vous voulez?[4] Ce sont des officiers!

Ils partirent à la recherche des provisions. A la boulangerie, la fournée était déjà épuisée, ç'avait dû être la dernière, car un écriteau[5] pendait à l'entrée: « Pas de pain ». Mirabelle finit par en trouver un morceau chez une marchande de bicyclettes qui n'accepta pas l'argent qu'il lui offrait. Avec Vandervenne, il pénétra dans une épicerie. La patronne tricotait[6] au milieu des rayonnages[7] vides. Elle sourit aux soldats.

—Vous n'auriez pas du pâté,[8] dit Mirabelle timidement, ou des sardines, ou n'importe quoi?

—Il ne me reste que de la moutarde, dit l'épicière en s'arrêtant de tricoter pour rire. C'est tout ce que j'ai: de la moutarde.

—Va pour la moutarde,[9] dit Mirabelle, et elle les servit en riant.

A la sortie, ils rencontrèrent Moustier.

—Je suis entré dans une papeterie,[10] dit-il, pour essayer

1. *Je . . . histoire:* I haven't the faintest idea of what you're talking about. **2.** at attention. **3.** batch (of bread). **4.** expect. **5.** sign. **6.** was knitting. **7.** shelves. **8.** sandwich spread. **9.** *Va . . . moutarde:* O.K. Let's have the mustard. **10.** stationery store.

d'avoir une carte. Savez-vous ce qu'on m'a proposé? Une carte des Balkans, la seule qui leur restait.

Il prit dans sa poche la boussole, en frotta amoureusement le verre avec sa manche et dit:

5 — Mais ça n'a aucune importance.

— On a du pain et de la moutarde, annonça Mirabelle.

— Aucune importance, répéta Moustier. On a pas le temps de manger. Je me suis renseigné: on est plus loin que je ne croyais.

10 On rencontrait de plus en plus de voitures remorquées,[1] et d'autres, dans le fossé. Au bord de la route, des femmes, un seau[2] ou un broc à la main, quémandaient[3] de l'essence aux soldats. Dans l'herbe, des familles nombreuses attendaient.

— Ça fait rien, dit Moustier en regardant une famille qui, 15 père, mère et gosses, poussait une auto en panne, elle n'est pas chère, la viande d'homme.[4]

— Tu crois qu'on gagnera la guerre? lui demanda Mirabelle.

— Je crois ce que je vois, dit Moustier.

— Les Anglais ont toujours gagné la guerre, fit Mirabelle, 20 goguenard,[5] depuis les Romains.

— Les meilleurs Anglais, dit Moustier, ce sont les Canadiens parce qu'ils ne sont pas Anglais.

— Ce que je voudrais voir une seule fois, dit Mirabelle, rêveur,[6] c'est un avion français.

25 — Je les connais maintenant, les pilotes, dit Vandervenne avec une violence subite. Ce sont pas des hommes.

— Les pilotes et les officiers, dit Moustier. Heureusement qu'il y a les griffetons.[7]

Tous les trois étaient d'accord là-dessus, et la conversation 30 tarit,[8] faute d'avis contraires.

Une file de voitures civiles s'était arrêtée sur la route, que Vandervenne doubla en roulant dans l'herbe. Les automobilistes regardèrent passer le tank avec un morne ressentiment. Un sergent surgit devant eux, salua, cria à Moustier dont il 35 n'apercevait que la tête casquée:

1. being towed. **2.** *seau:* bucket; *broc:* jug. **3.** were begging. **4.** *elle . . . d'homme:* life is cheap. **5.** jeeringly. **6.** musingly. **7.** (*colloq.*): foot sloggers. *Cf.* plain G.I.'s. **8.** died down.

— Vous avez la priorité, mon lieutenant. Mais vous ne passerez pas: on vient de faire sauter un pont plus loin.

— Par où est-ce qu'on passe alors?

— Je ne sais pas, mon lieutenant.

— Essayons toujours, dit Moustier. On verra bien. 5

La route avait été dégagée[1] aux approches du pont qui reposait, en pièces détachées, sur les deux berges et dans la rivière, mince filet d'eau[2] qu'un officier, habillé d'une tenue de troupier[3] sur laquelle il avait cousu ses trois galons[4] de capitaine, était en train de contempler d'un œil critique. Une 10 demi-douzaine de soldats s'agitaient autour d'une camionnette délabrée,[5] sans phares,[6] sans capot, montée sur d'antiques bandages, et qui portait, tracé à la craie sur le flanc: « Vas-y comme je te pousse. J'arriverai quand-même. »[7]

Le char s'arrêta. Mirabelle sauta à terre, alla vers l'officier 15 en boutonnant en hâte sa veste de cuir.

— Pardon, mon capitaine, savez-vous s'il y a un autre pont par ici pour passer de l'autre côté?

L'officier fumait avidement. Il était maigre, brun; dans son visage décharné,[8] au nez camus,[9] deux yeux au regard 20 absent nageaient dans des cernes[10] noires. Il ne répondit pas, et Mirabelle répéta sa question.

— Laisse le capitaine tranquille! cria un des soldats, et Mirabelle se tut, interloqué.[11]

Moustier s'approcha de la camionnette où les soldats étaient 25 en train d'entasser pelles et pioches[12]; à leurs écussons,[13] il vit sans étonnement qu'ils appartenaient tous à des régiments différents dont un seul était du génie.[14]

— On s'amuse? demanda-t-il.

Un petit cuirassier moricaud[15] le regarda des pieds à la tête, 30 ne dit rien; les autres ne s'étaient même pas retournés.

— Vous connaissez la région? s'informa Moustier. Est-ce qu'il y a un autre pont pas trop loin d'ici?

1. cleared. **2.** streamlet. **3.** *tenue de troupier:* private's uniform. **4.** bars. **5.** dilapidated. **6.** *phares:* headlights; *capot:* hood; *bandages:* threadbare tires. **7.** « *Vas-y . . . quand-même* »: "Moves when pushed. I'll get there somehow." **8.** gaunt. **9.** *au nez camus:* snub-nosed. **10.** rings. **11.** nonplussed. **12.** shovels and picks. **13.** service insignia. **14.** engineering corps. **15.** dark-skinned.

— Il doit y en avoir un plus haut, et un autre plus bas, répondit le cuirassier, tu ferais bien de te dépêcher.

Les soldats rirent en chœur.

— Les Fritz sont dans la région? insista Moustier.

5 — Peut-être bien. Ils seraient déjà de l'autre côté de l'eau que ça ne m'étonnerait pas.[1] Ce ne serait pas la première fois que ça nous arriverait.

Une idée venait de frapper Moustier.

— Pourquoi n'êtes-vous pas passé de l'autre côté avant de le 10 démolir?

— Faut croire qu'il[2] y a encore du boulot[3] de ce côté-ci, répondit le cuirassier, et de nouveau ses camarades éclatèrent de rire.

Derrière lui, Moustier entendit la voix enjouée[4] de Mirabelle:

15 — Dis, Moustier, tu as une cigarette à me donner?

Mirabelle ne fumait pas. Moustier se retourna et vit son compagnon qui lui clignait de l'œil.

— Je les ai laissées dans le char, mentit Moustier, et les deux hommes s'éloignèrent.

20 — J'aime pas ça, chuchota Mirabelle en bégayant d'émotion. Ce troufion[5] avec des galons de capitaine qui ne connaît pas la région. Je te parie, éclata-t-il, et se retournant pour voir s'il avait été entendu, il termina dans un murmure: Ce sont des parachutistes.[6]

25 — Mais ils causent français, objecta Moustier.

— Pas l'officier. Il n'a pas dit un mot. Et même qu'ils causeraient français, ça ne change rien.

Ils étaient revenus auprès du tank. Pourquoi pas? songea Moustier. Il se souvint que seul, le cuirassier avait parlé, les 30 autres n'avaient fait que rire.[7]

— On va voir, décida-t-il soudain. Monte à l'intérieur, et tenez les mitrailleuses prêtes. Moi, je vais leur causer.

Il revint sur ses pas.

— Qu'est-ce que vous fichez là?[8] dit-il en roulant son mégot 35 entre les lèvres.

1. *Ils seraient . . . pas:* It wouldn't surprise me if they were already on the other bank. **2.** *Faut croire que:* Probably because. **3.** (*colloq.*): work. **4.** lively. **5.** (*colloq.*): private. **6.** (German) paratroopers. **7.** *n'avaient . . . rire:* had merely laughed. **8.** What the devil are you doing there?

— Ça te regarde[1]? s'informa un soldat blond et fluet[2] qui portait des écussons d'infirmier.[3]

— Oui, ça me regarde.

— Eh bien, on a fait sauter le pont, des fois que[4] tu ne t'en serais pas aperçu. 5

— Je ne rigole pas.[5] Qui êtes-vous? Avez-vous seulement vos papiers en règle?[6]

Ils éclatèrent de rire.

— Ça va,[7] ça va, dit Moustier, pas besoin de causer une langue pour rire.[8] Seulement, ajouta-t-il en traînant[9] les 10 syllabes, à votre place, je répondrais, et il jeta un regard vers le char dont les mitrailleuses convergeaient vers le groupe. C'est pas du chiqué, ça,[10] conclut-il en soulignant le dernier mot.

Les rires cessèrent. 15

— Vous feriez mieux de faire gaffe,[11] dit le cuirassier. On est bourré de dynamite. Capitaine, cria-t-il, venez voir, ce type nous cherche des histoires.[12]

Interrompu dans sa méditation par une voix familière, l'officier s'approcha, dit d'un air excédé[13]; 20

— Qu'est-ce qu'il y a?

— Il y a qu'avec votre permission, je voudrais voir vos papiers, dit Moustier. S'il gueule,[14] c'est que Mirabelle a raison, pensa-t-il, mais le capitaine demanda distraitement:

— Quels papiers? Pourquoi faire? 25

Il se dirigea vers la camionnette.

— On part? demanda le cuirassier.

— C'est pas mon impression,[15] dit Moustier, et il fit quelques pas dans la direction de l'officier.

— Laisse le capitaine tranquille, jeta l'infirmier. 30

— Nous sommes en retard, dit l'officier, et ses soldats se regardèrent avec le sourire complice d'élèves qui entendent leur professeur préféré prononcer son expression favorite.

1. Is that any of your business? **2.** slender. **3.** service insignia of the Medical Corps. **4.** *des fois que* (*fam.*): just in case. **5.** I'm not kidding. **6.** in order. **7.** O.K. **8.** *pas . . . rire:* one can laugh in any language. **9.** articulating. **10.** There's nothing fake about that. **11.** *Vous . . . gaffe:* You'd better watch out. **12.** *ce type . . . histoires:* this guy is looking for trouble. **13.** weary. **14.** squawks. **15.** Not if I have anything to say about it.

— Vous ne partirez pas avant de m'avoir montré vos documents, dit Moustier d'un air obstiné. Si votre capitaine ne comprend pas le français, vous n'avez qu'à le lui traduire.

— Laisse le capitaine tranquille, répéta l'infirmier.

5 Un garçon au visage poupin,[1] au menton gras piqué d'une fossette,[2] le seul qui portât des écussons noirs de sapeur,[3] dit sur un ton conciliant:

— Pourquoi veux-tu voir nos papiers?

— Parce que je crois que vous n'en avez pas.

10 — Mais si, voyons. Regarde.

Il sortit un livret militaire[4] crasseux[5] que Moustier lut attentivement: « Dandeau, Robert, Marie, Pierre, né à Pontgibaud . . . »

— On est en règle, dit le sapeur. On te les fera voir, nos 15 livrets. Seulement, n'embête pas le capitaine.

— Tu es de Pontgibaud? demanda Moustier. Alors, on est presque pays.[6] Je reste du côté de Clermont.[7]

— J'y ai travaillé avant la guerre, dit Dandeau. Je suis bourrelier.[8] Tu connais la maison[9] Touillac?

20 Moustier se tourna vers le char, cria:

— L'incident est liquidé. Vous pouvez venir. Qu'est-ce qu'il a, votre pitaine? demanda-t-il au sapeur.

— Qu'est-ce que tu lui trouves, au capitaine? dit Dandeau, agressif.

25 — Il n'est guère causant.[10]

— Il a autre chose à faire qu'à causer. On fait du boulot,[11] nous autres.

— Quel boulot?

— Les ponts.

30 Cinq semaines plus tôt, le capitaine, avec sa compagnie du génie, dont faisait partie Dandeau, était stationné en Belgique, sur la Meuse, prêt à faire sauter un pont ferroviaire[12] dès qu'il en recevrait l'ordre. « Cet ordre, on l'attend toujours », dit

1. *au . . . poupin:* baby-faced. **2.** *piqué d'une fossette:* dimpled. **3.** sapper (specialist of the Engineer Corps). **4.** *un livret militaire:* a military record book which every French soldier must carry on his person at all times. **5.** grimy. **6.** *Here used familiarly as a person from the same region. Translate,* We're almost neighbors. **7.** I come from around Clermont. **8.** harness maker. **9.** concern. **10.** talkative. **11.** (*colloq.*)*:* work. **12.** railway bridge.

Dandeau. Lui et le capitaine se retrouvèrent, seuls de leur unité, dans les Ardennes, pour apprendre que les ponts sur la Meuse n'avaient pas sauté. « Il faisait pitié à voir,[1] dit le sapeur. Il prétendait qu'il n'aurait pas dû attendre les ordres. Si tu l'avais vu à ce moment-là, comme je l'ai vu, tu ne me demanderais pas ce qu'il a. Et simple avec ça. » Cette histoire des ponts sur la Meuse qui n'avaient pas sauté avait dû prendre dans la tête de l'officier les proportions d'une idée fixe. Décidant une fois pour toutes de ne plus jamais attendre des ordres, il avait recruté au hasard[2] de la retraite quelques soldats isolés, et résolu de prendre sa revanche sur le fameux pont ferroviaire dont les parapets métalliques venaient narguer[3] ses rêves de leur solide continuité. « Nous étions une quinzaine au début, fit Dandeau avec mépris, mais il y en a qui ont eu les foies. »[4] Ceux qui restaient n'avaient de vie qu'aux abords[5] des ponts. C'était leur pain, leur passion, ils en avaient oublié la guerre.

— Comment faites-vous pour croûter?[6] s'informa Mirabelle: lui et Vandervenne s'étaient rapprochés du sapeur et l'écoutaient parler.

— On se débrouille, répondit vaguement Dandeau.

Bien qu'ils eussent dû renoncer à la mélinite[7] et à la cheddite[7] du début pour se satisfaire de dynamite et que la cigarette du capitaine appliquée à la mèche[8] eût remplacé les détonateurs électriques, l'officier n'avait pas son pareil pour se procurer des explosifs; par contre, il ne s'occupait jamais des questions d'intendance. La chance les avait favorisés: deux fourreurs[9] parisiens qu'ils avaient aidés à passer la Marne, à Lagny, leur avaient fait cadeau d'un sac de fourrures. « C'est pas grand'chose: du lapin teint,[10] mais ça plaît aux paysans », se hâta d'expliquer Dandeau que cette question n'intéressait pas. « C'est un as,[11] dit-il en revenant au seul sujet qui lui tînt à cœur.[12] Vous voyez cette camionnette. On l'a trouvée sur le bord de la route, en allant sur Nemours, avec une vieille folle

1. He was a pitiful sight. 2. *il . . . hasard:* picked up. 3. haunt. 4. *il . . . foies:* some of them got cold feet. 5. *n'avaient . . . abords:* came to life only at the approaches. 6. (*slang*): eat. 7. powerful explosives. 8. fuse. 9. fur dealers. 10. dyed. 11. *C'est un as:* He's a swell fellow. 12. *lui . . . cœur:* was close to his heart.

qui courait autour comme si elle avait perdu sa fortune. Eh bien, lui, il l'a dépannée[1] tout de suite. Il s'est couché par terre, et il l'a dépannée! Puis, il s'est relevé, a allumé une cigarette et a dit: — Dandeau, nous voilà motorisés! Dans le temps,[2] il 5 n'arrêtait pas de fumer, mais à présent que les cigarettes sont rares, il les garde pour allumer la mèche. Il finit la cigarette pendant que le pont saute. » La voix du sapeur exprima de l'admiration. « Savez-vous comment on l'appelle? » D'une voix théâtrale, il annonça: « Le capitaine Dynamite ».

10 Le cuirassier vint vers eux.

— Dépêche-toi, Dandeau, on va partir.

Vandervenne contempla avec désapprobation les blocs de pierre qui baignaient dans l'eau peu profonde.

— Ça coûte du travail, tout ça, dit-il.

15 Le cuirassier cracha bruyamment.

— On est pas des maçons, nous autres, dit-il, on est des dynamiteurs.

— Tu viens, Dandeau, cria le capitaine, et le sapeur, rayonnant,[3] fila vers la camionnette.

20 — Les parachutistes,[4] sourit Moustier. Il se souvint de Mirabelle l'emmenant à part sous prétexte de fumer, et il lui demanda: Tu la veux toujours, ta cigarette?

La guimbarde[5] toussa, sursauta,[6] s'éloigna en trépignant.[7]

25 — Un seul galonné[8] qui n'ait pas fichu le camp,[9] et c'est un fou, observa Mirabelle.

Ils remontèrent dans le char et traversèrent à gué[10] la rivière, dont l'eau mouilla à peine les chenilles, aussi facilement qu'il l'aurait franchie sur le pont dont les fragments épars opposèrent 30 l'unique et futile obstacle à leur passage.

Il faisait encore jour lorsqu'ils aperçurent une ferme. Entourée d'arbres, elle était vaste et cossue,[11] et retentissait de cris d'hommes et de meuglements[12] de vaches. L'apparition du char provoqua une fuite générale, seule une fillette était de-35 meurée sur place qui suçait son pouce. Les trois soldats

1. got it going again. **2.** *Dans le temps:* In the old days. **3.** beaming. **4.** paratroopers. **5.** rattletrap. **6.** bucked. **7.** chugging. **8.** officer. **9.** *fichu le camp:* (*colloq.*) taken it on the lam. **10.** *traversèrent à gué:* forded. **11.** prosperous. **12.** lowing.

sautèrent dans la cour, et en voyant des uniformes français, les fermiers revinrent sur leurs pas.

Ils étaient sur le départ,[1] le grand-père, deux femmes — une vieille et une jeune — deux adolescents et de la marmaille,[2] tous en noir, endimanchés,[3] chapeautés,[4] comme pour aller à la messe. 5

— Elle est encore loin d'ici, la Loire? s'informa Mirabelle.

— Vous y êtes, dit le vieux. Il ajouta: On allait partir.

— Partir?

Au milieu de la cour, un grand chariot[5] se dressait, rempli d'ustensiles de ménage. 10

— Vous partez pour de bon[6]? demanda Moustier.

— Bien sûr, dit la jeune femme, on fait comme tout le monde.

— Et où allez-vous?

— On va passer le pont, on verra ensuite. 15

— Et tout ça?

Il indiqua la maison crépie à neuf,[7] l'étable dont la toiture venait d'être refaite, les vaches, le champ de blé, les poules qui picoraient[8] entre les jambes des chevaux attelés au chariot.

— On n'est pas les seuls, dit la jeune femme avec un sourire fautif.[9] Elle était rousse,[10] et ses yeux bleus ne souriaient pas. C'est ici qu'il faudrait rester, pensa Vandervenne, toujours, avec elle. 20

— On a détaché les bêtes, dit le vieux, elles trouveront à manger. 25

Les enfants, admiratifs, contemplaient le char.

— Ça pèse lourd, monsieur, ce truc?[11] demanda l'un d'eux à Vandervenne.

— Oui, mon bonhomme.[12]

— Lourd comme quoi? Comme la maison? Et, s'enhardissant[13] toujours davantage: Et votre casque, monsieur, il pèse lourd? 30

— Les gosses, ça les intéresse, dit en s'excusant la vieille femme, et, à l'enfant: Jeannot, veux-tu laisser monsieur tranquille. 35

1. *sur le départ:* about to leave. 2. (*colloq.*): kids. 3. dressed up. 4. with hats on. 5. wagon. 6. *pour de bon:* for good. 7. newly plastered. 8. were pecking. 9. guilty. 10. red-haired. 11. (*colloq.*): that contraption. 12. friend. 13. growing bolder.

— Ça fait rien, madame, grommela Vandervenne: il avait perdu l'habitude de parler aux femmes at aux enfants.

— Si vous voulez emporter quelque chose, dit le vieux, ne vous gênez pas.[1] Des poules, ou même une vache. J'ai fait 14,[2] ajouta-t-il. Dans l'artillerie.

La jeune femme rousse disparut à l'intérieur de la maison. Les soldats la suivirent des yeux. Elle revint avec une bouteille et des verres.

— Vous devez avoir soif, dit-elle, avec un lent sourire.

— Sans façon,[3] dit le vieux.

— A votre santé, fit poliment Mirabelle, et ils burent avec avidité.

— Il est bon, votre vin, dit Moustier en s'essuyant la bouche.

— Madeleine, va chercher quelques bouteilles, commanda le vieux. J'en laisse deux barriques,[4] expliqua-t-il. Si le cœur vous en dit[5] . . .

— Vous avez du monde à la guerre? devina Moustier.

— Mon aîné et mon gendre, le mari à Madeleine. Ils étaient dans le Nord.

Mariée. Le cœur de Vandervenne se serra.

— Nous en venons, du Nord, dit Mirabelle. C'était calme par là.

— On est sans nouvelles, dit Madeleine. Elle parlait gravement et sans hâte. — Mon mari est dans les dragons portés.[6] J'ai le numéro du secteur postal.[7]

Vandervenne regarda un des garçons, roux,[8] lui aussi, et demanda pour le plaisir d'entendre la voix de Madeleine:

— C'est votre frère, madame?

— Il n'a que seize ans, dit-elle.

— Presque dix-sept, jeta le garçon en s'empourprant.[9]

— Il est trop jeune pour l'armée, dit la vieille fermière, mais il nous a bien aidés ici.

1. *ne . . . pas:* don't hesitate. **2.** *J'ai fait 14 = J'ai fait la guerre de 1914:* I was in the First World War. **3.** *Sans façon:* Don't stand on ceremony. **4.** casks (*usually 225 litres*). **5.** *Si . . . dit:* If you feel like it. **6.** *dragons portés:* motorized cavalry (dragoons). **7.** *numéro du secteur postal:* French soldiers were assigned a postal sector number just as American soldiers serving overseas were assigned an APO number. **8.** red-haired. **9.** blushing violently.

— N'est-ce pas, monsieur, qu'on peut s'engager[1] à dix-sept ans en temps de guerre? demanda le garçon à Moustier d'une voix trop forte. Il rougit jusqu'aux oreilles.

— Prends patience, Lucien, dit le fermier. Il cligna de l'œil aux soldats. Toi, tu est trop jeune, et moi, je suis trop vieux.

Vandervenne chercha le regard du garcon et lui sourit n'osant pas sourire à sa sœur.

— Vous croyez que mon mari recevrait ma lettre si j'écrivais à son secteur postal? demanda-t-elle.

— Ils sont partis depuis longtemps, affirma Moustier. Tout le monde est parti.

— Tu rinceras les verres, Madeleine, dit la vieille femme, et tu les serreras[2] dans l'armoire.[3]

— Alors, vous ne prenez rien? dit le vieux. Quelques poulets?

— Merci, dit Moustier.

— Sans façon?[4]

— Sans façon. On a pas la place. On va se battre.

— Je comprends, dit le vieux d'un air important.

— La bataille de la Loire, dit Mirabelle.

— Je comprends, dit le vieux.

Ils se retournèrent encore une fois avant de demarrer[5] pour voir Madeleine. La bouche entr'ouverte, les yeux graves, elle leur envoya de sa tête rousse un dernier salut.

Le chemin débouchait sur la Loire, à la hauteur d'un pont. Une guérite[6] se dressait là, abandonnée, sur laquelle on pouvait lire, écrit à la craie: « Les lieux sans amour ». Le fleuve était large, et lent, et étale,[7] frangé de saules et de noisetiers.[8]

— On arrive à temps, dit Moustier. Ils n'ont mis personne pour défendre ce pont.

Le char en boucha l'entrée, son canon et ses mitrailleuses pointées au nord.

— On n'a que dix litres d'essence, dit Mirabelle.

— Où veux-tu aller? demanda Moustier. On est arrivé.

1. enlist. **2.** store. **3.** cupboard. **4.** You're not standing on ceremony? **5.** starting. **6.** sentry-box. **7.** shallow. **8.** bordered by willows and hazel trees.

Il ne leur restait plus qu'à attendre, et ils attendirent dans le noir, n'osant pas fumer, osant à peine ouvrir la bouche.

Ils ont dit qu'ils passeraient le pont, songea Vandervenne: il ne savait pourquoi, la Loire lui avait rappelé Madeleine. Il 5 attendit, mais il ne venait personne. Ils ont dû prendre un autre pont, pensa-t-il. Cela valait mieux ainsi. On était arrivé.

Aucun bruit ne leur parvenait que de temps à autre le chuintement[1] d'une chouette,[2] le bourdonnement d'un avion 10 invisible et, au loin, des chapelets[3] d'explosions. Depuis l'avant-veille,[4] ils avaient dormi cinq heures, mais aucun n'avait sommeil. La lune monta au ciel, se réfléchit dans la Loire, dessina le pont et le char. Un bruit d'avion s'enfla par saillies,[5] des explosions proches éclatèrent, le silence revint.

15 — Ah, les cochons! dit Mirabelle.

Moustier avait roulé une cigarette qu'il mordillait[6] sans l'allumer. Par la fente, un mince rayon de lune pénétra dans le char, éclaira le nez de Vandervenne, une bande[7] de mitrailleuse, fit briller le tableau de bord.[8] De nouveau, le 20 ronron[9] d'un moteur dans le ciel, le déchirement des explosions.

— Ah, les salauds![10] dit Mirabelle.

Des branches sèches craquèrent, une voix dit:

— Les voilà!

25 Il y eut un déclic[11] métallique, et la même voix demanda:

— Tu as les grenades, Dubois?

— Attention, dit Moustier, voilà du renfort. Et les Allemands doivent être en face. Préparez-vous.

Il entrebâilla[12] la portière, et au même instant, un objet rond 30 et lourd vint se heurter à la paroi du char, à côté de l'ouverture. La nuit s'éclaira d'étoiles rouges, et Moustier tomba à la renverse[13] entraînant la portière dans sa chute en arrière.

S'il avait fait plus que l'entrebâiller, il serait mort au champ d'honneur, et avec lui, ses deux camarades et, sans doute, ceux 35 qui étaient dehors; en explosant au milieu des obus, la grenade

1. screeching. **2.** screech-owl. **3.** series. **4.** the day before yesterday. **5.** *s'enfla par saillies:* increased in swelling spurts. **6.** chewed on. **7.** cartridge belt. **8.** *tableau de bord:* instrument panel. **9.** drone. **10.** dirty skunks! **11.** click. **12.** half opened. **13.** *à la renverse:* backwards.

aurait transformé le char en un tas de ferrailles.[1] Ils devaient leur salut à une fraction de seconde ou à une fraction de centimètre.

Brûlé au front et à la main droite, Moustier était seulement évanoui. A l'extérieur, les assaillants se concertaient. Furieux, Mirabelle hurla par la fente latérale:

— Bande de salauds! Vous n'êtes pas fichus[2] de reconnaître un char français!

Il se fit un silence, puis une voix gênée[3] dit:

— Vous avez eu mal?

— Bien sûr qu'on a eu mal, glapit[4] Mirabelle. Qu'est-ce que vous pensiez jeter?

Il ouvrit la portière. Penaud,[5] un aspirant[6] en lunettes s'en approcha, suivi d'un sergent et de quelques hommes.

— Je ne l'ai pas? . . . demanda-t-il en indiquant Moustier qui ne bougeait pas.

— Si, vous l'avez tué, cria Mirabelle. Il ne manquait plus que ça![7] Qu'est-ce que vous faites là?

— On défend le pont, dit l'aspirant. On nous avait signalé une colonne motorisée allemande.

Moustier grogna, s'assit en évitant de s'appuyer sur sa main brûlée.

— Mais il vit! dit l'aspirant, il faut le transporter.

— Ça n'a aucune importance, dit Moustier.

Il avait mal à la tête et ne trouvait pas ses mots.

— Où est-ce que vous le défendez, le pont? demanda-t-il enfin.

— De l'autre côté de la Loire, sur la rive sud, expliqua l'aspirant, volubile: il avait eu très peur.

— Sur la rive sud?

— Oui, le génie l'a miné ce matin, mais ils sont partis sans nous dire comment il faut mettre le feu à la mèche.[8] Le commandant a envoyé un motocycliste pour avoir le renseignement.

Il enleva ses lunettes et les essuya.

1. *tas de ferrailles:* pile of junk. **2.** *Vous . . . fichus:* Haven't you got enough sense to. **3.** embarrassed. **4.** yowled. **5.** crestfallen. **6.** graduate cadet (who, after a certain period of service, receives his appointment as second lieutenant). **7.** *Il . . . ça!* That's all we needed! **8.** fuse.

— Les mèches, ça ne s'allume pas, dit Moustier, il y a une commande électrique,[1] et pas de mèche. A moins que vous n'ayiez eu la visite du capitaine Dynamite. Mais alors, il n'y aurait plus de pont. Où est-il, votre commandant?

5 — En face, sur la rive sud. Vous n'avez pas eu trop mal? s'informa l'aspirant. Vous savez, je suis navré,[2] etc., ces méprises[3] sont fréquentes à la guerre.

— On y va, les enfants,[4] dit Moustier sans le regarder, et il jeta par-dessus l'épaule[5]: Surtout, ne touchez à rien. Vous 10 seriez capable de ficher[6] le char dans l'eau.

Il titubait[7] légèrement en traversant le pont. Vandervenne s'approcha de lui, passa son bras sous le sien en évitant soigneusement de toucher à ses brûlures.

— Je pourrais te porter, dit-il.

15 — Merci, coco, dit Moustier, railleur,[8] et Vandervenne se sentit rougir.

On arrive à temps, pensa Moustier, et comme s'il l'avait entendu, Mirabelle dit:

— Qui sait, sans nous, les Fritz traversaient[9] peut-être la 20 Loire?

Il réfléchit en silence.

— Crois-tu qu'on aura la Croix de Guerre?[10] demanda-t-il.

— Ça, alors je m'en fiche,[11] dit Moustier.

Ils avaient remis d'aplomb[12] leur casque, boutonné leur 25 cuir,[13] serré leur ceinturon,[14] et avançaient lentement, bras-dessus bras-dessous,[15] butant[16] sur des cailloux, joyeux et graves, soûls,[17] Mirabelle d'orgueil, Moustier de douleur, Vandervenne de satisfaction devant de l'ouvrage bien fait, et tous les trois, de fatigue et d'insomnie.

30 Le poste de commandement était installé dans une baraque.[18] Une citerne d'essence[19] stationnait devant l'entrée, le chauffeur ronflait,[20] penché sur le volant.[21] Le commandant dormait sur un lit de camp,[22] tout habillé.

1. *commande électrique:* electrical plunger. **2.** terribly sorry. **3.** mistakes. **4.** *On . . . enfants:* Let's go, boys. **5.** *il . . . l'épaule:* he called (back) over his shoulder. **6.** shove. **7.** staggered. **8.** jeeringly. **9.** would already be across. **10.** Distinguished Service Cross. **11.** *Ça . . . fiche:* Do you think I give a hang about it? **12.** *remis d'aplomb:* straightened. **13.** leather jacket. **14.** belt. **15.** *bras-dessus bras-dessous:* arm-in-arm. **16.** stumbling. **17.** groggy. **18.** shack. **19.** gasoline truck. **20.** was snoring. **21.** steering-wheel. **22.** *lit de camp:* Army cot.

— Alors, ça y est?[1] dit-il sans ouvrir les yeux, et, se réveillant, il examina avec étonnement les trois soldats. On vous envoie pour la mine? demanda-t-il plus sèchement. Où est le motocycliste?

Moustier essaya de se mettre au garde-à-vous, porta sa main brûlée à son casque.

— Mon commandant,[2] dit-il, nous vous amenons un char vingt-deux tonnes, armé et avec le plein[3] de munitions. A votre disposition, mon commandant, pour défendre le pont.

Sa tête allait éclater, il faut que j'enlève le casque, pensa-t-il vaguement, mais au lieu de le faire, il se mit à rouler une cigarette.

— Un char? Défendre le pont?

Le commandant n'y était pas du tout.[4] Un seul point était clair: ces hommes n'étaient pas là pour faire sauter la mine, le motocycliste n'était pas rentré, il fallait encore rester là, attendre, attendre . . .

— Qu'est-ce que vous me racontez? demanda-t-il.

Moustier essaya d'expliquer. A mesure qu'il parlait, il lui semblait que sa langue s'enflait dans la bouche, les mots passaient estropiés.[5]

— Qu'est-ce que vous voulez que je fiche d'un char?[6] dit enfin le commandant.

— C'est le dernier du bataillon, expliqua Vandervenne.

— Et puis?[7] Me réveiller au milieu de la nuit pour une histoire pareille. C'est incroyable!

Il fulminait,[8] le commandant.

Moustier trouva enfin la phrase qu'il cherchait depuis le début.

— C'est pour la bataille de la Loire, dit-il.

Le commandant le regarda comme un fou.

— Quelle bataille de la Loire?

Ils étaient ridicules, ces trois soldats, sortis de la nuit, avec leur char qu'ils voulaient placer[9] à tout prix.

1. *Alors, ça y est?* Are you all set? 2. Sir (*addressing a Major*). 3. full load. 4. *n'y . . . tout:* didn't know what it was all about. 5. garbled. 6. *Qu'est-ce . . . char?* What the devil do you think I want with a tank? 7. So what? 8. He was fuming. 9. get assigned.

— Orléans[1] a été déclarée ville ouverte et évacuée ce matin, dit-il. Alors vous pouvez toujours courir pour[2] votre bataille de la Loire!

Il en avait assez: ses propres embêtements lui suffisaient. 5 Il regarda Moustier.

— Enlevez la cigarette avant de me parler, cria-t-il.

Ils sortirent en silence. Dehors, Mirabelle retrouva le premier ses esprits.

— La discipline reprend du poil de la bête,[3] dit-il, on gagnera 10 la guerre.

Ils revinrent au char, y montèrent sans faire attention à l'aspirant et à ses hommes, et Mirabelle mit le moteur en marche. Le tank décrivit un demi-cercle et s'engagea[4] sur le pont. En arrivant à la citerne, Moustier jeta[5] au chauffeur 15 ensommeillé:

— Fais le plein.[6] Ordre du commandant.

Ils roulèrent en silence. Au bout d'un quart d'heure, Vandervenne, que ses camarades croyaient endormi, se mit à jurer. Il jura longuement en y mettant toute son expérience 20 de chauffeur de poids lourds,[7] toute sa passion d'homme.

Il y eut un nouveau silence. Enfin, Mirabelle demanda:

— Orléans, c'est sur la Loire?

— Bien sûr, dit Moustier.

— Alors, les Allemands n'ont qu'à la traverser?

25 Ils se turent[8] encore, pendant une dizaine de minutes. Les regrets répugnaient à Vandervenne, mais non la rage. Il avait sacrifié Madeleine, à quoi?

— Où va-t-on? demanda encore Mirabelle.

— Moi, j'ai compris,[9] je rentre chez moi, déclara Mous- 30 tier.

— Comment ça?

— L'incident est liquidé. Qu'il serve au moins à ça,[10] dit Moustier en indiquant les manettes.[11]

Mirabelle réfléchit.

1. city on the north bank of the Loire River. **2.** *vous . . . courir pour:* you'll have to hunt some before you find. **3.** *reprend . . . bête:* is coming into its own again. **4.** started to cross. **5.** called out. **6.** Fill her up. **7.** truck driver. **8.** kept silent. **9.** *j'ai compris:* I'm wise to what's up. **10.** *Qu'il . . . ça:* It's the least it (the tank) can do for us. **11.** controls.

— D'accord, dit-il, ça me rapproche.[1]

— Et toi, Vandervenne? demanda Moustier.

— Je ne peux pas rentrer. Je suis du Nord.

— Je l'emmène, dit Mirabelle.

— Non, il vient avec moi, dit Moustier. 5

Devant un étang[2] qui miroitait[3] dans la nuit, il fit arrêter le char.

— Descendez, les enfants.

Il sortit[4] un obus de son alvéole,[5] le passa à Vandervenne:

— Attrape, coco! 10

Les obus faisaient plouf! en s'enfonçant dans l'eau. Des grenouilles[6] s'agitèrent, terrorisées par ce bombardement, des cercles coururent à la surface de l'étang. Lorsque le char fut vidé de munitions, Moustier dit:

— Et maintenant, on fume une cigarette. 15

Ils avaient enlevé casques, ceinturons et cuirs,[7] déboutonné leur chemise, retroussé[8] les manches: la nuit était tiède et paisible.

— Nous voilà promus anciens combattants,[9] dit Mirabelle ou plutôt, combattus. 20

Ils ne s'arrêtèrent plus de la nuit. Pendant que l'un conduisait, les deux autres dormaient. Au matin, ils retrouvèrent les convois, les civils.

Les voitures ne descendaient plus toutes au sud; des caravanes éperdues[10] cahotaient[11] dans tous les sens, se croisant, se 25 recroisant, tournant en rond,[12] comme une poule qui court encore un peu après avoir eu la tête coupée, puis échouaient[13] et mouraient[14] au bord d'un champ ou à un carrefour de village, vides d'essence.

Le char roulait doucement, par la portière grande ouverte, 30 Moustier et Mirabelle blaguaient[15] avec les femmes que Vandervenne accueillait d'un regard d'espérance, toujours déçue. Ils s'arrêtèrent une fois pour ramasser des poulets qui ne se

1. *me rapproche:* will bring me nearer home. **2.** pond. **3.** glimmered. **4.** pulled out. **5.** compartment. **6.** frogs. **7.** belts and leather jackets. **8.** rolled up. **9.** Mirabelle puns on *combattre:* Now we're promoted to ex-combattants (veterans) or rather ex-combatted (beaten veterans). **10.** bewildered. **11.** (*lit.,* jolted): were milling around. **12.** going around in circles. **13.** getting stranded. **14.** were bogging down. **15.** joked.

méfiaient de rien,[1] une autre fois, pour faire monter quatre jeunes filles, des ouvrières d'une usine parisienne qui leur racontèrent que le jour de leur départ de la capitale, des gardes mobiles[2] étaient venus protéger, dans les ateliers,[3] 5 les machines que le personnel voulait détruire plutôt que de les laisser aux Allemands.

— Quand je pense que ça ne fait pas six semaines qu'on arrivait sur la Meuse, dit Mirabelle. Et dire que dans le temps,[4] il y avait des guerres de Cent Ans!

10 La route montait, il y avait moins de villages, moins de voitures, il n'y avait plus de champs, des prés seulement, qui se succédaient jusqu'à l'horizon où vacillaient[5] des montagnes bleues. Jamais les prés de France, libérés des faucheurs,[6] n'avaient été aussi beaux, n'avaient autant regorgé[7] de fleurs. 15 Il y avait des prés tout blancs de marguerites,[8] des prés tout mauves de pensées sauvages,[9] des prés tout roses de digitales,[10] comme si, sur ces immenses étendues solitaires, il y eut enfin assez de place pour chaque fleur.

— Arrête, dit soudain Mirabelle.

20 Ils n'étaient plus pressés. Les chenilles s'immobilisèrent, et Moustier demanda:

— Qu'est-ce qu'il y a?

A perte de vue,[11] des collines déployaient des pentes[12] douces et fleuries. Perdue au milieu de leurs ondulations, une vache, 25 plantée sur ses jambes écartées,[13] tanguait[14] bizarrement. Mirabelle la montra du doigt.

— Et puis? dit Moustier.

— Regarde bien.

Moustier contempla le paysage. Son œil de citadin[15] ne 30 nota rien d'insolite.[16]

— Je ne pige[17] pas, dit-il, je ne vois personne.

— Les bestiaux, c'est pas comme nous, dit Mirabelle, ça ne sait pas[18] se défendre.

1. *qui . . . rien:* who were caught unawares. **2.** *gardes mobiles:* armed paramilitary police force used to maintain order in emergencies. **3.** shops. **4.** *Et . . . temps:* And to think that in the good old days. **5.** shimmered. **6.** reapers. **7.** teemed with. **8.** daisies. **9.** *pensées sauvages:* wild pansies. **10.** foxgloves. **11.** *A perte de vue:* As far as one could see. **12.** the hills unfolded in slopes. **13.** wide-spread. **14.** wobbled. **15.** city-dweller. **16.** unusual. **17.** (*colloq.*): *Je ne comprends pas.* **18.** *ça ne sait pas* (*colloq.*): *ils ne savent pas.*

Il descendit du char et marcha vers la vache.

Elle l'attendait, immobile, seul un petit frisson miroitait[1] sur ses flancs blancs tachés de noir. Elle tendit l'échine,[2] releva la museau,[3] meugla[4] longuement. Mirabelle s'approcha d'elle, la chatouilla[5] entre les cornes, regarda autour de lui comme s'il cherchait quelque chose, se gratta la nuque[6] et revint vers le char.

— On n'aurait pas un seau?[7]

Plus que la question, son sérieux[8] intrigua Moustier.

— Non, bien sûr, dit-il, mais il y a les litres[9] vides. Pourquoi?

— Ça ne fera pas l'affaire.[10]

Mirabelle médita, ses yeux parcouraient l'intérieur du char.

— J'y suis![11] s'écria-t-il. Vandervenne, passe-moi un casque.

Ils avaient empilé leurs souvenirs d'anciens combattants[12] dans la tourelle. Vandervenne attrapa un casque par sa large jugulaire[13] et le tendit à Mirabelle.

— On peut venir voir? s'informa Moustier.

— Si vous ne faites pas de bruit.

Vandervenne le regarda: il ne blaguait pas.[14]

Suivi de ses camarades, il revint vers la vache. Elle n'avait pas bougé, son tremblement s'était accentué, sa queue battait l'air à petits coups saccadés.[15]

— Si tu as soif, on a du vin, dit Moustier en devinant ce que Mirabelle voulait faire, et il se mit à rouler une cigarette.

Mirabelle s'assit à croupetons[16] et arracha la coiffe[17] du casque qu'il cala,[18] renversé, sous la mamelle[19] rosâtre de la vache où collaient des brins d'herbe verts.[20] Ses doigts tirèrent les tétins[21] légèrement, rapidement, régulièrement. De brefs jets de lait rejaillirent[22] en bouillonnant contre les parois[23] d'acier. Sans regarder ses mains, Mirabelle leva la tête vers Moustier et dit:

1. *un petit . . . miroitait:* a little tremor rippled along. **2.** *tendit l'échine:* hunched her back. **3.** nose. **4.** lowed. **5.** tickled. **6.** scratched the back of his head. **7.** *On . . . seau?* I wonder if anyone has a pail? **8.** serious expression. **9.** wine bottles (capacity — one litre). **10.** *Ça . . . l'affaire:* That won't work. **11.** I've got it! **12.** veterans. **13.** chin strap. **14.** wasn't joking. **15.** *battait . . . saccadés:* flicked jerkily back and forth. **16.** *s'assit à croupetons:* squatted. **17.** lining. **18.** held in place. **19.** udder. **20.** *où . . . verts:* to which clung some green blades of grass. **21.** teats. **22.** gushed. **23.** sides.

— C'est pas pour moi, c'est pour elle. Il ne doit pas y avoir longtemps qu'elle a vêlé.[1] Alors, si on la laisse sans la traire,[2] elle crèvera[3] sans faute.

Moustier alluma sa cigarette.

5 La vache, apaisée, paissait,[4] la tête dans les fleurs. Mirabelle souleva le casque et le tenant à deux mains, but à long traits.[5]

— Allez-y![6] dit-il.

Vandervenne n'avait pas soif, et Moustier n'aimait pas le 10 lait. Ils en burent tous les deux pour ne pas offenser leur compagnon.

— Il y en avait six à la maison, dit Mirabelle, des laitières.[7]

Ils remontèrent dans le char.

Le soleil commençait à baisser lorsque, à un carrefour, 15 Moustier fit signe d'arrêter.

— Je suis arrivé, dit-il en indiquant le petit chemin qui prenait à[8] droite. Et Vandervenne aussi. Tu viens, Mirabelle?

Mais à son tour, Mirabelle était pressé de rentrer chez lui.

— J'attendrai une voiture qui m'emmenera plus à l'ouest, 20 dit-il, et là, je me débrouillerai.[9] On doit m'attendre à la maison.

— Qu'est-ce qu'on fait du char? demanda Vandervenne.

— Fiche-le dans un pré, proposa Moustier. Pas la peine de gêner la circulation.[10]

25 Le tank vira, traversa le fossé et roula, ses chenilles à moitié cachées dans les fleurs qui ne se relevaient plus sur son passage.

— On s'écrira, dit Mirabelle vaguement. Chacun était repris par des pensées civiles.

— Puisque tu continues, dit Moustier à Mirabelle, je vais te 30 faire un cadeau utile.

Il mit la main dans la poche, en tira la boussole, l'examina une dernière fois avant de la tendre à son camarade.

— Comme ça, tu es paré,[11] dit-il, et il fit quelques pas dans le petit chemin, puis soudain se retourna.

35 — Que leur faut-il? psalmodia[12]-t-il.

1. calved. **2.** without milking her. **3.** will die. **4.** grazed. **5.** drank in long drafts. **6.** Your turn! **7.** milch-cows. **8.** led to. **9.** *je me débrouillerai:* I'll manage. **10.** *Pas . . . circulation:* No use blocking traffic. **11.** (*colloq.*): all set. **12.** chanted.

— Des chars, susurra[1] Mirabelle.
— Des chars, aboya[2] Vandervenne.
— Des chars ! tonna[3] Moustier.

Ils se quittèrent au carrefour, devant une baraque[4] en bois sur laquelle, à côté d'une affiche zoologique de l'illustre cirque Amar,[5] une main de femme avait calligraphié[6] à la craie: « Yves Ollivier, 8 ans, de Givet (Ardennes), est recherché par sa mère, réfugiée à Villeneuve. »

Couvert de boue sèche et de rouille,[7] ses vingt-deux tonnes enfoncées dans un lit de pensées sauvages et de gentianes, sa portière ouverte par où l'on apercevait les alvéoles[8] d'obus, vides, le dernier des chars de la Meuse demeura seul, énorme et biscornu,[9] sur un fond de volcans éteints.[10]

1. whispered. **2.** barked. **3.** thundered. **4.** shack. **5.** a French travelling circus. **6.** lettered. **7.** rust. **8.** compartments. **9.** shapeless. **10.** *sur . . . éteints:* against a background of extinct volcanoes (the volcanoes of the Massif Central in central France).

THERE isn't much to be added to Pozner's account of the great southward flight of soldiers and civilians, but it is to be remembered that the whole story is told from the point of view of three baffled tankmen. It is true, for example, that every single soldier in the ground forces was disgusted with the Armée de l'Air, because he saw only German planes above him during the horrible six weeks. But the pilots were not, as Pozner's soldiers say, "less than men." With the few passable planes they had, mostly American-built Curtiss P-36's, and even with others so obsolete they were grotesque, the pursuit groups attacked German bomber formations, fighting one or two planes against ten or fifty. They lost all the planes issued to them. The only pilots who survived were those who were grounded because they had nothing to fly in. There were, it seems, a couple of hundred new planes in southern France and North Africa that were never committed to combat. There was also rifle and machinegun ammunition in various warehouses while troops in the field had nothing to shoot with. These were phenomena of inefficiency or sabotage, like poor

Debû-Bridel's newspaper that seemed to be doing German propaganda.

But the pilots had courage. I remember one fighter group at St.-Dizier on June 6 that was down to three planes fit to fly, and the surviving pilots were battling for the chance to fly them and be killed. Le Commandant Murtin, who commanded them, said that up to then his men had shot down eighty-eight enemy planes and lost thirty-five of their own. "But we would have to get six for one to hold them even," he said frankly and hopelessly. I was to meet Murtin two-and-a-half years later in North Africa, where he fought again, and lost a leg. "All France has embarked on a parachute jump," one boy said to me, — "if we come out if it, good." In Antoine de St.-Exupéry's *Pilote de guerre*, widely popular in America as *Flight to Arras*, there is a very fine picture of the Armée de l'Air at its Gethsemane. St.-Exupéry survived until August, 1944, when he was lost flying a P-38 over southern France. But few of his comrades lived so long.

Moustier's condemnation of officers is also far too sweeping, although his attitude was typical in those days. I did see the "self-detached" officers and their women on the roads, and I know one division at least, in which the men developed the habit of shooting all officers they did not recognize, because they might be German spies giving false orders. Probably a good many of the officers they shot were not Germans at all, and yet the shootings reflected the complete loss of confidence. But there were other officers who acquitted themselves like men. Years later, in Brittany, I met a Resistance chief, a Parisian himself, who had come down into Brittany at the entreaty of the men of the battery he had commanded in 1940, to lead them in their new war. His name was Juteau. He had not abandoned his lot, but had brought them through the retreat as a unit, without losing a gun. His Bretons had a very ample vengeance in 1944.

Most of the French Army was made up of reservists. Soldiers up to about forty years of age were called to the colors, but officers were called up much older than that. The army was dead-weighted with thousands of lieutenants, captains and majors whose bodies were as obsolete as their technical knowledge. Moreover, these men had been thoroughly absorbed into civilian life as businessmen or members of the professions. They had been affected by the social struggle of the thirties and feared the proletariat, a term which in their minds roughly corresponded with the enlisted men. Many of them must have secretly sympathized with the fascist groups. The younger reservist officers, the under-thirties, were better, although much of the theory they had been taught was archaic. But promotions in the French Army were so slow that young officers had little responsibility unless they were of the Armée de Carrière, the professional army. The young regular officers, the captains of thirty-five and the majors of forty, were best of all, but there were not enough of them.

The most dangerous for France, because they had the most power, were the generals of seventy. There was no massive transfusion of officers direct from the colleges or civilian careers as in the United States. The reserve officers, even if they had wanted to learn about modern war, would have had too much to unlearn. They didn't have to work hard to earn their commissions, as our novices did. They had had their commissions for years, tucked away in camphor with their uniforms. Self-satisfied to begin with, they too often panicked when they realized their inadequacy for a kind of war they had scarcely dreamed of. So a greater proportion of officers than of men failed in the crisis. The shadow, or the mouldy smell, of this reserve system hovers over the officers' mess into which we are introduced in "Désespoir est mort," the next considerable selection. But you will note that at least three of the officers are good types. And although the story does not carry us beyond the summer of 1940, I would like to bet that by 1942 or 1943 several of their messmates had joined them in the Resistance.

The story, like Debû-Bridel's, is from the same collection, *Chroniques interdites*. Its author, who signed this one Santerre, is far better known as Vercors, which is the name of a plateau in the mountainous southeast of France. He is in ordinary life a painter named Jean Bruller, but it was as Vercors that he began writing, at the risk of his neck; and he has retained the pen name now that the war is over. He had attained only a limited reputation as a painter, and it is as the writer Vercors that all France now knows him. One of his other pseudonyms (for poetry) was Jean La Dolée. It was thought advisable for a writer as prolific as Bruller-Santerre-Vercors-La Dolée, under the occupation, to use several names lest the Gestapo concentrate on catching such a one-man fountainhead of propaganda.

Vercors finished this story on Christmas Day, 1942, by which time, as you will see from the first paragraphs, despair was indeed dead in France, although the most severe phase of the occupation had just begun. But the Allies had landed in North Africa, Montgomery was driving the Germans through Libya, and the Russians had already won a great victory at Stalingrad. Vercors and his colleagues were therefore certain that liberation was on the way.

DÉSESPOIR EST MORT [1]

PAR VERCORS (SANTERRE)

Je n'ai pas encore très bien compris comment cela s'est fait, — en moi et en nous. D'ailleurs, je ne cherche pas. Il est de certains miracles [2] très naturels. Je veux dire: très faciles à accepter. Je les accepte de grand cœur et celui-ci fut de 5 ceux-là. J'y pense souvent. Je m'attendris, je souris et m'étire. [3] Je sais qu'il y aurait sûrement quelque chose à trouver. A quoi bon? Cette demi-ignorance, ma foi, [4] me convient.

Comme les plus profonds tourments pâlissent [5] vite! Il y a trente mois je désirais la mort. Nous étions quelques-uns à la 10 désirer. Nous ne parvenions à voir devant nous rien qu'un abîme fétide. [6] Comment y vivre? Pourquoi attendre une asphyxie immonde? [7] Ah! trouver un rocher désert, une île abandonnée, loin de la mêlée répugnante des hommes. . . . Comme cela semble étrange, aujourd'hui, — où nous avons

1. From *Chroniques interdites*. 2. *Il . . . miracles:* There are certain miracles (*a literary impersonal phrase*). 3. (*lit.*, stretch): relax. 4. *ma foi:* after all. 5. fade out. 6. (*lit.*, filthy abyss): *Cf.* black abyss. 7. foul.

tant de motifs d'espérer ! Mais, l'espoir, le désespoir, ne sont pas choses raisonnantes,[1] ni raisonnables. Le désespoir s'était emparé de nous, du chef à l'orteil.[2] Et, il faut bien l'avouer, ce que nous avions vu, ce que nous voyions encore ne nous aidait guère à le secouer. 5

Car nous n'étions pas tous désespérés. Oh ! non. Dans ce mess hétéroclite,[3] où le désastre avait rassemblé une douzaine d'officiers venus de toutes parts, sans point commun sinon celui de n'avoir pas combattu, la note dominante n'était pas le désespoir. Chacun était avant tout préoccupé de soi. Et 10 pourvu que tous les chemins ne fussent pas coupés devant lui, prenait le reste assez légèrement. En ce juillet-là courait le mythe Laval-Talleyrand[4]: une canaille,[5] après Waterloo, avait en quelques années refait une France redoutée; une canaille referait de même. Il suffisait d'attendre. 15

Il y avait là un homme que j'appellerai le Capitaine Randois. Je ne l'aimais pas. Dès avant la défaite, tout en lui m'était ennemi[6]: son caractère hautain, ses convictions monarchiques, son mépris de la foule.[7] J'évitais de lui parler. Je craignais qu'il ne laissât, d'un mot, deviner[8] la satisfaction que les mal- 20 heurs de la République, le triomphe de la tyrannie, devaient avoir fait naître en lui. Je n'aurais pu le supporter sans réagir. Mes nerfs étaient peu solides alors. Heureusement, lui non plus ne parlait guère. Il mangeait en silence, son grand nez coupant[9] baissé vers la nappe. Les incessantes discussions, 25 politiques et imbéciles, qui formaient la trame[10] de nos repas, n'obtenaient de lui qu'un dédain que j'aurais trouvé insultant, — si je n'eusse fait tout comme lui. Notre pauvre vieux brigand de commandant,[11] conseiller général du Gard,[12] présidait ces

1. arguable. **2.** *du chef à l'orteil:* from head to toe. **3.** oddly assorted. **4.** In July, 1940, the myth spread that in dealing with the Germans, Laval would combine all the cleverness and trickery successfully displayed by the French diplomat Talleyrand when he bargained with the conquerors of Napoleon, after Waterloo (1815). Five years of experience with Laval were to teach the French that a crook is no bargain under any circumstances. L. **5.** crook (with a connotation of vulgarity): *here,* Talleyrand. **6.** *tout . . . ennemi:* everything about him antagonized me. **7.** scorn of the masses. **8.** *laissât deviner:* might reveal. **9.** sharp. **10.** (*lit.,* woof): topic (of conversation). **11.** *vieux . . . commandant:* old rascal of a major. **12.** *conseiller général du Gard:* Le Gard is a department in southern France. Every department is administered by a préfet, assisted by an elected body, called conseil général, each member of which is known as a conseiller général.

joutes,[1] les couvait de ses gros yeux éteints.[2] Il ressemblait, par le visage et l'accent, à un Raimu amolli,[3] à l'un des Fratellini[4] aussi, — celui qui est mort, celui qui cachait ses dérisoires malices[5] sous un aspect de notaire[6] solennel. Il
5 interrogeait l'avenir avec malaise, inquiet de la place qu'il pourrait y creuser[7] pour son adipeuse papelardise.[8] Il dit un jour: — « Randois, vous avez vu? Votre Maurras[9] se range sans restriction derrière le Maréchal.[10] » Quand il parlait, il semblait que son accent fût noyé dans une gorgée d'eau, qu'on se
10 fût attendu à voir couler entre ses lèvres molles. « Je suis un vieux radical,[11] mais, dans le malheur de la patrie, il faut oublier ses convictions. Votre Maurras, bravo, c'est très bien. Que croyez-vous, Randois? Qu'en penseront nos vainqueurs, selon vous? »

15 Le capitaine Randois leva le nez. Et ses yeux, ses yeux bleus et froids (je les trouvais cruels) se posèrent sur moi. Oui, sur moi et sur mon voisin le capitaine Despérados; et il répondit:

— Les Fridolins?[12] Ils nous auront jusqu'au trognon.[13]

Sa voix était d'une tristesse sans bornes. Je fus surpris,
20 — plus encore du regard que des paroles. Ainsi, il nous rejoignait, il avait su nous rejoindre, nous les solitaires, nous les muets. Il avait mieux su me comprendre, que moi, lui. Aujourd'hui je sais bien que je manquais de sagacité. Car ce mess était à l'image de ce pays, où seuls les lâches, les malins
25 et les méchants allaient continuer de pérorer; où les autres n'auraient pour protester[14] que leur silence. On les reconnaîtrait à ce silence. Randois nous avait reconnus.

J'étais silencieux. Mais le capitaine Despérados l'était plus

1. (*lit.*, tilts): debates. **2.** *couvait . . . éteints:* gloated over them with his big dull eyes. **3.** a limp, flaccid Raimu. (Raimu is a contemporary French movie comedian.) **4.** The Fratellini brothers, a family of celebrated Italian clowns who often performed at the Cirque d'Hiver in Paris. **5.** wise-cracks, witticisms. **6.** A notary in France specializes in drawing up legal papers such as marriage contracts, wills, etc. He is appointed as a public officer of the Republic for a life term. **7.** (*lit.*, burrow, dig out): create, make. **8.** *adipeuse papelardise:* fat sanctimoniousness. **9.** A contemporary French royalist historian and philosopher, editor of the pro-Royalist daily *L'Action française*, since sentenced to prison for life. **10.** Pétain. **11.** In the French sense, a member of the *parti radical et radical socialiste* which, despite its name, represents a rather moderate political viewpoint. **12.** (*colloq.*): "krauts." **13.** *Ils . . . trognon* (*lit.*, They'll eat us down to the heart.): They'll clean us out. **14.** *pour protester:* as a protest.

que moi. Il avait, lui, participé à « notre » bataille: à la bataille postiche,[1] au déshonorant simulacre[2] qui nous en avait plus appris, en ces trois jours serrés entre deux armistices,[3] sur l'infamie dérisoire de certains hommes couverts d'honneurs que l'expérience de toute une vie. Il avait assisté d'un bout à l'autre à la honteuse et cruelle comédie. Il avait eu dans les mains, on lui avait mis impudemment dans les mains des preuves immondes[4] et puantes: celles du souci unique,[5] aux pires jours du désastre, qu'avait eu un chef indigne de préparer les voies de son ambition. Ambition sordide. On eût dit qu'il en avait pâli, — pâli à jamais. Il était pâle et raide, raide d'une vieille blessure qui l'empêchait de tourner la tête sans tourner aussi les épaules; et plus pâle d'une cicatrice[6] qui partageait en deux son beau visage de matador grisonnant,[7] ouvrant en passant l'œil droit, comme eût fait un monocle. Et cela lui donnait une expression double, pénétrante et dominatrice. Pendant toutes ces semaines il ne sourit jamais. Je ne l'ai jamais vu rire, — sauf une fois.

Oui, j'ai presque un effort à faire aujourd'hui pour comprendre, comme je le comprenais alors, qu'un homme pût être si mortellement découragé qu'il lui fût impossible, pendant des semaines, de sourire. J'étais ainsi moi-même, pourtant. Nous traînions nos gros souliers oisifs dans l'unique rue de ce village brûlé de soleil, où l'on nous avait cantonnés[8] après l'armistice. Nous n'en pouvions sortir. Nous n'avions d'autre choix que les deux bistrots,[9] le banc du jardinet qu'une aimable personne avait offert, ou notre chambre. Pour ma part, j'avais choisi ma chambre. Je n'en bougeais guère. Mon accablement[10] s'y nourrissait de soi-même, s'engraissait[11] de ce fatal désœuvrement.[12] Je pense aujourd'hui que Randois, que Despérados menaient la même torturante vie. Peut-être faut-il voir là les raisons de cet infernal silence, où nous nous étions murés[13] malgré nous.

Ma chambre était petite. Je l'avais choisie parce qu'elle

1. fake, phony. 2. sham. 3. first with Germany, then with Italy. 4. foul. 5. sole concern. 6. scar. 7. resembling a greying matador, *i.e.*, a Spanish bullfighter who kills the bull with a thrust of the sword. 8. billeted. 9. cafes. 10. dejection. 11. (*lit.*, fattened upon): thrived. 12. deadly idleness. 13. walled in.

était petite. Elle ouvrait sur les toits par une mince fenêtre haut placée. Ainsi elle était constituée, un peu, comme un cachot,[1] — un cachot qu'une jeune fille eût adouci[2] de ses soins. Je restais là, de longues heures, entre ces murs rapprochés.[3] Prisonnier dans ces murs comme dans les pensées, simples et horribles, que je ne pouvais chasser. J'aimais sentir ces murs peser sur moi, comme on aime à presser d'un doigt nerveux une gencive[4] irritée. Cela n'était certes pas bon pour la santé de l'esprit. Pas pire, sans doute, que d'errer d'un bistrot[5] à l'autre, que d'assister à la lâcheté[6] de tous.

J'avais fini par ne sortir guère qu'à l'heure des repas. Je n'avais pas un long chemin à faire. La maison qui abritait[7] notre mess faisait face à la mienne, par delà une étroite ruelle caillouteuse.[8] Ces repas étaient animés et bruyants. Ils étaient pour moi lugubres. On nous y engraissait comme des oies. L'Intendance[9] n'avait pas encore été touchée par la défaite, et nous fournissait plusieurs viandes par repas, qu'un cuistot[10] arrogant, titulaire[11] d'un diplôme de cuisine militaire et qu'un de nous avait découvert, déguisait sous des sauces savamment immondes, devant lesquelles le mess fondait d'admiration.[12] On s'en félicitait mutuellement. La plus franche cordialité régnait entre ces hommes galonnés,[13] qui se déchiraient l'un l'autre sitôt séparés. Ils étaient tous rivaux, pour une raison ou une autre. La débâcle n'avait pas détruit chez eux le goût des préséances,[14] dont ils allaient être bientôt privés. Leur rivalité était aussi plus matérielle. Certains avaient vite compris qu'il y avait quelque chose à tirer de la désorganisation générale, de la difficulté des contrôles. Le plus haï était celui qu'on accablait, aux repas, des plus hautes marques de fidèle respect, notre commandant-Fratellini, à qui son grade permettait les plus fructueuses rapines.[15] Nous savions que son grenier se remplissait de chocolat, de pâtes,[16] de riz. J'aurais dû, moi aussi, haïr cet homme. Je ne sais

1. cell. **2.** brightened. **3.** narrow. **4.** gum (of the mouth). **5.** cafe. **6.** moral cowardice. **7.** (*lit.*, sheltered): housed. **8.** pebbly alley. **9.** Quartermaster Corps. **10.** (*fam.*): cook. **11.** holder. **12.** *fondait d'admiration:* gaped (*lit.*, melted) in admiration. **13.** *hommes galonnés:* officers. **14.** *goût des préséances:* regard for rank. **15.** graft. **16.** cereal products, specifically the branch known as Italian pastes (pasta) such as macaroni, noodles, etc.

pourquoi, je n'y parvenais pas. Peut-être parce que sa canaillerie[1] était si évidemment native[2] qu'elle en devenait ingénue. Peut-être aussi parce que je savais — avant lui — qu'il allait mourir. Il en était arrivé à un point d'urémie qui ne pouvait tarder d'amener une crise. Il s'endormait, non pas seulement après le repas, non pas seulement entre chaque plat: entre chaque bouchée, — quelques secondes, sa fourchette levée. Je voyais les autres rire. C'était pitoyable et tragique. Mon Dieu, pensais-je, qu'il garnisse son grenier.[3] Pourtant je m'en voulais[4] de cette indulgence.

J'étais heureux d'avoir Despérados auprès de moi. Je me sentais moins seul. Non pas que nous eussions jamais échangé un mot de quelque importance. Mais, parfois, quand je sentais moi-même se gonfler mon cœur de dégoût, devant quelque nouvelle marque de la funeste insouciance[5] de ces hommes en qui le pays avait cru trouver des chefs, je voyais se tourner vers moi le cou raide, se poser sur moi l'œil dilaté. Nous croisions ainsi nos regards, et cela nous soulageait. Nous n'allions pas plus loin dans nos confidences.

Ce matin-là, pourtant, il se laissa aller à quelque chose de plus. Quand j'entrai pour prendre ma tasse de café, il était là, seul devant la sienne. Il lisait le *Petit Dauphinois*.[6] C'était un des premiers qui nous parvint, après ces quinze horribles jours. Et soudain il me le tendit, silencieusement et rageusement, marquant du pouce l'éditorial, et tandis que je lisais à mon tour, il garda posés sur moi ses yeux lumineux. Oui, ce qu'il me fit lire dépassait tout ce qu'on pouvait attendre. Ce que le plus grand mépris des hommes n'aurait suffi à nous faire croire sans preuve. On nous ressortait,[7] simplement (n'oubliez pas que c'était la première fois), Jeanne d'Arc, Sainte-Hélène, et la Perfide Albion.[8] Dans cette même colonne, sous cette même signature, où trois semaines plus tôt

1. rascality. **2.** inborn. **3.** *qu'il . . . grenier:* let him fill up his attic. **4.** I was sore at myself. **5.** fatal casualness. **6.** A provincial daily published at Grenoble in the French Alps (in the former province of Dauphiny). **7.** brought up again. **8.** *Jeanne d'Arc . . . Albion:* Topics for anti-British propaganda. Joan of Arc, burned by the English; St. Helena, island where the English imprisoned Napoleon; Albion is the name given to England by the Ancients; the uncomplimentary adjective has been added as a reference to the alleged treachery of the English.

le même homme nous parlait encore, avec une délectation sadique,[1] des milliers de barbares teutons que la Lys et la Somme[2] charriaient,[3] sanglants et putrides, vers la mer.

Qu'aurais-je dit? Je ne dis rien. Mais, me renversant[4] sur 5 ma chaise, je partis à[5] rire. Despérados appuya ses avant-bras sur la table, et il rit aussi. D'un rire long et bruyant, en se balançant un peu. C'était un bruit déplaisant, cette gaîté sans joie dans cette pièce maussade[6] où traînait[7] une odeur de pain moisi.[8] Puis nous nous tûmes, et nous nous levâmes car 10 c'était l'heure, pour nous, d'assister dans la petite église à une messe pour le repos des morts de la guerre. Cela eût pu être émouvant et simple. Ce fut odieux et grotesque. Un prêche[9] nous fut fait par un jeune soldat-prêtre, studieux et ambitieux, heureux de trouver là une occasion d'exercer son éloquence. 15 Il nous servit une oraison vide et pompeuse, encore maladroite d'ailleurs et que ne sauvait pas même le talent.

Je sortis de là plus accablé que jamais. Je marchais tête basse, entre Despérados et Randois qui s'était joint silencieusement à nous. Comme nous passions dans une ruelle herbeuse, 20 entre deux hauts murs de jardin, je ne pus retenir tout à fait un des soupirs contraints dont ma poitrine était pleine à faire mal. Randois tourna la tête vers moi, et je vis qu'il souriait affectueusement.

— Nous traînons notre besace,[10] dit-il, et passant entre nous, 25 il nous prit chacun par le bras.

Nous parvînmes ainsi devant le mess. Ce n'était pas l'heure encore. Pour la première fois nous ne nous séparâmes pas. Nous nous assîmes sur le bord de l'étroit trottoir, et le silence sur nous pesa une fois de plus.

30 C'est alors que nous vîmes venir les quatre petits canetons.[11] Je les connaissais. Souvent j'avais regardé l'un ou l'autre, l'une ou l'autre de ces très comiques boules de duvet jaunâtre,[12] patauger,[13] sans cesser une seconde de couiner[14] d'une voix fragile et attendrissante, dans les caniveaux[15] ou la moindre

1. sadistic delight. **2.** two rivers of northern France. **3.** floated down. **4.** throwing myself back. **5.** burst out. **6.** dismal. **7.** clung. **8.** mouldy. **9.** sermon. **10.** *Nous . . . besace* (*lit.*, beggars' pouch): We are carrying our burden. **11.** ducklings. **12.** *duvet jaunâtre:* yellowish down. **13.** splash about. **14.** quack. **15.** gutters.

flaque.[1] Plus d'une fois l'un d'eux m'avait ainsi aidé à vivre, un peu plus vite, un peu moins lourdement, quelques-unes des minutes de ces interminables jours. Je leur en savais gré.[2]

Cette fois ils venaient tous quatre à la file, à la manière des canards.[3] Ils venaient de la grande rue, claudiquants[4] et solennels, vifs, vigilants et militaires. Ils ne cessaient de couiner. Ils faisaient penser à ces défilés de gymnastes,[5] portant orgueilleusement leur bannière et chantant fermement d'une voix très fausse.[6] J'ai dit qu'ils étaient quatre. Le dernier était plus jeune, — plus petit, plus jaune, plus poussin.[7] Mais bien décidé à n'être pas traité comme tel. Il couinait plus fort que les autres, s'aidait des pattes et des ailerons[8] pour se tenir à la distance réglementaire.[9] Mais les cailloux que ses aînés franchissaient avec maladresse mais fermeté formaient pour lui autant d'embûches[10] où son empressement[11] venait buter.[12] En vérité, rien d'autre ne peut peindre fidèlement ce qui lui arrivait alors, sinon de dire qu'il se cassait la gueule.[13] Tous les six pas il se cassait ainsi la gueule, et il se relevait et repartait, et s'empressait d'un air martial et angoissé, couinant avec une profusion et une ponctualité sans faiblesse, et se retrouvait le bec dans la poussière. Ainsi défilèrent-ils tous les quatre, selon l'ordre immuable d'une parade de canards. Rarement ai-je assisté à rien d'aussi comique. De sorte que je m'entendis rire, et aussi Despérados, mais non plus de notre affreux rire du matin. Le rire de Despérados était cette fois profond et sain et agréable à entendre. Et même le rire un peu sec de Randois n'était pas désagréable. Et les canetons toujours couinant tournèrent le coin de la ruelle, et nous vîmes le petit, une dernière fois, se casser la gueule avant de disparaître. Et alors, voilà, Randois nous mit ses mains aux épaules, et il s'appuya sur nous pour se lever, et ce faisant[14] il serra les doigts, affectueusement, et nous fit un peu mal. Et il dit:

— A la soupe![15] Venez. Nous en sortirons.[16]

Or, c'était cela justement que je pensais: nous en sortirons.

1. puddle. **2.** *Je . . . gré:* I was grateful to them for it. **3.** ducks. **4.** waddling. **5.** *défilés de gymnastes:* parades of athletes. **6.** off key. **7.** *plus poussin:* more like a chick. **8.** *s'aidait . . . ailerons:* made use of his legs and short wings. **9.** regulation distance. **10.** stumbling-blocks. **11.** eagerness. **12.** *venait buter:* came a cropper. **13.** *se . . . gueule:* took a nose dive. **14.** as he did so. **15.** Chow time! **16.** We'll get out of this.

Oh! je mentirais en prétendant[1] que je pensai ces mots-là exactement. Pas plus que je ne pensai alors précisément à des siècles,[2] à d'interminables périodes plus sombres encore que celle-ci qui s'annonçait pourtant si noire; ni au courage 5 désespéré, à l'opiniâtreté[3] surhumaine qu'il fallut à quelques moines,[4] au milieu de ces meurtres, de ces pillages, de cette ignorance fanatique, de cette cruauté triomphante, pour se passer de main en main un fragile flambeau[5] pendant près de mille ans. Ni que[6] cela valait pourtant la peine de vivre, si 10 tel devait être notre destin, notre seul devoir désormais. Certes je ne pensai pas précisément tout cela. Mais ce fut comme lorsqu'on voit la reliure[7] d'un livre que l'on connaît bien.

Comment ces quatre petits canards, par quelle voie secrète de notre esprit nous menèrent-ils à découvrir soudain que notre 15 désespoir était pervers[8] et stérile? Je ne sais. Aujourd'hui où je m'applique à écrire ces lignes, je serais tenté d'imaginer quelque symbole, à la fois séduisant[9] et facile. Peut-être n'aurais-je pas tort. Peut-être en effet inconsciemment pensai-je aux petits canards qui déjà devaient défiler non moins 20 comiquement sous les yeux des premiers chrétiens, qui avaient plus que nous lieu de croire[10] tout perdu. Peut-être trouvai-je qu'ils parodiaient assez bien, ces quatre canetons fanfarons[11] et candides,[12] ce qu'il y a de pire dans les sentiments des hommes en groupe, comme aussi ce qu'il y a de meilleur en eux. Et 25 qu'il valait de vivre, puisqu'on pouvait espérer un jour extirper ce pire, faire refleurir ce meilleur. Peut-être. Mais il se pourrait plus encore que, tout cela, je le découvrisse seulement pour les besoins de la cause.[13] Au fond,[14] j'aime mieux le mystère. Je sais, cela seul est sûr, que c'est à ces petits canards 30 délurés,[15] martiaux, attendrissants[16] et ridicules que je dus, au plus sombre couloir[17] d'un sombre jour, de sentir mon désespoir soudain glisser de mes épaules comme un manteau trop lourd. Cela suffit. Je ne l'oublierai pas.

Noël 1942

1. claiming. **2.** centuries (in the Middle Ages). **3.** persistence. **4.** monks. **5.** torch. **6.** *Ni que:* Nor (did I think) that. **7.** binding. **8.** evil. **9.** alluring. **10.** *lieu de croire:* good reason to believe. **11.** swaggering. **12.** artless. **13.** *pour . . . cause:* as a form of rationalization. **14.** Deep down inside. **15.** perky. **16.** pathetic. **17.** (*lit.*, corridor): hour.

THE FIGHT

THE BEGINNINGS OF RESISTANCE

WE will never know how many Frenchmen, in how many different parts of France, said at approximately the same time, like Randois — "Come on, boys! We'll get out of this," or only said it to themselves. Nor can we award the honor of having been the very first "Randois." But the resurgence of France began at the precise second that the first Randois said it for the first time.

The most illustrious claimant of the honor of having been the "first Randois of France" is of course, General Charles De Gaulle, who on June 18, 1940, not many hours after Marshal Pétain had said he was requesting an armistice, spoke from London to give Pétain the lie. The speech, printed in the form of a poster, has become so familiar that anybody who has been in France can identify it by the shape of the printed paragraphs. It is a historic utterance and a great one, and it heartened many of the millions who heard it as it filtered through among the bulletins of disaster that made up the rest of the burden of the radio then. But I wonder how many it convinced? De Gaulle was already outside of France. "We'll get out of this," is a conviction that must come from within. I do not think De Gaulle created the "Randois," who in turn created the Resistance. Rather, I think the "Randois" created the Resistance that adopted De Gaulle as a symbol. It was De Gaulle's reward "for not having despaired of the Republic," and he proved that he merited it by standing up for the Republic against the Foreign Office and the State Department. This is the speech that French school children will be memorizing for several centuries to come.

A TOUS LES FRANÇAIS

La France a perdu une bataille!
Mais la France n'a pas perdu la guerre!

Des gouvernants de rencontre ont pu capituler, cédant à la panique, oubliant l'honneur, livrant le pays à la servitude. Cependant, rien n'est perdu!

Rien n'est perdu, parce que cette guerre est une guerre mondiale. Dans l'univers libre, des forces immenses n'ont pas encore donné. Un jour, ces forces écraseront l'ennemi. Il faut que la France, ce jour-là, soit présente à la victoire. Alors, elle retrouvera sa liberté et sa grandeur. Tel est mon but, mon seul but!

Voilà pourquoi je convie tous les Francais, où qu'ils se trouvent, à s'unir à moi dans l'action, dans le sacrifice et dans l'espérance.

Notre patrie est en péril de mort.
Luttons tous pour la sauver!

VIVE LA FRANCE!

C. de Gaulle

GÉNÉRAL DE GAULLE

HISTORIANS probably will debate for a long time about when outward manifestations of resistance began. Here they will have a better chance to offer proof than on the more important question of when it began in men's minds. Probably it will come down to an issue of split seconds. Between June 17, when Monsieur Seguin in the person of Marshal Pétain asked for an armistice and June 23, when the Germans granted it, fighting continued. There is a natural disposition on the part of soldiers whose chief has acknowledged defeat to accept his verdict. But some units permitted themselves to be decimated out of despair and for the sake of their honor. The official cease fire went out on June 23. The race among historians will be to find out whether a laundress in a bourgade of the department of the Ain chucked a rock at a German two-fifths of a second later, or a little boy in a back street in Rouen beat her to it. The records of the German military courts may furnish evidence.

I have heard a French lecturer in the United States in 1945 say that there was no Resistance before the Germans invaded Russia in June, 1941. This sounded like a reverberation of the old Vichy charge that all active members of the Resistance were Communists, Jews, or "terrorists," and that their love for Russia, not France, governed their actions. I wondered why the man was lecturing under the auspices of an organization friendly to France.

I cannot furnish a definitive answer to the question of when Resistance started. But I do know that when I was in the small town of Antrain-sur-Couesnon, in northern Brittany, early in August, 1944, after the Americans had broken south through Avranches, I asked the local Resistance chief when it had begun in his part of the country. He was the tax collector for the surrounding district and at the same time the leading poacher, two remarkable qualifications for his post. As collector he could visit a lot of people without causing suspicion, and as poacher he knew every occult path through the forests.

NOTES FOR OPPOSITE PAGE. *de rencontre:* passing; *donné:* engaged; *convie:* summon.

He was a fine man and by the time the first Americans arrived there he had rounded up four hundred German prisoners and locked them in a barn. So I had confidence in what he said. He told me the people in the district had killed a German in July, 1940, that the Germans had shot hostages, and there had been a guerilla war ever since. Brittany is a province where people have hot tempers, but I hardly think that I stumbled upon a unique case.

A month later, in liberated Paris, I asked the same question of three officers of the Francs-Tireurs et Partisans de France, usually referred to as F.T.P., the great Leftist segment of the F.F.I., Forces Françaises de l'Intérieur. The three told me that they had returned to Paris after being demobilized in the summer of 1940 — all three had served in the ranks in *that* army — and had found resistance functioning already. "There were even chaps in the streets selling anti-German newspapers openly," one of them said,— he was a Negro from Martinique, a teacher in a primary school. "They were so green they didn't know it was an offense, and they were surprised when they were arrested. But they caught on very quickly." These men had all belonged to labor unions the Germans had abolished — which in practice meant forced underground. So they found themselves members of illegal organizations by the time they returned from the Army. These clandestine labor organizations furnished the framework for one large and important portion of the Resistance. The Communist Party, which had been dissolved at the beginning of the war, following the Moscow pact of August, 1939, had been functioning illegally for almost a year already. It also was converted into a resistance organization. Despite the fact that the Soviets were officially at peace with Hitler, French Communists went into action against the Germans immediately.

The commander of all the resistance forces in the Parisian region during the insurrection of August, 1944, was a former automobile worker named Tanguy, known in the F.F.I. as Colonel Rol. He was a graduate of the F.T.P. — all the resistance organizations had been merged for the final struggle — and he had as direct subordinate a former aviation mechanic named Jung — in the Resistance, Lieutenant-Colonel Rochet. The basic unit of the F.T.P. was a group limited to eight men. Rol and Rochet belonged to the same group in August, 1940. They were its sole survivors in 1944. The others, one by one, had all been executed. One man in each group, at the beginning, had contact with a higher unit known as the detachment. A detachment consisted of four groups. Later, detachments were linked in battalions — four of them made one battalion. Some of the groups were drawn from the Communist Party, some from the labor unions. But most were mixed, since many Communists were union members too. The groups had to arm themselves at the expense of the enemy. Rochet told me how he and a comrade, since executed, had followed two German non-coms from a hotel near the Gare de l'Est in August, 1940. The Germans wore beautiful automatic pistols. The Frenchmen carried rubber blackjacks under their shirts. "The result was positive," Rochet said, showing me a fine German "parabellum" pistol in the top drawer of his desk. "This pistol is the first firearm we ever had, the nucleus of the arsenal of a battalion."

Breton peasants and Paris workmen were then about as different in politics and mentality as two groups could be. Yet spontaneously and at about the same time each in its own way had begun the battle. In dozens or hundreds of other spots in France the same process must have been beginning. I therefore think that the theory of a resistance movement beginning only after June, 1941, is an invention of all the little Messieurs Seguin who could not make up their minds until the Autumn of 1944. Paris had a word for them — "Les Résistants de septembre." It was to take nearly four years, after the dispersed beginnings of resistance, however, to convert most of France to violence and to merge all the streams of Resistance into one great flood. It was a constant process of unsteady speed. There were times when it went very slowly and others very fast. And only at the end were all the streamlets of Resistance aware of one another's existence. It was, on a large scale, the story of the mess in "Désespoir est mort." Only gradually did the collective Santerres recognize the collective Randois and Despérados. Even then, it has been said, only a minority of the French people was "in the Resistance." That is like saying that in the United States, even during the war, only a minority of the population, ten millions out of 140,000,000, was in the armed forces, and that therefore the country was apathetic. Only a very small minority in France in 1944 would have liked the Germans to win, and that minority consisted of the hopelessly compromised.

It is true that in the first year that followed the Pétain armistice little of this nascent, scattered dissidence appeared on the surface. France lay stunned under the blow, trying to understand what had happened to her. And the Germans made some attempt to win her over, employing in the process their usual mixture of intelligence and stupidity, with the stupidity, as usual, predominating in the end. The German troops who first entered France were as you have probably read, an impressive lot, calculated to spread the myth of a race of athletes. Their attitude toward the civilian population was "correct" with even a hint of cordiality. The famous poster of the handsome, virile German soldier with a couple of French children playing in his arms appeared on boardings all over France. The invaders were extremely helpful to refugees returning to their homes. They wanted to restore a normal economy so that they could begin milking it. But even then while they were trying so hard to impress the civilians, the brutality and disdain with which they handled the prisoners of war, whom they marched like beasts along the roads of France on the way to Germany, were antagonizing the civilians they tried to conciliate. They had seemingly forgotten that in a country of 40,000,000, practically everyone must be the relative or friend of at least one prisoner — when there are two million prisoners.

The selection of top-grade troops for the first occupation did not work out so well either, for since it was impossible to keep the best troops always there, the population soon began to notice a decline in the quality of the Army of Occupation. The same thing was true of materiel. And where the physique and equipment of the first Germans in France impressed a stunned country, the timid, ill-clothed limited-service troops and boys and old men, who in large part replaced them, symbolized for the French the slump in Hitler's fortunes, as did the horse-drawn transport that replaced the tanks. The myth of the master race was exploded long before the armies of liberation landed.

As for the German soldier shielding French children, the steadily increasing difficulty of feeding the children soon taught French mothers what the poster really meant. The milch cows and the eggs and meat and wheat that should have fed the children were being siphoned off into Germany. As to the individual German soldier, he soon became known as a shameless grafter, reselling the requisitioned foodstuffs at black market prices whenever he could.

With their confidence that countries can be controlled by "élites," and their belief in the power of the lie, the Germans naturally made a great effort to enlist French intellectuals. They went all out on the aesthetic and intellectual plane, inviting French writers and artists for tours of Germany and subsidizing publications that paid high rates for contributions. Independent literary magazines were unable to find paper. Writers are peculiarly susceptible to flattery and also peculiarly unable to withstand economic pressure, since there are so few outlets for their work. There had been a small pro-Fascist clique among French writers before the War, among them the talented but increasingly pathological Louis-Ferdinand Céline, who wrote novels of black despair, and the snarling false pedant Charles Maurras of the newspaper *L'Action française*. Maurras had devoted fifty of his seventy years to profitable abuse of the Republic. He habitually referred to the Republic as *la gueuse*, "the drab." After the defeat the pre-war Fascist writers had reinforcements, some of them weak sisters, easily intimidated, others bandwagon-jumpers. One French writer whose reputation had been gained as an interpreter of Anglo-Saxon culture stood poised with one foot on the bandwagon and the other in the United States, where he told his American hosts the Germans were invincible. A few hundred others were simply venal, running eagerly to spew filth on the "terrorists," as they always would have spewed to order for anybody who paid them.

Pre-war French journalism had been infested with cynical blackmailers; these men did not change. All together they made a great noise, and the overwhelming majority of intellectuals, honest and patriotic, were precluded from using the public prints to oppose them. Such a propaganda, continuous and unrefuted, could influence many of the timid, the wavering, or even the merely isolated. So the organization of a medium for counter-propaganda was one of the first necessities of the Resistance. And one of the fields where counter-propaganda was most urgently needed was among timid, wavering or isolated intellectuals, who would be influential either for good or bad according to the decision they arrived at.

This explains the importance of the novella, "Silence de la Mer," aimed to expose the German cultural campaign as a fake. Published illegally in France in February, 1942, it was effective as propaganda as well as art. Published in the United States in translation by Mr. Henry Luce's *Life* in the issue of October 11, 1943, it appeared hopelessly out of date and so irrelevant to the current situation that many readers thought it was a plea to go easy on the "good Germans." You will notice, however, that Vercors, the author, was careful to kill off even his "good" German character. When he began writing the story, under the German occupation, the important problem was not the disposition of Germany after the war, but building a resistance to a Germany apparently victorious.

By far the most powerful lever with which Hitler tried to move French opinion during the first years of occupation, however, was the politico-geographical fiction known as *La Zone libre*, the Free Zone, usually referred to in the United States as "Vichy France." Instead of occupying all France in 1940, Hitler took over only the northern two-thirds of the country plus the coastal strips. A line running roughly from Geneva on the Swiss frontier to Poitiers in the Loire region was the border between the Occupied Zone and the Free Zone. The Free Zone, although it contained only one-third of the area and much less than one-third of the food of France, was over-populated because of the great number of refugees from the North who remained there.

The Free Zone was, as you perhaps remember, administered, at least officially, by the dreary old Marshal, who did exactly as the Germans told him. He cried and dug his heels in now and then, as when he dismissed Laval, the Reich's favorite French traitor, in December, 1940; but he always ended by yielding, as when he took Laval back in the following April. And his gestures of protest — petulance would be a better word — grew progressively feebler and less frequent. The Marshal preached, as only an old man in fear of damnation could, that France had brought all its troubles on itself by deserting the principle of authority, both religious and secular. His doctrine was guilt, repentance, and self-abasement. He was therefore a perfect propaganda instrument for those who wanted to keep France on her knees. If conquered France collaborated loyally with Germany, the Germans might even "restore" the northern zone (*i.e.*, permit the Vichy Government to move there), the Marshal used to say in the first months of the occupation. (Monsieur Seguin offered to lengthen the nannygoat's tether if she was a good nannygoat.) Only Britain's unreasonable resistance prolonged the war and prevented Hitler from showing his generosity. But if the French acted in a manner to displease Hitler, the Germans would move south and take over "Free" France. (The wolf would eat the bad nannygoat.) This reiterated warning had a certain effect. Millions considered the Marshal a wise old man who had saved one-third of a loaf, minus the coastal crusts, for his countrymen; "while look what had happened to those stubborn Poles and Norwegians, *ma chère*." They had lost everything. Dissidence was much stronger in the North, from the beginning. People there figured things couldn't be much worse. "No hope can know no fear." It was in the Free Zone that faith in deliverance flickered most often.

Meanwhile in this Zone the police of Vichy and the uniformed organizations — like the Légion des Anciens Combattants and the Service d'Ordre de la Légion, "veterans' " organizations encouraged by the Government which accepted as members veterans and non-veterans alike — harried "political criminals," a term which included Spanish Republicans, De Gaullists, Communists, or just people who called the Marshal a fossil. The concentration camps to which Vichy sent these people offered accommodations no more luxurious than those in Germany or Czecho-Slovakia, although there was much less systematic torture of the prisoners. The place of torture was partially filled by callous brutality and short rations. "Le Radeau de la Méduse," by Léon Moussinac, is a fragment of the diary which Moussinac, a poet and dramatic critic kept at the Camp of Gurs, in the Pyrénées Orientales Department. The title is taken from the name of a painting in the Louvre known, through reproductions, to every French school child. The painting, which is by Géricault, shows the survivors of the shipwrecked frigate *Medusa* dying of starvation on their raft, in the middle of the South Atlantic.

LE RADEAU DE LA MÉDUSE[1]

PAR LÉON MOUSSINAC

Automne 40 au Camp de Gurs[2]

21 SEPTEMBRE. Petit-Louis a fini son temps[3] (il en était à sa douzième condamnation, je crois). Il s'en va suivi des adieux des « durs ».[4] Quelqu'un lui crie: « A bientôt ! » On se de-
5 mande si ça traduit l'espoir de rejoindre Petit-Louis en liberté ou de voir Petit-Louis revenir en prison.

Je suis de corvée de patates.[5] Plutôt une distraction.[6] Les cuisines sont installées le long de la route. Il s'agit de 50 kilos de pommes de terre destinées à la soupe et non de patates-
10 légumes.[7] Nous n'en avons jamais mangé. Et 50 kilos pour

1. From *Les Lettres françaises*, 23 octobre, 1944. **2.** Small French town in the Pyrenees which became famous when a large concentration camp for Spanish Republican refugees was set near-by; later the camp was used for French political prisoners. **3.** *fini son temps:* served his term (in prison). **4.** tough guys — "the hard ones." **5.** *Je . . . patates* (slang for *pommes de terre*): I am on K.P. duty, peeling potatoes. **6.** (*C'est*) *plutôt une distraction:* It makes the time pass. **7.** potatoes as vegetables.

1.000 louches de bouillon[1] — puisque nous sommes encore un millier — ça ne se retrouve plus guère dans les bassines[2] au moment de la distribution.

Par les voies habituelles — si mystérieuses — un exemplaire de *Paris-soir*.[3] Il contient un article sur l'îlot B[4] dont la lecture provoque l'indignation générale. Le papier ne contient que des mensonges. D'après M. Nicolas Mouneu, il n'y aurait en effet à l'îlot B que « des aigrefins,[5] des escrocs,[6] des hommes d'affaires véreux[7] et des mauvais garçons.[8] » Sur notre régime: nous serions éveillés le matin par « la bonne odeur du café qui nous est servi (*sic*) et le chant des guitares des Espagnols d'en face. » Le même personnage affirme à ses lecteurs, sans doute honnêtes, que notre « rééducation » est en bonne voie.[9] M. Nicolas Mouneu ne s'étonnera pas, un jour, de recevoir un certain nombre de coups de pied au derrière. Voilà comment la nouvelle presse du nouvel Etat informe les nouveaux Français.

22 SEPTEMBRE. Une journée meilleure. Il fait une chaleur d'été. Mais où sont les hirondelles?[10] Je suis très faible et ne puis longtemps demeurer debout. Pourtant j'entreprends, nu, une sérieuse chasse aux poux,[11] dans l'allée entre les baraques.[12] C'est un soin devenu machinal, technique même, mais je l'ai un peu négligé ces derniers jours. La répugnance a depuis longtemps disparu.

Sans m'en rendre compte, je me suis mis à siffler. Il y a beau temps que le règlement est bafoué.[13] Mais pourquoi siffler? Comme on chante. Sans doute, pour se délivrer de quelque chose ou pour exprimer quelque chose. Je ne change plus depuis longtemps parce que maintenant ma voix est fausse.[14] Mais je siffle encore juste.[15] Et aujourd'hui c'était une vieille chanson ukrainienne dont je possède le disque[16] à Paris. Je cédais donc au mouvement de la mélodie avec une absolue inconscience. Cette chanson, je l'ai entendu pour la première

1. ladlefuls of soup. **2.** large pans. **3.** an evening paper that became pro-German after the collapse of France. **4.** *lit.*, the B. block (referring to a section of the Gurs concentration camp). **5.** swindlers. **6.** crooks. **7.** shady. **8.** (*colloq.*)*:* bad eggs. **9.** on the right track. **10.** swallows. **11.** lice. **12.** hutments. **13.** *Il y a . . . bafoué:* The (camp) regulations have been defied for rather a long time. **14.** *ma . . . fausse:* I sing off key. **15.** on key. **16.** record.

fois dans un jardin de Kharkov[1] où me fêtait un groupe d'écrivains en 1934. La nuit était telle qu'on imagine les nuits d'Ukraine à travers les poèmes de Gogol.[2] Pourtant ce souvenir ne comptait pas pour moi tout à l'heure. Absorbé dans mes recherches aux replis[3] du linge, j'ai pris conscience lentement que quelque chose d'étrange se passait. Un groupe s'était formé autour de moi d'hommes sortis un à un des baraques. Remarquant qu'il s'agissait seulement d'Ukrainiens,[4] j'ai reconnu enfin la chanson à mon tour. Ils ne bougeaient plus ces hommes, mais me regardaient avec curiosité, surprise, émotion aussi. Alors je leur ai souri. . . . J'imagine quels eussent été mes sentiments à moi-même si, prisonnier loin de mon pays, parmi des hommes étrangers, j'eusse tout à coup entendu siffler *Jeanne d'Aymé* ou *Le Bouvier*, ces complaintes[5] quercinoises.[6] La patrie lointaine avait appelé ces hommes, les avait rassemblés autour d'un être nu, misérable comme eux, qui s'épouillait[7] en sifflant une chanson unique dans un paysage des Pyrénées de France qui ne se déchirait point aux barbelés.[8]

J'ai échangé avec eux quelques paroles. J'ignore pour quelle raison ils ont été arrêtés. Ils se méfient aussi de moi. Mais, une minute, la belle nuit ukrainienne nous a été présente, d'or et bleue, et cette plaine infinie où la poésie et la musique ont pris la voix de l'amour et de la mort.

Daniel R. est entré à l'infirmerie. Son « cours » sur le siècle de Périclès[9] est donc interrompu. Un prisonnier est très malade. On va chercher le toubib[10] d'urgence. Cet incident suffit à ramener l'angoisse. Beaucoup ont peur de mourir. Je redoute la panique.

9 OCTOBRE. Me sentant un peu mieux cet après-midi, j'ai décidé de faire enfin la causerie promise à notre « université » clandestine. J'ai parlé devant une trentaine de camarades, jeunes et vieux, réunis dans la baraque 6, pendant que quel-

1. large industrial city in the Ukraine. **2.** Russian poet, dramatist and novelist (1809–1852), author of *Taras Bulba*. **3.** folds. **4.** Ukrainians sent by Hitler from conquered Ukraine to French and Eastern European concentration camps. **5.** laments (*popular ballads*). **6.** of Quercy (an old province located between the Garonne river and the Central Mountains of France). **7.** was delousing himself. **8.** barbed-wire fence. **9.** Age of Pericles (fifth century B.C., the most brilliant in the history of ancient Greece). **10.** *toubib* (slang): doctor.

ques autres faisaient le guet[1] à l'extérieur. On m'avait demandé de traiter des origines de la langue française. Ç'a été bien émouvant. J'ai admiré ces visages attentifs comme penchés vers moi. D'une grammaire élémentaire et d'un livre de lectures classiques sauvés de l'exode,[2] j'ai extrait pour illustrer mon exposé le texte du *Serment de Strasbourg*,[3] des fragments de *La Chanson de Roland*[4] et des chroniques de Froissart.[5] J'ai cité de mémoire quelques vers de Villon,[6] et pour finir, le sonnet de Ronsard[7] sur *La Mort de Marie*. A ce moment l'émotion a été si forte que tous ces yeux fixés sur moi se sont mouillés de larmes. J'ai ressenti toute la grandeur, je dis bien la grandeur humaine, de cette scène que je vivais.

> Pour obsèques[8] reçois mes larmes et mes pleurs
> Ce vase plein de lait, ce panier plein de fleurs
> Afin que, vif et mort, ton corps ne soit que roses.[9]

J'ai parlé une heure et demie. J'étais épuisé, près de la syncope.[10] Je suis allé m'étendre dans mon coin. Jamais je n'oublierai cette journée, ces visages, toute cette beauté au-dessus de nos guenilles,[11] de notre détresse[12] et, dominant tout, cette fierté d'être hommes et de parler français.

14 OCTOBRE. Cet après-midi, allongé dans la baraque, j'observe D. . . . qui marche nerveusement de long en large. Chacun a sa manière de souffrir de la faim, bien sûr. Je me rends compte que pour certains cela doit être atroce. Moi, je suis arrivé à discipliner en quelque sorte mon estomac. Mais les regards de mes compagnons me font mal. Par exemple quand on pèse les morceaux de pain au partage,[13] quand on mesure la louche de soupe. Enfin le regard de D. . . . tout à l'heure. Qu'attendait-il? Que guettait-il? Je ne l'ai pas interrogé. J'ai pris l'habitude de parler le moins possible. Parler me fatigue. Il s'agit d'économiser les forces. Et

1. *faisaient le guet:* were on the lookout. **2.** (*lit.*, exodus): *here*, possibly the flight from Paris. **3.** The oldest French text extant. It was an oath taken by Louis the German to Charles the Bald in 842. **4.** *The Song of Roland*, the oldest epic poem in the French language (XIth century). **5.** French chronicler of the Hundred Years' War. His chronicle covers the war from 1325 to 1400. **6.** A great lyric poet of the Middle Ages (1431–circa 1489). **7.** French poet of the Renaissance (1524–1585). **8.** archaic for "funeral gifts." **9.** The three lines are quoted from the end of the sonnet "*La Mort de Marie.*" **10.** *près de la syncope:* about to faint. **11.** rags. **12.** misery. **13.** apportionment.

pourquoi pas le dire, parfois le silence me berce[1] comme une douceur. Cependant ce va-et-vient[2] continu qui a duré plus d'une heure et demie m'empêchait de m'assoupir.[3] Les traits de D. . . . étaient tirés, durs, les muscles décharnés[4] saillaient[5]
5 au cou, comme on voit dans les dessins des carnets[6] de Léonard.[7] On aurait dit que la nervosité fébrile[8] de D. . . . allait atteindre son paroxysme. Et puis l'angoisse venait si vite et le drame. Qu'allait-il se produire? Que cherchait à voir D. . . . par les vantaux[9] de la baraque? J'attendais. Et tout
10 à coup D. . . . s'est immobilisé. Lentement un sourire dur a desserré ses lèvres et je l'ai entendu qui disait à des ombres: « Elle fume! . . . Elle fume! . . . » Alors, j'ai compris. On venait d'allumer le feu à la cuisine. Voilà ce qu'il attendait D. . . . pour trouver la patience de vivre encore quelque temps.
15 « Elle fume . . . » Il était rassuré, sa vie retournait un peu à l'espérance. Ah! cette fumée grise dans le ciel, c'était plus beau que l'aurore sur le monde. Un peu aussi la victoire de sa liberté sans renoncement.[10] Mais comment D. . . . ira-t-il au bout de ses deux ans si rien ne change, pour lui, pour nous?
20 La faim porte[11] aux rêves somptueux du sommeil. Il m'arrive de m'éveiller avec dans la bouche la saveur d'une viande. A la baraque 13 un prisonnier, cuisinier de son métier, écrit à longueur de journée[12] un recueil de recettes culinaires.[13] Chaque fois qu'un chapitre est terminé, il le lit à ses compagnons.
25 Et chacun de faire des observations,[14] de donner des avis. Les goûts s'en donnent à salive-que-veux-tu[15]: « Moi, quand je serai libre, la première chose que je ferai, c'est de m'envoyer[16] un château aux pommes[17] avec une chopine de beaujolais. »[18] Et moi . . .

30 J'ai souvent essayé de ramener ces conversations dont le terme était si cruel, vers des sujets très différents. Rien à faire. On échange même des adresses de restaurants. . . .

1. lulls. **2.** (*lit.*, coming and going): *here,* pacing back and forth. **3.** doze off. **4.** gaunt. **5.** stuck out. **6.** notebooks. **7.** Leonardo da Vinci (1452–1519), painter and inventor of the Italian Renaissance. **8.** feverish. **9.** shutters. **10.** without giving in. **11.** carries over. **12.** *à . . . journée:* for days on end. **13.** cooking recipes. **14.** And each one made remarks. **15.** The preferences they have make your mouth water. **16.** (*slang*)*:* eat. **17.** *château(briant) aux pommes:* steak with French fried potatoes. **18.** half-litre mug of Beaujolais (*a variety of Burgundy wine*).

Ceux de la 15[1] sont les veinards[2] du jour: ils vont se partager tout à l'heure les os de la soupe. Deux pleins cageots.[3] Leur tour de jouer aux fauves.[4]

1. *i.e., baraque 15.* **2.** (*colloq.*): lucky ones. **3.** large food baskets. **4.** *jouer aux fauves:* play at being ravenous wild beasts.

SINCE they had no public outlet for their thoughts, some French writers during the earliest period of the occupation confined their writing to their diaries. Among these records one of the most moving is that of Jean Guéhenno, a man of letters who gives this definition of his vocation in one of his pages:

« Voltaire[1] forma cette expression: homme de lettres, pour désigner une nouvelle charge[2] et un nouvel honneur. Comme il y avait eu en d'autres siècles des hommes d'armes, des hommes de robe[3] pour mener la cérémonie sociale, il y aurait désormais des hommes de lettres, libres, faiseurs d'hommes libres, et la liberté serait leur arme et leur honneur. 5

» On est libre ou esclave à la mesure de son âme. Un homme de lettres véritable n'est pas un fournisseur de menus plaisirs.[4] Sa liberté n'est pas la liberté de sa paresse ou de ses songes. La vaine contemplation de lui-même ne peut lui suffire, ni les 10 jeux[5] subtils de son esprit. Pour tout homme de cœur, la liberté, c'est d'avantage encore que sa propre liberté, la liberté des autres. Il ne peut se sentir libre quand deux millions de ses compatriotes sont autant d'otages dans les prisons d'un vainqueur, quand quarante millions d'hommes autour de lui ne sau- 15 vent que par le silence et la ruse ce qui leur reste de dignité. »

The other extracts from Guéhenno's diary given here cover a period from August, 1941, to the spring of 1944. If the arrangement of this volume were strictly chronological, I should break the diary up into small bits, and run them in separate sections of the book. But in that way you would lose some of the savor of Guéhenno's personality. Soon after writing up

1. French writer and philosopher (1694–1778). **2.** duty. **3.** judges. **4.** *menus plaisirs:* slight entertainments. **5.** processes.

the first part of the diary Guéhenno made effective contact with certain colleagues and with them succeeded in finding a medium that would reach the public. His journal was in time published "at the expense of some literate patriots, at Paris, under the Oppression," on August 1, 1944. That made it one of the late publications of the Midnight Press, for on August 18–19 the insurrection began, and on August 25 the German Military Governor of Paris surrendered. It was published under the title of *Dans la prison* and signed with its author's Resistance pseudonym, Cévennes, a range of mountains in the southwest of France.

DANS LA PRISON[1]

PAR JEAN GUÉHENNO (CÉVENNES)

25 août, 1941

J'ai voulu voir. Nous suivons un sentier, le long du jardin potager,[2] sautons un petit mur, traversons un chemin. C'est là. L'autorité a « utilisé le terrain ». Un assez profond vallonnement[3] dans un bois d'arbres clairsemés.[4] Les balles s'enfoncent dans le talus.[5] Des gens, venus de la ville, tournent là-bas autour d'un sécot d'arbres,[6] comme j'en ai vu il y a vingt ans,[7] dans les Ardennes. Nous approchons. C'est bien là. L'arbre a été scié,[8] déchiqueté[9] par les balles, à la hauteur du cœur d'un homme. Il a servi tout cet hiver, quatre ou cinq fois chaque semaine. La terre est au pied toute foulée.[10] Il a perdu son écorce.[11] Il est noir du sang qui l'a inondé.[12] Il ne peut plus servir maintenant. Il a été trop de fois fusillé. Il a fini par s'écrouler, lui aussi. Les gens d'une ferme aux environs ont emporté le haut du tronc et les branchages. Je m'absorbe à le regarder. Dans l'épaisseur du tronc, un V, oui, un V a été gravé au couteau. Par qui? Par les Allemands, pour signer leur crime? Plutôt, sans doute, par quel-

1. Published in *Editions de Minuit*, Paris, 1944. **2.** vegetable garden. **3.** hollow. **4.** sparsely planted. **5.** slope. **6.** *sécot d'arbres:* wood of sparsely planted trees. **7.** Reference to World War I. **8.** hacked. **9.** riddled. **10.** trampled. **11.** bark. **12.** soaked.

que jeune garçon français, comme un tendre salut d'amitié et d'espérance aux hommes qui sont venus mourir là, et la promesse de les venger.

A quelques mètres voici l'arbre qui est désormais en service. C'est un hêtre.[1] Il est à peine blessé encore. Son écorce éclatée[2] laisse voir pourtant déjà sa chair blanche avec des filets[3] de sang, toujours à la même hauteur, à la hauteur du cœur d'un homme. Aucune trace de balle au-dessous. Les fusilleurs tirent bien.

Je suis plein de souffrance, de dégoût et d'horreur.

ZONE SUD. — Le grand souci des hommes de Vichy est qu'on ignore[4] dans cette zone ce qui se passe dans l'autre. Pour trahir plus à leur aise,[5] il leur faut ici maintenir l'opinion dans une ignoble mollesse.[6] Surtout il faut que personne ne sache ce qu'ont été les réquisitions, que des milliers de Français ont été fusillés. En le disant comme je fais, en mettant sous les yeux des gens le numéro de l'Œuvre[7] qui annonce les nouvelles mesures prises par le chef des SS.[8] non seulement je me rends suspect et provoque les mouchards[9] du village, mais je sens que je gêne tout le monde. On hésite à me croire: les chiffres, devenus énormes, ne sont-ils aussi devenus incroyables? On préférerait ne pas savoir. On en a pris l'habitude. . . . Les hommes de Vichy ont fait deux France, et ils avilissent l'une pour que les Allemands puissent plus tranquillement égorger[10] l'autre.

On est à Paris dans la guerre. On est ici[11] dans la pourriture.[12] L'immonde bêtise[13] est reine. Hier soir, le président de la Légion,[14] le pharmacien de l'endroit, qui se venge depuis deux ans de n'avoir exercé le reste de sa vie aucune influence, est passé dans toutes les maisons, invitant les gens à l'accompagner au Monument aux Morts où il recueillerait dans un

1. beech. **2.** splintered. **3.** streaks. **4.** *qu'on ignore:* that people be unaware of. **5.** To be more undisturbed in their perfidy. **6.** spinelessness. **7.** prewar liberal Paris newspaper, which turned collaborationist during the occupation. Marcel Déat was its editor in both periods. **8.** *abbreviation for German Schutzstaffel* — "élite guard". **9.** stool pigeons, informers. **10.** slaughter. **11.** *i.e.*, in the southern zone. **12.** corruption. **13.** foul stupidity. **14.** Veteran's organization which backed Pétain and carried on propaganda in support of Vichy's collaborationist program.

sachet[1] un peu de la « terre sacrée » pour l'envoyer à Gergovie.[2] La même cérémonie aura lieu dans tous les villages de France. J'ai voulu voir, ce matin, ce cortège de héros et me suis arrangé pour le croiser sur le chemin. Ce n'était pas brillant. 5 Peu de monde. Mais le maire était là, et son adjoint,[3] et l'instituteur — tous militants radicaux[4] ou socialistes, il y a deux années — et les présidents des sociétés locales, et quelques lourdes notabilités.[5] Au total une cinquantaine d'hommes avilis par la peur, l'intérêt ou la vanité: le maire ne veut pas 10 manquer[6] sa légion d'honneur. L'instituteur a peur de perdre sa place. Les présidents sont toujours fiers de défiler.[7] Tel[8] vieil homme malade s'était mis du cortège, de crainte que le pharmacien, à sa prochaine crise, ne le laisse mourir. Sur ces beaux sentiments se fonde le nouveau pouvoir.

15 Mais le petit peuple[9] n'y était pas. Il garde le bon-sens et l'honneur. De ceux-là mêmes qui y étaient, les propos[10] autorisent l'espérance. L'un se plaignait qu'il lui avait bien fallu « aller à la soupe ».[11] L'adjoint disait que tant de sachets venus de tous les villages de France voulaient être autant de pelletées[12] 20 de terre sur le cadavre de la République mais . . . Il y avait du monde[13] et il n'a pas achevé sa pensée.

1943

(À L'ALLEMAND QUE JE CROISE DANS LA RUE.) Je ne sais pas bien ce que j'éprouve quand je me trouve près de toi. Je ne 25 te hais pas, je ne te hais plus. Je sais que tu ne seras jamais mon maître. J'affecte[14] de ne pas te voir. Je fais comme si tu n'existais pas. Je me suis promis de ne te parler jamais.

1. very small bag (usually for powder or perfume). **2.** In 1941, Vichy inaugurated the scheme of having little bags of "consecrated earth" collected from various war monuments all over France and sent to Gergovie. This actually was an attempt by Vichy to apply to France the Nazi idea of folklore worship. It meant the destruction of the old administrative divisions (departments) created after the French Revolution and a rejuvenation of the pre-Revolutionary concept of the province. Added significance is given this scheme in the double fact that Gergovie is both the centre of France and the site of the defeat of Caesar by the Gaul Vercingetorix. **3.** deputy-mayor. **4.** members of a French political party slightly left of centre. **5.** *lourdes notabilités:* important personalities. **6.** lose out (on his election to). **7.** parade. **8.** Such and such. **9.** common people. **10.** remarks. **11.** soup kitchens (operated by Vichy relief agencies). **12.** shovelfuls. **13.** *Il . . . monde:* There were people (listening). **14.** pretend.

Je comprends ta langue, mais si tu m'adresses la parole, je lève les bras au ciel et je joue celui qui ne comprend pas. L'autre jour, pourtant, c'était sur la place du Châtelet[1]; tu es venu vers moi. Tu errais comme n'importe quel griveton[2] perdu, à la recherche de Notre-Dame. Alors j'ai daigné comprendre, et d'un geste, sans un mot, je t'ai montré les tours qui s'élevaient dans le ciel, de l'autre côté de la rivière, et qui te crevaient les yeux.[3] Tu t'es senti bête, tu as rougi, et j'ai été content. C'est là que nous en sommes.[4]

A quoi ressembles-tu avec ton habit vert, dans nos rues, sur nos places? Un soldat, à Paris, en France, c'est bleu ou réséda.[5] Tu es trop boutonné. Et ces gants de Monsieur[6] que tu portes? Tu es trop correct.[7] Et ton poignard? Et ton revolver? Fusilleur ganté.[8] Et tes bottes? Que de paires de souliers on y taillerait pour ceux qui maintenant vont pieds-nus!

Je ne te hais pas. Je ne sais pas haïr. Quand tu montes dans le métro,[9] nous nous serrons pour te faire place. Tu es l'intouchable. Je baisse un peu la tête pour que tu ne voies pas où vont mes yeux, pour te priver de la joie que donne la lumière d'un regard échangé. Tu es là au milieu de nous, comme un objet, dans un cercle de silence et de gel.[10] Je te vois de pied en cap,[11] dans ton uniforme un peu fripé[12] désormais et pas mal élimé[13] aux genoux et aux coudes, avec, au centre de toi, sur ton nombril,[14] sur ta plaque de ceinturon[15] cette inscription que je déchiffre toujours avec la même surprise: *Gott mit uns*[16] . . . Je rêve: *Gott mit uns!* J'envisage avec curiosité quel est ce Dieu qui est avec toi. Drôle de Dieu.[17] Y est-il encore quand tu fusilles? Y était-il quand tu as épinglé[18] sur la poitrine de mes amis, pour mieux viser, ce cœur de papier blanc? . . . Car tu aimes la besogne[19] bien faite. Mais comprends-tu que je ne puisse pas te regarder? Car enfin si c'était toi? Et si j'allais reconnaître dans tes yeux cette petite flamme qui fait que tu fusilles si bien. Vous n'êtes pas si nombreux à Paris, et six

1. square in Paris, opposite the Châtelet theatre. **2.** (*colloq.*): soldier. **3.** *crevaient les yeux:* stared you in the face. **4.** *C'est . . . sommes:* That's the state which we have reached. **5.** buff. **6.** gentleman's. **7.** impeccable. **8.** A gloved killer. **9.** subway. **10.** frost. **11.** from foot to head. **12.** shabby. **13.** somewhat threadbare. **14.** navel. **15.** *plaque de ceinturon:* belt-buckle. **16.** God with us. **17.** A strange God. **18.** pinned. **19.** job.

cent soixante-dix Parisiens ont déjà été fusillés. A dix par peloton,[1] cela fait six mille sept cents fusilleurs. Qui me dit que tu n'en es pas?

Je me dis que vous êtes de bien des sortes sans doute, comme 5 nous. Il y a de vous d'assez basses espèces.[2] Il y a ces officiers qu'on rencontre du côté de la Madeleine[3] et de l'Opéra, dans leurs capotes[4] de drap fin, avec leurs hautes casquettes vaniteuses,[5] cette bêtise fière sur leur visage, ces poignards nickelés qui leur brinqueballent[6] sur les fesses.[7] Il y a aussi vos petites 10 femelles affairées,[8] ces postières,[9] ces téléphonistes aux airs des Walkyries,[10] et qu'on sent si vaines et si vides. L'autre jour, Place de la Concorde, devant le Ministère de la Marine,[11] je m'étais arrêté à contempler les factionnaires,[12] ces deux pantins[13] immuables qui se tiennent là debout de chaque côté de 15 la porte, depuis plus de deux années, sans boire, sans manger, sans dormir, comme le symbole en plein Paris de votre ordre mécanique[14] et funèbre.[15] Je les regardais depuis un moment faire leurs tours de marionnettes.[16] Mais on se lasse de l'horloge de Nuremberg,[17] et je repartais, plein de dégoût, quand, 20 ô destin, je heurtai[18] sans le vouloir quelqu'un en me retournant. Je m'excusai. Je levai les yeux. Qui avais-je devant moi? L'une de ces Walkyries téléphonistes, rouge de fureur, bouche écumante,[19] prête à appeler la garde pour l'offense qu'elle avait subie. Mais mes excuses l'avaient décontenancée.[20] Elle se 25 reprit,[21] et d'un air de triomphe: « Ach! . . . So . . . » (Ah! tout de même![22]) me dit-elle. J'ai bien regretté mes excuses.

Mais vous n'êtes pas tous de cette sorte. Je vous vois tous les mercredis en allant à mon travail, sur la place, devant mon bureau. Pour quel pillage réglementé[23] êtes-vous là toutes 30 les semaines? Quand j'arrive vers les huit heures, vos voitures sont déjà rangées sous les arbres, le long du trottoir. La

1. (firing) squad. **2.** low types. **3.** around the Madeleine church. **4.** greatcoats. **5.** haughty. **6.** dangle. **7.** haunches. **8.** *petites . . . affairées:* busy little wenches. **9.** postal clerks (*f.*). **10.** heroines of the Wagnerian opera, proud and warlike daughters of Wotan. **11.** Navy Ministry. **12.** sentries. **13.** puppets. **14.** robot-like. **15.** funereal. **16.** *faire . . . marionnettes:* go through their marionette routine. **17.** the Nuremberg clock (famous for its mechanical procession of religious figures which took place when the clock struck the hour). **18.** bumped into. **19.** foaming. **20.** had put her out of countenance. **21.** pulled herself together. **22.** at last! (*i.e.*, there is a Frenchman who offers an apology!) **23.** systematic.

corvée[1] est dans les usines aux alentours à chercher la marchandise. Quelques-uns seulement gardent les voitures et les chevaux. Je m'asseois sur un banc, à quelque distance, en attendant qu'ouvre mon bureau. Ce sont des paysans pour la plupart, des réservistes, quelques très jeunes gens aussi, mais difformes[2] et mal bâtis.[3] Parmi eux une sorte de nain[4] dont la culotte traîne par terre et qui semble le souffre-douleurs[5] de l'escouade. Ils bavardent mais je suis trop loin pour les entendre. Il y a sur eux un air de tristesse et de nostalgie qui encourage à les regarder. Ce n'est pas le nain qui m'intéresse davantage. C'est un vieil homme qui, depuis au moins six mois, se retrouve chaque semaine, dans la file des voitures, tout juste à la hauteur[6] de mon banc. Telle est la régularité du service. Je surveille l'usure[7] de sa veste, de sa culotte, de ses bottes. Il se tient à la tête de l'attelage,[8] appuyé contre le timon.[9] Il semble si seul, si résigné, si désolé. *Zu Befehl*,[10] comme je l'entends crier en claquant les talons, chaque fois qu'un feldwebel[11] lui parle. *Zu Befehl*, à perpétuité. Il fume une pipe en porcelaine, comme l'Allemand des légendes. Le nain vient quelquefois le retrouver, mais il ne le retient guère. Il n'a qu'un camarade. Son camarade, dans l'exil et la guerre, depuis tant d'années qu'ils traînent ensemble sur les routes d'Europe, d'Est en Ouest, et d'Ouest en Est, par le soleil et par la pluie, la poussière et la neige, depuis tant d'années qu'ils marchent tous deux sans savoir pourquoi, *zu Befehl*, *zu Befehl*, son camarade, c'est un cheval, le cheval de gauche dans l'attelage, un vieux cheval noir qui n'en est plus lui non plus à compter les misères et les victoires.[12] J'assiste tous les mercredis à l'échange de leurs tendresses.[13] Le vieux cheval tire sur son licou[14] jusqu'à ce qu'il puisse toucher du museau[15] son compagnon, lui mordille[16] doucement l'épaule, si bien qu'enfin le vieux soldat se retourne et frotte à son tour de ses gros doigts les naseaux[17] de la bête contente.

1. The task squad. (In French *corvée* is used in the army for all menial work such as K.P., cleaning squads, etc.). **2.** deformed. **3.** *mal bâtis:* misshapen. **4.** dwarf. **5.** scapegoat. **6.** *tout . . . hauteur:* exactly in front. **7.** wear and tear. **8.** team of horses. **9.** pole. **10.** *German for* "At your service." **11.** German corporal. **12.** *qui . . . victoires:* who no longer is able either to keep track of misfortunes or victories. **13.** tokens of affection. **14.** halter. **15.** with his muzzle. **16.** nips. **17.** nostrils.

Ce vieil homme, réduit à lui-même et à cette amitié pour son cheval dans les longues tristesses de la guerre et de l'exil, c'est lui qui m'aide à penser à vous avec quelque pitié encore et à vous envisager comme des hommes. Nous avons presque 5 le même âge lui et moi sans doute et je songe à notre commune histoire d'Européens égarés[1] qui cherchons vainement depuis quarante ans à concilier les exigences de notre honneur et de notre faim. Il semble que la faim de l'un ne puisse être assouvie[2] que par[3] la boulimie[4] de l'autre, que l'honneur de 10 l'un doive toujours être payé de l'avilissement de l'autre. Cela n'est pas vrai. Mais, vieil homme, retourne donc chez toi, retourne donc chez toi. . . .

1. lost. **2.** assuaged. **3.** *par:* by (causing). **4.** stark hunger.

VERCORS, whom we have already encountered (under his spare alias of Santerre) in "Désespoir est mort," symbolizes the literature of the Resistance for more Frenchmen than perhaps any other writer. This is not only because he was one of the most talented and prolific of the Resistance authors, but because his *Le Silence de la mer* was the first book to issue from the Midnight Press, and made a consequent sensation in a country where for more than two years no other volume had appeared without the official stamp of the German censor. The very fact that the clandestine press was now able to print books, and very well-made ones, under the noses of the occupants indicated to the public how well the dissidents must be organized and how firmly they must be established. It was a colossal joke on the Nazis and their friends, the collaborators. In Britain, Switzerland, South America and the United States, wherever the book arrived, it was a tangible proof of the survival of French intellectual life.

The riddle of Vercors' identity — "the best-kept secret of the Resistance," one of his colleagues called it — added to the author's fame, for readers the world over continued to argue about who he was. Even insiders in the French literary world failed to identify him, because he had never written before the war and there was no trick of style by which he could be recognized. This was not true of several Resistance writers, whose styles were so marked that any well-versed reader had a shrewd suspicion of who they were, no matter how mysterious their pseudonyms. François Mauriac, one of the constant lights of contemporary French literature, was particularly vulnerable. Hundreds of thousands of readers knew how he put words together, and since he had been writing for thirty-five years he found it impossible to change his mannerisms. Mauriac wrote a Midnight Press book called *Le Cahier noir* over the nom de plume of Forez, but he did not trust this pseudonymity. Shortly before the book appeared he left his elegant apartment on the Avenue Théophile-Gautier in Paris and lived in hiding from then until the liberation. He acted wisely; a day or two after his departure the Gestapo was in his studio going through his papers. But Vercors was a mystery even to his colleagues in the Resistance. Not more than three of them knew who he was. His wife, incidentally, was one of those who remained in ignorance. The best of the jest, although it could not be told until after the Liberation, was that the strong, resourceful organization that got out the first book consisted primarily of two men, Vercors and a boyhood friend, the novelist Pierre de Lescure.

Jacques Debû-Bridel tells the story of the founding of the Midnight Press in a little book called *Les Editions de minuit* printed last year by *Aux Editions de minuit*, which with peace has blossomed into a leading Paris publishing house. The artist Bruller-Vercors-Santerre-La Dolée, etc., had after his demobilization been so depressed that he had gone to work in a small town as a journeyman carpenter. He lacked the heart to paint pictures. On a visit to Paris he bumped into a friend, Pierre de Lescure, and they had dinner together. De Lescure was already in contact with other intellectuals who were editing a secret revue, *La Pensée libre*. He asked Bruller, etc. to write a long short story for the revue. Painfully, for he was not used to writing, the painter complied. But by the time he had finished his story the revue had "fallen," a Resistance euphemism for "been raided." The editors had been arrested, the printing press confiscated. De Lescure and Vercors then decided, quite simply, to publish the long short story as a book. And since they wanted to impress public opinion abroad, it must be well printed. Three thousand francs, borrowed from another friend, served as initial capital. Vercors called on Monsieur Aulard, one of the best printers of Paris, whom he knew well, having illustrated books for him. It was not practical to print at Aulard's plant because it was too large, too many people would have to be let into the secret. But Aulard promised to furnish a fine Garamond type and good paper. He found them a printer named Oudeville, proprietor of a one-man job shop that specialized in wedding and funeral cards. Between batches of wedding announcements, Oudeville printed pages of *Le Silence de la mer*. He had just enough of the Garamond to set eight pages at a time, and when he had printed them he would break up the type and set eight more, by hand, for he had no linotype machine. Another old friend, Yvonne Paraf, known also in the Resistance as Yvonne Desvignes, stitched the pages together. It is not customary in France to issue books ready-bound in cloth or leather, so the lack of a cover did not detract from the elegance of the slim volume. Vercors did not inform Madame Paraf-Desvignes who "his" author was. She may subsequently have guessed.

As soon as Oudeville finished printing *Le Silence de la mer*, de Lescure and Vercors set him to work on a clandestine edition of Jacques Maritain's *A travers le désastre*, which the Catholic philosopher had published in the United States in the Fall of 1940 but which was a forbidden book in France. De Lescure owned one smuggled copy. This second book was coming off the presses when they began to take a few other writers into their enterprise. After all, now that they had established a publishing house they had to have manuscripts! By then Aulard had found excuses to get rid of the workmen he was not sure of. Aux Editions de minuit had the use of his good plant. And in the course of the occupation the Midnight Press actually built up the astonishingly efficient organization that they had been credited with in the beginning.

LE SILENCE DE LA MER

PAR VERCORS

Le Silence de la mer, received as a happy portent in the outside world, to which copies penetrated soon after its appearance, had British and American [1] editions in both French and English long before the liberating armies reached France. Mr. Henry Luce's *Life*, a picture magazine with a circulation of several millions, many of whom can read, carried a translation in the United States in 1943. Because of the length of the story and because it is already known to so many American readers, this book includes only the final quarter of *Le Silence de la mer*. This quarter is the dénouement. The stage has been set for it in the first part of the tale.

The narrator, an elderly gentleman and scholar, living alone in a country house with his niece, has already told how Werner von Ebrennac, a young German officer, had been billeted on them. Von Ebrennac, an uncertain apologetic sort of German with aspirations to be considered as a cultured "European," has made many efforts to fraternize with his unwilling hosts. Most of the efforts have taken the form of long monologues about his love for France — he claims descent from a French Huguenot family that emigrated to Germany after the revocation of the Edict of Nantes in 1685 — and even of his dislike of other Germans. His ex-fiancée in Germany, for example, lost his love by pulling the wings off a mosquito. He feels sure the Frenchman's niece would not be like that. He rips off long catalogues of French writers whom he has read, and he plays Bach on the family piano to show art is international. He also recites from Macbeth. But all his talks are monologues because neither the old man nor the niece ever speaks to him.

The job printer, Oudeville, after setting up most of the story, said to Vercors, "You should not call it 'The Silence of

1. The French edition in America was published under the title of *Les Silences de la mer* and edited by Jacques Schiffrin. The extract is printed by permission of Jacques Schiffrin and The Pantheon Books, Inc.

the Sea,' which, if you will pardon me for saying so, means nothing at all. You should call it 'The Silence of the Niece'."

All he wants of France is a kind of welcome, this remarkable (and slightly implausible) German says. Finally, he tells them he is going to Paris for a couple of weeks, "the happiest of his life," to take part in a cultural union of France and Germany, when the German authorities are going to take France into equal partnership. He implies that when he returns, the old man and girl will recognize that he has been right all along.

Nous ne le vîmes pas quand il revint.

Nous le savions là, parce que la présence d'un hôte dans une maison se révèle par bien des signes, même lorsqu'il reste invisible. Mais pendant de nombreux jours, — beaucoup plus
5 d'une semaine, — nous ne le vîmes pas.

L'avouerai-je? Cette absence ne me laissait pas l'esprit en repos. Je pensais à lui, je ne sais pas jusqu'à quel point je n'éprouvais pas du regret, de l'inquiétude. Ni ma nièce ni moi nous n'en parlâmes. Mais lorsque parfois le soir nous en-
10 tendions là-haut résonner sourdement les pas inégaux, je voyais bien, à l'application têtue[1] qu'elle mettait soudain à son ouvrage, à quelques lignes légères qui marquaient son visage d'une expression à la fois butée[2] et attentive, qu'elle non plus n'était pas exempte de pensées pareilles aux miennes.
15 Un jour je dus aller à la *Kommandantur*,[3] pour une quelconque déclaration de pneus.[4] Tandis que je remplissais le formulaire[5] qu'on m'avait tendu, Werner von Ebrennac sortit de son bureau. Il ne me vit pas tout d'abord. Il parlait au sergent, assis à une petite table devant un haut miroir au mur.
20 J'entendais sa voix sourde aux inflexions chantantes et je restais là, bien que je n'eusse plus rien à y faire, sans savoir pourquoi, curieusement ému, attendant je ne sais quel dénouement. Je voyais son visage dans la glace, il me paraissait pâle et tiré.[6] Ses yeux se levèrent, ils tombèrent sur les miens, pen-
25 dant deux secondes nous nous regardâmes, et brusquement il

1. stubborn. 2. obstinate. 3. office of German military government in an occupied territory. 4. tires. 5. blank, declaration form. 6. drawn, wan.

pivota sur ses talons et me fit face. Ses lèvres s'entr'ouvrirent et avec lenteur il leva légèrement une main, que presque aussitôt il laissa retomber. Il secoua imperceptiblement la tête avec une irrésolution pathétique, comme s'il se fût dit: non, à lui-même, sans pourtant me quitter des yeux. Puis il esquissa[1] une inclination du buste en laissant glisser son regard à terre, et il regagna en clochant[2] son bureau, où il s'enferma. 5

De cela je ne dis rien à ma nièce. Mais les femmes ont une divination de félin.[3] Tout au long de la soirée elle ne cessa de lever les yeux de son ouvrage, à chaque minute, pour les porter sur moi; pour tenter de lire quelque chose sur un visage que je m'efforçais de tenir impassible, tirant sur ma pipe avec application. A la fin, elle laissa tomber ses mains, comme fatiguée, et, pliant l'étoffe, me demanda la permission de s'aller coucher de bonne heure. Elle passait deux doigts lentement sur son front comme pour chasser une migraine.[4] Elle m'embrassa et il me sembla lire dans ses beaux yeux gris un reproche et une assez pesante tristesse. Après son départ je me sentis soulevé par une absurde colère: la colère d'être absurde et d'avoir une nièce absurde. Qu'est-ce que c'était que toute cette idiotie? Mais je ne pouvais pas me répondre. Si c'était une idiotie, elle semblait bien enracinée.[5] 10 15 20

Ce fut trois jours plus tard que, à peine avions-nous vidé nos tasses, nous entendîmes naître,[6] et cette fois sans conteste approcher, le battement irrégulier des pas familiers. Je me rappelai brusquement ce premier soir d'hiver où ces pas s'étaient fait entendre, six mois plus tôt. Je pensai: « Aujourd'hui aussi il pleut ». Il pleuvait durement depuis le matin. Une pluie régulière et entêtée,[7] qui noyait tout à l'entour et baignait l'intérieur même de la maison d'une atmosphère froide et moite.[8] Ma nièce avait couvert ses épaules d'un carré de soie imprimé où dix mains inquiétantes, dessinées par Jean Cocteau,[9] se désignaient mutuellement avec mollesse[10]; moi je réchauffais mes doigts sur le fourneau[11] de ma pipe, — et nous étions en juillet! 25 30 35

1. (*lit.*, sketched): made a semblance of. **2.** limping. **3.** cat-like intuition. **4.** severe headache. **5.** *bien enracinée:* deeply rooted. **6.** starting. **7.** persistent. **8.** clammy. **9.** Jean Cocteau, surrealist poet, playwright and illustrator. **10.** *se désignaient . . . mollesse:* pointed lifelessly at each other. **11.** bowl.

Les pas traversèrent l'antichambre et commencèrent de faire gémir les marches. L'homme descendait lentement, avec une lenteur sans cesse croissante, mais non pas comme un qui hésite: comme un dont la volonté subit une exténuante
5 épreuve. Ma nièce avait levé la tête et elle me regardait, elle attacha sur moi, pendant tout ce temps, un regard transparent et inhumain de grand-duc.[1] Et quand la dernière marche eût crié et qu'un long silence suivit, le regard de ma nièce s'envola, je vis les paupières s'alourdir,[2] la tête s'incliner et
10 tout le corps se confier au dossier du fauteuil avec lassitude.

Je ne crois pas que ce silence ait dépassé quelques secondes. Mais ce furent de longues secondes. Il me semblait voir l'homme, derrière la porte, l'index levé prêt à frapper, et retardant, retardant le moment où, par le seul geste de frapper,
15 il allait engager l'avenir . . . Enfin il frappa. Et ce ne fut ni avec la légèreté de l'hésitation, ni la brusquerie de la timidité vaincue, ce furent trois coups pleins et lents, les coups assurés et calmes d'une décision sans retour. Je m'attendais à voir comme autrefois la porte aussitôt s'ouvrir. Mais elle resta
20 close, et alors je fus envahi par une incoercible agitation d'esprit,[3] où se mêlait à l'interrogation l'incertitude des désirs contraires,[4] et que chacune des secondes qui s'écoulaient, me semblait-il, avec une précipitation croissante de cataracte, ne faisait que rendre plus confuse et sans issue. Fallait-il ré-
25 pondre? Pourquoi ce changement? Pourquoi attendait-il que nous rompions ce soir un silence dont il avait montré par son attitude antérieure combien il en approuvait la salutaire ténacité? Quels étaient ce soir, — ce soir, — les commandements de la dignité?

30 Je regardai ma nièce, pour pêcher[5] dans ses yeux un encouragement ou un signe. Mais je ne trouvai que son profil. Elle regardait le bouton[6] de la porte. Elle le regardait avec cette fixité inhumaine de grand-duc qui m'avait déjà frappé, elle était très pâle et je vis, glissant sur les dents dont apparut
35 une fine ligne blanche, se lever la lèvre supérieure dans une contraction douloureuse; et moi, devant ce drame intime sou-

1. horned owl. **2.** become heavy. **3.** uncontrollable mental confusion. **4.** irresolution of conflicting desires. **5.** (*lit.*, fish): discover. **6.** knob.

dain dévoilé et qui dépassait de si haut[1] le tourment bénin de mes tergiversations,[2] je perdis mes dernières forces. A ce moment deux nouveaux coups furent frappés, — deux seulement, deux coups faibles et rapides, — et ma nièce dit: « Il va partir . . . » d'une voix basse et si complètement découragée que je n'attendis pas davantage et dis d'une voix claire: « Entrez, Monsieur ».

Pourquoi ajoutai-je: « Monsieur »? Pour marquer que j'invitais l'homme et non l'officier ennemi? Ou, au contraire, pour montrer que je n'ignorais pas *qui* avait frappé et que c'était bien à celui-là que je m'adressais? Je ne sais. Peu importe. Il subsiste que je dis: « Entrez, Monsieur »; et qu'il entra.

J'imaginais le voir paraître en civil et il était en uniforme. Je dirais volontiers qu'il était plus que jamais en uniforme, si l'on comprend par là qu'il m'apparut clairement que, cette tenue, il l'avait endossée dans la ferme intention de nous en imposer la vue. Il avait rabattu la porte sur le mur et il se tenait droit dans l'embrasure,[3] si droit et si raide que j'en étais presque à douter si j'avais devant moi le même homme et que, pour la première fois, je pris garde à sa ressemblance surprenante avec l'acteur Louis Jouvet.[4] Il resta ainsi quelques secondes droit, raide et silencieux, les pieds légèrement écartés et les bras tombant sans expression le long du corps, et le visage si froid, si parfaitement impassible, qu'il ne semblait pas que le moindre sentiment pût l'habiter.

Mais moi qui étais assis dans mon fauteuil profond et avais le visage à hauteur de sa main gauche, je voyais cette main, mes yeux furent saisis par cette main et y demeurèrent comme enchaînés, à cause du spectacle pathétique qu'elle me donnait et qui démentait[5] pathétiquement toute l'attitude de l'homme . . .

J'appris ce jour-là qu'une main peut, pour qui sait l'observer, refléter les émotions aussi bien qu'un visage, — aussi bien et mieux qu'un visage car elle échappe davantage au contrôle de la volonté. Et les doigts de cette main-là se tendaient et se

1. *qui . . . haut:* which so greatly exceeded. **2.** beating about the bush. **3.** opening. **4.** well-known contemporary French stage and screen actor. **5.** belied.

pliaient, se pressaient et s'accrochaient, se livraient à la plus intense mimique tandis que le visage et tout les corps demeuraient immobiles et compassés.[1]

Puis les yeux parurent revivre, ils se portèrent un instant sur 5 moi, — il me sembla être guetté par un faucon,[2] — des yeux luisants entre les paupières écartées et raides, les paupières à la fois fripées et raides[3] d'un être tenu par l'insomnie. Ensuite ils se posèrent sur ma nièce, — ils ne la quittèrent plus.

La main enfin s'immobilisa, tous les doigts repliés et crispés[4] 10 dans la paume, la bouche s'ouvrit (les lèvres en se séparant firent: « Pp . . . » comme le goulot[5] débouché d'une bouteille vide), et l'officier dit, — sa voix était plus sourde que jamais:

— Je dois vous adresser des paroles graves.

Ma nièce lui faisait face mais elle baissait la tête. Elle en-15 roulait autour de ses doigts la laine d'une pelote,[6] tandis que la pelote se défaisait[7] en roulant sur le tapis; ce travail absurde était le seul sans doute qui pût encore s'accorder à son attention abolie, — et lui épargner la honte.

L'officier reprit, — l'effort était si visible qu'il semblait que 20 ce fût au prix de sa vie:

— Tout ce que j'ai dit ces six mois, tout ce que les murs de cette pièce ont entendu . . . » — il respira, avec un effort d'asthmatique, garda un instant la poitrine gonflée . . . « il faut . . . » Il respira: « il faut l'oublier. »

25 La jeune fille lentement laissa tomber ses mains au creux de sa jupe, où elles demeurèrent penchées et inertes comme des barques échouées[8] sur le sable, et lentement elle leva la tête, et alors, pour la première fois, — pour la première fois — elle offrit à l'officier le regard de ses yeux pâles.

30 Il dit (à peine si je l'entendis): « *Oh welch' ein Licht!*[9] » pas même un murmure; et comme si en effet ses yeux n'eussent pas pu supporter cette lumière, il les cacha derrière son poignet. Deux secondes; puis il laissa retomber sa main, mais il avait baissé les paupières et ce fut à lui désormais de tenir ses re-35 gards à terre . . .

1. controlled. **2.** falcon. **3.** *paupières . . . raides:* eyelids worn and stiff at the same time. **4.** contracted. **5.** neck. **6.** ball (*of wool*). **7.** unwound. **8.** stranded. **9.** *Oh welch' ein Licht!* (*Ger.*) Oh what a light!

Ses lèvres firent: « Pp . . . » et il prononça, — la voix était sourde, sourde, sourde:

— J'ai vu ces hommes victorieux.

Puis, après quelques secondes, d'une voix plus basse encore:

— Je leur ai parlé. 5

Et enfin dans un murmure, avec une lenteur amère:

— Ils ont ri de moi.

Il leva les yeux sur ma personne et avec gravité hocha trois fois imperceptiblement la tête. Les yeux se fermèrent, puis:

— Ils ont dit: « Vous n'avez pas compris que nous les ber- 10 nons[1]? » Ils ont dit cela. Exactement. *Wir prellen sie.* Ils ont dit: « Vous ne supposez pas que nous allons sottement laisser la France se relever à notre frontière? Non? » Ils rirent très fort. Ils me frappaient joyeusement le dos en regardant ma figure: « Nous ne sommes pas des musiciens! » 15

Sa voix marquait, en prononçant ces derniers mots, un obscur mépris, dont je ne sais s'il reflétait ses propres sentiments à l'égard des autres, ou le ton même des paroles de ceux-ci.

— Alors j'ai parlé longtemps, avec beaucoup de véhémence. Ils faisaient: « Tst! Tst! » Ils ont dit: « La politique n'est 20 pas un rêve de poète. Pourquoi supposez-vous que nous avons fait la guerre? Pour leur vieux maréchal? » Ils ont encore ri: « Nous ne sommes pas des fous ni des niais[2]: nous avons l'occasion de détruire la France, elle le sera. Pas seulement sa puissance: son âme aussi. Son âme surtout. Son âme est le plus 25 grand danger. C'est notre travail en ce moment: ne vous y trompez pas, mon cher! Nous la pourrirons[3] par nos sourires et nos ménagements.[4] Nous en ferons une chienne rampante ».[5]

Il se tut. Il semblait essoufflé. Il serrait les mâchoires avec 30 une telle énergie que je voyais saillir les pommettes, et une veine, épaisse et tortueuse comme un ver, battre sous la tempe.[6] Soudain toute la peau de son visage remua, dans une sorte de frémissement souterrain,[7] — comme fait un coup de brise sur un lac; comme, aux premières bulles,[8] la pellicule[9] de crème 35

1. *nous les bernons:* we're making suckers of them. **2.** fools. **3.** will corrupt. **4.** considerations. **5.** grovelling cur. **6.** temple. **7.** (*lit.*, underground): subcutaneous. **8.** bubbles. **9.** film, skin.

durcie à la surface d'un lait qu'on fait bouillir. Et ses yeux s'accrochèrent aux yeux pâles et dilatés de ma nièce, et il dit, sur un ton bas, uniforme, intense et oppressé, avec une lenteur accablée:

5 — Il n'y a pas d'espoir ». Et d'une voix plus sourde encore et plus basse, et plus lente, comme pour se torturer lui-même de cette intolérable constatation[1]: « Pas d'espoir. Pas d'espoir ».

Et soudain, d'une voix inopinément[2] haute et forte, et à ma 10 surprise, claire et timbrée, comme un coup de clairon, — comme un cri: — « Pas d'espoir ! »

Ensuite, le silence.

Je crus l'entendre rire. Son front, bourrelé[3] et fripé,[4] ressemblait à un grelin d'amarre.[5] Ses lèvres tremblèrent, — 15 des lèvres de malade, à la fois fiévreuses et pâles.

— Ils m'ont blâmé, avec un peu de colère: « Vous voyez bien ! Vous voyez combien vous l'aimez ! Voilà le grand Péril ! Mais nous guérirons l'Europe de cette peste ! Nous la purgerons de ce poison ! » Ils m'ont tout expliqué, oh ! ils ne 20 m'ont rien laissé ignorer. Ils flattent vos écrivains, mais en même temps, en Belgique, en Hollande, dans tous les pays qu'occupent nos troupes ils font déjà le barrage.[6] Aucun livre français ne peut plus passer, — sauf les publications techniques, manuels de dioptrique[7] ou formulaires de cémentation[8] . . . 25 Mais les ouvrages de culture générale, aucun. Rien !

Son regard passa par dessus ma tête, volant et se cognant aux coins de la pièce comme un oiseau de nuit égaré. Enfin il sembla trouver refuge sur les rayons les plus sombres, — ceux où s'alignent Racine, Ronsard, Rousseau. Ses yeux 30 restèrent accrochés là et sa voix reprit, avec une violence gémissante:

— Rien, rien, personne ! » Et comme si nous n'avions pas compris encore, pas mesuré l'énormité de la menace: « Pas seulement vos modernes ! Pas seulement vos Péguy,[9] vos

1. realization. **2.** unexpectedly. **3.** tortured. **4.** furrowed. **5.** *grelin d'amarre:* mooring hawser. **6.** *font le barrage:* they set up a ban. **7.** manuals on dioptrics., *i.e.*, light refraction. **8.** formulae for cementation, *i.e.*, a process of making steel by heating wrought iron in charcoal until it is carburized. **9.** Charles Péguy (1873–1914), a great mystic and liberal poet.

Proust,[1] vos Bergson[2]... Mais tous les autres! Tous ceux-là! Tous! Tous! Tous!...

Son regard encore une fois balaya les reliures[3] doucement luisant dans la pénombre,[4] comme pour une caresse désespérée.

— Ils éteindront la flamme tout à fait! cria-t-il. L'Europe ne sera plus éclairée par cette lumière!

Et sa voix creuse et grave fit vibrer jusqu'au fond de ma poitrine, inattendu et saisissant, le cri dont l'ultime syllabe traîna comme une frémissante plainte:

— *Nevermore!*

Le silence tomba une fois de plus. Une fois de plus mais, cette fois, combien plus obscur et tendu[5]! Certes, sous les silences d'antan,[6] — comme, sous la calme surface des eaux, la mêlée des bêtes[7] dans la mer, — je sentais bien grouiller[8] la vie sous-marine des sentiments cachés, des désirs et des pensées qui se nient et qui luttent. Mais sous celui-ci, ah! rien qu'une affreuse oppression...

La voix enfin brisa ce silence. Elle était douce et malheureuse.

— J'avais un ami. C'était mon frère. Nous avions étudié de compagnie. Nous habitions la même chambre à Stuttgart. Nous avions passé trois mois ensemble à Nuremberg. Nous ne faisions rien l'un sans l'autre: je jouais devant lui ma musique; il me lisait ses poèmes. Il était sensible et romantique. Mais il me quitta. Il alla lire ses poèmes à Munich, devant de nouveaux compagnons. C'est lui qui m'écrivait sans cesse de venir les retrouver. C'est lui que j'ai vu à Paris avec ses amis. J'ai vu ce qu'ils ont fait de lui!

Il remua lentement la tête, comme s'il eût dû opposer un refus douloureux à quelque supplication.

— Il était le plus enragé[9]! Il mélangeait la colère et le rire. Tantôt il me regardait avec flamme[10] et criait: « C'est un venin! Il faut vider la bête de son venin! » Tantôt il donnait

1. Marcel Proust (1871–1922), psychological novelist, author of *A la recherche du temps perdu* (*Remembrance of Things Past*). **2.** Henri Bergson (1859–1941), famous contemporary philosopher, author of *L'Evolution créatrice* (*Creative Evolution*). **3.** bindings. **4.** twilight. **5.** thick. **6.** *d'antan:* of the past. **7.** creatures. **8.** swarming. **9.** violent, rabid. **10.** passion.

dans mon estomac de petits coups[1] du bout de son index: « Ils ont la grande peur maintenant, ah! ah! ils craignent pour leurs poches et pour leur ventre, — pour leur industrie et leur commerce! Ils ne pensent qu'à ça! Les rares autres, nous les flattons et les endormons, ah! ah!... Ce sera facile! » Il riait et sa figure devenait toute rose: « Nous échangeons leur âme contre un plat de lentilles[2]! » Werner respira.

— J'ai dit: « Avez-vous mesuré[3] ce que vous faites? L'avez-vous *mesuré?* » Il a dit: « Attendez-vous que cela nous intimide? Notre lucidité est d'une autre trempe[4]! » J'ai dit: « Alors vous scellerez ce tombeau? — à jamais? » Il a dit: « C'est la vie ou la mort. Pour conquérir suffit la Force: pas pour dominer. Nous savons très bien qu'une armée n'est rien pour dominer ». — « Mais au prix de l'Esprit! criai-je. Pas à ce prix! » — « L'Esprit ne meurt jamais, dit-il. Il en a vu d'autres. Il renaît de ses cendres. Nous devons bâtir pour dans mille ans: d'abord il faut détruire ». Je le regardais. Je regardais au fond de ses yeux clairs. Il était sincère, oui. C'est ça le plus terrible.

Ses yeux s'ouvrirent très grands, — comme sur le spectacle de quelque abominable meurtre:

— Ils feront ce qu'ils disent! » s'écria-t-il comme si nous n'avions pas dû le croire. « Avec méthode et persévérance! Je connais ces diables acharnés! »[5]

Il secoua la tête, comme un chien qui souffre d'une oreille. Un murmure passa entre ses dents serrées, le « oh » gémissant et violent de l'amant trahi.

Il n'avait pas bougé. Il était toujours immobile, raide et droit dans l'embrasure de la porte, les bras allongés comme s'ils eussent eu à porter des mains de plomb; et pâle, — non pas comme de la cire, mais comme le plâtre de certains murs délabrés[6]: gris, avec des taches plus blanches de salpêtre.[7]

Je le vis lentement incliner le buste. Il leva une main. Il la projeta, la paume en dessous, les doigts un peu pliés, vers ma nièce, vers moi. Il la contracta, il l'agita un peu tandis

1. *donnait de petits coups:* poked. **2.** mess of pottage. *Cf.* the story of Esau and Jacob in Genesis, XXV, 25–34. **3.** grasped. **4.** quality, variety. **5.** tenacious, ruthless. **6.** decaying. **7.** saltpeter rot.

que l'expression de son visage se tendait avec une sorte d'énergie farouche. Ses lèvres s'entr'ouvrirent, et je crus qu'il allait nous lancer je ne sais quelle exhortation: Je crus, — oui, je crus qu'il allait nous encourager à la révolte. Mais pas un mot ne franchit ses lèvres. Sa bouche se ferma, et encore une fois ses yeux. Il se redressa. Ses mains montèrent le long du corps, se livrèrent à la hauteur du visage à un incompréhensible manège,[1] qui ressemblait à certaines figures des danses religieuses de Java. Puis il se prit les tempes et le front, écrasant ses paupières sous les petits doigts allongés.

— Ils m'ont dit: « C'est notre droit et notre devoir. » Notre devoir! . . . Heureux celui qui trouve avec une aussi simple certitude la route de son devoir!

Ses mains retombèrent.

— Au carrefour,[2] on vous dit: « Prenez cette route-là. » Il secoua la tête. « Or, cette route, on ne la voit pas s'élever vers les hauteurs lumineuses des cimes,[3] on la voit descendre vers une vallée sinistre, s'enfoncer dans les ténèbres fétides[4] d'une lugubre forêt! . . . O Dieu! Montrez-moi où est MON devoir! »

Il dit, — il cria presque:

— C'est le Combat, — la Grande Bataille du Temporel contre le Spirituel!

Il regardait, avec une fixité lamentable, l'ange de bois sculpté au-dessus de la fenêtre, l'ange extatique et souriant, lumineux de tranquillité céleste.

Soudain son expression sembla se détendre. Le corps perdit de sa raideur. Son visage s'inclina un peu vers le sol. Il le releva:

— J'ai fait valoir mes droits,[5] dit-il avec naturel. J'ai demandé à rejoindre une division en campagne. Cette faveur m'a été enfin accordée: demain je suis autorisé à me mettre en route.

Je crus voir flotter sur ses lèvres un fantôme de sourire quand il précisa:

— Pour l'enfer.

1. sequence of movements. **2.** crossroads **3.** (mountain) peaks. **4.** *ténèbres fétides:* foul darkness. **5.** *J'ai . . . droits:* I exercised my rights (as a soldier).

Son bras se leva vers l'Orient, — vers ces plaines immenses où le blé[1] futur sera nourri de cadavres.

Le visage de ma nièce me fit peine. Il était d'une pâleur lunaire. Les lèvres, pareilles aux bords d'un vase d'opaline, 5 étaient disjointes, elles esquissaient la moue[2] tragique des masques grecs. Et je vis, à la limite du front et de la chevelure, non pas naître,[3] mais jaillir, — oui, jaillir, — des perles de sueur.[4]

Je ne sais si Werner von Ebrennac le vit. Ses pupilles, 10 celles de la jeune fille, amarrées[5] comme, dans le courant, la barque à l'anneau de la rive,[6] semblaient l'être par un fil si tendu, si raide, qu'on n'eût pas osé passer un doigt entre leurs yeux. Ebrennac d'une main avait saisi le bouton de la porte. De l'autre, il tenait le chambranle.[7] Sans bouger son regard 15 d'une ligne,[8] il tira lentement la porte à lui. Il dit, — sa voix était étrangement dénuée d'expression:

— Je vous souhaite une bonne nuit.

Je crus qu'il allait fermer la porte et partir. Mais non. Il regardait ma nièce. Il la regardait. Il dit, — il murmura:

20 — Adieu.

Il ne bougea pas. Il restait tout à fait immobile, et dans son visage immobile et tendu,[9] les yeux étaient plus encore immobiles et tendus, attachés aux yeux, — trop ouverts, trop pâles, — de ma nièce. Cela dura, dura, — combien de temps? 25 — dura jusqu'à ce qu'enfin, enfin la jeune fille remua les lèvres. Les yeux de Werner brillèrent.

J'entendis:

— Adieu.

Il fallait avoir guetté ce mot pour l'entendre, mais enfin je 30 l'entendis. Von Ebrennac aussi l'entendit, et il se redressa, et son visage et tout son corps semblèrent s'assouplir[10] comme après un bain reposant.

Et il sourit, de sorte que la dernière image que j'eus de lui fut une image souriante. Et la porte se ferma et ses pas s'éva-35 nouirent au fond de la maison.

1. wheat. **2.** grimace. **3.** appear. **4.** beads of perspiration. **5.** moored, linked. **6.** (mooring) ring on the bank. **7.** doorframe. **8.** (*lit.*, line): hair. **9.** tense. **10.** relax.

Il était parti quand, le lendemain, je descendis prendre ma tasse de lait matinale. Ma nièce avait préparé le déjeuner, comme chaque jour. Elle me servit en silence. Nous bûmes en silence. Dehors luisait au travers de la brume un pâle soleil. Il me sembla qu'il faisait très froid. 5

Octobre 1941.

THE RESISTANCE, even intellectual resistance, was not a game. There is in France now an important weekly, *Les Lettres françaises*, which began as a clandestine publication ("what a contradiction in terms," one of its editors once said, "to make public in secret!"). Every issue carries on its front page the line: "Founders: Jacques Decour (shot by the Germans) and Jean Paulhan." Decour was the ordinary, peacetime pen name, not a Resistance sobriquet, of a young man of letters maned Daniel Decourdemanche. This young man had written several novels of promise, but he was primarily a pedagogue — Professor of Modern German Literature at the Lycée Rollin, one of the great Paris secondary schools for young men. The schools are part of the national university system. Teachers moved upward through them to chairs in the provincial universities and in time, if they were lucky, returned to the University of Paris. Decourdemanche was a young man with a future. The faculties and student bodies of the universities had a proud and honorable part in the Resistance from the first, and the number of scholar-martyrs was out of all proportion to their rank in an occupational census. Since the liberation, the Lycée Rollin has been renamed Lycée Jacques Decour. The best introduction to Decour is his last letter, written in prison before his execution on May 30, 1942.

SA DERNIÈRE LETTRE

PAR JACQUES DECOUR

Samedi 30 mai 1942— 6h. 45.

Mes chers Parents,

Vous attendez depuis longtemps une lettre de moi. Vous ne pensiez pas recevoir celle-ci. . . . Moi aussi j'espérais bien
5 ne pas vous faire ce chagrin. Dites-vous bien que je suis resté jusqu'au bout digne de vous, de notre pays que nous aimons.

Voyez-vous, j'aurais très bien pu mourir à la guerre, ou bien même dans le bombardement de cette nuit.[1] Aussi je ne re-
10 grette pas d'avoir donné un sens à cette fin.[2] Vous savez bien que je n'ai commis aucun crime, vous n'avez pas à rougir de moi, j'ai su faire mon devoir de Français. Je ne pense pas que ma mort soit une catastrophe[3]; songez qu'en ce moment des milliers de soldats de tous les pays meurent chaque jour, en-
15 traînés dans un grand vent qui m'emporte aussi.

Vous savez que je m'attendais depuis deux mois à ce qui m'arrive ce matin, aussi[4] ai-je eu le temps de m'y préparer, mais comme je n'ai pas de religion je n'ai pas sombré[5] dans la méditation de la mort; je me considère un peu comme une
20 feuille qui tombe de l'arbre pour faire du terreau.[6]

La qualité du terreau dépendra de celle des feuilles. Je veux parler de la jeunesse française, en qui je mets tout mon espoir.

Mes parents chéris, je serai sans doute à Suresnes,[7] vous pouvez si vous le désirez demander mon transfert à Mont-
25 martre.[8]

Il faut me pardonner de vous faire ce chagrin. Mon seul souci depuis trois mois a été votre inquiétude. En ce moment c'est de vous laisser ainsi sans votre fils qui vous a causé plus

1. The reference is to the devastating Allied raid on May 29, 1942, on the Renault factories at Boulogne-Billancourt where tanks were being turned out for the Germans. **2.** *donné . . . fin:* given a meaning to this end (*i.e.*, death). **3.** *soit un catastrophe:* is the worst that can happen. **4.** therefore. **5.** given way to. **6.** compost. **7.** small town near Paris (the reference is, of course, to the cemetery). **8.** cemetery of Montmartre in the city of Paris.

de peines que de joies. Voyez-vous, il est content de même, de la vie qu'il a vécu, qui a été bien belle.

Et maintenant voici quelques commissions.[1] J'ai pu mettre un mot à celle que j'aime. Si vous la voyez, bientôt j'espère, donnez-lui votre affection, c'est mon vœu le plus cher. Je voudrais bien aussi que vous puissiez vous occuper de ses parents qui sont bien en peine.[2] Excusez-moi auprès d'eux de les abandonner ainsi; je me console en pensant que vous tiendrez à remplacer un peu leur « ange gardien ».

Donnez-leur des choses qui sont chez moi et appartiennent à leur fille: des volumes de *La Pléiade*,[3] les *Fables de La Fontaine*,[4] *Tristan*,[5] les *Quatre Saisons*, les *Petits Poussins*, les *deux aquarelles*[6] (*Vernon*[7] et *Issoire*[7]), la carte des quatre pavés du Roy.[8]

J'ai beaucoup imaginé, ces derniers temps, les bons repas que nous ferions quand je serais libéré — vous les ferez sans moi, en famille, mais pas tristement, je vous en prie. Je ne veux pas que votre pensée s'arrête aux belles choses qui auraient pu m'arriver mais à toutes celles que nous avons réellement vécues. J'ai refait pendant ces deux mois d'isolement, sans lecture, tous mes voyages, toutes mes expériences, tous mes repas, j'ai même fait un plan de roman. Votre pensée ne m'a pas quitté, et je souhaite que vous ayez, s'il le fallait, beaucoup de patience et de courage, surtout pas de rancour.[9]

Dites toute mon affection à mes sœurs, à l'infatigable Denise qui s'est tant dévouée pour moi, et à la jolie maman de Michel et de J. Denis.

J'ai fait un excellent repas avec Sylvain le 17, j'y ai souvent pensé avec plaisir, aussi bien qu'au fameux repas de réveillon[10] chez Pierre et Renée. C'est que les questions alimentaires avaient pris de l'importance. Dites à Sylvain et Pierre toute

1. errands. **2.** *bien en peine:* in great sorrow. **3.** collection of beautiful editions of the French classics. **4.** French poet of the 17th century, famous for his fables. **5.** French Medieval legend which later inspired Wagner's opera *Tristan and Ysolde.* **6.** watercolors. **7.** French towns. **8.** Mme Massoneau, sister of Jacques Decour gives the following explanation of four items referred to: "Jacques Decour voulait faire parvenir à ses amis des souvenirs; il y avait quatre textes: *Tristan* tiré de Tristan et Yseult; *Quatre Saisons* en rappel de la revue du même nom; *Petits Poussins* s'appliquant à des objets en peluche jaune; et enfin, *Carte des Quatres Pavés du Roy* en souvenir d'un menu de l'auberge 'Les 4 Pavés du Roy' située sur la route qui mène de Versailles à Trappes." **9.** bitterness. **10.** midnight supper (on Christmas or New Year's Eve).

mon affection et aussi à Jean, mon meilleur camarade, que je le remercie bien de tous les bons moments que j'aurai passés avec lui.

Si j'étais allé chez lui le soir du 17, j'aurais fini tout de même 5 par arriver ici, il n'y a donc pas de regret !

Je vais écrire un mot pour Brigitte à la fin de cette lettre, vous le lui recopierez. Dieu sait si j'ai pensé à elle. Elle n'a pas vu son papa depuis deux ans.

Si vous en avez l'occasion, faites dire à mes élèves de 10 Première,[1] par mon remplaçant, que j'ai bien pensé à la dernière scène d'Egmont,[2] — sous toute réserve de modestie.[3]

Toutes mes amitiés à mes collègues et à l'ami pour qui j'ai traduit Gœthe sans trahir.[4]

Il est huit heures, il va être temps de partir.

15 J'ai mangé, fumé, bu du café. Je ne vois plus d'affaire à régler.

Mes parents chéris, je vous embrasse de tout cœur. Je suis tout près de vous et votre pensée ne me quitte pas.

Votre DANIEL.
20 (Jacques Decour)

1. highest class in a French lycée (roughly the equivalent of American high school and junior college combined). For fuller explanation, see page 296. **2.** the final scene in Goethe's play *Egmont* in which the Belgian Count d'Egmont is beheaded by order of the Spanish Duke of Alba for leading an insurrection against the Inquisition. The night before his execution a vision appears to Egmont saying that his death will secure the freedom of the Netherlands provinces, hailing him as a conqueror, and extending him a laurel crown. **3.** *sous . . . modestie:* with all due modesty. **4.** faithful to the original.

DECOUR was a Marxist. Jean Paulhan, his partner in founding the clandestine *Les Lettres françaises*, is not. Paulhan looks a little more literary than an American writer could afford to look, with a Barrymore profile and graying hair. He has a bit of the tart precision of a professor in his manner, too, joined with a brilliant wit. Before the armistice of 1940 he was editor of *La Nouvelle Revue française*, the undisputed leader among French literary revues. When the Germans decided that they needed the *NRF* for their cultural propaganda,

Paulhan resigned. Otto Abetz, the German Ambassador to Pétain's Government, installed Drieu La Rochelle, a well-known collaborationist writer, as editor in Paulhan's place. Shortly before the liberation Drieu tried to kill himself, but was prevented. After the liberation he tried again and succeeded.

Paulhan joined one of the first Resistance groups — which had as nucleus a number of anthropologists on the staff of *Le Musée de l'Homme*. The group was discovered and Paulhan served several months in prison at Fresnes. When he came out he joined Decour in the attempt to establish a National Committee of Writers, the "Comité National des Ecrivains," which would channelize the intellectual resistance. The members, besides Decour and Paulhan, were Guéhenno, Debû-Bridel, Charles Vildrac, the playwright of *Le Paquebot Tenacity*, Jean Blanzat, a young novelist and critic, and the Reverend Father Maÿdieu, a Catholic priest and writer. The Committee was to have as its organ a clandestine review that the intellectuals of France could call their own. Decour and Paulhan were assigned to establish this review. Decour called upon an old friend, Claude Morgan, to assist in the work. But Morgan did not know Paulhan. Decour was the only link between them.

The team of three — a type known in the Resistance as a *troika*, from the Russian three-horse hitch — got out a couple of mimeographed numbers. Then Decour was "burned" — spotted by the Gestapo.

Morgan had gone to a cafe to wait for him one winter evening. But he did not appear. Morgan divined what had happened. It was months before any of Decour's acquaintances in the outside world heard from him directly. Then his family received the last letter.

Decour had been tortured, but he had not named Paulhan or Morgan. Morgan carried on alone until he could re-establish contact with the Committee of which he had heard only through Decour. He was confident, he said later, that if he could only get out one number, other writers would "come to the sound of the cannon." And he did it. The Committee got together again; continually enlarged during the Resis-

LES LETTRES FRANÇAISES

Revue des Ecrivains français groupés au Comité national des Ecrivains

Fondateur : Jacques DECOUR
Fusillé par les Allemands le samedi 30 mai 1942

N° 16 — MAI 1944

LA GUERRE

rien que la guerre tout pour la guerre

Les victoires soviétiques ayant modifié profondément le rapport des forces en présence, l'insurrection des peuples d'Europe est devenu l'un des éléments décisifs de la guerre.

Cette insurrection nationale qui, seule, peut nous restituer notre liberté véritable, c'est le but vers lequel tend, depuis sa fondation, le 30 mai 1941, notre « Front National pour la Libération et l'Indépendance de la France ». *A cette date ni l'Union Soviétique, ni les Etats-Unis n'étaient encore entrés dans la guerre. Mais une élite de Français avait compris qu'il n'était pas de compromis possible entre la France et les bourreaux de son peuple. Elle refusa de se renier, de plier le genou devant les nouveaux dieux.*

(Suite page 2)

TÉMOIGNAGES DES MAQUIS

La France a les yeux tournés vers ses maquis.

Elle est fière de ses garçons héroïques qui se sont retranchés sur la terre libre et ont pris les armes contre les oppresseurs de leur peuple.

C'est en vain que l'ennemi a lâché s[...]eux ses SS et sa meute milicienne, il n'est pas vrai — comme Philippe Henriot voudrait nous le faire croire — que les maquis aient été réduits. La guérilla s'est établie en Dordogne, comme en Corrèze, comme en Haute-Savoie. Pour se venger, les nazis ont incendié des villages, fusillé des innocents, brûlé vifs des paysans dans leurs fermes, pendu des jeunes gens comme à Nîmes.

Mais les maquis existent toujours.

Ils existent même de plus en plus, disséminés par petits groupes de combattants mobiles qui unifient leur action avec celle des organisations de Francs-Tireurs.

Demain, la guérilla deviendra insurrection. Elle se trouvera des chefs à sa taille et c'est elle, et elle seule, qui nous restituera une France libre.

Les *Lettres Françaises* tiennent à rendre un hommage particulier à ceux qui se battent en ce moment sur le sol de France en publiant d'importants extraits de trois textes qu'elles viennent de recevoir. Le premier de ces textes nous a été adressé par des jeunes gens du maquis. Les deux autres émanent d'écrivains qui se sont rendus sur place et nous ont fait parvenir leurs récits.

LE MAQUIS ET VOUS...

C'est avec la plus grande émotion que nous avons lu le message dont les auteurs luttent en ce moment, les armes à la main pour conquérir notre liberté. Parce que leur pureté est entière ils s'indignent de l'abominable campagne de l'ennemi qui les présente comme des bandits et des sadiques du crime. C'est pourquoi ils nous adressent leur témoignage. Ils nous disent ce qu'ils sont, ce qu'ils veulent, ce qu'ils espèrent.

Voici d'abord un extrait de l'Histoire du Maquis :

Quels sont ces terroristes ? Quels sont ces bandits ? Mais, bonnes gens, ce sont ces gamins, ces petits garçons que vous avez vu partir.

Ah ! sans doute, ils se sont endurcis. Il fallait les voir arriver, dès avril dans ces petits villages savoyards perdus dans la neige : les paysans souriaient en voyant ces costumes de ville, ces souliers bas ces valises. Il fallait les voir surtout au bout d'un mois vécu dans les chalets. Quand ils eurent fait quelques replis à travers la montagne avec tout leur barda, quand ils furent descendus tous les deux jours dans la neige en corvée de ravitaillement — il en avait parfois pour deux heures de descente et trois pour la montée — et qu'ils se furent entassés chaque nuit pour dormir dans le foin des écuries, l'aspect de ces jeunes avait bien changé. Une colonne d'une centaine de « maquis » en file indienne était alors un spectacle inimaginable : les valises des uns dans des sacs à pommes de terre sont portés sur le dos avec un bâton, d'autres ont fait des ballots informes avec quelques effets : des couvertures de toutes les couleurs sont posées sur le chargement, les pantalons rapiécés avec les morceaux de tabliers trouvés dans les châlets, sont pris dans les guêtres faites de chiffons, les souliers déchirés hors d'usage tiennent par des ficelles ou des lanières improvisées.

Les premiers arrivés ont ainsi vécu plusieurs mois sans jamais descendre (la consigne était formelle et la discipline très dure) sans pouvoir écrire ou pouvoir recevoir une ou deux lettres. On ne touchait

(Suite page 5)

BÊTES ET MÉCHANTS

Venant du dedans
Venant du dehors
C'est nos ennemis
Ils viennent d'en haut
Ils viennent d'en bas
De près et de loin
De droite et de gauche
Habillés de vert
Habillés de gris
La veste trop courte
Le manteau trop long
La croix de travers
Grands de leurs fusils
Courts de leurs couteaux
Forts de leurs bourreaux
Et gros de chagrin
Armés jusqu'à terre
Armés jusqu'en terre
Raides de saluts
Et raides de peur
Devant leurs bergers
Imbibés de bière
Imbibés de lune
Chantant gravement
La Chanson des bottes
Ils ont oublié
La joie d'être aimé
Quand ils disent oui
Tout leur répond non
Quand ils parlent d'or
Tout se fait de plomb
Mais contre leur ombre
Tout se fera d'or
Tout rajeunira
Qu'ils partent qu'ils meurent
Leur mort nous suffit

*

Nous aimons les hommes
Ils s'évaderont
Nous en prendrons soin
Au matin de gloire
D'un monde nouveau
D'un monde à l'endroit.

A LEADING RESISTANCE NEWSPAPER. Front page of the sixteenth number published clandestinely. The page size was not much larger than a sheet of business stationery. There were to be four more issues before the Liberation when the newspaper was to become an illustrated weekly of literature, art and politics. The poem *Bêtes et Méchants* is by the well-known contemporary poet Paul Eluard, an active Resistant and frequent contributor to *Les Lettres françaises*.

tance, at the liberation it united all the patriot writers of France, and maintains its importance in peacetime.

Twenty numbers of *Les Lettres françaises* appeared under the German occupation. The first were crude jobs mechanically, but the last eleven were neatly printed eight-page publications that would look good in any newspaper kiosk. This technical improvement was due to a young journalist named George Adam who found a printing plant for it. Adam, until the liberation, was the only member of the staff of *Les Lettres françaises* who knew where it was printed.

"Pour L'Eloge de Jacques Decour," Paulhan's tribute to his old comrade, appeared in the first number of *Les Lettres françaises* published after the liberation. The mimeographed sheet had grown to a fine illustrated weekly, with a list of contributors that included every great name in France, except those on the black list of collaborators. But Decour's had become the greatest name of all. By his death he had secured an immortality far beyond the gift of the Académie Française, which creates conventional literary "Immortals."

POUR L'ÉLOGE DE JACQUES DECOUR[1]

PAR JEAN PAULHAN

Trois mois après l'armistice,[2] je rencontrai Jacques Decour, rue de Vaugirard. Il passait à bicyclette, semblait pressé, ne donnait pas son adresse. Il eut le temps de me dire: « Après tout, la France a ce qu'elle mérite. » Et: « Pétain, autant cette honte-là qu'une autre. » D'accord pour la honte. 5
Puis il fila[3] sur sa machine.

Decour pensait qu'une patrie dont les lois sont injustes ne peut compter sur le dévouement des privilégiés, tout occupés de leurs privilèges, ni sur celui des victimes qui défendraient quoi? Ce qu'elles connaissent par ouï-dire,[4] on ne sait quel 10

1. From *Les Lettres françaises, 9 septembre, 1944.* 2. June 23, 1940. 3. hurried off. 4. hearsay.

vague espoir. Moi, il me semblait au contraire que l'autre face[1] du privilège, et sa contre-partie, pouvait être une abnégation[2] sans limite. Mais c'est à lui que l'événement donnait raison.[3]

5 Je revis plus tard Jacques Decour quatre ou cinq fois par semaine: chez Jean Blanzat,[4] chez Debû-Bridel, chez moi, au café de La Frégate,[5] et même un jour à la N.R.F.[6] On préparait le journal. Je lui remis un soir 10.000 francs, que nous donnait Robert Debré. Il montra du contentement, et 10 je m'avisai qu'à l'ordinaire je le voyais plutôt froid.

Decour était grand et mince, les coudes pointus. La bouche, longue et qui portait plus d'un sourire à la fois, de sorte qu'il vous embarrassait souvent. Les yeux, tendres sans doute; mais toute la figure parlait d'exigence.[7] Il était de ces hommes qui 15 font dire: « Ce n'est pas lui qui hésiterait à . . . »

Il y avait entre nous quelque vingt ans d'amitié. J'aimais ses romans, qu'il n'aimait plus guère. Devant ses essais politiques, j'hésitais davantage. (Mais il s'agit de questions où je n'entends pas grand'chose).

20 Sur la guerre nous échangions des nouvelles. Peu de vues générales. Peu de prévisions.[8] Pourtant, il lui arriva de me dire: « Quand les Alliés débarqueront, le plus étrange, ce sera de l'apprendre du dehors. »

Que c'était donc juste et fin,[9] de dire ça en quarante-deux! 25 Moi, je n'ai réalisé la chose, comme on dit (mal) qu'il y a deux mois.[10] Quand j'ai bien vu, sur ma déception, que j'attendais sottement je ne sais quoi, les crieurs de journaux peut-être, et les conciliabules[11] de la rue et dans chaque maison les joyeuses visites d'étage à étage. Non, rien. Et nous si embarrassés 30 (quoique ravis) qu'on ne savait même pas comment appeler l'événement. L'*Invasion*, on avait l'air de leur en vouloir.[12] Le *Débarquement*, mais ils n'allaient pas s'en tenir là![13] Les *Libérateurs*, c'était vague; c'était plutôt sentimental. Non,

1. *autre face:* reverse. **2.** self-sacrifice. **3.** *donnait raison à:* proved right. **4.** contributor to *Editions de minuit*. **5.** clandestine meeting-place of Resistance writers. **6.** *Nouvelle Revue française*, a French literary magazine. **7.** necessity. **8.** predictions. **9.** shrewd. **10.** *i.e.*, early in July, 1944, after the invasion by the Allies. **11.** meetings. **12.** *on . . . vouloir:* it sounded as if we were sore about it. **13.** *s'en. . . là:* to stop at that.

Decour avait raison. Cette chose était si étrange qu'elle n'avait guère de nom.

Nous n'étions pas toujours très graves. Pourtant il me dit un soir: « A présent, je sais qu'ils peuvent me prendre, et faire de moi ce qu'ils voudront. Je ne parlerai pas. » 5

Ce fut quelques jours plus tard qu'ils l'arrêtèrent. Ils firent de lui ce qu'ils voulurent. Et il ne parla pas. Mais je reviens à ce que je voulais dire, et qui est d'ordre général.[1] C'est que la patrie n'est pas chose si facile à penser, on l'a vu, du reste. Il faut que tout serve, et nous serions perdus, s'il était, aux 10 prochaines épreuves, des Français entre les meilleurs pour estimer encore que la France mérite d'être punie.

Périclès[2] dit, dans Thucydide,[3] quelque chose comme ça. Il dit: « Si je prouve qu'Athènes a des lois justes, j'aurai suffisamment fait l'éloge de nos héros. » Mais pour nous, c'est 15 tout au contraire: le jour où la France aura des lois justes, nous aurons fait un éloge digne de Jacques Decour.

1. *d'ordre général:* in the nature of a general rule. 2. Athenian commander, statesman and orator (d. 429 B.C.), whose ambitious views led to the Peloponnesian War. 3. refers to the *History of the Peloponnesian War*, by Thucydides (Athenian statesman and historian (471–339 B.C.).

PAULHAN'S parable of the bee, which follows, dates from the same period, when too many Frenchmen still hesitated. It became celebrated throughout France after an inauspicious start. *Les Cahiers de libération*, the clandestine revue in which it first appeared, was the organ of a group of Lyon intellectuals. The number containing "L'Abeille" was confiscated almost in toto, and only fifty copies reached the public. "L'Abeille," however, was reprinted in many clandestine newspapers, and also in *L'Eternelle Revue*, out of which our text is copied. *L'Eternelle Revue* was a Resistance prototype of the *Reader's Digest*. It reprinted articles from other Resistance journals, and in the latter days of the Resistance, when the "Silent Republic" was a well-organized State within a puppet official State, *L'Eternelle Revue* attained a circulation of 20,000.

L'ABEILLE[1]

PAR JEAN PAULHAN

Si nous avions été occupés (comme on dit poliment) par des Suédois,[2] il nous resterait du moins un pas de danse, un goût des rubans jaunes et bleus; par des Javanais, une façon d'agiter les doigts; par des Hottentots, des Italiens, des Hon-
5 grois, il nous resterait une chanson, un sourire, une petite secousse[3] de tête. Enfin, l'une de ces manières absurdes qui ne veulent rien dire de précis — qui signifie simplement qu'on est content de vivre, qu'on préfère ça à ne pas vivre du tout, et qu'il est amusant (en particulier) d'avoir un corps, dont
10 on peut tirer tant de fantaisie.[4]

Mais d'eux, chacun voit bien qu'il ne nous restera rien. Pas un chant, pas une grimace. Même le gosse de la rue ne songe pas à imiter le pas de l'oie. Dans le Métro qui est devenu, avec l'épicerie, notre façon de vivre en commun ils ne bouscu-
15 lent jamais personne, comme il nous arrivera, hélas! de le faire encore. Ils ramassent même les paquets qu'une étourdie[5] laisse tomber. Pourtant, ils ne nous donnent pas envie de ramasser les paquets. Ils ne sont pas animés. Ils auront passé comme un grand vide. Comme s'ils étaient déjà morts.
20 Seulement, cette mort, ils la répandent autour d'eux. C'est même la seule chose qu'ils sachent faire.

Qu'ils nous semblent à ce point transparents, on dit parfois que c'est un effet de notre dignité. Je voudrais bien. Je vois dans les livres (des meilleures éditions), qu'une honnête Fran-
25 çaise peut abriter six mois dans sa maison l'occupant le plus noble (et même devenir vaguement amoureuse de lui), sans lui dire une seule fois bonjour.[6] Mais il s'agit sans doute, d'une Française exceptionnelle. Moi, je ne me sens pas si digne (ni si vite amoureux). Puis, les Français, en général, n'ont pas
30 été si dignes.

1. The Bee. From *Les Cahiers de libération.* **2.** Swedes. **3.** toss. **4.** *dont . . . fantaisie:* from which one can derive so much pleasure. **5.** absentminded woman. **6.** reference to Vercors' *Le Silence de la mer.*

Il ne faut pas oublier que la France, en principe, ne se bat pas. C'est une sorte de pays neutre, dont la capitale est Vichy. Et nous ne nous gênons pas — heureusement! — pour dire des gens de Vichy la vérité: c'est qu'ils sont des salauds.[1] N'empêche que nous sommes vaguement solidaires[2] d'eux: il y a, en chacun de nous, une part qui — à regret — les comprend; qui ne les tient pas pour de purs et simples fous; qui va parfois jusqu'à se demander si Vichy n'a pas été une ruse pour sauver l'Algérie, et Pétain un monstre d'astuce[3] (et se reproche aussitôt de se l'être demandé); qui se trouve forcée, d'ailleurs, de tenir compte d'eux. Puisque celui d'entre nous qui se bat, c'est sans y être obligé. C'est avec tout le mérite, et la pure grandeur du soldat (que les guerres officielles risquaient de nous cacher).

Donc, celui du moins qui ne se bat pas accepterait de s'amuser (s'ils étaient amusants). De s'instruire (s'ils nous apprenaient quoi que ce soit). Mais on voit que de ce côté-là aussi (dont il n'y a pas à être fiers), nous sommes déçus. Que tout se passe comme s'ils étaient déjà morts. Mais — j'y reviens — c'est une mort qu'ils communiquent.

Quand j'étais enfant, je m'étonnais (comme tous les enfants) de trouver dans les éphémérides[4] beaucoup plus de morts que de naissances. (L'explication — mais l'on n'y songe que plus tard — est évidemment qu'il est rare, les rois exceptés, que l'on soit très connu à sa naissance; au lieu qu'un[5] homme célèbre, il ne lui reste qu'à mourir). J'avais aussi le sentiment que tout cela venait de changer, le monde était plutôt aux naissances. On mourait beaucoup moins.

C'est là un sentiment absurde, je crois cependant que je l'ai vaguement conservé, qu'il est commun, qu'il entre pour sa part dans la douleur d'un temps où nous apprenons chaque mois la mort de quelque ami. L'un tenait le maquis, on a retrouvé son corps dans un champ, déjà gonflé.[6] Un autre faisait des tracts, un autre encore transmettait des notes; ils ont été troué[7] de balles, quand ils chantaient. D'autres ont

1. skunks. **2.** *solidaires de:* at one with. **3.** shrewdness. **4.** block-calendars (containing notations of births and deaths). **5.** *au lieu que:* whereas, in the case of. **6.** bloated. **7.** riddled.

souffert, avant la mort, des tortures qui passent en horreur les souffrances des cancéreux et du tétanique.[1]

Et je sais qu'il y en a qui disent: ils sont morts pour peu de chose. Un simple renseignement (pas toujours très précis) ne
5 valait pas ça, ni un tract, ni même un journal clandestin (parfois assez mal composé). A ceux-là, il faut répondre: « C'est qu'ils étaient du côté de la vie. C'est qu'ils aimaient des choses insignifiantes qu'une chanson, un claquement des doigts, un sourire. Tu peux serrer dans ta main une abeille jusqu'à ce
10 qu'elle étouffe. Elle n'étouffera pas sans t'avoir piqué. C'est peu de chose, dis-tu. Oui, c'est peu de chose. Mais si elle ne te piquait pas, il y a longtemps qu'il n'y aurait plus d'abeilles. »

JUSTE

1. victim of tetanus, lockjaw.

THE STING is in a certain sense the bee's only form of franchise. It is its only way of voting against tyranny. I was to hear the same thought expressed in Oran in 1942 by a man distinguished in a rather different sphere from Paulhan's: Major General Terry Allen, then commanding officer of the First Division. Major General Allen said that if the politics of El Paso, Texas, were corrupt, the citizens who abstained from voting had themselves to blame. "It's the same for nations," he said. "Sometimes a country has to fight just to put itself on record. But if it won't fight, what right has it got to kick about anything that happens?"

Paulhan's fineness, for me, is especially delectable in phrases like "*le Métro qui est devenu, avec l'épicerie, notre façon de vivre en commun.*" The subways had always been a way of common life for all Paris. It was the groceries that had become the common meeting place of all ranks of society since the war, with its German-imposed rationing. His writing here rankles like the bee-sting.

In his third paragraph he registers a playful (but still rankling) criticism of *Le Silence de la mer*, which he evidently considers, even under the circumstances, too kindly in tone toward the German character.

I like the piece particularly because I myself, without having ever read it, wrote a kind of suite to it in September, 1944.

« *Mais d'eux, chacun voit bien qu'il ne nous restera rien.* » — Paulhan.

"Paris has been liberated for only four weeks, but an American arriving now would find it hard to believe that the Germans had been here for any considerable time. The Germans build nothing. In Paris, because of the fortunes of war, they were also prevented from destroying anything. Culturally sterile, they have left no imprint on thought or on manners here. — The children have forgotten the Germans already, I am sure. The rest of us will forget too soon." — L. in *The New Yorker*, September 26, 1944.

Before he was Marxist or martyr, however, Jacques Decour was a teacher, and this last excerpt from *Les Lettres françaises* of September 23, 1944, completes the portrait of one whom the Monsieur Seguins called a terrorist. It is a letter to *Les Lettres françaises* from one of Decour's old boys.

JACQUES DECOUR, PROFESSEUR

LETTRE D'UN LYCÉEN

Le lycée Rollin a changé de nom. Au fronton[1] de l'entrée d'honneur,[2] sous le drapeau de France qui se déploie[3] à nouveau et qui le touche presque, un grand panneau[4] nous dit maintenant: « Lycée Jacques Decour ». Plus bas, un feuillet[5] est épinglé à la porte, bref commentaire de cette simple phrase: « Mort pour la France, le 30 mai 1942 ». C'est tout. Et cela nous suffit. Tous ceux qui sont passés dans les couloirs de Rollin ont vu Jacques Decour, grand et souriant, ils ont su la sympathie qui l'unissait à ses élèves, le renom de son enseignement; tous ceux qui lui ont parlé, qui l'ont connu,

1. pediment. 2. main entrance. 3. is unfurled. 4. panel. 5. plaque

en savent plus encore. Aussi est-ce presque un devoir pour nous qui avons été ses élèves de rendre cet ultime[1] hommage à notre maître.

Nous nous rappellerons longtemps ses cours: des cours 5 d'allemand vivants, loin du savoir livresque,[2] des textes rebattus.[3] Nous avons des cahiers bourrés[4] de notes — plus de notes que de textes, peut-être — qui constituent une véritable documentation, une base de culture artistique et intellectuelle. Decour jouissait d'une réputation, d'une sorte de petite popu- 10 larité dans le lycée. Il y a trois ans, à la rentrée[5] d'octobre, nous vîmes tomber chez nous[6] un groupe de cinq à six élèves, déserteurs d'un vieux professeur qui n'en pouvait mais,[7] et qui voulaient tout bonnement[8] « faire l'allemand[9] chez Decour ». Decour sourit, arrangea la chose: ces élèves restèrent 15 avec lui.

En été, on entendait clamer[10] dans la cour, par les portes de classe grandes ouvertes, les *lieder*,[11] les fragments de symphonies enregistrés sur disques.[12] Et la peinture! Combien Decour nous faisait découvrir de maîtres! C'étaient de mer- 20 veilleux commentaires sur Holbein, Cranach, Dürer.[13] Il nous apportait de nombreuses carte-postales, des reproductions de tableaux: Franz von Sickingen, *Le Chevalier et la Mort;* Hiéronymus, *Le Philosophe au lion;* la divine *Mélancholia.* Et ses leçons de littérature: *Les Nibelungen,*[14] *Hans Sachs et les Maîtres* 25 *Chanteurs.*[15] Nous étions pleins du lourd parfum des légendes.

1. final. **2.** bookish. **3.** oft repeated. **4.** crammed full. **5.** reopening of school. **6.** *tomber . . . nous:* arrive amongst us. **7.** *n'en . . . mais:* was too helpless to do anything about it. **8.** *tout bonnement:* simply. **9.** take German. **10.** ring out. **11.** (German) plural of *Lied,* a German ballad or song. **12.** *enregistrés . . . disques:* recorded. **13.** Hans Holbein, "the Younger," (1497–1543), a German historical and portrait painter; Lucas von Cranach or Kranach (real name Sunder) (1472–1553), a German painter and engraver; Albert or Albrecht Dürer (1471–1528), a German painter, engraver and writer; reputed inventor of etching and of printing woodcuts in two colors. The next sentence lists a few of Dürer's better known works: portraits of Franz von Sickingen (1481–1523), a German military leader, and of Hieronymus Holzschuher; two of his most famous copper engravings, "The Knight and Death" and "Melancholia." **14.** In German mythology, a supernatural race guarding a treasure that is wrested from them by Siegfried, a mythical prince. The struggle is the subject of a German epic poem of unknown authorship (about 1190–1210) upon which Richard Wagner founded his operatic tetralogy, the *Ring of the Nibelungs.* **15.** Hans Sachs (1494–1576) was a German journeyman shoemaker, poet and meistersinger celebrated by Goethe and Wagner. The meistersinger or master-singers were burgher poets and musicians of Germany in the 14th, 15th and 16th centuries.

Alors on parlait de Wagner,[1] de *L'Or du Rhin*, de *Tannhäuser*, de *Lohengrin*. On comparait. Decour savait nous montrer la poésie des conteurs,[2] des sources populaires, tout ce qui était resté simple et pur, de langue et de pensée. Une autre fois, c'étaient Eichendorf[3] et les Romantiques[4]: toute une époque se récréait: les universités, les étudiants, les brasseries![5] Combien de sujets, qui auraient pu être fades,[6] prenaient avec notre Decour une vie, une réalité, qui nous gagnaient. En seconde[7] on traduisait *Guillaume Tell*,[8] en première[9] *Egmont*,[10] et il savait trouver dans Goethe[11] et dans Schiller[12] le vers qui redonne l'espoir. Bien plus, il fallait prendre une part active au cours: l'un, parce qu'il était Alsacien, devait nous parler de Strasbourg, de la cathédrale, de la vieille ville toute frissonnante[13] de drapeaux aux 11 novembre; un autre devait résumer un livre moderne qu'il avait lu; ou bien, dans d'épiques duels verbaux, chaque moitié de classe se relançait questions et réponses « tels les héros d'Homère »! Il fallait à tout prix être vainqueur!...

Et puis, un jour, en février, la file des élèves attendit à la porte de la classe: la longue silhouette ne venait pas. La semaine suivant, le professeur suppléant[14] s'initiait au travail, donnait des devoirs pour huit jours, quinze jours; prenait l'air de s'installer définitivement. On nous dit que Decourdemanche était malade, qu'il avait pris un congé, puis qu'il était parti se reposer!... Enfin, le remplaçant nous confia qu'en réalité il était emprisonné. « Oui, on l'a arrêté. » Pour des raisons politiques, sans doute.... Nous étions stupéfaits!

Pendant les cours, en effet, jamais un mot de ce qu'on pour-

1. Richard Wagner (1813–1883), a German composer, three of whose operas are listed in the text: *Das Rheingold* (one of the *Ring of the Nibelungs*), *Tannhäuser* and *Lohengrin*. **2.** story tellers. **3.** Baron Joseph von Eichendorff (1788–1857), a German poet, dramatist and novelist. **4.** Romantic school of writers whose works are characterized by the mystic, passionate, free spirited and capricious standards of the Middle Ages. **5.** beer gardens. **6.** colorless. **7.** next to the last year in a French lycée. **8.** Play by Schiller written in 1804 which gave world-wide renown to the tale of a legendary Swiss peasant who shot an apple off his own son's head. **9.** last year in a lycée. **10.** Play by Goethe written in 1788 whose theme is the execution by the Spaniards of Count Egmont of Lamoral, prince of Gavre, a Flemish patriot. **11.** Johann Wolfgang von Goethe (1749–1832), a German poet and prose writer who ranks among the foremost names in German literature. **12.** Johann Friedrich von Schiller (1759–1805), a German poet, dramatist and historian. **13.** fluttering. **14.** substitute.

rait appeler de la politique. Aucun d'entre nous n'aurait pu dire si Decourdemanche avait fait de la propagande communiste ou autre, peu importe; ou s'il collaborait aux journaux clandestins. D'ailleurs, on fit tout pour nous cacher la vérité. 5 Et c'est seulement plusieurs mois après que nous eûmes connaissance de cette nouvelle! Jacques Decour, notre professeur d'allemand, avait été fusillé par les nazis, le 30 mai 1942.

D'autres diront[1] l'enseignement de ses livres, puisqu'il fut un écrivain ardent; nous, nous avons eu l'enseignement de sa 10 présence. Nous ne connaissions rien de son œuvre et il n'en parlait point. C'est son exemple seul qui nous a gagnés: exemple dans sa pensée vivante mais profonde; exemple dans sa foi calme mais indéracinable[2] en l'avenir français; exemple dans son courage et dans sa mort. Les tortures qu'il subit 15 n'eurent aucune prise[3] sur lui: il garda devant ses tortionnaires, nous a-t-on dit, un silence méprisant.[4] Par delà[5] sa mort, par delà le temps, son message nous est parvenu: « Je me considère un peu comme une feuille qui tombe de l'arbre pour faire du terreau.[6] La qualité du terreau dépendra de 20 celle des feuilles; je veux parler de la jeunesse française, en qui je mets tout mon espoir. »

Les jeunes sont vite oublieux, certes, mais ceux qui ont su gagner leur admiration et animer leur enthousiasme restent indestructiblement présents dans leur cœur et dans leur mé-25 moire, je vous assure.

JEAN-LOUIS D'HOURSELLES

1. will tell about. **2.** unshakable. **3.** effect. **4.** scornful. **5.** beyond. **6.** compost.

THE NUMBER of French men and women who believed in an Allied victory grew with each month after the betrayal. At Granville in Normandy, only a few miles north of Brittany geographically but temperamentally a world away, the stubborn, cautious, mocking natives made up their minds in September, 1940, when a large number of German troops held an invasion exercise, putting to sea in collapsible rubber boats. Most of the boats turned over as they reached the mouth of the harbor. The Granville fishermen, who knew something about the Channel, concluded the Germans were simply dangerous lunatics, who had no chance of getting to England. The first resistants were in large part men who preferred death to defeat. But most men need at least a glimmer of hope before they will fight. This hope grew as Britain resisted. It grew still greater when reports began to come back from the Russian front. German soldiers, sent back to rest areas in France, were its most effective propagandists. Their terror and pessimism were unaffected. In August, 1941, the Germans in Paris ordered the preparation of thousands of posters announcing the fall of Moscow. Workmen in the print shops spread the news among comrades in the city. But as day after day went by and the posters remained unused, the Germans' spirits fell and the workmen's rose. By the winter of 1941–42 the people of France knew that the Russian campaign was a wound through which Germany might well bleed to death.

The resistance movements grew along with hope. But in the "free" zone there was a school of thought known as *attentisme*, or "wait-and-see-ism." Its exponents used the German reverses as an argument for doing nothing. "By being nice little nannygoats and complying with the German orders — only the ones we cannot get out of complying with, of course — we may be able to sit this one out," they said. "We will come through the war less damaged than any other power after all. Let the Germans and the Russians and the Anglo-Saxons knock each other's brains out." At the time this *attentisme* suited the German game admirably. A quiescent France was certainly less trouble, while they were fighting the Russians, than one in active revolt. They could settle with France later. As far as they were concerned it made no difference whether the Monsieur Seguins professed to like them or not, as long as they made no trouble. The French, by the way, have a disconcerting habit of referring to Britons and Americans, lumped, as Anglo-Saxons, which is annoying to non-Anglo-Saxon Americans. They do not mean any harm by it.

In the north the Germans already were having a difficult time with sabotage. The owners of French heavy industry had gone to work for them quite happily, but the products were proving to be distressingly unreliable. "By getting the factories working at once and restoring employment, the Germans, in the beginning, had a chance of creating a favorable impression," Lieutenant-Colonel Rochet, the rubber-billy man, once told me. "It was necessary to create a climate of dissidence. So in aircraft factories we would cut one vital rivet almost through with acid, and then when they flew the plane it would fly to bits after a few vibrations. Or we would go to the stockpiles, where steel of different tensions was marked with paint of different colors. We would change the colors, and the poor steel would go into machine tools, or tank armor, and the tools wouldn't cut and the men in the tanks would be killed. We would put incendiary devices in new trucks, which would burst into flames when they were driven. Soon the Germans began to shoot our fellows. Then of course the final result was certain." The sabotage spread to the railroads and the coal mines. British planes, after the summer of 1941, were operating over France more often than the Germans over Britain, and the pilots who baled out offered a new method of serving the Allied cause. A great underground organization grew up to save them from the Germans and get them safely home.

In the south there was a different moral climate. The divergence is illustrated by the following extracts from *Libération*, a resistance newspaper that, incidentally, was to survive the war, like *Les Lettres françaises*, and become a great Paris daily. This copy is dated January 20, 1942, and was, I should think, printed at Montélimar in the central Rhone Valley, in the southeast of France. It carries news of the wholesale executions to which the Germans were already resorting in the north, but its message is directed to readers in the *Zone Libre*. Thousands of these papers, printed in the south, were of course carried across the line and distributed in the *Zone Occupée*, where there were at the time fewer resistance newspapers.

PREMIERS FRÉMISSEMENTS DE LA RÉSISTANCE

Libération
20 janvier 1942

ZONE OCCUPÉE

NANTES. Un petit jour blême[1] et glacé. — 50 hommes, 50 Français sont amenés dans une carrière[2] des environs. Ils sont entassés[3] contre les parois de pierre. Une auto-mitrailleuse,[4] déjà là, en position, ouvre le feu. — La gerbe de balles — avec le petit bruit sec d'un doigt fantôme et mécanique frappant à la porte du néant[5] — arrose[6] les corps vivants. Quelques secondes . . . 50 morts.

Il y a des vieux, des mutilés, héros de 1914: Jost, le président de l'U.N.C.[7] Il y a des jeunes, presque des enfants. Moquet, le fils du député de Paris: 17 ans. Un élève du Lycée, 17 ans aussi: un fort en physique[8] qui s'amusait à monter[9] dans son jardin de petits postes à galène[10] sans portée, de véritables jouets.

Une heure après des camions emportent dans des cercueils hâtivement cloués, les corps chauds — on suivrait à la trace la piste[11] du sang.

Il ne reste dans la carrière silencieuse qu'une petite mare[12] rouge sombre, des traînées écarlates sur la pierre.

Le lendemain, par milliers, des fleurs coupées se fanent[13] sur la pierre. Posées par les veuves, les orphelins, les amis, mêlées au sang, elles témoignent du serment de vengeance, du serment de mort que la France a fait, un matin meurtrier, et qu'elle tiendra avant longtemps.

Quelques jours plus tard, la Kommandantur de Nantes communiquait une liste de 48 noms! 48 assassinés. Deux noms manquaient, qui resteront inconnus. Les Allemands ont eu honte; les deux noms étaient des noms de femmes.

PARIS. DÉCEMBRE. Mille hommes sont ramassés dans les

1. *petit jour blême:* pale dawn. 2. quarry. 3. herded. 4. armored car. 5. *porte du néant:* threshold of annihilation. 6. spatters against. 7. *Union Nationale des Combattants*. 8. an excellent student of physics. 9. build. 10. crystal radio sets. 11. trail. 12. pool. 13. wither.

prisons, dans les camps. Huit cent sont aussitôt expédiés vers cette Pologne,[1] aujourd'hui reconnue zone de contagion pour le typhus, où sont envoyés déjà des médecins juifs, jugés tout juste bons à combattre les épidémies, et où sévit[2] une misère
5 difficile à imaginer pour des cerveaux français.

Des deux cents hommes restants, cent seront fusillés officiellement. Les cent derniers ne seront fusillés qu'officieusement.[3] De tous, il ne restera comme souvenir, dans les cinq cimetières parisiens, que des tombes anonymes, des buttes[4] de terre
10 marquées d'un poteau et d'un numéro.

Pourtant, quelques détails chuchotés gagnent de proche en proche.[5] Chez ceux qui luttent, le son de la rage; chez les lâches, le son du remords; chez le vainqueur provisoire ils marquent une stupeur anxieuse.

15 Un officier allemand avoue: « Ils meurent avec un courage extraordinaire, chantant des hymnes ou saluant leur Patrie ». . . . Une veuve a pu retrouver un témoin d'une des tueries: « Gabriel Péri[6] était tuberculeux, vidé par le régime de la prison. On a dû le porter . . . , il chantait. » Un autre
20 raconte: « Le professeur Holweck a été arrêté dans son laboratoire à l'Institut Curie.[7] En sortant, il donne un coup de poing[8] au soldat et se sauve. Il est rattrapé. Trois jours après, sa femme reçoit un mot, la priant de venir reconnaître le corps à la morgue de la Pitié. »

25 « On vient de me changer de cellule » écrit un détenu de la Santé.[9] . . . Tous les matins, on y entend fonctionner la guillotine. Les gardiens sont en admiration devant le courage des copains »[10]. . . . Une femme dont le mari a été fusillé (officieusement) est avisée qu'elle peut venir chercher à la
30 Kommandantur les papiers de son époux. Elle va trouver les autorités françaises qui lui déclarent qu'elle ne peut jouir des prérogatives d'une veuve, le décès de son mari n'étant pas constaté officiellement. Ainsi, pas d'allocations,[11] impossible

1. Three of the largest extermination camps were located in Poland. **2.** rages. **3.** semi-officially. **4.** mounds. **5.** from mouth to mouth. **6.** French deputy and foreign editor of the Communist daily *L'Humanité*. His widow was chosen a member of the French Constituent Assembly, in the first election in which women were eligible as candidates. L. **7.** Research laboratory established by the Curies, discoverers of radium. **8.** *donne . . . poing:* punches. **9.** Paris prison. **10.** "buddies." **11.** allowances of death benefits.

de constituer tutelle.[1] (O! Français, attendrez-vous que les vôtres soient tués deux fois avant de les reconnaître?)

Qui a dit que les Français ne savaient pas rire devant la mort? A Drancy, au camp, on dit: « L'appel, c'est la douche,[2] la libération ou la mort. » Un jour, on appelle trente noms. 5 Un détenu reconnaît son nom avec un autre prénom. « Allons, vas-y, disent les copains . . . pair, impair,[3] cette fois c'est la libération. » Il répond: « Présent ». . . . On emmène les trente appelés au Cherche-Midi. Grand gueuleton.[4] (Ça sent mauvais, la dernière cigarette) et après le dessert, on annonce: 10 « Vous serez fusillés demain ». L'homme se débat, ameute[5] les autorités, finit par faire reconnaître qu'on le confondait avec un Anonyme. . . . Il a eu chaud.[6]

Mais le chuchotement qui monte enfle, qui deviendra rumeur, qui sera un jour le tonnerre des voix vivantes et des 15 voix mortes, ce chuchotement, le voilà: « Le jour ou ILS flancheront,[7] quelle boucherie ».

En attendant, nous disons seulement: « Les fils, les frères, les femmes, les amis tiennent les comptes. Pour CHAQUE vie française qu'ils nous ont prise, nous en tuerons TROIS ». 20

ZONE LIBRE

Ici ils n'ont pas encore osé par le fer[8] et le feu. Lâches, ils détruisent, ils minent[9] en livrant au froid, à la maladie, aux mauvais traitements. Et c'est ceux-la qui ont dit: « TRAVAIL, FAMILLE, PATRIE » qui ont rempli camps et prisons avec les 25 travailleurs, les pères[10] de familles, les patriotes.

A Lyon: la prison Saint-Paul a deux cent cinquante places (et l'administration pénitentiaire[11] ne passe pas en France pour être généreuse ou propre). Il y a eu jusqu'à neuf cents détenus.

A Saint-Etienne,[12] pour 120 places, 350 détenus. De lois, 30 de sauvegardes légales, il n'y en a plus.

A Toulouse,[13] Cheynau de Leyritz se signale par une répres-

1. *constituer tutelle:* establish legal guardianship (for inheritance and other death benefits). **2.** shower. **3.** even, odd. **4.** (*slang*): feast. **5.** rouses. **6.** He had a narrow escape. **7.** weaken. **8.** (*lit.*, iron): sword. **9.** undermine. **10.** heads. **11.** prison board. **12.** steel producing centre within largest coal area in Central France. **13.** city in south-western France near the Pyrenees.

sion abjecte. Anciens combattants,[1] ouvriers, intellectuels, sont jetés en prison et maltraités. Un grand blessé de '40 voit ses blessures se rouvrir et suppurer. Les types crèvent[2] de froid.

Le Journal de Perpignan voit sa chronique des décès[3] s'augmenter singulièrement, cela grâce à la proximité du camp de « La Nouvelle » où les enfants, les vieillards, les adultes, meurent comme des mouches.

A Lyon, lors d'un récent procès[4] politique, un inculpé[5] déclare avoir été roué de coups.[6] Le commissaire Pigeon proteste: mais inculpés, hommes et femmes, confirment l'accusation.

Pour une légère critique, une jeune fille est gardée six mois dans une immonde[7] prison, sans contact possible avec un avocat ou sa famille. Une autre jeune fille, pour une affaire de tracts[8] et sans flagrant délit,[9] est placée dans une chambre de quatre mètres sur quatre, avec 40 prostituées tuberculeuses et vénériennes. Dans un coin, la tinette,[10] vidée une fois par semaine. . . . Le médecin s'en fiche[11]: il attend qu'on claque[12] pour parler hôpital.[13] Le juge attend qu'on avoue.

. . . Et le Chef d'Etat est un vieillard paternel. Et nous sommes gouvernés par des bourgeois repus de moralités légendaires[14] et de marché noir.

Cependant Vichy ne se contente pas d'être les pourvoyeurs des prisons en zone libre, il est le pourvoyeur des charniers[15] en zone occupée. Des hommes ont été livrés pour la fusillade, d'autres ont été signalés par les bons soins[16] des préfets et de l'administration.[17]

Mais les pourvoyeurs paieront aussi cher que les bourreaux.

THE EXECUTION of fifty hostages at Nantes, on October 21, 1941, was a reprisal for the killing of a German lieutenant-colonel named Hotz, shot down in the streets of that

1. Veterans. **2.** die off. **3.** *chronique des décès:* obituary notices. **4.** questioning. **5.** accused. **6.** *roué de coups:* beaten up. **7.** foul. **8.** leaflets. **9.** *sans flagrant délit:* without being caught in the act. **10.** latrine. **11.** (*colloq.*): doesn't give a hang. **12.** (*colloq.*): kick off. **13.** *parler hôpital:* before mentioning a hospital. **14.** *repus . . . légendaires:* wallowing in moralistic slogans. **15.** murder camps. **16.** *les bons soins:* the good offices. **17.** government officials.

city on the previous night. The Germans did not accuse any of the victims of complicity in the shooting of the officer. They simply took the fifty from among prisoners held at the near-by fortress of Châteaubriant for "hostile actions" or for "crimes against the state," that is, being De Gaullists, or Communists, or labor organization leaders. Most of them had been arrested in 1939, at the outbreak of war. The killing of the hostages which became famous in France as the Châteaubriant incident, was the first in a series of attacks on German officers and of wholesale reprisals that continued through the fall and winter.

Marshal Pétain and General De Gaulle were for once in accord: both made radio speeches ordering Frenchmen to stop killing Germans. The Marshal said that the attacks were inspired by Russia and Great Britain. De Gaulle was against them on tactical grounds, since they opened the way to such disproportionate reprisals. He advised that Frenchmen await the landing of an Allied army before recommencing open hostilities. But many Resistance leaders in France felt that the way to create a "climate of combat" was to fight, and they ignored the General's instructions. It was impossible to keep up a spirit of resistance without resisting, they argued. It was the same debate that was going on in Yugoslavia between adherents of General Mikhailovitch who wanted to save up weapons and wait, and the Yugoslav Partisans. In France, as there, the ideas of the immediate-action people prevailed. The executions in Paris were part of the series that started at Nantes.

Gabriel Péri, the newspaper editor whose end is briefly described in *Libération*, died on December 23, at Mont-Valérien fortress. He wrote a last letter as celebrated and almost as poignant as Decour's. In one of its phrases he said that he died "in order that France might know tomorrows that would sing." Guy Moquet, a boy of 17, executed at Châteaubriant, became one of the favorite martyrs of the Resistance.

Moquet had been arrested for "distributing anti-German tracts." The charge had little to do with the length of his detention or with his punishment. His real offense, and the reason the authorities considered him a good hostage, was that he was the son of a Communist member of the Chamber of Deputies (which had, of course, been dissolved).

In March, 1941, the Vichy court which tried him produced the "tract" he had "distributed." It was the manuscript of a poem the boy had written in defense of his own father. He had shown it to his friends. That constituted distribution. The authorities held on to him. He was a big, lively boy, captain of the soccer team at his school. He was so popular with his fellow prisoners that they did not tell him of the executions at first. They wanted him to sleep well on the night before he was to die. But the Germans, to whom Vichy had delivered him, saved him for their last victim so that he might savor the horror of his situation. He had to witness the deaths of his forty-nine fellow victims before he was permitted to die. After he was dead an SS man, enraged because the boy's big body would not fit in the skimpy, cheap box provided as a coffin, jammed the corpse into the box with his feet.

Prisoners who escaped from Châteaubriant carried the details of the mass executions into the Free Zone.

In the Free Zone the Germans had left to Vichy a vestigial army, with a deficit of equipment and a surplus of senior officers, and a fleet of powerful war vessels that were forbidden to leave port without German permission. Officers of this army had secreted some arms in caches scattered about the countryside; they told each other they would use them "when the liberators landed," an eventuality that seemed comfortably distant then.

Whether, in that eventuality, they would have employed the arms principally against the Germans or against Frenchmen who believed in a democratic form of government was never very clear. The naval officers, doped by an unrealistic tradition (French admirals for more than a century had smarted for Trafalgar, and thought of England as the Ancient Foe) were the most viciously anti-Allied element in France. Most of them denied they were pro-German, but they saw nothing incompatible in their two attitudes. They had rationalized the comfortable position in which they found themselves; they were heroically not going to fight anybody. But the ships, they kept reminding lesser Frenchmen, were France's only remaining military asset. If one offended the Germans, the Germans might attempt to take over the ships. Confused, bitter, romantic in an opium-impregnated Pierre Loti sort of way, authoritarian by quarterdeck tradition and by family background — they included a high proportion of aristocrats — the French naval officers were not cowards. They were sufferers from a mass schizophrenia, a withdrawal from the real world. Darlan was their leader, and perhaps the only sane one of the lot, a sane bad man influencing the hallucinations of gold-braided lunatics. Landbound admirals filled a number of ministries and administrative jobs in the Free Zone; admirals like Robert in Martinique, Decoux in Indo-China, Estéva in Tunis and Michelier in Morocco defended the far-flung interests — of the Axis.

Within the Free Zone, therefore, the clandestine press had a double task: to combat not only the Germans but the government of thieves and admirals.

Libération was typical of illegal newspapers of that period, some of which survived and most of which didn't. The editorial office was an apartment in a working-class district in Lyon. The editor and two colleagues lived and worked there. Roger Massip, editor of the present, legal, *Libération*, who edited it for twenty months under the occupation, once told me a bit about it, so I can use it as an example. But it was not unique. The editors had a mailbox in another tenement house where they received reports from regional correspondents. These correspondents supplied news of the underground struggle in their territories. At another box, *Libération* received communications from its political and diplomatic correspondent, an official in the Vichy Ministry of Foreign Affairs. Many resistance newspapers had correspondents in the government who furnished them with the most intimate details of Pétain's and Laval's court intrigues. *Libération*'s political correspondent was eventually arrested and interrogated by the Gestapo. He got out of it alive and without betraying any of his colleagues. But his body is covered with a tattoo of cigarette burns and his hair has turned completely white. The staff members sifted the news and wrote editorials and articles. When they wanted something that called for special knowledge or a satirical touch, they called upon some journalist they knew to write the piece, even though the man might be outside any organized resistance movement. Naturally they avoided known collaborators. No newspaperman ever gave them away.

When they had decided on the contents of a number, they made a dummy, of two or four small pages, with perhaps four hundred words to the page, and a resistance railroad man or travelling salesman carried it to Montélimar, where there was a sizeable job printery that worked for the movement. The printery would set the type and print twenty or thirty thousand papers for distribution in the immediate region. But it was not judicious to print a whole number at one plant, since distribution over a large area was a difficult problem, and there was also the danger that the Gestapo might capture a whole printing if it should happen to make a raid. Montélimar would therefore send back to Lyon carefully printed proofs on good paper, and technicians would photograph them and make half a dozen sets of zinc printing plates from the photographs. In this work, the resistance papers had the whole-hearted aid of the photo-engraving staffs of the Lyon collaborationist newspapers.

The plates were distributed to little printing plants from Toulouse to Marseille. These plants were operated by partisans. Each printed an edition of a few thousand. Some of the papers were loaded in packing cases deceptively labeled and shipped by train to stations where resistance railroad men were waiting for them. Others were carried in suitcases by ostensible *voyageurs de commerce*, who risked their lives every time they travelled, for Vichy agents rode many trains searching for contraband black market food and Spanish cigarettes. If they found contraband they confiscated and sold it. If, in searching, they found a suitcase full of newspapers, they turned the carrier over to the Gestapo. They were hard on newspaper carriers, presumably because they were angry when they found nothing to steal.

One of Massip's printers was a priest who had a press in his church. The authorities allowed him to have electric power in church only on Sundays, when he had services. This was to conserve fuel, since the Germans carried off nearly all the fuel of France. So the priest would print between masses. The priest was caught, arrested, and immersed repeatedly in a bathtub of water just above freezing to make him talk. He didn't talk. He was then given intravenous injections of ice water. He still didn't talk. The Germans next tried to see how long they could hold his head under water without drowning him. They miscalculated and drowned him, but he hadn't talked.

At last the Gestapo smuggled a German officer into the Montélimar plant. He was a linotyper provided with a card in the illegal union and a complete set of Resistance identification papers, and he spoke French with the accent of a manufacturing town in Burgundy. The plant was raided and put out of business, but all the personnel escaped except the foreman of the photo-engraving department. He was tortured to death, but he didn't talk either.

Some of the papers received some of their funds from the De Gaulle government in London. The money was brought in by agents who were dropped by parachute. Other money came in lump sums from patriots who could afford it, and still more in small contributions of from ten to 200 francs. The journals bought their newsprint from regular dealers, but they always had to pay a black market price for it. The dealers asked no questions and in fact preferred not to know the answers.

Traffic between the two zones was stringently regulated. Gestapo men checked on all travellers entering or leaving the Occupied Zone, but a certain number of newspapers went over the border in the clothing and baggage of passengers, as did some of the zinc-plate jobs for printers. Passengers who had permissions to pass and repass regularly, for business, were often couriers for a number of different Resistance enterprises simultaneously. De Gaulle's London Government, for example, had early established an office in Paris. There was a representative there who got into relations with De Gaullist groups in the various parts of France and maintained a liaison with London. Not until late in the occupation, however, was this office in touch with all of the large Resistance groups.

One of the regular weekly couriers between the Paris and Lyon De Gaullists was a Professor of Law at the University of Paris who gave one lecture a week in Lyon. Among his running mates was an attractive young woman who was the mistress of a high German officer in Paris, but was so devoted to her family in Lyon (that at least is what she told the German) that she had to visit it every week. Another, a magnificent white-haired woman dewy with diamonds, operated a chain of houses of ill fame, and was allowed to travel for business reasons. (This was a type of business for which the Germans had great consideration.) After the liberation the professor returned to his courses, the madam to the ordinary cares of administration, and the young woman to the Frenchman who had been paying the rent of her apartment in Lyon. The madame had been introduced into the De Gaullist group by an over-handsome young man, a merchant of women, who as a resistant specialized in obtaining weapons from German soldiers. This usually involved killing the soldiers. He was successful many times, but in the end, as the little man who told me the story said, "He died a hero's death."

The Gestapo, as one means of counteracting the secret newspapers, sometimes issued false "resistance journals" and tracts of its own, and tried to pass them off among the unsuspecting. Two examples from *Libération* follow.

Libération, Edition Z.O.[1]
20 juillet 1943

LE PETIT ÉLEVEUR DE LAPINS[2]

C'est le titre d'une publication qu'un certain nombre de
5 parisiens ont reçu dernièrement sous enveloppe.[3] Un bien innocent journal en vérité à en juger par la première page

1. *Zone Occupée.* 2. *éleveur de lapins:* rabbit farmer. 3. *sous enveloppe:* by mail.

entièrement consacrée aux recettes et procédés[1] qui doivent permettre aux néophytes du clapier[2] de conserver en vie leurs nichées.[3] Mais si l'on tourne la page on tombe sur des recommandations d'un autre ordre. On les présente comme des consignes données par « les organisations de la Résistance Française » à l'occasion d'un débarquement qu'on dit imminent. Entremêlant le faux et le vrai, les recommandations du haut commandement interallié transmises par la B.B.C. et les pronostics les plus propres à affoler[4] le public, les rédacteurs de ce faux tract clandestin se proposent par sa publication et son mode particulier de présentation de jeter le trouble dans les esprits non prévenus.

Que nos amis dénoncent la manœuvre.

27 juillet 1943

UN PIÈGE GROSSIER[5]

Des habitants de la région parisienne ont dernièrement reçu par la poste un appel mystérieux émanant d'un certain G.A.C. (Group actif de combat) et intitulé « POUR LA LIBÉRATION ». Après un appel de l'attitude héroïque des Français partout où a eu lieu un débarquement allié, le document insiste pour que l'exemple soit partout suivi et il conclut ainsi:

« L'heure H de la délivrance a sonné pour la France. Nous faisons appel à tous et comptons sur vous. Si vous êtes disposé à nous donner tout votre appui, faites des croix bleues sur votre porte et incessamment[6] trois camarades du G.A.C. passeront vous voir et vous donneront des instructions précises.

» Il est bien entendu qu'en cas de trahison de votre part votre vie nous en répondra. »[7]

On n'est pas plus bêtement provocateur[8] et si la Gestapo, les hommes de DORIOT[9] ou de DÉAT[10] n'ont que ces trucs-là[11]

1. *recettes et procédés:* directions and methods. **2.** rabbit-hutch. **3.** broods. **4.** scare. **5.** glaring. **6.** without delay. **7.** your life will be answerable. **8.** One couldn't be more stupidly trouble-making. **9.** Jacques Doriot, ex-Communist who turned Fascist before the war and was one of the Nazis' most active henchmen before and during the occupation. Killed in an Allied air raid in Germany in 1945. L. **10.** Marcel Déat, editor of *L'Œuvre* and leading exponent of appeasing the Nazis before the war. Became one of the Germans' chief propagandists during the occupation. L. **11.** *trucs:* tricks, schemes.

pour dépister[1] les patriotes, nous les assurons qu'ils ont du retard.[2]

NOT all the contents of the illegal newspapers were as dramatic as the first sample given. The story of the manifestation of the university students of Lyon against the concert of the Berlin Philharmonic is mocking. Blood had not begun to flow in the Zone Libre. And sometimes *Libération* even published jokes.

3 juin 1942

IL NE S'AGISSAIT PAS DE MUSIQUE

5 Non! vraiment, ce n'était pas le moment!

Tandis que des dizaines d'otages et de militants tombent sous les balles allemandes, tandis que les Français affamés, écrasés, serrent les poings de rage, tandis que la révolte gronde et que la libération s'approche, les nazis et leurs amis « col-
10 laborationnistes » nous invitaient à applaudir à Lyon, l'Orchestre Philharmonique de Berlin.

Tandis qu'on assassine nos frères, nous aurions été rendre hommage aux représentants des bourreaux.

Quel ignoble défi![3]

15 Mais Lyon a su le relever![4]

Certes, la musique est internationale. Et nul ne songe à rendre la musique allemande responsable des crimes nazis.

Mais les Allemands sont chez nous, nous tiennent à la gorge, nous pillent et nous tuent.

20 Aussi, Lyon étudiant et ouvrier,[5] était-il dans la rue le 18 mai, tout autour de la Salle Rameau pour crier aux Allemands, musiciens ou autres, et à leur public:

— A bas les assassins! A bas les traîtres! Vive la France! Vive la liberté!

25 Il fallait voir de quel air honteux les « invités » entraient dans la salle à travers un triple rang d'agents et de gardes . . .

1. ferret out. **2.** *ils . . . retard:* they are behind the times. **3.** challenge. **4.** accept. **5.** *Lyon . . . ouvrier:* students and workers of Lyon.

Sous les huées,[1] les rires, les lazzis,[2] les cris vengeurs de milliers de patriotes qui, eux, étaient dans la rue.

Il fallait voir défiler sous une rafale[3] de huées les autos allemandes s'arrêtant devant la salle.

Pendant une heure, ce fut une belle musique! 5

Et tout le quartier en état de siège!

Mais cela devait reprendre le soir vers 22h. 30. Une colonne de manifestants[4] se rassembla à Bellecour et marcha à nouveau vers la Salle Rameau au chant de la Marseillaise.

La musique des assassins avait été bien reçue! 10

Et le surlendemain, quel triomphe[5] fut fait au grand chef d'orchestre Paul Paray, quel fervent enthousiasme déchaînait l'ovation sans fin! Et quel délire[6] quand, au dernier rappel,[7] Paul Paray fit lancer par l'orchestre debout une « Marseillaise » endiablée,[8] puis, se tournant vers la salle, dirigea de sa baguette[9] 15 le chœur formidable et spontané du public électrisé.

Le préfet Angéli et le Maire Villiers s'étaient prudemment éclipsés[10] avant la fin . . . pour ne pas entendre cette « Marseillaise »-là. . . .

Quant aux musiciens allemands, avant de les faire rentrer 20 chez eux, on leur avait distribué à chacun un pistolet automatique chargé et armé.

Tel fut le succès de l'Orchestre Philharmonique envoyé par Berlin en France pour unir l'art à la fusillade.[11] . . .

1. under the hoots. **2.** cat-calls. **3.** burst. **4.** demonstrators. **5.** ovation. **6.** frenzy. **7.** curtain call. **8.** spirited. **9.** baton. **10.** *s'étaient . . . éclipsés:* had prudently vanished. **11.** shooting.

LOUIS ARAGON is certainly one of the half-dozen best-known writers in France today. His personality, his politics, and the volume of his production contribute to his renown, but tend to obscure the question of just how good he is. A combative exponent of pure literature in the twenties, when method, style, and a sort of undirected revolt for its own sake were his chief preoccupations, he became an equally combative plumper for the World Revolution in the thirties. In both phases he wrote well, but in the second he was more intelligible. This was held as a fault against him by many of his old admirers. After the Moscow pact of 1939 between Hitler and Stalin, Aragon, like other French Communists, was in an awkward position and showed no particular ardor for the war, although he was called up and served, notably at Dunkerque. But after the occupation he began to write again, both publicly and in clandestinity. Like Vercors he had many sobriquets. He wrote both prose and verse; the verses are easy to remember and to quote. Some he signed Jacques Destaing and others, François La Colère.

Aragon was the centre of a group that in the south of France performed the same function as the *Lettres françaises* band in the north. *Les Etoiles*, the publication of Aragon and his friends, was the southern pendant of *Les Lettres françaises*. His prestige as a poet transcended regional zones, however; his work appeared in the publications of all groups, everywhere. But perhaps the most effective writing job he did in the whole Resistance was a bit of what is known unromantically in newspaper offices as re-write. Living in the southern zone, in 1942, at a time when it was still technically free, he received details of the executions of hostages in the Occupied Zone. Escaped prisoners contributed the facts. He collected a number of these accounts into a pamphlet, *Le Crime contre l'esprit*. Mimeographed, typed out and re-copied, eventually printed, the pamphlet made its way across France, to North Africa, to London where it was read over the B.B.C., and to the United States where it was published in the Luce press. He signed this tract "Le Témoin des martyrs." "L'Affaire du Musée de l'Homme" is from *Le Crime contre l'esprit*.

L'AFFAIRE DU MUSÉE DE L'HOMME[1]

PAR LOUIS ARAGON

Dans l'affaire dite du « Musée de l'Homme », la plupart des arrestations sont opérées en janvier 1941. Le principal

1. From *Le Crime contre l'esprit, Editions de minuit, Paris, 1944. Musée de l'Homme:* Museum of Mankind, *i.e.*, ethnological museum, situated in one wing of the Palais Chaillot built for the Paris Exposition of 1937 to replace the Trocadéro.

accusé cependant, l'ethnologue[1] VILDÉ, qui travaillait à la résistance depuis juillet 1940, n'est pris qu'en mars 1941. Le jugement est rendu en décembre 1941. L'exécution a lieu le 23 février 1942. Se rend-on compte de ce que ces dates signifient pour les inculpés? De l'arrestation au jugement, de longs mois de la prison nazie, les interrogatoires incessants, la torture pour arracher les aveux et, après la condamnation à mort, plus de deux mois de délai, ce que Villiers de l'Isle-Adam[2] appelait *la torture par l'espérance* pour aboutir à ce Golgotha[3] de Paris, le Mont-Valérien.[4]

On sait seulement que l'avocat L.-M. NORDMANN, du Barreau de Paris, que les ethnologues du Musée de l'Homme, Anatole LEVITZKY et Boris VILDÉ, furent abominablement suppliciés[5] à la prison du Cherche-Midi.[6] VILDÉ subit trois mois la torture; elle ne parvint pas à le faire démordre[7] de la position à laquelle il se cantonnait[8]: prendre sur lui tous les faits reprochés à[9] ses co-inculpés.[10] Peut-être serait-ce ici la place de dire ce que sont ces véritables « questions »[11] que subissent les Patriotes aux mains de la Gestapo. On rapporte qu'au Cherche-Midi la cellule d'une jeune Juif de 16 ans qui, pendant plusieurs semaines, avait été supplicié sans qu'on pût lui arracher une parole, était après son départ si fortement imprégnée de l'odeur de pus, que même les tortionnaires[12] en eurent l'odorat incommodé[13] et ordonnèrent de la désinfecter; mais en vain, la terrible odeur persista. Pour notre honte, il faut dire que les prisons « françaises » ne le cèdent en rien aux[14] geôles allemandes et que les mêmes cris qui font qu'à Lyon, par exemple, on défende les approches des caves où officie[15] la Gestapo, s'échappent des locaux[16] parisiens de la Police judiciaire[17] des

1. ethnologist. **2.** French author and Symbolist poet (1840–1889). "La Torture par l'espérance" is a short story of persecution during the Spanish Inquisition. It has been translated into English as "The Torture of Hope." **3.** Calvary, charnel-house. **4.** Fortress on the outskirts of Paris opposite St.-Cloud. The Gestapo used it as a place of execution of hostages and political prisoners. **5.** tortured. **6.** The three prisons for the department of the Seine were *La Santé*, *Cherche-Midi*, and *Fresnes* in Paris or on its outskirts. **7.** budge. **8.** *se cantonnait à:* was maintaining. **9.** *reprochés à:* charged against. **10.** co-defendants. **11.** tortures. **12.** torturers. **13.** *en . . . incommodé:* had their sense of smell offended. **14.** *ne . . . rien à:* play second fiddle in nothing to. **15.** functions. **16.** premises. **17.** *la Police judiciaire:* judicial police in charge of grilling suspected offenders and of collecting evidence against them.

gouvernements Pétain. Les aiguilles sous les ongles, les flagellations effroyables, les coups avec dessein portés sur les plaies déjà faites, ouvertes, suppurantes,[1] les poils brûlés, les plantes[2] des pieds rôties, les hommes littéralement écorchés[3] à 5 coups de nerf de bœuf,[4] les os brisés . . . tout cela, et bien d'autres choses encore, dans des conditions effroyables de saleté, parmi la vermine, l'infection microbienne . . . tout cela n'est pas le monopole des culs-de-basse-fosse[5] où les gens de la Gestapo font expier aux Français d'aimer la France. Mais les 10 accusés du Musée de l'Homme eurent du moins l'amère satisfaction de connaître cela des mains de l'ennemi et non pas de ces Français qui rivalisent avec eux de cruauté et de raffinements, de ces Français qui semblent avoir mis leur orgueil à égaler la *Schadenfreude*, la « joie mauvaise » parisienne.

15 Deux d'entre les accusés furent acquittés; une autre fut condamnée à quatre mois de prison; à cinq années Agnès HUMBERT, MULLER et HÉRICAULT. Mais dix autres, Boris VILDÉ, Anatole LEVITZKY, L.-M. NORDMANN, SÉNÉCHAL, Pierre WALTER, ITHIER, ANDRIEUX, Mme SIMONET, LELEU, 20 ODON, furent condamnés à mort. Les sept hommes furent exécutés le 23 février 1942. De tous, il n'est pas possible ici de parler. Voici quelques faits seulement pour faire connaître ceux qui moururent.

Me[6] NORDMANN, avocat du Barreau de Paris, avait été l'un 25 des premiers arrêtés. Un agent double[7] l'avait donné[8] comme il cherchait, de Bretagne, à rejoindre l'Angleterre. Ce Français, que les Allemands avaient appris aux Français à considérer comme Juif, recherché par la police française, fut arrêté, questionné, condamné par les Allemands pour rédac- 30 tion et distribution d'un journal clandestin. Ce n'est que plus tard que son dossier fut joint à celui des savants du Musée de l'Homme. Tout ce qu'on avait retenu contre lui était qu'il eût donné de l'argent à un aviateur pour s'enfuir en Angleterre. Vainement, le Barreau de Paris était intervenu en sa faveur.

35 Comme NORDMANN, c'est à un provocateur[9] que le photo-

1. festering. **2.** soles. **3.** skinned. **4.** *nerf de bœuf:* heavy lash. **5.** subcellars. **6.** *i.e., Maître,* title of respect reserved for lawyers. **7.** informer. **8.** turned him in. **9.** *i.e., agent provocateur.*

graphe Pierre WALTER, Alsacien et catholique, établi[1] à Nice, doit de se trouver parmi les inculpés du Musée de l'Homme. Qu'il fût Alsacien a dérangé le Président du Tribunal,[2] l'Allemand Roskopen, qui considère tous les Alsaciens comme de bons Allemands: « Vous est-il arrivé d'hésiter sur le choix de votre patrie? » lui-a-t-il demandé, plein d'espoir. Et Pierre WALTER: « Je n'ai jamais hésité à servir la France ». Veuf, à trente-six ans, il songeait à se remarier. Il avait une fiancée, arrêtée elle aussi, et libérée peu avant l'exécution.

Il faudrait pouvoir reproduire les lettres que WALTER écrivait à sa fiancée, qui peignent mieux que tout ce qu'on pourrait dire la fraîcheur, la délicatesse de cette âme de chez nous (n'en déplaise à[3] M. le Justizpräsident Roskopen):

« Ne croyez pas que je joue au Spartiate,[4] mais je suis vraiment heureux . . . Comprenez-moi, c'est en somme par lâcheté que je ne pleure pas. Pour vous deux (*son frère et sa fiancée*) un petit conseil. Pensez que je ne souffre pas de ne plus avoir d'espoir, ce qui est la vérité. Cette pensée vous aidera beaucoup. Je pars avec l'idée que c'est encore possible, cet espoir on ne le tuera pas avec moi. » Il entretient sa fiancée de l'aumônier,[5] « un type charmant et formidable et qui connaît la France », de ses lectures, et il recommande un livre de Fernand Vandérem, un livre d'Henri Duvernois: « Suis-je trop indulgent? C'est délicieux en tous cas. Je n'aimais pourtant pas Duvernois. Enfin, j'ai les *Confessions* de Saint-Augustin,[6] mais j'avoue, non, je n'ai rien du diable qui se fait ermite. Je crois que le Bon Dieu est plein de miséricorde et qu'il comprend bien que tous ses enfants tels qu'il les a faits ne peuvent être des saints . . . » Et ses regrets: « J'aurais voulu une petite photo de vous, et celle de mon frère avec la chéchia[7] de tirailleur. J'ai un coupe-papier représentant Nice. Au début, c'était cruel. Maintenant plus . . . » Un peu plus tard, le même jour: « La vie est belle, ma petite Lise, et drôle et tout; profitez-en (ce n'est pas vous donner de mauvais conseils) . . .

1. in business. **2.** Presiding judge. **3.** *n'en déplaise à* (ironical): begging the pardon of. **4.** Spartan. **5.** chaplain. **6.** Fifth century saint who lived as a hermit and wrote the story of his youthful dissipations and his later conversion to the Church. **7.** tasseled fez (like those worn by the Algerian sharpshooters).

Ah! non, mort aux raseurs![1] Et puis vous avez assez souffert comme cela . . : Maintenant que vous êtes ma fiancée, il y a des tas de choses que je ne peux plus vous dire. Dommage! *Buvez un coup, buvez-en deux!* »

5 Cette lettre est datée d'un dimanche, « mon meilleur dimanche depuis longtemps ». Elle porte un post-scriptum, écrit le lundi, à onze heures: « Prévenu par le procureur[2] et l'interprète, changé de cellule, c'est pour 17 heures. Vive la France! Je plains mes camarades Ithier, René, Boris, tous 10 et vous qui restez. Mille baisers à vous tous de votre Pierrot. »

C'est vers cinq heures de l'après-midi qu'un camion, en effet, les mena au Mont-Valérien. L'aumônier dont parle WALTER et le procureur général allemand, le docteur Gottlob, les accompagnaient. Tout le long de la route, on retiendra[3] qu'ils 15 parlèrent entre eux de la mort, en en cherchant la meilleure définition philosophique. Comme le Justizpräsident Roskopen qui, au cours du procès, rendit à maintes reprises[4] hommage à la dignité des accusés, à la loyauté de leurs rapports,[5] c'est le doctor Gottlob qui déclarera des sept condamnés qu'ils sont 20 morts en héros. On leur avait dit qu'ils ne pouvaient être fusillés tous les sept ensemble. VILDÉ, ITHIER et LEVITZKY demandèrent à mourir les derniers. Ainsi fut-il fait et ils tombèrent les mains libres, les yeux découverts.

J'ai gardé pour la fin les portraits des principaux acteurs du 25 drame, VILDÉ et LEVITZKY. Tous deux ethnologues, tous deux travaillant au Musée de l'Homme. Tous deux nés Russes, tous deux ayant fui la Russie Soviétique et devenus Français. Ils illustrent doublement les mensonges de la propagande du Dr Goebbels; le mensonge de la science raciste, le mensonge de 30 l'anti-bolchevisme.

L'aîné était Anatole LEVITZKY. Né le 22 août 1901 à Bogorodskoie, près de Moscou, chrétien orthodoxe,[6] fils d'un

1. killjoys. **2.** In French law a *procureur* is a lawyer deputized by the *ministère public* to practice in civil and criminal courts. The *ministère public* is the legal body attached to the courts which has the duty of seeing that laws are properly carried out. *Procureur* can be roughly translated as "public prosecutor" or "prosecuting attorney." The *procureur général* practices in a *cour d'appel* (court of appeals) or a *cour de cassation* (supreme court). *Cf.* state's attorney. **3.** it will be remembered. **4.** *à . . . reprises:* repeatedly. **5.** *loyauté . . . rapports:* mutual loyalty. **6.** (Greek) orthodox.

sénateur du tzar, d'une famille inscrite depuis plusieurs siècles au registre de la noblesse, émigré avec les siens en Suisse, où ils tinrent à Montreux une pension russe. Jeune homme, à Paris, pour pouvoir suivre des cours en Sorbonne,[1] il travailla comme chauffeur de taxi. Il dut au psychanalyste Otto Rank 5 de pouvoir continuer ses études. Licencié ès lettres[2] en 1931, formé[3] à l'Institut d'Ethnologie, il entra au Musée d'Ethnographie en qualité de manœuvre.[4] Et ce simple manœuvre devait s'imposer aux savants qui l'entouraient comme un égal, comme un des leurs. A tel point que, spécialiste des questions 10 ethnologiques de l'Asie du Nord, il est sollicité par ses maîtres eux-mêmes de faire à l'Ecole des Hautes Etudes[5] dont il suit les cours, des exposés qui le désigneront en 1937, quand s'organise le Musée de l'Homme, pour devenir l'un des artisans, le principal, a-t-on pu dire, de ce Musée dont Paris s'enor- 15 gueillira. Il y dirige le département de Technologie comparée. En 1938, il représentera la France au Congrès International des Sciences anthropologiques et ethnologiques à Copenhague. A la veille de la guerre, il a parcouru l'Europe, visitant les musées d'Allemagne, de Hollande, d'Angleterre. Il est alors 20 déjà célèbre pour ses travaux sur le chamanisme[6] et prépare un long ouvrage d'ensemble[7] sur cette question.

Naturalisé français, volontaire dans l'infanterie, il est nommé aspirant[8] en 1939 après une période à l'Ecole des Aspirants[9]: il est dit de son unité qu'elle s'est particulièrement distinguée. 25

Boris VILDÉ, né à Saint-Petersbourg en 1908, après des études de chimie, des débuts littéraires (poèmes et nouvelles), quitte son pays, habite d'abord en Allemagne, où, de 1930 à 1932 il fait des conférences[10] aux Universités populaires[11] d'Iéna, de Hambourg, etc., publié des articles sur la jeune 30 littérature allemande, écrit encore des nouvelles en russe. C'est en 1932, qu'arrivé à Paris, après avoir passé sa licence d'alle-

1. The Sorbonne includes several schools in the University of Paris, the chief of which is the *Faculté des Lettres et des Sciences.* **2.** higher degree comparable to the M.A. degree. **3.** trained. **4.** (unskilled) laborer; *here*, person who helps set up exhibits, etc. **5.** *Ecole pratique des Hautes Etudes* in the University of Paris. **6.** shamanism. In primitive tribes the shaman is the witch-doctor or priest. **7.** comprehensive. **8.** graduate cadet. He must serve a period in service, usually six months, before he is awarded the rank of second lieutenant. **9.** Officers' Candidate School. **10.** lectures. **11.** people's.

mand,[1] il se tourne vers la recherche scientifique, prend à l'Ecole des langues orientales son diplôme de japonais, et s'adonne à la linguistique et à l'ethnographie. Naturalisé français en 1936, il fait son service militaire et se marie avec la
5 fille de Ferdinand Lot, professeur d'histoire à la Sorbonne. Après une mission officielle en Esthonie en 1937, il entre au Musée de l'Homme, où il est chargé de la section Europe et s'intéresse plus particulièrement aux civilisations septentrionales[2] arctiques. Membre de la Société de Linguistique, auteur
10 d'une communication remarquée sur les créations artificielles de mots en esthonien, il se rend en mission en Finlande en 1939 et établit des relations étroites entre le Musée d'Helsinki et le Musée de l'Homme. Collaborateur de la revue « Races et Racisme », l'un des auteurs du recueil consacré à la Finlande
15 par « Les Horizons de France » en avril 1940, traducteur de nouvelles esthoniennes publiées dans l'Anthologie des conteurs esthoniens, Boris Vildé a rapidement et silencieusement atteint une renommée mondiale comme linguiste et comme ethnologue. Brigadier[3] d'artillerie, puis maréchal-des-logis-
20 chef,[4] au cours de la guerre 1939–1940, il voulut passer dans l'aviation, puis s'engager pour la Finlande.[5]

C'est là l'homme que les journaux de Vichy, qui n'en sont pas à deux mensonges près,[6] désignèrent à plusieurs reprises, lui, orthodoxe et émigré, comme juif et bolchevik. Dans une
25 note le concernant qui fut déposée Place Beauvau[7] par diverses personnalités, on peut lire: « Il a été un moment favorable à la doctrine nationale-socialiste, puis il s'est violemment opposé à celle-ci. Quelque sévère que puisse être la punition qui l'atteindra, il la subira avec résignation et noblesse. Nous
30 demandons qu'il ait la vie sauve,[8] parce qu'il est un grand savant qui ne pourra se remplacer, et aussi parce qu'il sera, lorsque sonnera l'heure de la paix et de la pitié,[9] un des hommes les plus capables d'aider à l'union des savants et des peuples

1. *licence d'allemand:* Master's Degree in German studies. **2.** northern. **3.** corporal. **4.** technical sergeant. **5.** *i.e.*, the Russo-Finnish war. **6.** *qui . . . près:* to whom two more lies mean next to nothing. **7.** The site of the Ministry of the Interior. From 1940–1944, it was the site of the *Délégation générale du Gouvernement français (de Vichy) en territoire occupé*. This "Délégation" was headed by Fernand de Brinon. **8.** spared. **9.** pardoning, amnesty.

de l'Europe, et à la collaboration entre la France, l'Allemagne et les pays de l'est du continent. »

Non, ce n'est pas un hasard qui fait que ces deux hommes qui avaient fui le bolchevisme dans leur pays, devenus Français, les yeux ouverts sur la réalité humaine par l'ethnologie, 5 science des hommes et des peuples, se soient opposés au racisme hitlérien qui avait pu un instant retenir l'un au moins d'entre eux. Ce n'est pas un hasard qui les a faits les artisans de ce Musée de l'Homme dont l'enseignement s'oppose à la fausse science nazie, qui n'est qu'un instrument de conquête. Ce 10 n'est pas un hasard qui les a faits les victimes de ceux-là qui déclaraient à grand bruit la guerre au bolchevisme. L'affaire VILDÉ et LEVITZKY montre clairement le bluff de la propagande des hitlériens qui se donnent pour[1] les défenseurs de la civilisation. Elle montre à quoi sert le *mythe* de l'anti- 15 bolchevisme, à quoi sert le *mythe* du racisme. Il était tout naturel que les hommes de la croix gammée,[2] que les bourreaux de l'Europe trouvassent sur leur chemin ces deux esprits européens à qui la France avait permis de devenir de grands savants, pour opposer aux mensonges du racisme, aux men- 20 songes de l'anti-bolchevisme et la science française et le tranquille courage de deux citoyens français. De sept hommes de France, qui dans cette fin d'après-midi de février 1942, à la nuit tombante sur le Mont-Valérien, chantèrent la *Marseillaise*, tandis que partaient les salves des fusils allemands. 25

LE TÉMOIN DES MARTYRS

1. *se donnent pour:* pose as. 2. *croix gammée:* swastika.

RESISTANCE BECOMES GENERAL

ON Armistice Day, 1942, the Germans restored the unity of France. For two years they had worked to break France into two inimical fragments, one inhabited by prisoners, the other by vassals. Now they made France one by the simple act of marching their troops across the "line of demarcation" between the northern and southern zones and abolishing the fiction of the latter's "freedom." Everyone was now in the same boat and Pétain was completely discredited. Nor was it longer possible for sensitive (and cautious) residents of the southern zone to put the Germans out of their minds because they did not see them. The German uniform was everywhere.

The United States and Great Britain deserve a share of the credit for this unification, because it was the Allied landings in French North Africa on November 8 that served as a precipitant. One by one the Germans, as if bent on re-creating the greatness of France, removed the obstacles to united action. They ordered the bleating old Marshal to disband the remnant of the old army, which they had already rendered harmless. The Marshal obeyed. Patriotic officers who had hung on in the honest hope that some day this army could be made the nucleus of armed resistance now went into more effective forms of dissidence. General de Lattre de Tassigny, an outstanding soldier of this type, led an open but abortive rebellion against the Germans. He was imprisoned, but afterward escaped and lived to command the First French Army in the invasion of Germany in 1945. The old humbugs who had stayed on to protect their jobs and pension rights disappeared into civilian life, where they were at least harmless.

Meanwhile in Africa Admiral Darlan, second in command of the French Government, had gone over to the Allies — having every reason to expect he would be shot if he didn't. Most of the French fleet lay in the harbor of Toulon, the great naval base on the Mediterranean. The Germans did not know whether Darlan could induce the fleet to fight for the Allies, or even whether he really wanted to. But they were taking no chances. They took measures to prevent the fleet from leaving and sent German crews to Toulon to take over. The fleet then committed suicide, the predestined end, it seemed, of this pathological armada. By orders of Admiral de Laborde, the commanding officer, the crews sabotaged and then scuttled their own ships.

The account given in this book first appeared in the eleventh number of the clandestine *Les Lettres françaises* on the first anniversary of the scuttling. The circumstances of the suicide were brave and spectacular, but it might be well to remember in reading this eye-witness story of what happened that prompter and more resolute action, any time during the preceding twenty-nine months, might have saved the whole fleet for cooperation with the Allies. It might also have shortened the war.

There were many worthy men in the French Navy. A few, like Vice-Admiral Muselier, went to Britain at the same time as De Gaulle. Officers and men fought brilliantly, for the most part in small units borrowed from the British. They were condemned to death as traitors by the Vichy Government. Commander Estienne d'Orves, a naval officer of an old naval family, was parachuted into France as a De Gaullist agent, betrayed, arrested and shot. But the Hamlet mentality of the Navy tinged the thinking even of many men who became sane as soon as they took off its uniform. I think particularly of a man who was French naval attaché in London during the first year of the war. All his sympathies and his instinct told him to stay with Muselier and the British, but when the British destroyed the French squadron at Mers-el-Kebir in Algeria in July, 1940, my friend returned to France, refusing to accept the British explanation of military necessity. After a few months at home under the German occupation, however, he got back into the war. He joined a resistance group, then became its leader, and within a short while was doing a more effective job for the Allies as a guerrilla than he could have done as commander of a cruiser. Eventually he became chief of one of the largest resistance organizations in the country and finished the war as a member of the three-man committee that directed the whole Resistance effort in 1944: the COMAC, or *Comité d'action militaire.*

The author of "Il y a un an, Toulon," Yves Farge, is noted rather as a man of action than a man of letters. Organizer and executive head of the Resistance at Lyon, he became Regional Administrator after the Liberation. During the Resistance he often drove trucks loaded with smuggled arms. His future in French politics is bright.

IL Y A UN AN, TOULON[1] . . .

PAR YVES FARGE

Voici un an que le fracas des explosions de Toulon apprenait au monde que la France entière se jetait dans la résistance.

Pour célébrer cette journée historique du 27 novembre qui fut décisive pour l'unité de notre pays, nous publions ci-après
5 les notes prises par un des témoins du sabordage[2] de notre flotte. Dénoué de[3] toute recherche émotionnelle, ce document inédit n'en est que plus saisissant[4] par sa sécheresse même et sa concision. Il glorifie le geste héroïque de nos marins qui, en préférant le combat au déshonneur, consacrèrent[5] ainsi la
10 honte du gouvernement de Vichy.

I

Le vendredi 27 novembre, dès 3 heures du matin, les colonnes motorisées venant de l'Ouest s'engagèrent sur la route côtière qui permet de gagner le centre de Toulon. Avec une simultanéité parfaite, les tanks allemands descendirent sur les quais
15 et tirèrent les premiers coups de canons et de mitrailleuses, destinés, semble-t-il, à impressionner les équipages[6]; au même

1. Introduction by and article from *Les Lettres françaises, novembre 1943.* **2.** scuttling. **3.** free from. **4.** *n'en . . . saisissant:* is all the more gripping. **5.** finally demonstrated. **6.** crews.

instant, une vingtaine d'avions survolaient[1] à basse altitude les ports et la rade[2] et laissaient tomber des fusées éclairantes.[3] Plus loin, des avions allemands devaient — afin de la rendre dangereuse aux navires français qui auraient voulu prendre le large[4] — mouiller[5] des mines magnétiques dans la passe[6] de la grande rade.[7] C'est alors (il était 5 heures du matin) que l'ordre de sabordement fut donné. Comment et dans quelles conditions?

La majorité des témoignages recueillis[8] auprès de ceux qui, à bord[9] ou à terre, enregistrèrent les péripéties[10] du combat concordent sur un point: une formidable explosion réveilla Toulon dès 5 heures du matin. Elle provenait de l'explosion de la tourelle du « Strasbourg. » Notre grand croiseur de 26.500 tonnes était placé sous les ordres du Commandant Seyaux qui, quelques jours avant, se disait[11] assuré de la correction[12] allemande et de la confiance qu'il fallait accorder à la parole du vainqueur. Le « Strasbourg » arborait[13] le pavillon[14] de l'Amiral de Laborde, Commandant en Chef des Forces Françaises de haute-mer. Ce 27 novembre 1942, à 5 heures du matin, l'Amiral de Laborde était à son poste de commandement.

D'autres explosions suivirent. La flotte française se sabordait. Encore faut-il préciser, pour éviter les interprétations erronées et friser[15] avec plus de vigueur l'exacte vérité, qu'à part quelques torpilleurs comme « La Bayonnaise » et « La Tapageuse », les vaisseaux français étaient mouillés à quai,[16] ce qui explique qu'ils ne pouvaient sombrer[17] (sous certains d'entre eux, le fond n'atteignait pas un mètre). Dans ces conditions, le sabordement ne pouvait s'effectuer, pour les unités de gros et de moyen tonnages, que par les destructions des œuvres vives[18] et meurtrières[19] et le chavirement,[20] opérations qui nécessitèrent obligatoirement un certain laps de temps.

1. circled over. **2.** roadstead. **3.** *fusées éclairantes:* flares. **4.** *prendre le large:* take to the open sea. **5.** lay. **6.** channel. **7.** outer roadstead. **8.** taken. **9.** aboard ship. **10.** phases. **11.** felt. **12.** "correct" attitude. **13.** flew. **14.** flag. **15.** come closer to. **16.** *mouillés à quai:* moored alongside the docks. **17.** sink. **18.** *œuvres vives:* vitals. **19.** (*œuvres*) *meurtrières:* armament. **20.** capsizing.

Aux rafales[1] de mitrailleuses des tanks répondirent les rafales des mitrailleuses des navires et les canons des bâtiments. On se battait pour gagner les quelques minutes et, dans certains cas, les quarts d'heure nécessaires à la destruction des
5 navires. Sur « Le Dupleix » on vit un officier pointer sa mitrailleuse et tirer sur l'ennemi jusqu'à ce qu'il fût, à son tour, blessé. On résistait par tous les moyens, à bord du « Jean de Vienne », du « Lansquenet », à bord du « Commandant Teste » à bord de « L'Algérie », dont le pont blindé[2] saute dans un
10 épouvantable fracas, à bord de toutes les unités, sur lesquelles les officiers mécaniciens noyaient les machines[3]; les canonniers[4] et les artificiers[5] grenadaient les pièces[6] et mettaient en dernier lieu le feu aux soutes.[7] De grands incendies se déclaraient[8] sur « Le Strasbourg », sur le « Foch » qui coulait[9] en partie,
15 sur « l'Ampère » qui commençait à s'immerger, sur le « Vautour » qui chavirait.[10] L'aviation allemande et la Wehrmacht surveillaient avec obstination la passe,[11] des tanks amphibies s'avançaient vers les radoubs.[12] A la croix des Signaux, un projecteur[13] s'allume, fouille l'obscurité. Une rafale de mi-
20 trailleuse de la Marine côtière éteint la pinceau lumineux.[14]

A la Seyne,[15] devant les Forges et les Chantiers,[16] les soldats allemands montent à bord, surprenant les équipages. « Haut les mains » crient les assaillants. Les sous-marins résistent, poursuivent leur travail de destruction. Seul, le contre-
25 torpilleur[17] « La Panthère » tombe intact entre les mains de l'ennemi. La D.C.A.[18] française fait rage.

Les sous-marins coulent. Six d'entre eux ont pris le large,[19] poursuivis par des avions bombardiers.

Tous les remorqueurs,[20] tous les petits bateaux se sont coulés.
30 Seuls deux pétroliers[21] neufs sont intacts. Aucune destruction n'était apportée à bord du « Condorcet », le vieux cuirassé[22]

1. bursts. 2. *pont blindé:* armored deck. 3. *les officiers . . . machines:* the engineers were flooding the engines. 4. gunners. 5. gunner's mates. 6. were blowing up the guns. 7. *mettaient . . . soutes:* were, as a final action, firing the magazines. 8. broke out. 9. was foundering. 10. was capsizing. 11. channel. 12. dry docks. 13. searchlight. 14. beam of light. 15. suburb of Toulon, where the navy yards are located. 16. ironworks and shipyards, the name of two firms on the Toulon roadstead. 17. heavy destroyer. 18. *Défense Contre Avions:* Anti-aircraft. 19. *ont . . . large:* took to the open sea. 20. tugs. 21. tankers. 22. battleship.

inutilisable où la Wehrmacht vient d'installer ses cuisines. A côté du « Condorcet », le « Provence » a trébuché.[1] Le « Commandant Teste » donne dangereusement de la bande.[2] Dans sa cale sèche,[3] le « Dunkerque », mal en point,[4] a vu ses œuvres vives[5] attaquées au chalumeau[6] par une équipe[7] d'ouvriers français. 5

Le jour s'est levé sur la rade retentissante de détonations, d'explosions, de crépitements d'armes automatiques, un jour noirci par les fumées des incendies et par les épais nuages de suie qui montent des dépôts de mazout.[8] 10

II

Au Cap Brun, les explosions se sont tues. Les batteries ont été rendues inutilisables. Un chant puissant s'élève, un chant « La Marseillaise » pour lequel la voix des canonniers[9] se mêle à la voix des civils massés sur le chemin du Pradet.

Partout, la population toulonnaise a donné libre cours[10] à ses 15 sentiments. Partout, l'élan populaire, dans ces heures de tragédie, a spontanément rejoint les sentiments du devoir plus fort, à l'heure de la révélation, que tous les ressentiments et que toutes les aberrations entretenues par la propagande de Vichy. 20

Sur le quai de Cronstadt, sur le quai de la Sinse, les Allemands amènent des camions. Pour la première fois, les matelots, les quartiers-maîtres, les officiers sont mêlés dans un désordre fraternel. On les charge sur des camions. La foule, d'abord silencieuse, crispée,[11] pâle devant ce noir matin chargé 25 de poudre et de malheur, crie soudain à pleins poumons[12] dès que les véhicules s'ébranlent: « Vive la Marine, Vive la France. » Les marins saluent de la main, les officiers se raidissent.[13] Mitraillettes sous le bras, les Allemands encadrent[14] le convoi. Tout est consommé, Toulon n'a plus de marine. 30 Vendredi soir, samedi, dimanche encore la fumée du mazout[15] roule par le ciel, vers les quais que garde la Wehrmacht. Un coup d'œil suffit, on sait ce qu'il est advenue de la flotte fran-

1. capsized. **2.** *donne . . . bande:* lists dangerously. **3.** *cale sèche:* dry dock. **4.** *mal en point:* badly damaged. **5.** vital parts. **6.** blow-torch. **7.** gang. **8.** fuel oil. **9.** gunners. **10.** gave free rein. **11.** tense. **12.** at the top of its lungs. **13.** snapped to attention. **14.** surround. **15.** fuel oil.

çaise. Grandes formes d'acier inclinées vers leurs bords, voici le « Strasbourg », le « Provence », le « Dunkerque », le « Colbert », « l'Algérie », le « Foch », le « Dupleix », le « Jean de Vienne », « la Marseillaise », le « Commandant Teste » et toutes
5 les autres épaves.[1] Le fait est là: tous les navires se sont sabordés. Toutes les pièces ont sauté. La foule s'est tue; silencieuse elle se masse sur les quais: le pèlerinage[2] commence.

1. wrecks. **2.** pilgrimage.

TRAVAIL OBLIGATOIRE

THE ELIMINATION, in turn, of the differential status of the zones, of the Vichy army and finally the navy, were important steps in creating unity. But the Germans surpassed themselves with their insistence on S.T.O. — *Le Service du Travail Obligatoire,* or forced labor. By this measure Hitler became Churchill's and Roosevelt's recruiting sergeant. The French whom we found in North Africa when we landed were never affected by these measures. Consequently the Vichy "moral climate" survived longer in Africa, behind our lines, than in France, under the Germans. This may have accounted for a small part of our State Department's failure to gauge feeling in continental France. The "experts" were listening to the Peyroutons, the Flandins and Noguèses, cynical opportunists who had changed sides only by force of circumstances. They had no time to find out what the people, any people, thought. If they had really wanted knowledge, they might have spent a few days with the common soldiers of the Corp Franc d'Afrique in the forests north of Sedjenane, or with the Zouaves in the mountains of southern Tunisia. The soldiers were not wealthy landowners, but workingmen. They had minds more nearly attuned to France than the politicians. But the thoughts of the men at the front did not interest the State Department.

You will remember that on Christmas Day, 1942, the writer

known usually as Vercors had felt able to write, "Despair is dead." And yet France's most bitter trials were still to come. We barely held French North Africa. Montgomery was beating the Germans in Libya. The Russians had won a great victory at Stalingrad — hundreds of miles within their own frontier. Admiral Darlan had been assassinated on Christmas Eve. The tide was on the turn, but it would still take two years to run in. But hope swelled so strong in France that it was sometimes painful. The people of France were like miners trapped by a fall of rock who hear the pickaxes of their rescuers on the other side of the barrier. It was one of the tasks of their leaders from then on to moderate their optimism. The people expected a landing any day.

In Germany, meanwhile, the realization that the second campaign against Russia had failed started a great wave of fear, swelled by the Allies' move into Africa which forced the Germans into a "two-front war," their bogey ever since 1914. Soldiers were needed for the eastern front. Soldiers were needed for Africa. They had to comb out their factories for cannon fodder. They had to have foreign workmen to replace the Germans they took for the army. This was not a wholly new or unforeseen condition. For a long time the Germans had been "recruiting" workmen, particularly skilled mechanics, in Western Europe to enter Reich war industries. They forced down the level of living in the occupied countries and lured the workmen away with promises of good pay, copious food and excellent living conditions. The German labor recruiting service put out illustrated brochures that read like advertisements for summer resorts rather than labor camps. But they found so few dupes that they had to resort to conscription. As usual, they put the onus on the "French" government at Vichy by ordering it to order the forced levy. Laval had entered into an agreement with the Reich in the summer of 1942 to deliver 400,000 workers. The men were to be called up as if for military service. Laval tried to get as many volunteers as possible by pretending that the Germans would release a war prisoner for every man who went to work in Germany. This fraud fooled nobody. It was not until the winter of 1942–3 that the drive to round up Frenchmen for labor service got really under weigh. The reaction was immediate. This excerpt from *Le Franc-Tireur* (a Resistance paper which like *Libération* has survived as a great Parisian daily) describes it.

Le Franc-Tireur
20 janvier 1943

LA BATTUE[1] AUX TRAVAILLEURS

A l'aube, comme des criminels, on vient les chercher: « Lève-toi . . . prends ton bleu.[2] En route. » C'est la police française qui fait cela à des milliers de travailleurs dans toute la France. Voilà où ils en viennent.[3] On avait déjà vu les réfugiés traqués, arrêtés, déportés.

C'est au tour du travailleur français. Il en faut quatre cent mille. Laval vient de le promettre à Hitler. Ils ne se présentent pas au départ. On vient s'assurer d'eux,[4] on les rassemble dans les camps, on les traque aussi. C'est une chasse, une battue. Jamais dans l'histoire d'un peuple on n'a vu les gouvernants et leurs agents d'exécution[5] faire preuve d'une telle bassesse, d'une telle servilité. C'est une sorte de frénésie dans l'ignoble. On livre, on vend son pays en gros et en détail,[6] corps et biens,[7] âmes et chairs, hommes et choses. Toutes les usines seront bientôt, paraît-il, taxées à 12% de leur personnel. Quatorze usines d'aviation de la région lyonnaise[8] expédient leur matériel[9] en Allemagne. On signe pour les travailleurs des contrats de travail, on les force à partir. Les ordres de réquisition pleuvent de tous côtés. Toute la police est mobilisée pour faire la chasse aux milliers de nouveaux otages qu'Hitler a obtenu de Vichy. Et d'ailleurs la relève n'est plus qu'un prétexte. C'est le début en France du transfert de populations pratiqué dans toute l'Europe par les barbares. A Lons-le-Saunier,[10] par exemple, six mille

1. roundup. **2.** overalls. **3.** That's what things have come to. **4.** They come to make certain of them. **5.** executive agents. **6.** *en . . . détail:* wholesale and retail. **7.** *corps et biens:* persons and property. **8.** *de Lyon.* **9.** machinery. **10.** town about 30 miles from the Swiss border in the department of Jura.

personnes ont été convoquées au titre de la relève,[1] six mille choisies par ordre alphabétique de A à C parmi les hommes de 20 à 45 ans; et parmi elles des instituteurs, des notaires et même un curé.

La chasse aux travailleurs c'est le début de la chasse à tous les Français. Et sauf quelques braves gens qui font de leur mieux pour saboter les ordres infâmes, les préfets, les chefs de police serviles, les inspecteurs acceptent tout, exécutent tout. Supposez que par l'intermédiaire de Laval, Hitler demande à ces gens de cracher publiquement à la figure de leurs mères, ils le feraient. . . . Que voulez-vous . . . c'est la consigne! Ils crachent à la figure de la France.

Une fois de plus ce sont les ouvriers qui n'ont rien, eux, c'est le peuple sans défense, sans soutien qui donne l'exemple du courage et de la dignité. De tous les trains d'ouvriers qui s'ébranlent[2] vers l'Allemagne, des cris vengeurs fusent[3]: « A bas Laval! A bas Pétain! Vive la France! On les aura![4] . . . » Et la « Marseillaise », et « l'Internationale. » A Montluçon il y a quinze jours, le 6 janvier, une manifestation puissante s'organise. Cinq mille personnes se massent à la gare au chant de la « Marseillaise » et de « l'Internationale », bloquent le train sous pression[5] de trois cents ouvriers requis, la locomotive est décrochée, des jeunes femmes se couchent sur la voie.[6] Le convoi parvient à s'ébranler avec l'aide de la police. Mais à 200 mètres les cheminots[7] interviennent. Cette fois c'en est fait. Tout le monde descend dans l'enthousiasme. Le train de servage ne partira pas. La garde mobile[8] pourra bien charger et les boches accourir: trop tard, le succès quasi total. Sur trois cents requis, deux cent soixante-dix ont quitté le train, évadés de la relève.

1. *au . . . relève* (*lit.*, relief): in the capacity of replacements. Laval tried to fool the French people into believing that workers were being sent to Germany in exchange for war prisoners, just as fresh troops relieve those long in line. 2. get under way. 3. bursts forth. 4. We'll beat them (*the old slogan of World War I*). 5. under steam; *train* here has the force of "train load." 6. tracks. 7. railroad men. 8. *Garde Mobile*, a special armed paramilitary police force created after World War I for use in strikes and periods of disorder. It was taken over by the Vichy regime and used in an attempt to suppress the Resistance movement. In 1943 and 1944 elements of the GM came over with arms to the Resistance forces and played a part in the national insurrection to aid the Allied Forces during the Invasion (June-August 1944).

Quelle leçon! Et quel exemple encore pour nous tous que celui des mineurs et des métallurgistes de St.-Etienne[1] qui viennent de faire grève les 5, 6 et 7 janvier! Une foule de quatre mille manifestants: « A bas Laval! A bas Pétain! 5 Nous ne partirons pas! » Bagarre,[2] arrestations . . . mais le coup est porté.

Et pourtant tous ces hommes qui luttent savent que la répression va les frapper, que la misère[3] peut-être les guette[4] dans leur refus de l'esclavage. Quel devoir de solidarité ce 10 courage impose à la France combattante et à tous ses alliés! Pas un ouvrier ne partirait si la classe ouvrière savait qu'on peut vraiment s'occuper d'elle, la soutenir matériellement, efficacement. En 1923, contre l'occupation française de la Ruhr, bien limitée et bien débonnaire, la résistance passive 15 des Allemands sut s'organiser avec le consentement et le concours de tous les grands industriels de la Ruhr, subventionnant[5] les ouvriers des usines qui cessaient le travail; le Reich payait les cheminots en grève, tous les partis, des Communistes aux Nationalistes, confondaient leurs efforts. Aujourd'hui, pour 20 empêcher son esclavage total, la France ne saurait-elle pas s'unir elle aussi?

Mais patience! Que ceux qui sont forcés de partir et qui s'en vont avec au cœur la haine sacrée de l'ennemi et des traîtres, que ceux-là sachent bien que là-bas comme ici ils 25 attaqueront un jour leurs maîtres provisoires, ils redeviendront Français et libres dans le vaste soulèvement mondial qui couve[6] contre le nazisme en même temps que s'affirme la victorieuse marche en avant des Nations Unies.

1. manufacturing town in the Massif Central (coal, textiles, firearms). **2.** riot. **3.** destitution. **4.** stalks. **5.** subsidizing. **6.** is brewing.

TWO months later *Le Franc-Tireur* is exultantly describing the natural consequence of the program of deportation. The young men of France, to avoid enslavement, are "entering into illegality," leaving their homes and discarding the identity papers that are part of a Frenchman's life in a way few Americans understand. "A Frenchman," a French captain once said to me, "is unable to believe that he is himself unless he has a stamped paper to prove it. We are an old people and we have the mania of old people for scraps of paper, documentation, something with writing on it." From a practical point of view it was impossible for a Frenchman during the occupation to obtain legal employment or to get ration cards without these papers. Upon discarding his identity he became an outlaw. The penalty for avoiding labor service was drastic. The term *réfractaire*, which now became part of daily speech, designated a man who refused labor service. It soon became synonymous with *résistant*, because, in order to survive, a *réfractaire* had to join some kind of an organization that could hide him and feed him. The young men of France began to go underground or to take to the mountains, terms literally antithetical that in practice came to the same thing.

Le Franc-Tireur, in this second sample, is no longer merely emotional. It gives practical advice to all classes on how they may help thwart the deportations. This is perhaps the first mention of Laval's militia in this book. The *Service d'Ordre de la Légion*, or *SOL*, had been transformed into *La Milice*. The SOL had included many professional thugs as well as rabid believers in Fascism. It was augmented by many more criminals now — men released from penitentiaries and turned loose on their fellow citizens with power to steal, torture and kill — for there was no check on their activities. Every likely victim of extortion was a "suspected dissident" in the militiaman's eyes. Since the old army had been disbanded, the militia was the armed force of the Laval state. Pitiful, whining old Seguin-Pétain was now only a whimpering shadow in the background. The militiamen were well armed with light and medium weapons, from automatics to machine guns, for the Germans intended to use them against the Resistance. But they had no planes, tanks or artillery which might have enabled them to turn on the Germans. Thugs know how far to trust thugs.

Le Franc-Tireur
20 mars 1943

FRANÇAIS! DEBOUT CONTRE L'ESCLAVAGE

Le mouvement est déclenché.[1]

5 Par milliers, les jeunes Français refusent de partir en Allemagne. Par milliers, les « insoumis » à la déportation,[2] qui seront demain les combattants de la délivrance, fuient vers les montagnes de Savoie, du Massif Central, du Jura et du Var.[3] C'est un sursaut magnifique,[4] un réveil de notre peuple 10 qui enfin, crie « non! » aux tyrans nazis.

Il faut que tout le peuple de France soit complice de la lutte contre la déportation.

Les employés du recensement,[5] les fonctionnaires de tous les services et bureaux doivent retarder par tous les moyens les 15 opérations d'enregistrement.[6] Faire des erreurs, égarer[7] les feuilles, saboter les contrôles.[8]

Les policiers, la garde mobile, les gendarmes doivent rester passifs devant les ordres infâmes, opposer la force d'inertie aux consignes de répression qu'on leur donne.

20 Les paysans, les fermiers, les bourgeois qui ont des villas à la campagne, les petits ou grands propriétaires d'exploitations[9] doivent abriter les évadés de la déportation.

Les familles de ceux qui sont désignés pour partir doivent tout faire pour les aider dans leur refus et leur volonté de lutte.

25 On risque moins à se cacher en France qu'à partir vers les charniers[10] de l'Est.

Les femmes, les mères, les sœurs, les fiancées doivent faire du scandale[11] quand on vient chercher leurs hommes, crier, manifester, se coucher sur les voies comme elles l'ont fait à 30 Montluçon,[12] à Romans, etc.

1. launched. **2.** *les « insoumis » à la déportation:* those who refused to allow themselves to be deported. **3.** *Savoie* (in the northern part of the French Alps), *Jura* (between France and Switzerland), and *Var* (in the southern part of the French Alps) are the names of departments in the mountainous regions of southeastern France. The Jura are also a range of mountains. The *Massif Central* is the mountainous backbone of central France. **4.** *sursaut magnifique:* magnificent about-face. **5.** *employés du recensement:* census-takers. **6.** registration. **7.** mislay. **8.** checking (of lists). **9.** agricultural enterprises. **10.** charnel-houses. **11.** kick up a scene. **12.** town in central France. The incident is described in "La Battue aux travailleurs," page 179.

Les cheminots doivent être par tous les moyens solidaires de[1] la résistance à l'esclavage.

Quand la police vient chez vous, n'ouvrez pas, laissez enfoncer[2] les portes (s'ils l'osent), ameutez[3] les maisons, les quartiers. 5

Et surtout gagnez les montagnes, organisez-vous en « réduits »[4] de la résistance et de la liberté.

La recensement est en pleine pagaïe,[5] depuis que les Français résistent. Le recensement prévu des hommes de 31 à 41 ans ne pourra se faire si l'action continue et se développe comme 10 maintenant.

Vichy et les Boches ne savent où donner de la tête.[6]

Profitez-en. Faites comme tous les peuples d'Europe. On n'arrête pas, on ne déporte pas toute une nation.

Et la délivrance approche! 15

1. *être solidaires de:* be solidly behind. **2.** break in. **3.** arouse. **4.** "centres," "hide-outs." **5.** *en pleine pagaïe* (*colloq.*): in complete confusion. **6.** *où . . . tête:* which way to turn.

LES MÉDECINS RÉSISTENT

ONE group that did all it could to sabotage the forced labor scheme was the doctors. The scheme, incidentally, called for a mass deportation of young physicians. The doctors had had their own resistance periodical, *Le Médecin français,* since early in the occupation. The two shorts that follow tell of their first reaction to S.T.O., of what they did, and of how the Germans and their servants tried to counter.

Le Médecin français
15 avril 1943

LES DÉPORTATIONS ET LES MÉDECINS

Nous assistons en ce moment à une mobilisation générale au profit de l'Allemagne. Toutes les catégories sociales sont touchées, étudiants et internes des hôpitaux doivent partir en septembre, l'Allemagne réclame 5.000 médecins français et tout porte à croire qu'ils seront bientôt convoqués. Le boche poursuit la destruction physique de notre peuple. Lui enlever ses médecins est un des moyens de concourir à ce but.[1]

Confrères,[2] si nous ne réagissons pas, vous serez demain 5 mobilisés en Allemagne, puis sur les champs de bataille de l'Est où, sous l'uniforme allemand, vous mourrez pour le roi de Prusse ![3]

Votre devoir: aider à la résistance aux déportations en éliminant le plus possible de Français lors des « visites médi- 10 cales »[4] auxquelles vous pouvez être appelés à participer, en soutenant matériellement ceux qui tentent d'échapper à la déportation et les organisations de combat qui les groupent et les aident. En vous préparant dès maintenant à rester en France malgré l'ordre de départ qui vous sera adressé, en 15 suscitant les protestations de la population contre les dangers que lui fera courir le départ de ses médecins.

La déportation de tous ses fils est le plus terrible danger qui ait menacé la France. Tout doit être mis en œuvre[5] pour y faire face.

20 *La France*
15 août 1943

LES MÉDECINS CONTRE LES NÉGRIERS[6]

Les Français ont perdu la conscience de leur métier, répète de sa voix chevrotante[7] le sinistre Pétain, c'est par le travail 25 honnête, par le travail seul que la Patrie se relèvera.

Il y a des gens qui prétendaient[8] remplir honnêtement leur métier, c'était les médecins. Ils allaient jusqu'à[9] déclarer inaptes les jeunes gens sous-alimentés[10] ou tuberculeux qui se présentaient à la visite[11] pour le S.T.O.[12]

30 Un tel scandale ne pouvait pas durer. Une circulaire des

1. *concourir à ce but:* fulfil that purpose. **2.** colleagues. **3.** *pour le roi de Prusse:* The expression *travailler pour le roi de Prusse* — to work for nothing — is a reference to the wars of the 18th century when the French won Silesia for Frederick the Great, and got nothing in return. **4.** medical inspections. **5.** *mis en œuvre:* utilized. **6.** slave traders. **7.** quavering. (The verb *chevroter* is derived from the noun *chèvre,* goat. Here we have Pétain expressing the sentiments of M. Seguin in the accents of *la chèvre.*) **8.** claimed. **9.** They would go as far as to. **10.** undernourished. **11.** inspection. **12.** Service du Travail Obligatoire.

Préfets a donné aux Médecins des instructions précises sur la façon dont il convenait de travailler:

« Sur le plan médical, dit-elle, il ne s'agit pas bien entendu d'une visite complète d'incorporation,[1] en vue de[2] l'aptitude au service militaire, ni de l'examen d'embauche[3] en vue d'un travail donné s'accompagnant d'examens complémentaires (radio,[4] laboratoires) comme pour les travailleurs qui partent au titre de la relève,[5] mais d'un simple examen sommaire, comme il en était pratiqué dans les Conseils de Révision. (*sic*)[6]

» C'est dire qu'en principe il ne doit pas y avoir d'inaptes ou plutôt que les vrais infirmes mis à part, tous, même présentant un mauvais état général, peuvent et doivent être utilisés. »

Quoique nommé[7] par Vichy, le Conseil de l'Ordre des Médecins[8] a protesté.

« Le Conseil Supérieur, écrit-il, estime que les Médecins doivent prendre leurs décisions d'aptitude ou d'inaptitude en parfaite liberté d'esprit. C'est à l'administration qu'il appartient[9] de n'en pas tenir compte si elle le veut ainsi. »

En face du cynisme[10] vichyssois,[11] les médecins donnent un bel exemple de conscience professionnelle.

THE ATTEMPT to browbeat the doctors failed. They continued to reject all candidates except obvious cripples, whom *les négriers* themselves rejected as soon as they saw them. In the end *les négriers* dispensed with the formality of medical certificates. But by that time evasion was so well organized that precious few boys fell into their hands.

As professional men, doctors had to be constantly on the alert against German-inspired moves to debase the practice of

1. complete physical examination. **2.** for the purpose of. **3.** *examen d'embauche:* health examination preliminary to employment. **4.** radiography (X-ray exam). **5.** *au . . . relève:* in the capacity of relief (of troops). See note 1, page 179. **6.** *Conseils de Révision:* Under the Third Republic, the Board which gave French draftees their physical examination. The wording by the Vichy official implies that such examinations were superficial — which is a gross misstatement. **7.** appointed. **8.** *Conseil . . . Médecins:* National Medical Council. **9.** *C'est . . . appartient:* It is up to the government officials. **10.** shamelessness. **11.** *de Vichy.*

medicine. One of the objects of attack was medical education. The Vichy government tried to reduce pre-medical studies to such an extent that future physicians would be little more than a superior kind of male nurse. It introduced courses in racism — in medical schools! By measuring children's skulls and testing their blood they pretended to tell whether they were Aryan or not. French doctors, however, carried on a biting counter-propaganda, of which the following paragraphs are examples.

Le Médecin français
15 avril 1943

LE RACISME A LA FACULTÉ[1]

Le cours de René MARTIA, devenu professeur par la grâce
5 de HITLER, a lieu d'ordinaire dans la plus stricte intimité.[2] Au début de février cependant, il connut l'affluence[3] des étudiants venus non pas pour s'initier à « l'anthropologie raciale nazie » mais au contraire pour conspuer[4] violemment le « professeur ». Le Doyen,[5] prié de venir rétablir l'ordre, préféra à
10 juste titre[6] ne pas intervenir.

Les étudiants interdiront la Faculté aux agents de HITLER.

CIVILISATION NAZIE

Nous livrons, sans commentaire, à nos confrères quelques extraits de journaux médicaux allemands qui illustrent par-
15 faitement la science médicale sous le régime nazi:

LA SANTÉ PUBLIQUE TELLE QU'ELLE EST CONÇUE PAR LES NAZIS.

« Le peuple le plus sain[7] du monde n'est pas celui qui a la mortalité infantile la plus basse, qui a le plus petit nombre de tuberculeux, de syphilitiques, de rhumatisants ou de cancéreux.
20 Non! C'est celui qui voit son héritage racial augmenter par un flot ininterrompu de la natalité ».[8] — « WIENER KLINISCHE WOCHENSCHRIFT » *1942, page 842, signé:* Dr FEHRINGER.

BIOLOGIE NAZIE. Dans la « ZEITSCHRIFT FÜR GEBURTSHILFE », le Dr STIVE expose les résultats qu'il a obtenus en pratiquant

1. *when used alone always means* La Faculté de Médecine. 2. in the utmost privacy. 3. influx. 4. boo. 5. dean. 6. with good cause. 7. healthy. 8. *flot de la natalité:* birth rate.

l'autopsie de femmes accidentées[1] et de femmes condamnées à mort et décapitées, il observe que ces dernières présentent un arrêt de développement folliculaire au niveau des ovaires.[2] Le « savant » attribue cela à la sidération[3] des ovaires dûe à la peur qu'avaient les prévenues[4] devant le châtiment. 5

1. victims of an accident. **2.** *au . . . ovaires:* in the ovaries. **3.** shock. **4.** the accused.

LES CHEMINOTS[1] HARCÈLENT L'ENVAHISSEUR

THE PICTURE of a country resisting is not like that of one in war. Every social or professional group fights in its own way. French railroad men had perhaps the hardest task of all. They had to furnish information of troop or munitions movements by rail — and then run the trains onto dynamite or into ambushes that were the consequences of their information. They had to call down air bombardments of their own railroad yards — and then trust to luck to survive. Perhaps the bitterest thing they had to do, for French workmen, was to sabotage their own equipment, for every locomotive that continued to function was an aid to the German war effort. The *Bulletin des chemins de fer* was a railroaders' journal, published as a "subsidiary" of *France d'abord*, one of the big Resistance papers.

Bulletin des chemins de fer
Novembre 1943

ATTENTION! ON ENQUÊTE CHEZ LES CHEMINOTS

Une note des Renseignements généraux[2] de Vichy, en date du 14 août, prescrit de se livrer à une enquête dans les milieux cheminots « meneurs et foyers d'agitation ».[3] 5

« 1° Revendications[4] et doléances[5] actuellement présentés par le cheminots et concernant: la durée et les conditions de travail, les congés, les salaires, le ravitaillement, etc. . . .

1. railroad workers. **2.** central information bureau. **3.** *prescrit . . . agitation:* prescribes that the ringleaders and hotbeds of agitation in railroad circles submit to an investigation. **4.** complaints. **5.** grievances.

N° 2 Novembre 1943

BULLETIN DES CHEMINS DE FER

Edité par "FRANCE d'ABORD"

UN CHEMINOT PARLE AUX SIENS

Depuis le premier appel qui vous a été lancé dans le numéro 1 de ce bulletin d'information, beaucoup de chemin a été parcouru sur le rail, beaucoup de voies ont été coupées par vos équipes de choc, beaucoup de matériel a été saboté, beaucoup de troupes ne sont pas arrivées à destination, nombre de vos camarades ont ainsi prouvé par leur sang-froid, leur esprit d sacrifice et leur désintéressement qu'ils avaient conscience du rôle immense qu'ils jouent et sont appelés à jouer dans les rangs de la Résistance.

La RESISTANCE ! Quel sens ce mot prend quand il s'applique à vous, ceux du rail, et quelle force, quel enthousiasme, il suscite dans vos rangs!

La Résistance, c'est le train allemand qui ne passe pas, c'est le matériel allemand qui versé dans le ravin, c'est le fourrage français à destination de l'Allemagne qui brûle. C'est l'embouteillage organisé dans les gares. Résister, c'est vouloir faire quelque chose contre l'ennemi, même quand on n'a ni armes ni matériel approprié à la destruction, comme c'est malheureusement souvent le cas. Résister, c'est renseigner, c'est aider les camarades à accomplir leur travail de combat.

La Résistance sur le rail, c'est la destruction du rail, vous le savez et le direz à ceux qui ne le savent pas. Cheminots français, serrez les rangs, tenez bon, car l'ennemi se sent vaincu et va devenir de plus en plus féroce, de plus en plus méfiant.

Serrez les rangs, aidez-vous les uns les autres ! Châtiez les traitres ! et que ceux qui n'ont encore rien fait pour la résistance se disent, comme le fait un sous-chef de gare en se levant tous les matins : « Aujourd'hui, je dois faire quelque chose pour la délivrance de mon pays ».

Imitez-le. Ne vous contentez pas de bien penser, agissez et venez grossir la phalange des militants qui combattent sur le rail pour libérer la Patrie.

Ingénieurs et inspecteurs de la voie, vous que votre situation, plus en vue, n'autorise pas à agir directement, mettez-vous en rapport avec les mouvements de résistance. Ne dites pas comme certains : « Il n'y a pas de coordination dans votre action, vos sabotages se font au petit bonheur, c'est la pagaie, etc... ». Cherchez à faire mieux, apportez vous-mêmes les remèdes nécessaires, éclairez de vos conseils ceux qui agissent. Nous faisons appel à vous, à votre patriotisme éclairé. Surtout, ne dites pas : « A quoi bon ? » La Résistance ne tolère pas le scepticisme.

Quant à vous, équipes de choc qui sabotez l'effort de guerre allemand, toute la France combattante a les yeux fixés sur vous ; vous êtes, au même titre que ceux qui combattent en Afrique et sur les mers, les éléments essentiels de la Résistance. Vous jouez et êtes appelés à jouer un rôle considérable. Votre tâche est ingrate, dangereuse et obscure, vous l'accomplissez dans des circonstances difficile, n'ayant le plus souvent comme moyens d'action que vos mains, votre ingéniosité et, surtout, votre idéal de Français libres. Après la victoire, votre héroïsme obscur sera mis en pleine lumière.

Nous citerons des noms, des dates, des faits, et les Français seront émerveillés de l'œuvre accomplie par les patriotes du rail, les « durs de la S. N.C.F. ».

L'heure de la libération approche, votre effort doit se poursuivre sans relâche. Agissez sur le matériel aussi bien que sur le moral des troupes que vous transportez. A la musique cadencée des roues grondant sur les rails, il faut que vous mettiez des paroles, les syllabes rythmées que voici :

« Dix-neuf-cent-dix-huit ! Dix-neuf-cent-dix-huit !. Dix-neuf-cent-dix-huit ! »

Le terminus est proche, bientôt vous entendrez crier : « Victoire, tout le monde descend ! »

Et la France blessée se lèvera pour embrasser vos mains noires.

JE NE SUIS PAS UN ASSASSIN !

Ma machine, ma chère baynole, je t'ai beaucoup aimée... Des mois, des années durant, je t'ai soignée, dorlotée. Pour moi, tu n'étais pas une chose inanimée, un simple monstre d'acier dû au génie humain. Tu avais une âme, un cœur, un cerveau. Je souffrais de ton halètement dans les rampes, je me réjouissais d'entendre ton souffle puissant et régulier lorsque, huilée, astiquée, tu m'emportais, moi, le poète noir, vers l'horizon. Le rail semblait s'écarter devant toi et le baiser rouge de ton foyer incandescent me récompensait largement de mes peines.

Et pourtant, je t'ai exécutée, froidement, furouchement ! Dans un jet de vapeur semblable à une âme libérée, tu t'es immobilisée après le choc qui fit éclater ta chaudière...

Devant ton grand corps brisé, je devrais sangloter. Pourtant, je me réjouis sauvagement car, ma grande, on allait te livrer à l'ennemi ! Comprend-moi : tu aurais servi à l'envahisseur de notre pays, celui qui, d'une voix rauque, commande dans les gares. Tu aurais transporté ses soldats, sa meute enragée. Il ne fallait pas, c'était impossible.

Alors, je t'ai tuée.

Tu gis maintenant, inerte et sans vie. D'un dernier regard dans lequel je mets toute ma tendresse, je te dis adieu.

Tu me pardonneras, tu m'as pardonné, car tous deux nous sommes des Français !

Si tu es un bon Français
n'achète rien aux commerçants
qui font de la publicité
dans la 8e colonne des journaux
La Presse actuelle se déshonore.
Méprise-là !

THE RAILROADERS' JOURNAL. This typical issue of the *Bulletin des chemins de fer*, a subsidiary of *France d'abord*, a large Resistance newspaper, contains the text of "Je ne suis pas un assassin" published in this book.

» 2° Etude du statut social[1] du personnel de la S. N. C. F.[2]: accueil réservé à la Charte[3] des cheminots par les dirigeants syndicalistes[4] des trois tendances: cégétistes,[5] chrétiens,[6] P.P.F.[7]; réalisations déjà effectuées en application des dispositions de la Charte des cheminots. 5

» 3° Propagandes politiques exercées au sein du personnel de la S.N.C.F., notamment dans les ateliers et dépôts,[8] tant par les partis nationaux que par les organisations clandestines communistes et gaullistes. Thèmes de propagandes, force, ampleur, effets. 10

» 4° Les cheminots et le travail en Allemagne (relève,[9] S.T.O.[10]).

» 5° Attitude actuelle des cheminots: a) en face de la politique intérieure; b) déterminée du gouvernement; c) déterminée par les événements extérieurs, militaires et politiques; d) attitude probable des cheminots en cas de troubles. Obéiraient-ils à un mot d'ordre émanant des organisations clandestines ou venant de l'étranger? » 15

Vous voilà prévenus. Surveillez vos paroles, ne laissez rien voir de vos opinions, ne livrez rien de vos projets. 20

AU PILORI

Le 29 juillet, à 15 h. 55, 50 prisonniers politiques, dont 25 femmes environ, venant de Montluc,[11] ont été embarqués à destination de Chalon-sur-Saône, sous la conduite de soldats allemands, dans le wagon[12] spécial du train 4.122, en gare de Lyon-Perrache.[13] 25

Le chef de gare adjoint[14] Dureux, après avoir fait évacuer toutes les personnes qui stationnaient sur le troisième quai[15] ne songeait qu'à saisir la correspondance que les malheureux

1. *statut social:* rules and regulations. **2.** *Société Nationale des Chemins de Fer* (French State Railroads). **3.** *i.e., la Charte du Travail* (established in 1941 by the Vichy government) which set up a new labor management organization patterned along traditional Nazi-fascist lines. **4.** trade-union. **5.** members of the C.G.T. (*Confédération Générale du Travail*, an industrial union). **6.** *Confédération Générale de Travailleurs Chrétiens*, a Catholic labor union. **7.** *Parti Populaire Français*, created by Doriot as a strong pro-Vichy labor party. **8.** engine sheds. **9.** forced labor in Germany. Obligatory labor service, enforced by Vichy, replaced compulsory military service after 1940. **10.** *Service du Travail Obligatoire.* **11.** a concentration prison in Lyon. **12.** car. **13.** a railroad station in Lyon. **14.** assistant station master. **15.** platform.

tentaient de faire parvenir aux rares assistants. Ceci, de sa propre initiative, sans aucune pression de la part des Boches.

Il a notamment signalé à la Gestapo deux lettres lancées à la portière du wagon par un détenu et qu'un patriote dissimu-
5 lait sous son pied.

Son attitude intolérable lui a valu le mépris des assistants.

Les cheminots ont décidé de mettre le sieur[1] Dureux au pilori.[2]

10 Faites-lui rapidement comprendre ce que cela signifie.

IL FAUT AUSSI RÉDUIRE LES SALOPARDS[3] A L'INACTION

Il importe d'ores et déjà[4] de commencer à punir ceux qui, par intérêt ou par stupidité congénitale, persistent à croire que
15 la libération viendra comme une jeune épousée, tendrement appuyée sur le bras étoilé du vieux galantin pétochard[5] avec, pour témoin, l'Auvergnat aux dents noires et à la cravate blanche![6]

Il existe, pour freiner le zèle intempestif des idiots du village,
20 de nombreux moyens: une caisse qu'on laisse tomber sur leurs doigts de pieds au cours d'un déchargement, une valise qui leur dégringole[7] sur le crâne[8] peuvent par exemple mettre un terme momentané à leur activité!

Il y a aussi[9] le « système T », celui de la tuile.[10] Un chef
25 sanctionnera[11] durement les erreurs commises: un inférieur opposera la force d'inertie; il exécutera très lentement les consignes ou bien les interprétera dans le sens le plus défavorable au service. On affectera de se taire ostensiblement; dès que le suspect apparaîtra, on le punira par un silence hostile, il se
30 sentira indésirable et entouré de la réprobation générale, il ne tardera pas à connaître les effets de la guerre des nerfs.

1. *Le sieur*, in modern French, is always contemptuous. **2.** *mettre au pilori:* to pillory. **3.** skunks (*here*, the collaborationist railroad-workers). **4.** *d'ores et déjà:* right now. **5.** *le bras . . . pétochard:* the be-starred sleeve of the cowardly old dandy (Pétain). **6.** *l'Auvergnat . . . blanche: i.e.*, Laval, born in Auvergne (in Central France), who always wore white bow-ties. **7.** (*colloq.*): falls. **8.** skull. **9.** *aussi:* refers to the well-known "System D", *i.e.*, *le Système Débrouille* — the art of shifting for one's self. **10.** (*lit.*, tile): In slang, it sometimes conveys the idea of throwing a monkey-wrench into the works. **11.** will penalize.

Un homme ne peut tenir[1] contre le mépris unanime, l'expérience l'a démontré. Suivez ces directives et bientôt, les « vaches » n'oseront plus regarder passer les trains![2]

Bulletin des chemins de fer
Mai 1943 5

PETITES INFORMATIONS

DE FRANCE. Le 27 mars 1943, bombardement des ateliers de locomotives de Saint-Joseph, près de Nantes. L'attaque eut lieu en plein jour. C'est-à-dire des dégâts causés à ces établissements dont l'importance est grande pour le réseau des 10 transports allemands. Un chapelet[3] de bombes est tombé sur un grand atelier situé dans l'angle de l'usine. La déflagration[4] a fait sauter des toits dans la partie sud des ateliers. Plusieurs bombes ont éclaté dans la portion réservée au montage[5] et à la réparation des locomotives. Deux bombes ont atteint à la 15 forge et l'atelier d'emboutissage.[6] Les appareils Moskito[7] ont lâché les bombes d'une faible[8] altitude.

(Londres, 28 mars 1943), (21 h 15)

Le 4 avril, les chasseurs[9] alliés ont attaqué la gare de triage[10] de Saint-Brieuc. (Londres, 5 avril, 1943, 8 h 30) 20

Dans la journée du 4 avril, la R.A.F. a attaqué des troupes, des voies ferrées et des camions allemands dans la région de Dieppe et du Tréport. (Londres, 7 avril 1943, 13 h 30)

Le 9 avril, l'aviation de chasse[11] britannique a poursuivi ses attaques contre les voies ferrées du Nord de la France. 25

(Londres 10 avril 1943, 8 h 30)

Dans la journée du 13 avril, la R.A.F. a attaqué les territoires occupés sur une étendue de 1.000 kilomètres, les principaux objectifs étaient les gares de marchandises d'Abbeville et de Caen. (Londres, 13 avril 1943, 21 h 15) 30

1. hold out. **2.** *les « vaches » . . . trains:* The reference is (1) to a well-known popular expression — *avoir l'air d'une vache qui regarde passer les trains, i.e.*, to look dumb; (2) to the French slang for the police: « *les vaches* », the "dirty cops." The most violent insult that can be hurled at the French police is « *Mort aux Vaches.* » **3.** string. **4.** the force of combustion. **5.** assembly. **6.** stamping shop. **7.** Mosquito (an English light bomber). **8.** low. **9.** fighter planes. **10.** marshalling yard. **11.** *aviation de chasse:* fighter plane forces.

L'aviation américaine a attaqué, le 17 avril, des objectifs ferroviaires à Abbeville et à Caen.

Le 18 avril, la R.A.F. a bombardé des voies ferrées entre Paris et Le Mans.

5 Le 20 avril, en plein jour, raid de la R.A.F. sur la gare de marchandises d'Abbeville. (Londres, 21 avril 1943, 8 h 30)

DE TUNISIE. Le 15 avril, des bombardiers alliés ont exécuté des raids importants sur les voies de communication de l'ennemi. La voie qui va de Tunis à Enfidaville a été particu-
10 lièrement visée. Un commentateur allemand, parlant de la bataille de Tunisie, affirme que c'est par suite de la désorganisation des transports, que l'Axe a perdu l'initiative des opérations.

LES JOURS SE SUIVENT. Le 30 mars, sur la ligne Saint-Etienne-Lyon, entre Saint-Chamond et Rive-de-Gier, un accident
15 survenu à un train de matériel allemand, a nécessité le détournement du train.

Le 1er avril, 10 wagons de munitions ont explosé près de la gare du Mans, 6 autres wagons ont été incendiés à la gare de triage. Plusieurs voies ont été endommagées.

20 Le 2 avril, un rail a été enlevé entre Gary et Chalon-sur-Saône. Entre Cartonnières et Cauchy, sur la ligne Paris-Cambrai, un rail a été déboulonné.[1] Un train a déraillé. — Bombardement de Saint-Nazaire. La ligne du Croisic a été coupée. — Un sabotage a eu lieu sur la voie ferrée à Belleville-
25 sur-Saône. Les autorités allemandes ont arrêté deux instituteurs requis[2] qui gardaient les voies. Ils ont été écroués[3] à la maison d'arrêt[4] de la rue d'Autun, à Chalon-sur-Saône.

Le 4 avril, bombardement de Paris-Boulogne. Des bombes ont explosé à la gare du Pont de l'Alma (Invalides-Versailles[5]).
30 Une femme et un enfant ont été tués, six civils et cinq soldats allemands ont été blessés. — Les voies 1 et 2 de Puteaux à Issy ont été coupées à Bas-Meudon[6] et à Moulineaux-Billancourt.[7] Les dégâts ont été très importants à Bas-Meudon et à Moulineaux. Les voies 1 et 3 de la ligne Versailles-Chantiers

1. unbolted. **2.** called up. (Guarding the railroads against sabotage was a compulsory service.) **3.** imprisoned. **4.** house of detention. **5.** Paris suburban railroad line. **6.** suburb of Paris. **7.** industrial suburb of Paris.

ont été coupées. Le service des voyageurs[1] a été repris le lendemain à midi. La circulation normale a été reprise le 5 avril, à 18 heures. — Sur la ligne Paris-Strasbourg, un train a été incendié par suite de l'explosion de munitions entre Bar-le-Duc et Longueville-Masse. 5

IT was not always easy for relatives of civilians killed in these induced accidents to be philosophical, and the counter-agents of the Gestapo did all they could to capitalize on this resentment. This short gives a glimpse of their methods.

Bulletin des chemins de fer
Novembre 1943

« *RESPECTEZ LES VIES FRANÇAISES* », *TELLE EST LA CONSIGNE*

Depuis plusieurs jours, des attentats[2] sont commis sur des 10 trains express de voyageurs. En moins d'une quinzaine,[3] l'express 110 a sauté près de Chalon-sur-Saône, et le 103 à Collonges.

Les corps francs[4] de la résistance chargés du sabotage y sont complètement étrangers[5] et ont été douloureusement affectés 15 à la pensée que des Français agissant sans discernement aient été à l'encontre[6] du but poursuivi en sacrifiant les existences de nos compatriotes.

Précisons que ces attentats sont imputables à des groupes isolés ou à des bandes agissant sans discipline, pour leur compte 20 personnel et sans se soucier des résultats.

Corps francs de la résistance, faites l'impossible pour démasquer ces mercenaires qui sont peut-être à la solde[7] des Allemands; il faut à tout prix les empêcher de continuer leur infâme besogne. Il convient donc de redoubler de prudence 25

1. passenger service. **2.** attacks. **3.** *quinzaine* (*de jours*): fortnight. **4.** *Les corps francs:* special armed units of three to twenty men established outside large towns to carry out raids on German columns, sabotage of railroads, bridges, troop trains, power lines, etc. — to be carefully distinguished from the *groupes francs*, which operated only in towns and cities. **5.** *y . . . étrangers:* have nothing to do with it. **6.** had been running counter to. **7.** pay.

et de vigilance et de ne détruire que les trains transportant troupes ou matériel ennemis, en ayant soin de sauvegarder les vies françaises.

Respectez strictement les consignes et, en cas de doute, aucune hésitation: abstenez-vous, car il ne faut agir qu'avec une certitude absolue.

Nous n'avons qu'un ennemi, c'est celui-là qu'il faut atteindre. Vive la France!

FINALLY we have a picture of the railroad man as he thought of himself. It is oversentimentalized, of course, but they were really up against it. It is much better to blubber and fight than to keep a stiff upper lip and pretend not to notice there is a fight going on.

Bulletin des chemins de fer
Novembre 1943

JE NE SUIS PAS UN ASSASSIN!

Ma machine, ma chère bagnole,[1] je t'ai beaucoup aimée... Des mois, des années durant, je t'ai soignée, dorlotée.[2] Pour moi, tu n'étais pas une chose inanimée, un simple monstre d'acier dû au génie humain. Tu avais une âme, un cœur, un cerveau. Je souffrais de ton halètement[3] dans les rampes,[4] je me réjouissais d'entendre ton souffle puissant et régulier lorsque, huilée, astiquée,[5] tu m'emportais, moi, le poète noir,[6] vers l'horizon. Le rail semblait s'écarter devant toi et le baiser rouge de ton foyer[7] incandescent me récompensait largement de mes peines.

Et pourtant, je t'ai exécutée, froidement, farouchement! Dans un jet de vapeur semblable à une âme libérée, tu t'es immobilisée après le choc qui fit éclater ta chaudière[8]...

Devant ton grand corps brisé, je devrais sangloter. Pourtant, je me réjouis sauvagement car, ma grande,[9] on allait te

1. (*colloq. for* automobile): *here,* locomotive. **2.** coddled. **3.** puffing. **4.** grades. **5.** shined up. **6.** *le poète noir: i.e.,* the locomotive engineer blackened with grime. **7.** fire-box. **8.** boiler. **9.** (*a term of endearment*): my darling.

livrer à l'ennemi! Comprend-moi: tu aurais servi à l'envahisseur de notre pays, celui qui, d'une voix rauque, commande dans les gares. Tu aurais transporté ses soldats, sa meute enragée.[1] Il ne fallait pas, c'était impossible.

Alors, je t'ai tuée. 5

Tu gis[2] maintenant, inerte et sans vie. D'un dernier regard dans lequel je mets toute ma tendresse, je te dis adieu.

Tu me pardonneras, tu m'as pardonné, car tous deux nous sommes des Français!

1. *meute enragée:* mad pack. 2. (*gésir*): lie.

BATTUE AUX RÉFRACTAIRES

THE MOUNTING number of young men in the mountainous and wooded departments that offered cover for large bands of *réfractaires* was bound to bring on a sort of open war when the militia and Gestapo set themselves seriously to the task of rounding them up. The development of such a situation is chronicled in this *Franc-Tireur* report from the Department of La Corrèze.

Le Franc-Tireur 10
25 août 1943

L'EXEMPLE DE LA CORRÈZE[1]

Selon des renseignements privés de bonne source, le nombre des réfractaires réfugiés dans les bois de la Corrèze serait de près de vingt mille (20.000) hommes. Ils sont en grande partie 15 originaires du département. En effet, de l'aveu même de la Préfecture[2] de la Corrèze, 48% des jeunes gens appelés, seulement, prennent effectivement le départ pour l'Allemagne et c'est là une estimation très optimiste. Dans certaines régions de la Corrèze, celle de Tulle par exemple, il n'y a pas plus 20 de 15% de partants.[3] Il y a aussi des jeunes gens venus de Paris, Marseille et surtout Bordeaux. L'encadrement[4] des ré-

1. French department in southwestern France. *Cf.* Map. 2. *de l'aveu . . . Préfecture:* by the Prefect's own admission. 3. those who leave. 4. organizing.

fractaires se perfectionne sans cesse. Les forces réfractaires comprennent des spécialistes, notamment du génie[1] et des transmissions.[2] Elles disposent d'un armement suffisant, de munitions abondantes, d'outils,[3] de matériels de transport de vivres. 5 Le ravitaillement est d'ailleurs facilité par la population et notamment par les gardes forestiers.[4] Les autorités n'ont pu jusqu'ici réunir les moyens nécessaires à une opération d'envergure.[5] Chaque fois que des actions réduites[6] ont été tentées par des gendarmes ou des gardes,[7] les jeunes gens ont 10 pu facilement leur échapper et ils ont même réussi souvent à désarmer les agents de la force publique,[8] si bien que le préfet de la Corrèze a récemment décidé que tout agent qui se laisserait retirer son arme serait révoqué. Cette situation entretient dans le département une grande effervescence. Il 15 y a en moyenne[9] trois ou quatre attentats[10] par jour contre des membres de la milice, contre des mairies, des gendarmeries.

C'est ainsi qu'à Tulle, au cours d'une opération menée par des réfractaires, 18.000 feuilles semestrielles de ravitaillement[11] ont été prises dans les locaux[12] de la mairie où fonctionne ce- 20 pendant un dipositif d'alerte[13] très perfectionné.

Le préfet ne se déplace dans le département qu'avec une escorte de motocyclistes.

1. engineering. **2.** communications. **3.** tools. **4.** state foresters. **5.** large-scale. **6.** limited. **7.** *Garde Mobile.* **8.** *les agents . . . publique:* a collective term for all brands of public security. It may be added that in many cases *les agents* let themselves be disarmed with the best will in the world. **9.** on the average. **10.** attacks. **11.** *feuilles . . . ravitaillement:* semi-monthly food ration sheets. **12.** the premises. **13.** *dispositif d'alerte:* alarm system.

AS these illegal bodies grew, so did their need for false papers of all kinds, until it took a real industry to supply their needs. In occupied France a man had to have papers to show to any policeman or German soldier who stopped him. Even before the war he would have needed the papers, technically, but he would have had few occasions to show them. Now, he had to show his papers every time he registered at a hotel or stopped overnight at a lodging house. He had to have a special paper of one sort or another to pass from one region into another, to show that he had been exempted from forced labor, that he was not an escaped prisoner of war. And if he had no food tickets of his own, the Resistance groups needed tickets with which to buy rations for him. Wholesalers would sell them food, but the dealers had to have tickets to show the authorities for all the stuff that went out of their warehouses. We had a little of this business here during our brief period of far-from-total-war. "Faux Papiers" and "Histoire de Brigands," tell how these two major difficulties were met. The procedure in "Histoire de Brigands" was followed in hundreds of villages all over France, but the most fruitful source of tickets was Paris. The police stations, where the tickets were kept, were "burglarized" with astonishing regularity. It is not quite so astonishing, however, when one reflects that the Paris police were the nucleus of the Paris Resistance movement. Both pieces ran in the newly-legal *Les Lettres françaises*, a few weeks after the liberation of Paris. Both Louis Parrot and Edith Thomas, the authors of these stories, had been active in the underground for years.

FAUX PAPIERS[1]

PAR LOUIS PARROT

On vient de découvrir un atelier de faux-monnayeurs[2] . . .

Bien souvent nous avions lu, dans nos journaux d'avant-guerre, cette note que suivait la description, toujours la même, d'un petit atelier établi sous les combles,[3] où un vieil homme essayait de changer en un or vil[4] le plomb qui coûte si cher aux pauvres faux-monnayeurs. On n'oubliait jamais, dans ces descriptions périodiques, de signaler le carré de ciel pâle de la lucarne.[5] Cette notation, qui venait juste à point,[6] donnait à ces faits divers[7] la coloration triste des vieux livres roman-

1. From *Les Lettres françaises, 15 octobre 1944.* 2. counterfeiters. 3. rafters. 4. base gold. 5. skylight. 6. *venait . . . point:* was well placed. 7. news items. (Reports of accidents, scandals, etc., are published under the heading *faits divers.*)

tiques russes, où des personnages inquiétants apprenaient aux jeunes étudiants ce qu'il en coûte de fabriquer de faux passeports.

A vrai dire, ce petit métier relevait bien plus du folklore 5 artisanal et sentimental que de la coupable[1] industrie qui consiste à fabriquer, le plus légalement du monde, des milliers de billets de banque. On était faux-monnayeur par vocation ou par fatalité, comme on est rémouleur[2] et il fallait bien des veilles[3] à toute une famille pour réussir une de ces coupures[4] 10 suspectes que l'on parvenait à grand-peine à écouler[5] à la fin de la semaine. C'était un métier qui nourrissait bien mal son homme et dont la tradition se perdait peu à peu sous les mille et une embûches de la chronique judiciaire.[6]

Et voici que ce métier obscur vient d'acquérir d'un seul 15 coup un lustre inouï: les dossiers de la Résistance s'entr'ouvrent à peine et déjà de merveilleuses histoires se font jour.[7] Les faux-monnayeurs de notre enfance ne sont plus que de tout petits enfants à côté de ceux que les nécessités de la défense intérieure a suscités. On parlait autrefois des misérables 20 pièces de cent sous[8] que les apprentis faux-monnayeurs écoulaient au risque des travaux forcés. On parlera demain des centaines de milliers de cartes, vraies et fausses, qu'a fabriquées notre ami Michel R., aidé par son admirable compagne Monique. Et ce faussaire,[9] dont l'officine approvisionnait tous les 25 centres en « papiers complets »[10], — depuis le certificat de démobilisation, jusqu'à la carte d'identité, en bonne et due forme,[11] couverte des cachets[12] les plus authentiques — a sauvé des milliers de nos compatriotes et assuré la sécurité à des milliers d'autres.

30 C'est au cœur même de Paris, dans une de ces rues où les passants ne se doutent jamais qu'on les observe derrière ces rideaux toujours tirés, que Michel R. travaille. Il y a trente-trois mois qu'il n'est pas sorti de sa chambre. Les saisons ont

1. reprehensible. **2.** scissors-grinder. **3.** sleepless nights. **4.** small bills, *i.e.*, less than 50 francs. **5.** produce. **6.** *embûches . . . judiciaire:* pitfalls of the law. **7.** come to light. **8.** five francs. (The *sou*, which no longer exists as a coin, is equal to five centimes or one-twentieth of a franc. **9.** counterfeiter. **10.** complete sets of personal documents. **11.** *en . . . forme:* in proper form. **12.** stamps.

tourné autour de ces vitres où il vient rêver quelquefois, lorsqu'il est las de travailler à son atelier minuscule: elles ont, chacun à leur tour, coloré le mur d'en face, de soleil et de neige. L'inquiétude, la crainte et l'espérance se sont succédé tout comme elles. Dehors, il y a quelquefois des hommes 5 vêtus d'uniformes verts qui lèvent les yeux vers la fenêtre. Mais Michel R., dont ils cherchent partout la trace, n'a pas le temps de s'attarder[1] à les voir se perdre peu à peu dans la foule. Il se remet bien vite à la tâche, car il y a des commandes[2] qui s'accumulent, bien des bureaux clandestins qui réclament 10 leurs envois hebdomadaires.[3]

L'établi[4] sur lequel travaille le parfait faussaire est constitué par un des rayons[5] de son armoire. Des cases[6] emplies de caractères d'imprimerie, des pinces,[7] des outils compliqués sont à portée de sa main. Devant lui une ampoule[8] électrique 15 qui tombe d'une pile de mouchoirs jette un cercle de lumière qu'on ne peut voir de la rue. En quelques secondes il peut sortir de son atelier, refermer les portes de l'armoire et donner à un éventuel visiteur une parfaite impression d'honnêteté réglementaire.[9] Dans le cas d'une alerte plus grave, il y a, 20 sous les lames[10] du plancher, une cachette plus sûre où il peut déposer les pièces maîtresses[11] de cet attirail[12] de parfait faussaire qu'il lui a fallu de longs mois de travail pour se procurer.

DE CARTES ET D'ESTAMPES[13]

Lorsqu'au 30 juin 1940, Michel R. revenait à Paris, après 25 s'être évadé, il avait dans sa poche, le premier tampon qui lui permettait de faire aussitôt ses premières fausses cartes: un magnifique tampon en caoutchouc du « colonel commandant le Bureau central de recrutement de la Seine » qu'il avait volé, avec effraction,[14] dans un local gardé par les Allemands. 30

A l'aide de ce cachet, Michel établit de faux certificats « sanitaires »[15] et permit ainsi à des camarades prisonniers d'être libérés. Rien de plus simple. Il fait dresser par les

1. slow down. **2.** orders. **3.** weekly. **4.** workbench. **5.** shelves. **6.** compartments. **7.** tweezers. **8.** bulb. **9.** well-ordered. **10.** boards. **11.** key. **12.** equipment. **13.** dies. **14.** *avec effraction:* after breaking in. (A legal term: *vol avec effraction* constitutes a crime in French law, equivalent to our burglary.) **15.** certificates of ill health, in this case.

commissariats[1] des « copies certifiées conformes à l'original » de pièces[2] portant le fameux tampon volé. Ce tampon passe aisément pour le « cachet rond du colonel commandant le Xe régiment de . . . » et les autorités compétentes ne soup-
5 çonnent en aucun cas la supercherie.[3]

Un an se passe et bientôt se produisent les premières arrestations massives. Les Allemands traquent les patriotes; leur service de délation[4] s'organise. Il faut à tout prix que la Résistance s'organise, elle aussi. Le besoin de faux papiers se
10 fait sentir et Michel, qui est alors à Lyon, se souvient de ses lectures d'enfance. Il s'est passionné autrefois, à l'époque où l'on est amoureux de cartes et d'estampes, pour les récits de la révolution russe, des évasions célèbres, les histoires d'émigrés d'avant la guerre mondiale. Il est persuadé qu'on peut venir
15 à bout de[5] toutes les difficultés et demande à son ami Boris B., ancien élève des Beaux-Arts,[6] de lui graver à tout prix, et dans n'importe quelle matière,[7] un tampon pouvant servir à établir une carte d'identité. Ils travaillent nuit et jour et arrivent enfin à leur but. Par un dessin à l'encre à polycopier[8]
20 sur la gélatine et un report[9] sur la carte d'identité, ils obtiennent une fausse carte absolument « authentique » qui lui permet de franchir sans encombre la ligne de démarcation[10] et de rentrer à Paris.

DES DÉBUTS MODESTES

25 Et voici maintenant Monique et Michel lancés dans la grande aventure. Ils vont devenir les fournisseurs attitrés[11] des organisations de la Résistance. Certes, le procédé qu'ils ont mis au point à Lyon est bien rudimentaire, mais il peut rendre de grands services.

30 Au début de 1943 Michel a lu tous les ouvrages techniques qu'il a pu trouver sur l'imprimerie, le clichage,[12] la gravure photo-mécanique[13] et le travail du caoutchouc. Il ne lui reste

1. police stations. **2.** documents. **3.** deception, fraud. **4.** denunciation. **5.** *venir à bout de:* overcome. **6.** School of Fine Arts in Paris, part of the University of Paris. **7.** *n'importe quelle matière:* any sort of stuff. **8.** *encre à polycopier:* hectographic ink. **9.** transfer. **10.** boundary between Occupied and Unoccupied France. **11.** official. **12.** electrotyping. **13.** photomechanical engraving.

plus qu'à mettre ses connaissances en pratique. Et c'est ici que les difficultés se multiplient: les techniciens manquent, la matière première[1] fait défaut.[2] L'officine de Michel peut juste sortir cinquante fausses cartes par semaine. C'est alors qu'il trouve un photograveur, et que l'activité du bureau de faux papiers se multiplie. 5

E. C., le photograveur, accepte de travailler pour Michel tous les dimanches, et de mars 43 à juin 44, il apporte à l'officine un précieux concours. Sur un certificat de démobilisation de Sathonay, que lui prête un camarade, Michel fait relever[3] les tampons par le dessinateur. E. C. en obtient des clichés et un imprimeur ami imprime quelques milliers de certificats fort ressemblants. Un autre imprimeur, de Levallais, compose le texte de tampons comprenant beaucoup de lettres — et voici le premier faux en route: un magnifique certificat de prisonnier libéré au titre de sanitaire.[4] 10 15

Michel dispose maintenant d'une petite presse à vulcaniser,[5] de caoutchouc et d'un peu de poudre pour les matrices.[6] Il se met un samedi soir à la besogne et, après avoir travaillé jusqu'au petit jour, il sort pour la première fois des tampons de caoutchouc utilisables. C'est un succès complet: les papiers, une fois timbrés — et certains portent jusqu'à quatorze tampons différents — ne peuvent être distingués des papiers officiels. 20

DU TRAVAIL EN SÉRIE[7]

Dans les divers points du territoire, le mouvement *Défense de la France* avait créé des centres de distribution de faux documents de toutes sortes. Mais les modèles manquaient. On ne pouvait inventer — et toute erreur pouvait avoir les plus graves conséquences. Il fallut donc faire appel à mille complicités, se procurer dans les mairies les vieilles enveloppes du courrier officiel pour y trouver les modèles faisant défaut.[8] Lorsqu'on y trouvait, par-dessus le marché,[9] la signature du maire ou de l'adjoint,[10] c'était parfait. 25 30

Je viens aujourd'hui de voir Michel R. Il me raconte,

1. raw material. **2.** is scarce. **3.** copies off. **4.** *au . . . sanitaire:* by reason of ill health. **5.** vulcanizing machine. **6.** moulds, dies. **7.** *travail en série:* mass production. **8.** *faisant défaut:* lacking. **9.** *par-dessus le marché:* in the bargain. **10.** deputy mayor.

d'une voix calme, des histoires dont la moindre eût fait trembler en un autre temps les colonnes[1] les plus solides de l'administration. Ce petit homme qui n'a l'air de rien et qu'on ne doit guère remarquer dans la rue a accompli le plus naturellement du monde une tâche héroïque dont on ne saura jamais lui savoir assez gré.[2] Nous connaissons tous des distributeurs qui furent torturés pour avoir été trouvés porteurs d'un misérable paquet de fausses cartes. On ne se demande pas quel supplice eût été réservé à notre ami s'il avait été découvert. Mais comme tous ceux qui ont mis leur vie au service d'une grande cause, Michel R. ne veut rien entendre lorsqu'on lui parle des dangers qu'il a courus.

— Il fallait faire vite, nous dit-il. Il fallait faire entrer en Angleterre les aviateurs alliés, les prisonniers évadés. Dès mai 43, nous nous mettions à l'étude des certificats de résidence des départements côtiers ou frontaliers[3] et nous sortions les « Bescheinigung »[4] qui permettaient le séjour dans la Manche,[5] les Côtes-du-Nord, le Finistère, les Pyrénées-Orientales, ainsi que les tampons correspondants.

» A la fin du même mois, nous pouvions disposer des papiers suivants: certificats de libération des camps allemands, certificats de rapatriement, bulletin de recensement,[6] certificats de travail, bulletin de sursis pour étudiants,[7] certificats de domicile dans les zones interdites, — et d'environ trente tampons de mairies diverses, plusieurs tampons allemands et une trentaine de tampons divers.

» Le spécialiste qui nous faisait nos travaux de ronéo[8] était obligé de faire, sur nos indications, un *Manuel du faussaire 1943*, pour éviter une mauvaise utilisation de tous ces papiers.

» En juillet 43, il nous fallait livrer 250 tampons par semaine. En décembre, la cadence de notre travail nous permettait d'en livrer cinq cents . . . »

1. pillars. **2.** *dont . . . gré:* for which we shall never be able to thank him enough. **3.** Areas bordering the French coasts and the international boundaries constituted a forbidden zone into which persons not resident there could not enter. **4.** (*Ger.*): pass. **5.** La Manche, Côtes-du-Nord and Finistère are northern coastal departments through which escape routes led to England. The escape route to Spain went through the Pyrénées-Orientales. **6.** census receipt. **7.** paper granting a student a delay in performing his compulsory labor service in Germany. **8.** mimeograph machine.

LA CENTRALE[1] *DES FAUX PAPIERS*

Michel, dès ce moment, ne peut plus sortir. Il a évité de justesse[2] d'être arrêté — et pourquoi sortirait-il, puisque, de sa « prison volontaire » il peut effectuer un travail aussi fructueux? Monique assure,[3] avec un courage tranquille, toutes les liaisons avec les centres de distribution. Elle emporte les tampons dans des boîtes de macaroni, dans un sac à provisions à double fond.[4] Elle relie tous les collaborateurs de la centrale des faux papiers, les imprimeurs, le dessinateur, le photograveur, les distributeurs.

A la fin de 1943, le Centre possède plusieurs Mariannes[5] de diamètres différents, de plusieurs modèles de francisques,[6] de « corbeaux allemands »,[7] qui permettent d'imiter la plupart des tampons officiels. Il peut tout fournir: tampons de mairies, de commissariats, de ministères, d'hôpitaux, de facultés, d'écoles, d'usines, d'entreprises, de *Kommandanturs*.[8] Il possède les tampons de l'ambassade allemande, du *Kommandant von Gross Paris*,[9] du *Befehlshaber in Frankreich*,[10] du chef des S.S.

C'est vers cette époque que la « Centrale des faux papiers » sort les cartes de défense passive, qui permettent de circuler en tout temps, le permis de conduire, la carte grise,[11] les cartes d'identité préfectorale, les bulletins de recensement pour la classe 44, les papiers de libération au titre de la relève[12] et, enfin — couronnement de toute l'entreprise — des planches[13] de faux timbres de 1 fr. 50 à l'effigie[14] de Pétain, qui permirent d'économiser 300.000 francs par mois de frais d'envoi de tracts et de journaux clandestins. « C'est de la sorte, nous dit Michel en souriant, que *Défense de la France* a été diffusé gratuitement pendant ces derniers mois. »

Et toute cette prodigieuse activité se poursuivit jusqu'au 3 juin dernier. Ce jour-là, le message « Ma femme a l'œil

1. headquarters. **2.** barely. **3.** carries on. **4.** *à double fond:* with a false bottom. **5.** feminine personification of the French Republic, used on coins and stamps, and official seals. **6.** the fasces and hatchet, symbol of the Vichy government. **7.** "German vultures," the spread eagles, symbol of Hitlerite Germany. **8.** office of German military government in an occupied territory. **9.** (*Ger.*): Military Governor of the Paris Region. **10.** (*Ger.*): Military Governor of France. **11.** automobile registration card. **12.** *au . . . relève:* in capacity of replacement. *i.e.*, for a person doing compulsory labor. *See note* 1, *page* 179. **13.** engraved plates. **14.** likeness.

vif[1] » passe deux fois. Le débarquement était imminent. Le 5 juin, Michel chargeait une partie du matériel sur un camion et partait rejoindre sa place dans le Maquis. Il arrivait à son poste le 6 juin lorsque passa le message: « Il est sévère mais 5 juste. » L'action directe commençait.

UN PREMIER BILAN

Une estimation du travail fourni par la « Centrale des faux papiers », que dirigeait Michel R. et sa femme Monique, aidés par l'admirable dévouement de quelques amis fidèles, fixe le 10 nombre des tampons fournis à environ 12.000, représentant près de 2.000 tampons différents. La plupart ont été tirés[2] à 4, 6, 8 et même 20 exemplaires pour des organisations diverses. Ils se décomposent approximativement ainsi:

1.000 tampons de mairies.
15 250 tampons de commissariats de police.
60 tampons de préfectures et sous-préfectures.
50 tampons allemands.
75 tampons de firmes[3] (certificats de travail).
550 tampons divers.

20 Plus de soixante mètres carrés de caoutchouc ont dû être utilisés pour ce travail.

Quant aux seules cartes d'identité remplies avec les tampons fournies par le centre, on peut affirmer qu'elles atteignent le million.

25 Mais ce que les bilans les plus précis ne mettront pas en lumière, c'est la courageuse obstination, l'infatigable ténacité avec lesquelles Michel et Monique R. ont mené à bien[4] la tâche qu'ils s'étaient imposée. Les milliers de patriotes qui leur ont dû la vie et ont pu, grâce à eux, travailler, chacun à 30 son poste, à hâter la libération, ignoraient que leur sort tenait[5] entre les mains du « faussaire » Michel R. Pendant les trente-trois derniers mois qui précédèrent son retour à la vie des soldats du maquis, cet homme qui menait l'existence active de la plupart d'entre nous, s'est volontairement emmuré.[6]

1. *l'œil vif:* sharp-eyed. 2. printed. 3. business establishments. 4. carried out successfully. 5. was held. 6. *s'est emmuré:* shut himself up.

Il a connu les longs moments d'abattement[1] que connaissent bien les prisonniers, mais, comme eux, il a vécu d'espérance. Il y avait de continuelles alertes. On entendait souvent des bruits de bottes dans l'escalier. Vers la fin, alors que les restrictions devenaient de plus en plus graves, le gaz vint à manquer et il fallut manger froid: on ne pouvait pas faire attendre et la petite « machine à faire des tampons » que Michel avait installée dans sa cuisine devait travailler plusieurs heures par jour. On respirait une affreuse odeur de caoutchouc et l'on ne pouvait pas ouvrir la fenêtre pour ne pas éveiller de soupçons.

C'était une vie périlleuse, pleine de mille difficultés quotidiennes auxquelles s'ajoutait la menace toujours possible d'une perquisition.[2] Aujourd'hui, la « Centrale des faux papiers » ne fonctionne plus et les tampons, les maquettes,[3] les photographies des documents subtilisés[4] forment, aux murs, une panoplie devant laquelle on ne peut se défendre d'éprouver une admiration pleine de reconnaissance et de respect.

PARROT'S interest in the counterfeiter of papers dated from the time he read in one of the Resistance reviews of poetry the following cryptic verses, published under the title « Faux Papiers »:

Quartier de la Monnaie[5]
— vraie ou fausse? —
Il n'en est de vraie
Que l'obole[6] dans nos fosses[7]

Fausse identité
Visage fermé[8]
tu les a trompés

1. depression. **2.** house search. **3.** models. **4.** stolen (in such a way disappearance will not be noticed). **5.** Mint, money (used here in both meanings), currency. **6.** small coin. **7.** presses (a *fosse* is the cup receiving the minted coin). **8.** inscrutable. The first two stanzas might be freely rendered: "Quarter of the Currency —real or fake? — The only real coin comes from our coining presses. Under false identity papers, with countenance inscrutable, you have deceived them (*i.e.*, the Germans)."

Entre quatre murs
Durant huit cent jours
Sans jamais sortir
ce fut son labeur
5 ce fut son désir

Voici le bon tricheur[1]
Qui retourne l'atout[2]
et fait pièce aux[3] nazis.

Née du silence et de la nuit[4]
10 pâle et maigre apparition
la mort sous ton regard ralentit sa besogne.

The poem was signed Mazurier, which was the name in the Resistance of a bookseller named Lucien Scheler. At the time, however, Parrot did not know the man who made the false papers and "during eight hundred days, without leaving the house." Scheler did.

1. cheat. 2. turns up a trump. 3. *faire pièce à:* to make sport of, trick; *pièce* is also a piece of money. 4. Prodigy of secrecy and darkness.

EDITH THOMAS, a novelist and newspaper correspondent before the war — her reports on the war in Spain were considered remarkable — is a young woman described by one Resistance colleague as "frail, timid, and audacious beyond belief." It was she who, meeting Claude Morgan, an old newspaper friend, in the Spring of 1942, was his first collaborator on *Les Lettres françaises* after the arrest of Decour had isolated him. She restored the liaison between Morgan and the other members of the committee. *Contes d'Auxois*, a collection of short stories (of which "Histoire de Brigands" is one) was first published by *Les Editions de minuit* in December, 1943.

HISTOIRE DE BRIGANDS[1]

PAR EDITH THOMAS

Mademoiselle corrigeait les cahiers. Cinq et six font onze. Cinq et six font onze. Onze, onze, indéfiniment. Mademoiselle écrivait à l'encre rouge, dans la marge, un beau B, bien moulé, souligné d'un trait.

Par la fenêtre descendaient des prés et des potagers[2] jusqu'à la rivière lente et grise, un peu débordée. Dans les marais sans feuilles, on entendait chanter les grenouilles. 5

De temps en temps passaient des avions qui s'en allaient bombarder quelques points de l'Europe. Cela n'empêchait pas les grenouilles de chanter, ni Mademoiselle d'écrire des B sur les cahiers, quand cinq et six font onze. 10

Le cœur de Mademoiselle avait aussi contenu ses abîmes. Il était maintenant pacifié. Il ne se passait jamais rien. Il n'arrivait jamais rien. Le pire peut survenir, qu'on croyait insupportable, mais l'on parvient toujours à le supporter. Ou bien l'on meurt et la chute des empires a autant d'importance que . . . Que quoi? Et six font onze. 15

Un rouge-gorge[3] vint se poser sur le bord de la fenêtre et s'envola. Puis on frappa à la porte.

C'étaient des gens qui ne devaient pas avoir l'habitude, car ils frappaient à la porte de la mairie. Et tout le monde sait qu'il n'y a jamais personne à la mairie et qu'il faut frapper à la porte de l'école.[4] Mademoiselle se leva pour aller voir ce que c'était. Elle mit son manteau et se regarda dans la glace. Elle y aperçut un visage de chèvre qui se tirait la langue. 20 25

Les autres continuaient de frapper.

Dehors, il faisait le gris qui précède la nuit et l'on commençait à ne plus distinguer nettement les objets. Mademoiselle vit deux hommes dans la pénombre.

— Qu'est-ce que vous voulez? leur cria-t-elle. 30

1. Reprinted from *Les Lettres françaises, 23 septembre 1944.* 2. kitchen gardens. 3. robin redbreast. 4. In small French communities the school and the *mairie* are usually in the same building.

— Nous voulons entrer, dirent-ils.

— Pour quoi faire? répondit-elle. Le maire n'est pas là. Il n'y a personne là.

Elle s'était approchée d'eux avec la clef de la mairie qu'elle
5 sentait toute froide dans la poche de son manteau.

— Qu'est-ce que vous voulez? répéta-t-elle.

Mademoiselle était très petite. Mais elle n'avait peur de rien. Même pas des souris, même pas de revenir seule, la nuit, dans la campagne déserte, même pas de ces hommes qui
10 étaient là et qu'elle ne reconnaissait pas comme étant du pays.

— Nous voulons les tickets d'alimentation,[1] dirent-ils.

Elle leur avait ouvert la porte de la mairie et les voyait maintenant en plein sous la lumière de la lampe. C'étaient
15 des garçons de vingt ans environ. Un peu pâles. Ils avaient sorti des revolvers de leurs poches et la tenaient en joue.[2] Mademoiselle sentit que quelque chose se passait dans cette vie où il ne se passait jamais rien.

— Eteignez, dirent-ils. Ce n'est pas la peine qu'on voie de
20 la lumière du dehors.

Elle éteignit. C'est comme l'amour, songeait-elle. Rapide et troublant comme doit être l'amour.

— Les tickets ne sont pas à la mairie, dit-elle. Exactement du ton dont elle disait cinq et six font onze. C'est le maire
25 qui les garde dans son coffre-fort.[3]

Puis — cela pouvait toujours leur être utile:

— Mais j'ai les cartes de textile.[4]

— Donnez-les-nous.

Elle alla à l'armoire du fond, l'ouvrit.

30 — Voilà, dit-elle.

Elle s'aperçut que ses mains tremblaient.

— Conduisez-nous chez le maire, dirent-ils.

Elle sortit avec eux. Il n'y avait personne sur la route à cette heure grise.

35 — Tenez-moi en joue,[5] dit-elle (pour le cas où quelqu'un les apercevrait). Elle était reconnaissante à ces garçons de

1. *tickets d'alimentation:* food ration tickets. **2.** were keeping her covered. **3.** safe. **4.** clothing ration cards. **5.** *tenez-moi en joue:* keep me covered.

ce paroxysme qu'elle sentait dans sa poitrine et dans son ventre.

Mme la Mairesse tricotait[1] des chaussettes pour M. le Maire. Ce n'était pas de la belle laine: toute raide et pleine de suint.[2] Encore n'avait-elle pu l'obtenir qu'en échange de quatre douzaines d'œufs? Mme la Mairesse éprouvait maintenant une profonde nostalgie à l'égard de ces œufs, supputait[3] tout ce qu'elle aurait pu se procurer grâce à eux, au lieu de cette laine graisseuse et rude. Ainsi une casserole, ou bien un pantalon de velours[4] pour son homme, quand il va aux champs.

Mme la Mairesse, par instants, regardait la route, et ses mains continuaient toutes seules à tricoter. Il n'y avait sur cette route que des poteaux électriques[5] et des talus d'herbes sèches, comme lorsqu'on est à la fin de l'hiver.

Si seulement j'habitais la ville, se disait Mme la Mairesse, avec tout ce mouvement qu'il y a. Il est vrai qu'actuellement, on est plus heureux à la campagne qu'en ville. Mais ce n'est pas de la belle laine, c'est sûr.

Elle s'aperçut que le feu tombait dans le poêle et qu'il commençait à faire froid. Elle allait se lever pour remettre une bûche quand elle aperçut Mademoiselle qui s'en venait. Mme la Mairesse n'aimait pas Mademoiselle, qu'elle appelait « cette garce de bique[6] » quand elle en parlait dans l'intimité avec M. le Maire. Qu'est-ce qu'elle venait faire à cette heure-ci, cette garce de bique, alors qu'elle savait bien que M. le Maire était allé au chef-lieu[7] pour cette réquisition des chevaux? Mais Mademoiselle n'était pas seule. Elle était serrée de près par deux hommes. Et qu'est-ce qu'ils lui voulaient, ces deux hommes? Car enfin, on pouvait dire beaucoup de choses de Mademoiselle, sauf qu'elle courait.[8] Mme la Mairesse laissa retomber le rideau de la fenêtre. Après tout, peut-être ne venaient-ils pas ici? Il lui semblait que son rideau la protégeait d'on ne savait quel danger indistinct, à cause de toutes ces histoires qu'on raconte. Sur la table, il y avait un journal avec une longue liste de « crimes terroristes ». M. le Maire

1. was knitting. **2.** lanolin. **3.** was calculating. **4.** corduroy. **5.** power-line poles. **6.** *garce de bique:* slut of a nannygoat. **7.** principal town (of an administrative division, in this case a *commune*). **8.** flirted.

prétendait qu'on y mettait tous les faits divers d'autrefois et d'autres encore qu'on inventait. Mais enfin, une femme seule, vous comprenez.

Mme la Mairesse entendit la sonnette de l'entrée. Elle 5 alla ouvrir la porte.

— Madame, dit Mademoiselle, ce sont deux messieurs qui voudraient vous parler.

Elle s'effaça pour les laisser passer. Alors Mme la Mairesse aperçut deux revolvers et elle manqua tomber à la renverse.[1]

10 — Quoi que vous voulez? balbutia-t-elle.

— Les tickets d'alimentation, dirent-ils.

— C'est qu'ils sont dans le coffre-fort, fit-elle.

— Ouvrez-le.

— C'est que je n'en sais pas le chiffre.[2]

15 Peut-être M. le Maire allait-il revenir pendant ce temps-là: lui saurait ce qu'il devait faire.

— Essayez, dirent-ils.

— Je n'ai pas mes lunettes.

— Où sont-elles? demandèrent-ils. Ne bougez pas. Nous 20 allons vous les chercher.

Elle voyait toujours un revolver et un gros gant qui tenait le revolver. Elle regarda Mademoiselle. Impénétrable et blanche comme toujours, Mademoiselle. Elle avait en dessous son long regard jaune de chèvre qui voyait tout. C'est-y 25 qu'elle serait d'accord avec eux,[3] cette garce de bique, se dit Mme la Mairesse.

— Voilà vos lunettes, fit l'un des garçons.

Alors elle fut prise d'un courage fou:

— P't'être seulement que vos revolvers sont pas chargés.

30 Un des garçons eut un ricanement. C'étaient des gosses que j'aurais aimé à gifler s'ils avaient été à moi. Il ouvrit le revolver.

— Vous voyez bien, dit-il.

Alors Mme la Mairesse se mit à chercher le chiffre.

35 M. le Maire revenait à bicyclette du chef-lieu. Il mettait pied à terre à toutes les côtes pour souffler et se donner le

1. backwards. 2. combination. 3. She *would* be in cahoots with them.

temps de réfléchir. Ce n'était pas drôle d'être maire en ce temps-là. Il aurait mieux fait de donner sa démission dès 40. Mais Mme la Mairesse tenait à la mairie. Et puis, ça aurait été pris pour un geste d'hostilité envers les Allemands. Et, certes, M. le Maire n'aimait pas les Allemands. Mais, de là à faire un acte d'hostilité contre eux . . . Cela demandait réflexion. M. le Maire, donc, réfléchissait.

Il y avait cette histoire de chevaux qu'on allait réquisitionner de nouveau: ceux qui restaient, ceux dont on n'avait pas voulu l'année dernière. Et avec quoi est-ce qu'« ils » allaient labourer leurs champs? Et comment est-ce qu'« ils » allaient prendre ça? C'est encore lui qu'« ils » allaient tenir pour responsable. D'autant plus qu'à cause de son beau-père, syndic de la Corporation paysanne,[1] on l'accusait déjà de favoriser les gros.[2] Oui, il aurait mieux fait de donner sa démission en 40.

M. le Maire était arrivé au haut de la côte. De là, on voyait tout le pays: avec ses villages, et ses hameaux, et ses écarts,[3] et la voie ferrée et la rivière et les marais de l'autre côté. Et les bords de ce côté-ci qui sont en jardinage[4] avec des arbres fruitiers. Et tout cela était gris de brume et de crépuscule. M. le Maire soupira en remontant à bicyclette pour la descente.

Il venait d'apprendre aussi qu'on exigeait de la commune cinquante tonnes de cerises pour l'été prochain. C'était tout à fait absurde. Dans les meilleures années, on ne devait guère en récolter[5] plus de trente à quarante mille kilos. Et comment pouvait-on savoir ce qu'il y aurait l'été prochain, avant même que les arbres eussent fleuri? Ils étaient fins, ces gens des villes, qui étaient chargés du ravitaillement. Et si encore on savait où tout cela allait? songeait M. le Maire. Mais on sait trop bien où ça va, se répondait M. le Maire. Et il regardait, du côté de la voie ferrée, un train qui roulait lentement vers l'est, chargé. Enfin la guerre sera peut-être finie l'an prochain, se dit M. le Maire pour se rendre un peu de courage. Il se

1. official of the farm corporative (a Vichy-controlled organization imitating the Italian fascist corporatives for the purpose of maintaining rigid control over agricultural production). **2.** wholesalers. **3.** isolated farms. **4.** planted. **5.** harvest.

répétait cela tous les jours, au moins dix fois par jour, quand il faisait beau.

Encore un virage[1] et il arrivait chez lui. Il mit sa bicyclette sous le hangar, à côté de celle de sa femme, et entendit des voix dans la maison.

— Qu'est-ce que c'est encore? se demanda le Maire.

Il avait envie de se reposer, de raconter à sa femme tout ce qu'il avait appris au chef-lieu, en buvant un verre de vin pour se réchauffer. Voilà ce dont il avait envie, et pas du tout de soutenir une conversation avec des gens qui venaient encore se plaindre. M. le Maire l'aurait parié à dix contre un. Il ouvrit la porte de sa maison.

— Haut les mains! lui cria-t-on.

M. le Maire mit les mains en l'air. Pendant ce temps, un des galopins[2] referma la porte et s'appuya contre elle, revolver au poing.

M. le Maire, en un clin d'œil, vit tout: Mademoiselle, raide et droite et impassible, et sa femme agenouillée devant le coffre-fort.

— Charles, gémit-elle, Charles, tu arrives à temps. Ces messieurs demandent les tickets d'alimentation et je ne peux pas me souvenir du chiffre. Ces messieurs disaient qu'ils allaient me brûler la cervelle.[3]

M. le Maire surprit un indéfinissable sourire sur le visage de ces messieurs. Ils ont l'air de deux gosses, se dit-il. Il pensa au sien qui était parti pour l'Allemagne.[4] Il aurait mieux fait d'agir comme eux. Il le lui avait conseillé, d'ailleurs. C'était sa mère qui n'avait pas voulu, parce que c'était la loi, disait-elle.

M. le Maire alla au coffre-fort, l'ouvrit.

— Voilà les tickets, dit-il.

Il y avait aussi de l'argent dans le coffre-fort.

— C'est à vous? demandèrent-ils.

— Non, dit M. le Maire. C'est pour payer les requis[5] (ceux qui sont obligés de garder la voie ferrée, pour prévenir les attentats contre les Allemands).

1. curve (in the road). 2. young scamps. 3. *me . . . cervelle:* blow out my brains. 4. *i.e.*, for compulsory labor. 5. The rail guards were part of the forced labor program.

— Si c'était à vous, nous ne le prendrions pas. Mais puisque c'est de l'argent de l'Etat: *l'Etat, c'est nous.*[1]

L'un d'eux mit l'argent dans son portefeuille. Il y avait deux mille trois cent cinquante-trois francs soixante-dix. Ils laissèrent les soixante-dix centimes. 5

M. le Maire se demanda alors s'il n'allait pas leur offrir un verre. Il avait soif. Mais il n'osa pas, à cause de Mme la Mairesse et de Mademoiselle qui le regardaient. Il avait réfléchi à toutes les circonstances de la vie d'un maire, mais il n'avait pas songé à celle-là. En somme, il valait mieux 10 maintenant qu'ils s'en allassent.

— Et ne vous avisez pas de prévenir la gendarmerie, sans quoi vous aurez affaire à nous.[2]

— Il faudra bien pourtant que je la prévienne.

— Le plus tard possible, alors. 15

— C'est régulier,[3] dit le Maire.

Dehors, les garçons aperçurent les deux bicyclettes sous le hangar.

— Nous vous les renverrons demain en gare de . . ., dirent-ils en les enfourchant. 20

Et M. le Maire entendit encore le grelot[4] de sa bicyclette diminuer dans la nuit.

Dedans, Mademoiselle donnait des claques[5] à Mme la Mairesse. M. le Maire se versa un verre de vin. Il voulait raconter l'histoire de la réquisition des chevaux. Mais main- 25 tenant, Mme la Mairesse, revenue à elle, criait:

— Tu es un lâche, tu es un lâche, tu es un lâche.

— Est-ce que tu aurais voulu que je me fisse tuer pour des tickets d'alimentation? dit M. le Maire, qui, ayant été au collège, employait l'imparfait du subjonctif dans les grands 30 occasions. Il faut bien tout de même que ces garçons vivent.

Un peu plus tard dans la soirée:

« Mais je me demande s'ils me renverront les bicyclettes! »

Deux jours après, le maire fut averti que deux bicyclettes étaient arrivées à son nom, en gare de . . . 35

1. imitating the phrase attributed to Louis XIV, « *L'Etat, c'est moi* » (I am the State). 2. *sans . . . nous:* or you will have to settle with us. 3. *C'est régulier:* That goes without saying. 4. tinkle. 5. was slapping.

ILS NE PARTIRONT PAS

THE DEPORTATIONS, and the struggle against them, continued even after the Allied landings in 1944. The methods of the Germans and their traitor tools became continually more brutal, and the countermeasures of the patriots progressively more ingenious, as the following pieces indicate. One form of deportation that had commenced earlier than the others was that of Jews. The Germans had begun a systematic elimination of the Jews of the old occupied zone almost as soon as they entered France. In the southern zone and in North Africa, prior to November, 1942, there had been neither massacres nor mass deportations, but Jews had been degraded to a second-class citizenship. They had been barred from schools, professions and military service and their property had been sequestrated. After November, 1942, the policy of ruthless liquidation of Jews was extended to the southern zone, and intensified in the north. The Jews of France were aided and protected by millions of their compatriots. The Church, spotty in its attitude toward the Resistance movement in general, was solidly against the persecution of the Jews. Nuns sheltered Jewish children and bishops helped Jews to escape the Gestapo. Prelates preached against the doctrine of race hate. Marshal Pétain, with his pietistic cant, was, naturally enough, well regarded by many of the high clergy, great believers themselves in discipline and solid comfort, a doctrine they expressed as "respect for the constituted authorities." The lower clergy was in general more favorable to the Resistance. On the Jewish question, however, the bishops were as intransigent as the *curés*.

Fraternité was a national publication — clandestine, of course — directed against the propaganda of race hate. The resistants recognized this propaganda as the splitting wedge that Hitler used against nations.

The sympathy that Pétain-Seguin won for the Vichy Government in high ecclesiastical circles did not affect most Catholics. If it had, the Resistance would have been truly a minority cause, since most of the French are Catholics. Even in the higher grades of the hierarchy there were conspicuous, though exceptional, open opponents of collaboration, like Monseigneur Salièges, the bishop of Montauban, who was made a cardinal in February, 1946. And the Very Reverent Father Thierry D'Argenlieu, Superior of the Carmelites of the Diocese of Paris before the war, has been better known to the world since as Admiral Thierry D'Argenlieu. A naval officer before he entered the Church, he reassumed the uniform when he joined General De Gaulle in London in 1940, and rose to a place near the top of the present French naval structure.

But the lower clergy furnished thousands of fighters and hundreds of martyrs. Father Yves de Montcheuil, a Jesuit, Professor of Dogmatic Theology at the University of Paris, was killed by German parachutists in a cavern near the Vercors where he had been called to administer last rites to dying maquisards. The parachutists surprised this hidden field hospital and slaughtered the wounded and their attendants together. A priest named Favre, who went by the nom de guerre of Savoyard, was the key man of the Resistance at Annemasse on the French side of the Swiss frontier. All the communications between the Resistance and Switzerland passed through his hands. He was betrayed, arrested and shot, with his friends Fathers Millet, Roux, and Curioz.

Father Maÿdieu, the priest who was a member of the first National Committee of writers, with the Communist hero Decour, wrote after Father Favre's death: "Poor hangmen, who take so much trouble to find maquisards and then kill them, you could save yourself work by firing at random into any crowd on the streets of Annecy (in Savoy). You would be sure to hit members of the Resistance." Savoy is one of the most Catholic regions of France.

Résistance
25 janvier 1944

DANS LES PRISONS DE L'ANTI-FRANCE: LES INCIDENTS D'EYSSES (LOT-ET-GARONNE)

Un jeune réfractaire du travail obligatoire, actuellement détenu à Eysses (Lot-et-Garonne) nous adresse la lettre suivante:

« Je vais vous relater quelques faits. Nous devions être transférés ailleurs. Le 8 décembre à 13 heures, nous partons pour la gare fortement escortés par la police. Nous manifestons en passant en ville par le chant, et nous embarquons.

» Nous attendons jusqu'à 21 heures et, contre-ordre,[1] nous revenons à la prison. Pendant ce temps nous apprenons que nous devons être dirigés sur un camp tout près de Paris. Je n'ai pas besoin d'indiquer la destination définitive. Elle est claire.

» Le 9 nous devions repartir. Nous refusons de sortir et nous barricadons. Après discussion tout est arrangé. Le gardien-chef[2] nous donne sa parole d'honneur que nous ne partirons plus. Mais, parole d'honneur égale chiffon de papier[3] pour les vichystes. Dans la nuit du 9 au 10 nous entendons un fort bruit. Nous barricadons solidement les portes. Le calme revient jusqu'à 7 heures du matin. A cette heure, c'est le grand coup.[4] 500 G.M.R.[5] sont dans la prison pour nous amener de force. Ils s'efforcent d'ouvrir les portes des dortoirs où nous sommes enfermés. Ne pouvant y parvenir, ils brisent les carreaux des lucarnes[6] avec les crosses[7] de leurs fusils et lancent à l'intérieur quinze bombes à gaz lacrimogènes.[8] L'air est irrespirable, nous suffoquons, les yeux piquent[9] et coulent. Nous tenons et parvenons à alerter les condamnés politiques enfermés dans des pièces voisines. Ils défoncent les portes de leurs geôles et courent en rangs serrés avec nous contre la police. La Marseillaise retentit. Nous chantons

1. countermand. **2.** head warden. **3.** scrap of paper. **4.** big show. **5.** *Gardes Mobiles de Réserve*, a special armed paramilitary police force used to supplement the regular *Gardes Mobiles*. **6.** dormer windows. **7.** butts. **8.** *bombes . . . lacrimogènes:* tear-gas bombs. **9.** smart.

tous, malgré les gaz, et sommes au contact des policiers. A 10 mètres, la police refuse de tirer. La partie pour nous était gagnée, les policiers abandonnaient encore une fois le terrain.

» Nous sommes toujours à Eysses; mais, résultat de l'attaque au gaz, vingt de nos camarades sont à l'infirmerie, atteints de troubles graves aux yeux. Certains souffrent de lésions oculaires produites par l'irritation prolongée. Parmi les victimes, il n'y a pas que des jeunes, il s'y trouve aussi des vieillards de 60 ans et des mutilés de 1914–1918 dont certains n'ont qu'une jambe et avaient déjà été victimes des gaz. »

Après la réception de cette lettre, nous avons appris avec plaisir que 40 détenus environ de la prison d'Eysses ont pu s'évader et reconquérir la liberté.

Fraternité
Septembre 1943

NOUVELLES ARRESTATIONS MASSIVES ET DÉPORTATIONS DES JUIFS DE FRANCE VERS LES CAMPS DE LA TORTURE ET DE LA MORT

Par des centaines de milliers de lettres de protestation envoyées aux autorités, exprimons notre volonté de mettre fin à ces massacres.

VENONS EN AIDE À TOUTES LES VICTIMES DU RACISME

Au moment où, à nouveau, ont lieu les arrestations massives de Juifs de France, qui tous sont déportés vers l'Est, nous mettons sous les yeux de nos lecteurs un document qui dépeint les souffrances inhumaines et la fin atroce de milliers d'innocents.

Rapportés par un témoin oculaire,[1] échappé par miracle[2] d'un enfer[3] indescriptible, les faits qu'il décrit montrent jusqu'où vont la bestialité et le sadisme des brutes nazies, dont les chefs ont détruit toutes les valeurs spirituelles et morales dans leur propre pays avant d'essayer d'en faire autant dans toute l'Europe occupée et chez nous en France.

Il faut que les fonctionnaires, les policiers, et tous ceux qui,

1. *témoin oculaire:* eye-witness. **2.** as if by a miracle. **3.** hell.

d'une façon directe ou indirecte, collaborent à l'arrestation des Juifs et à leur déportation sachent qu'ils se font les complices des bourreaux nazis.

Que tous ceux qui, ouvriers manuels ou intellectuels, 5 croyants[1] ou libre-penseurs, ont déjà, par leur action, sauvé des milliers de familles se solidarisent plus que jamais avec toutes les victimes du racisme; ils contribueront par cela même à défendre leurs enfants sous-alimentés[2] et nos jeunes[3] menacés par la déportation, comme ils contribueront en même temps 10 à la lutte que mène le peuple de France pour sa libération.

RÉCIT D'UN ÉVADÉ

Récit véridique d'un témoin arrêté, avec des centaines d'autres familles de la région de Nice, par la police vichyssoise, en août 1942.

« Entassés[4] dans les wagons à bestiaux,[5] nous partons de 15 Nice pour une direction inconnue. Le train arrive à Marseille. Les cris des femmes et des enfants attirent l'attention de la population qui se groupe autour du train; voyant le mécontentement grandissant, la police vichyssoise déclare solennellement que les détenus enfermés dans les wagons ne seront pas 20 livrés aux Allemands, mais que les hommes seront envoyés dans des Compagnies de travailleurs, les femmes et les enfants en résidence forcée.

» La réalité fut tout autre. Le lendemain, nous nous trouvâmes à Drancy.[6] Arrivés au Camp, on nous dépouilla de tout 25 ce que nous possédions; argent, linge, objets de toilette, etc.

» Entassés de nouveau dans des wagons à bestiaux (hommes, femmes et enfants), soixante-dix par wagon, nous voyageons trois jours sans avoir rien à manger, ni même une goutte d'eau à boire. Les cris des enfants étaient terrifiants.

30 » Ce n'est qu'à Koziel (Haute-Silésie)[7] que les wagons ont été ouverts et que nous fûmes dirigés sur un camp. Soixante-huit morts étaient dénombrés à la fin du voyage.

» Dans ce camp, il fut procédé à un triage[8]; les hommes de seize à cinquante ans, ainsi que les jeunes femmes, sont désignés

1. (*lit.*, believers): Christians. **2.** under-nourished. **3.** our young people. **4.** piled. **5.** *wagons à bestiaux:* cattle-cars. **6.** a notorious concentration camp near Paris. **7.** Upper Silesia. **8.** *il fut . . . triage:* a sorting-out took place.

pour le travail. Tous ont la tête rasée. Chacun reçoit six étoiles jaunes qu'il doit coudre lui-même en découpant d'abord des trous dans les vêtements à la place où les étoiles doivent être cousues, une sur chaque genou, deux sur les épaules, deux sur la poitrine. 5

» Les vieillards, les femmes et les enfants incapables de travailler sont dirigés sur le camp de Oschewitz.

» Oschewitz est le camp qui fait trembler chaque Juif. Comme disent cyniquement les nazis: ‹ On va pour crever. ›[1]

» Ce que j'ai vu de mes yeux pendant ce départ pour 10 Oschewitz est indescriptible. Les enfants de dix ans déclarent en avoir seize, les hommes de soixante-dix ans se font passer comme ayant cinquante ans, afin d'éviter Oschewitz.

» Dans le camp de travail même, les coups et les tortures les plus bestiales dépassent toute imagination. Avec cela la 15 famine. Même pendant la soupe, qui consiste en eau salée, les coups pleuvent sur les têtes rasées.

» Tous les jours sont formés des groupes de 600 personnes désignés pour faire des routes et des lignes de chemins de fer.

» Chaque jour, dans chaque groupe, douze à dix-huit per- 20 sonnes meurent pendant le travail.

» Les nazis, pour humilier davantage les torturés, offrent la ration des morts à ceux qui transportent les corps du travail au camp. La souffrance de la faim est telle qu'il y a toujours un excédent de volontaires pour faire ce travail. 25

» Un jour, deux Juifs hollandais,[2] se sentant malades, n'ont pas osé le déclarer avant le travail (être malade est le crime le plus grave et justifie la mort); mais au chantier[3] ils tombent épuisés. Les brutes nazies se sont alors acharnées[4] sur eux jusqu'à évanouissement complet; ils les ont ensuite achevés[5] 30 à coups de botte.

» De telles scènes se passent tous les jours.

» Après le travail, chacun est dépouillé de ses vêtements, et l'on ne garde que son linge de corps sous prétexte de prévenir les évasions. 35

. . . .

1. die. **2.** Dutch. **3.** (construction): *here*, yard, *i.e.*, shipyard, lumberyard, *etc.*). **4.** *here*, kept beating them. **5.** finished off.

» Dans le village de Schapiniec, se trouve un hôpital où sont amenées les femmes qui accouchent[1]; dès leur naissance, les nouveaux-nés sont jetés dans un sac et tués. Quant à la mère, elle est envoyée au camp d'Oschewitz, « d'où l'on ne
5 revient pas ».

» Au fur et à mesure que[2] le camp des travailleurs se vide par suite du nombre élevé des morts, et par le fait que tous ceux qui paraissent trop fatigués sont aussitôt envoyés à Oschewitz, de nouvelles victimes sont expédiées de l'ouest de
10 l'Europe pour remplacer les absents. »

La Vie ouvrière
26 février 1944

CONTRE LA MOBILISATION EN FAVEUR DE HITLER, CONTRE LA DÉPORTATION DE 15 273.000 NOUVEAUX ESCLAVES

Le 18 janvier, Sauckel[3] donnait des ordres à Vichy en vue de fournir au Reich toute la main-d'œuvre disponible[4] en France. Le 4 février, Pétain-Laval-Bichelonne[5] exécutaient ponctuellement ces ordres en décrétant le travail obligatoire
20 pour les hommes de 16 à 60 ans et les femmes sans enfants de 18 à 45 ans. Tout ce que les traîtres peuvent raconter sur les buts de cette réquisition ne sont que des articles d'une grossière[6] propagande destinée à masquer la mobilisation de tous les Français et Françaises valides[7] au profit d'Hitler.
25 Des document secrets, que nous avons eu entre les mains, établissent sans conteste que les autorités occupantes ont pris entre leurs mains la direction et le contrôle de toutes les organisations ayant trait au[8] service du travail obligatoire.

En s'appuyant sur[9] les textes[10] de Vichy, les boches peuvent,
30 sans autre forme de procès, s'emparer de n'importe quel Français et lui imposer le travail qu'il leur plaît. Les traîtres ont,

1. are bearing a child. 2. *Au fur et à mesure que:* as. 3. German minister of labor and public works. Sauckel conceived and organized the drafting of conquered Europeans to work as semi-slaves in Germany. He was, subsequently, one of the 24 top defendants in the Nuremberg war guilt trials. 4. available manpower. 5. Vichy minister named by Laval to carry out the forced labor levy for Germany. 6. glaring. 7. able-bodied. 8. *ayant . . . au:* having to do with. 9. *s'appuyant sur:* basing their claim on. 10. rulings.

en quelque sorte[1] « légalisés » les razzias[2] que l'occupant ne se gêne pas pour faire.

Désormais, c'est texte en main que les bandits nazis feront irruption dans telle ou telle entreprise, dans tel ou tel quartier ou village, feront leur chargement[3] d'esclaves et les déporteront où bon leur semblera.[4] 5

Ce n'est pas là une simple éventualité.[5] On nous signale de Bretagne que dans maints[6] villages, les négriers[7] se sont présentés pour rafler[8] et embarquer tous les habitants mâles. Nos informations ajoutent d'ailleurs, que les paysans bretons 10 ont admirablement résisté. La plupart des hommes menacés, se sont enfuis dans la campagne et plusieurs engagements[9] auraient déjà eu lieu entre eux et les boches.

Chaque entreprise doit être un bastion de la résistance:

Il n'est pas douteux que de nouvelles tentatives vont être 15 faites pour enlever les ouvriers dans les diverses entreprises françaises. Les documents qui nous sont parvenus demontrent nettement:

1°) Que les industriels français sont dorénavant mis en tutelle[10] et soumis à une surveillance de tous les instants. 20

2°) Que les règles de l'embauchage[11] et de débauchage[12] seront édictées par les seuls allemands.

Dès maintenant, donc, dans chaque entreprise, les travailleurs et travailleuses doivent être en état d'alerte. Prévenus du danger, ils doivent se mettre en état de défense et en mesure 25 de[13] riposter à[14] toute attaque ayant pour but d'enlever un certain nombre d'entre eux.

Nous répétons les directives déjà données précédemment et qui, dans maintes circonstances ont fait leurs preuves:

1°) alerter immédiatement tout le personnel dans chaque 30 entreprise.

2°) Prendre toutes dispositions et toutes mesures d'organisation en vue[15]:

a) de l'arrêt[16] immédiat du travail à la moindre alerte;

1. *en . . . sorte:* as it were. **2.** raids. **3.** quota. **4.** *où . . . semblera:* wherever they please. **5.** chance occurrence. **6.** many. **7.** slave-traders. **8.** round up. **9.** skirmishes. **10.** *mis en tutelle:* placed under trusteeship. **11.** hiring. **12.** firing. **13.** in a position to. **14.** counter. **15.** with a view. **16.** stoppage.

b) de l'occupation[1] des locaux et du retranchement[2] du personnel dans les lieux les plus propices à une résistance active en cas de tentative d'enlèvement par la force;

c) de prévenir immédiatement les autres entreprises de la
5 région et la population de la localité afin que les ouvriers attaqués aient leur soutien immédiat;

d) Que dans chaque entreprise non menacée, mais voisine de celle attaquée, la solidarité[3] joue[4] immédiatement par l'arrêt du travail et l'occupation.

10 e) Que les ouvriers en lutte reçoivent immédiatement le soutien actif de toutes les organisations de la résistance y compris les formations armées.

La résistance aux déportations est une impérieuse nécessité. Le C.F.L.N.,[5] ainsi que toutes les organisations de la résis-
15 tance invitent à cette résistance. Mais comme toute action, elle nécessite des mesures pratiques. Voilà pourquoi nous donnons les directives ci-dessus.

Afin d'assurer plus d'efficacité à la résistance dans les entreprises, il faut d'urgence mettre sur pied,[6] là où ce n'est déjà
20 fait, les groupes de francs-tireurs et les milices patriotiques[7] d'entreprises.

Affirmer qu'il faut résister et ne prendre aucune mesure pour que cette résistance soit efficace, serait de l'imprévoyance[8] ou du bavardage.[9] Et nous n'avons le droit de n'être ni des
25 imprévoyants ni des bavards.

1. seizure. **2.** disposal. **3.** united front. **4.** be operative. **5.** *Comité Français de Libération Nationale*, the name of General de Gaulle's Algiers Committee before it took the name of Provisional Government of the French Republic. **6.** *mettre sur pied:* to station. **7.** The *francs-tireurs* here refer to the men of the F.T.P. (*Francs-Tireurs et Partisans*), the military organization of the *Front National*, trained for guerrilla warfare and active sabotage. The *Milices Patriotiques* were a kind of reserve force for the active army of the F.F.I. and its *groupes francs*. Their essential aim was to sabotage enemy war production in factories, in all of the administartive branches of the Vichy government, and to provoke strikes and mass movements. Composed entirely of civilians, drawn from factories, small and large business enterprises, urban and country districts. **8.** lack of foresight. **9.** idle talk.

Libération
14 mars 1944

UN BEAU COUP DE MAIN

Nos camarades du C.A.D.,[1] avec l'aide des groupes francs[2] de la Résistance, ont effectué un exploit remarquable. Pénétrant dans les locaux[3] du S.T.O.,[4] place Fontenoy, à Paris, ils ont réussi à mettre le feu à plus de 180.000 fiches du recensement[5] de la classe 44. Les résultats de ce recensement sont ainsi rendus inutilisables pour une durée d'au moins six mois. Ajoutons que les membres de l'expédition n'ont pas eu à se servir de leurs armes pour accomplir leur travail. Ils ont seulement dû convaincre un peu rudement un jeune des Chantiers[6] qui, gardien du local, essayait de s'opposer à l'opération. Ajoutons que le jeune champion de la déportation a reçu à l'hôpital où l'a conduit cette conversation un peu vive, un colis en même temps qu'une lettre cordiale lui expliquant de la part de ses agresseurs qu'un devoir national supérieur à sa propre consigne[7] avait rendu nécessaire cette neutralisation sans danger.

P.S. — Après vérifications, voici le résultat pratique de l'opération.

Toutes les fiches de recensement venues de province ont été détruites, sauf celles de la région de Lyon proprement dite, étant entendu que les fiches de la Drôme et de la Saône-et-Loire ont été détruites sur place ou volées dans les préfectures. Les fiches de la région de Rouen (sauf celles du Calvados, qui ont été détruites), sont demeurées à Rouen et ont, par conséquent, échappé à l'incendie.

1. *Commission d'Action contre la Déportation*, an agency operating under the *C.N.R.* (*Conseil National de Résistance*). **2.** special armed units operating only in cities and towns. *See note* 4, *page* 193. **3.** premises. **4.** *Service du Travail Obligatoire*. **5.** census cards. **6.** *Chantiers de Jeunesse*, a Vichy youth organization. **7.** orders.

WAR WITH ARMS

THE FIRST communiqué of the General Staff of the "Fighting French of the Interior" issued on March 11, 1943, serves as a convenient marker for the transition from the period of scattered, uncoordinated violence to that of organized resistance. It is an arbitrary marker, just as 1453, the year of the Fall of Constantinople, is for the end of the Middle Ages. The Middle Ages did not end the day before the fall of Constantinople and modern times begin on the day after. The transition from scattered to organized resistance was gradual. The Headquarters of the Fighting French in March, 1943, was in liaison with the De Gaulle Government at London, but it had no contact with large fractions of the Resistance movement in France. The tiny cells of the summer of 1940 had already grown into about a dozen large organizations, and these were beginning to coalesce and to exchange confidences. But the communiqué is grandiloquent when it speaks of a national headquarters. The liaison between the De Gaulle government and the forces of the interior was never perfect, even at the very end. General Pierre Koenig, appointed by General De Gaulle just before the invasion to be commander-in-chief of the forces of the interior (while Koenig remained, perforce, on the exterior) remained ignorant of the identities of the regional chiefs technically under his command.

This communiqué must have been issued by Jean Moulin, known in the Resistance as "Max" or "Régis", first official coordinator of the Resistance in France, and by General Delestrain ("Vidal"), his military adviser. Both were arrested by the Gestapo in June, 1943. "Max" was tortured to death that month. "Vidal" survived until almost the end of the war. His German jailers murdered him to forestall his release.

Le Franc-Tireur
20 mars 1943

LE PREMIER COMMUNIQUÉ DE LA FRANCE COMBATTANTE DE L'INTÉRIEUR

11 MARS. Un communiqué spécial a été publié ce soir par le Quartier Général[1] de la France Combattante de l'Intérieur. En voici le texte:

« Le Quartier Général des partisans français, situé quelque part en France, annonce que les patriotes français ont attaqué, dans la région de Chalon-sur-Saône,[2] un train chargé de troupes allemandes. Plus de 150 soldats allemands ont été tués. Des centaines de militaires allemands ont été blessés. Deux autres trains ont été détruits dans le département de la Côte-d'Or.[3] Le premier transportait du matériel de guerre ennemi et a été complètement détruit. Le deuxième transportait du charbon à destination de l'Italie, 29 wagons[4] ont été détruits. De toutes ces opérations, nos partisans et francs-tireurs[5] se sont retirés sans avoir de pertes. »

1. headquarters. **2.** important rail and canal centre in eastern France situated on the former demarcation line. **3.** region lying between the Saône and the Rhône rivers above their confluence at Lyon. **4.** freight cars. **5.** irregulars.

LE MAQUIS S'ORGANISE

AT boxing shows many years ago it was customary to put on a divertissement known as a battle royal, wherein a number of Negroes were equipped with boxing gloves and blindfolded and then encouraged to fight until only one remained standing. The various Resistance groups, until the end, were like blindfolded boxers, but boxers trying to coordinate their efforts against a common foe, rather than to hit one another. I have tried to arrange a group of news reports to indicate the slow growth in the size and importance of Resistance operations. The ambush at Guéret is the sort of thing that could have happened in the Fall of 1942 as easily as in 1943. But in the battle of La Truyère, treated on page

250 in the last section of "War with Arms" the Resistance in one region of France is fighting a pitched battle against a German armored division!

Libération, Edition Zone Nord
19 octobre 1943

LE MASSACRE DE GUÉRET

Un groupe de 15 à 18 jeunes réfractaires se cachaient dans
5 la forêt, près de Sardent, à 15 kilomètres environ de Guéret (Creuse).[1]

Dans les premiers jours de septembre, deux jeunes gens arrivèrent dans la région, se disant réfractaires au travail obligatoire. Les habitants, sans méfiance,[2] leur indiquèrent le maquis du groupe qui les accueillit. Le surlendemain, les
10 deux nouveaux venus partirent sous prétexte de procurer des armes à leurs camarades.

Peu de jours après, à 7 heures du matin, une centaine au moins de jeunes SS., amenés par camions de Limoges,[3] débarquent à proximité du maquis. Quelques paysans qui les
15 avaient vus arriver, pressentant le drame, les suivirent de loin. Huit réfractaires faisaient, à ce moment, le café dans la clairière,[4] pendant que les autres dormaient encore. Sans sommation,[5] une fusillade abat les premiers. Les autres sont tirés de leur cachette,[6] assommés[7] et jetés dans les camions.

20 Durant le massacre, d'autres SS. s'emparent d'un sabotier,[8] soupçonné de ravitailler les jeunes patriotes, le frappent et le jettent dans un étang[9] et, voyant qu'il se noie, le repêchent et l'emmènent ensanglanté à Limoges.

Cependant, les victimes râlaient[10] encore dans la clairière.
25 Les Allemands les achèvent[11] à coups de baïonnettes, puis tentent de les rendre méconnaissables[12] en jetant des bombes incendiaires sur les corps entassés.[13]

Toute la population de Guéret et d'alentour suivit les cor-

1. a department of France. It gets its name from the river Creuse that runs through it. **2.** *sans méfiance:* unsuspecting. **3.** French city 400 km. from Paris (department of Haute-Vienne). **4.** clearing. **5.** without warning. **6.** hiding place. **7.** beaten unconscious. **8.** maker of wooden shoes (still worn by many European peasants). **9.** pond. **10.** were in the death-throes. **11.** finish them off. **12.** unidentifiable. **13.** piled up.

tèges.[1] Des monceaux de gerbes[2] couvrirent les tombes. Beaucoup portaient: « A notre camarade mort pour la France. »

Il ne faut pas qu'un tel crime demeure impuni. Il importe de connaître le nom des mouchards[3] et celui de l'officier allemand qui a dirigé cette atroce boucherie. 5

MAQUIS is one of the words of this war that has passed into colloquial English (and probably will into dictionary English when the dictionary factories get into gear again). *Quisling* used as a common noun is another. They are about the only traces the German occupation of continental Europe will leave on our speech. The word itself was not new to the French language. It is the Corsican term for the high, thick brush that covers the hills of that country (as it does those of northern Tunisia and Serbia) offering fine concealment for outlaws. Corsica used to be known as a country of bandits (after its annexation to France they migrated to the mainland and became policemen) and when a man there found it convenient to light out from home, people used to say that he had "taken to the maquis." In the same way an Australian would say a man had taken to the bush, or an American that he had taken to the hills. The word had literary currency in France largely because of Prosper Mérimée's novel *Colomba*, which had popularized the banditti. It reappeared, with a new popularity, in 1942, when young men began to disappear to avoid labor service. "He has taken to the maquis," meant "he has gone into hiding." But by extension it soon began to mean first the specific place where a group of young men hid out, and then the group itself with its organization. Thus people began to speak of "the maquis" at such and such a place when they meant the group of men living in a barn on a lonely farm, and of "the leader of a maquis" as one would of the leader of a gang. There were very small maquis and very large ones that included thousands of men — male societies as complex as the monasteries of Mount Athos. The word was still used in its old loose sense of

1. funeral processions. **2.** mounds of (funeral) sprays. **3.** stool-pigeons.

going into hiding, too. François Mauriac, referring to the period when he lived under an assumed identity in the flat of his friend Jean Blanzat, says "when I was in the maquis." But in a general way the word retained its connotation of wildness and savagery. "A region of maquis" evoked the image of a region of mountain, moor and sparse population. I have noticed in English a tendency to use the word *maquis* to denote a man who lived in a *maquis*, a resistant. But in French the word for a member of a *maquis* is *maquisard.*

The next story treats of a maquis far larger than poor Guéret.

Le Patriote
1er décembre 1943

LE 11 NOVEMBRE 1943, LE MAQUIS DE SAÔNE-ET-LOIRE INFLIGE AUX TROUPES ALLEMANDES UNE SANGLANTE DÉFAITE

La presse vendue à l'ennemi, des zélateurs[1] d'une propagande infâme acharnée à[2] salir le patriotisme des Français, à vilipender[3] l'héroïsme, à traîner dans la boue les plus authentiques valeurs nationales prodiguaient leurs insultes contre les hommes du maquis. Tantôt ils étaient des « réfractaires »,[4] lâchement « planqués »[5] pour se dérober à un soi-disant[6] devoir civique; tantôt on les assimilait à des naïfs[7] abusés[8] par des agitateurs obéissant à des consignes de l'étranger[9]; tantôt ils étaient de simples gangsters détroussant[10] et terrorisant les populations. Pas un vol, pas un crime qui défrayât la chronique[11] sans que les agents de Hitler et de Laval ne les leur imputât.

La jeunesse de Saône-et-Loire vient de refuter avec son sang ces iniques mensonges propagés uniquement pour servir la cause de l'ennemi!

11 novembre 1943! Les Français s'apprêtent à célébrer l'armistice de 1918 avec au cœur l'espoir d'un nouvel armistice qui marquera la défaite de Hitler. Des affiches, des

1. fanatical partisans. **2.** bent upon. **3.** vilify. **4.** insubordinates (evaders of the Vichy labor draft). **5.** holding soft jobs. **6.** self-styled. **7.** *on . . . naïfs:* they are compared to simpletons. **8.** deluded. **9.** *de l'étranger:* from abroad. **10.** robbing. **11.** *défrayât la chronique:* formed the basis of gossip.

tracts ont été répandus par le Comité Départemental de la Résistance.[1] Sombre et glaciale aube[2] de novembre. Voici que les rues de Mâcon résonnent au passage d'une longue caravane de camions. Des regards se glissent derrière des rideaux. Une rumeur circule de porte en porte: « les Boches ! » 5

Oui, ce sont les Boches qui ont choisi ce jour de glorieuse solennité nationale pour attaquer un maquis des environs de Baubery. Sinistre file grisâtre serpentant sur nos routes, ils ont décidé de procéder au « nettoyage »[3] de cette cohorte de jeunes Français qui narguent[4] leur toute-puissance. 10

Mais à Baubery les gars[5] du maquis, encore inconscients du danger qui les menace, déposent une gerbe[6] au monument aux Morts en chantant la Marseillaise. Des émissaires arrivent.

— Les Allemands viennent vous attaquer !

Vont-ils se replier, se débander,[7] refuser le combat? 15

Conciliabules,[8] brèves délibérations des chefs. Froidement, couragcusement, ces « planqués »,[9] ces « lâches réfractaires » refusent de céder le terrain. L'ennemi approche. Il prend position. Environ 500 allemands, soldats aguerris,[10] pourvus d'armes automatiques, renforcés d'une batterie d'obusiers,[11] 20 vont donner l'assaut à une centaine de jeunes gens, imparfaitement préparés à la guerre, dont une soixantaine à peine sont armés.

L'ennemi se rue dans[12] des fermes qui ravitaillent le maquis, il s'empare brutalement des fermiers. Puis renouvelant en 25 Saône-et-Loire le triste exemple de la destruction totale des villages russes, il allume cinq incendies, histoire de[13] satisfaire son sadisme. Cette lâche besogne accomplie il s'agit de se frotter aux[14] combattants du maquis. Les rafales de mitraillettes crépitent.[15] Les Allemands avancent prudemment. Sou- 30 dain sur une auto chargée de plusieurs hommes dont un officier, une grenade est jetée. La voiture se retourne.[16] Des morts. Le maquis de Baubery vient de remporter sa première vic-

1. The administrative groups in the Resistance were of three types of which the *Comité Départemental* was one. **2.** dawn. **3.** mopping up. **4.** mock. **5.** lads. **6.** sheaf (of flowers). **7.** *se débander:* scatter. **8.** Pow-wows. **9.** holders of soft jobs. **10.** seasoned. **11.** howitzers. **12.** *se rue dans:* pounces upon. **13.** *histoire de:* for the purpose of. **14.** *se frotter:* put up against. **15.** *Les . . . crépitent:* Bursts of tommy-guns crackle. **16.** turns turtle.

toire. D'autres victimes boches vont figurer au communiqué. A 6 heures, sous le crépuscule qui tombe, les soldats de Hitler, vaincus par une poignée de jeunes français, se replient sur Mâcon. Leurs pertes se chiffrent à 9 morts et à un certain 5 nombre de blessés. Hélas! plusieurs gars de chez nous ont fait le sacrifice du sang. Mais côté maquis[1] le bilan[2] des morts et des blessés est de beaucoup inférieur à celui de l'ennemi. Un de nos blessés, de la chambre d'hôpital où il est gardé à vue[3] a fait parvenir cet émouvant message: — Qu'ils fassent 10 de moi ce qu'ils voudront. Maintenant que j'en ai tué plusieurs je puis mourir en paix!

11 novembre 1943! Jour de la victoire française de Baubery qui s'inscrira dans les fastes[4] guerriers de Saône-et-Loire, où les hommes de notre terroir[5] confondirent leur héroïsme avec 15 celui des soldats de KOENIG,[6] de LARMINAT,[7] de DE GAULLE. Jeunes morts de Baubery, les drapeaux des mouvements de la résistance française s'inclinent[8] sur vos dépouilles.[9]

1. *côté maquis = du côté du maquis:* on the maquis' side. **2.** balance-sheet. **3.** *gardé à vue:* kept in sight. **4.** records. **5.** *les hommes . . . terroir:* the men of our land (*used only of a local region*). **6.** General Joseph-Pierre Koenig, the hero of Bir Hakeim, in North Africa. With a small force of Free French troops attached to the British Eighth Army he fought a fine holding action against Rommel in May-June, 1942, facilitating the retreat of the main Army. At this period (December, 1943) his feat symbolized for the De Gaullists everywhere the spirit of the new French Army. Subsequently he was appointed by General De Gaulle commander-in-chief of the French Forces of the Interior. **7.** A general in command of a Free French brigade which fought well in the Libyan and Tunisian campaigns. He later led the French forces that reduced the German "pockets" on the Atlantic coast in 1945. **8.** are dipped. **9.** mortal remains.

THE NEXT morsel, an excerpt from *France d'abord*, is an argument rather than a report. *France d'abord* was an organ of the F.T.P., a large Resistance organization to which I have already referred, which during nearly the whole length of the occupation ran its own war. It had liaison with other organizations but it did not merge its forces with theirs. The first real joint operation of F.T.P. and F.F.I. forces (most of the other Resistance groups were eventually englobed in the F.F.I. or Forces Françaises de l'Intérieur) was the insurrection at Paris itself in the summer of 1944. In this the united forces worked under the command of an F.T.P. man, Colonel Rol, which was fitting since the F.T.P. had a larger enrollment than any other Resistance organization in the Parisian region.

The F.T.P. drew its strength mostly from trades union members and Communists, and was consequently an urban organization. The tactics it advocated were based on surprise and dispersion, true guerrilla methods and the only ones practicable in cities, where one had to operate under the noses of the Germans. F.T.P. tacticians often argued that maquis of several hundred or thousand men, established in regions that could after all be encircled by a large enough force, offered too large a target for attack. The maquis were by the nature of the war inferior to the Germans in artillery, tanks and aviation, they pointed out, and this disparity could not be overcome by *parachutage* of supplies. Large concentrations therefore were an invitation to disaster. They suspected the former Regular Army officers, who led the large maquis, of a blind fidelity to "classic" concepts of warfare, and refused to put all their eggs in the F.F.I. basket. Besides, they argued, the very act of withdrawal from the German-dominated districts made the maquis impotent to harm the enemy. It was a debate that continued until the last German had been driven from French soil. The exponents of classic warfare argued that the mere existence of a quasi-regular, tangible army had a good effect on national morale and proved to the outside world that France had not given up the struggle. They also said that only such a force would be able to attack and pin down German units when the Allies made their landing. They were content to recruit and train their forces until that day came. They did not seek battle with the Germans until then, although they showed they knew how to resist heroically when attacked. British officers parachuted into France to make contact with the Resistance were more inclined to put faith in the large organized maquis than in the F.T.P. "army of shadows" whose existence they had to take on faith. So the "classic" maquis got most of the arms that the R.A.F. planes brought from England and dropped by parachute. This caused jealousy among the F.T.P.

France d'abord
Janvier 1944

NOTRE TACTIQUE

Nos pertes et celles des boches ne se comparent pas et il est encore possible de diminuer les nôtres, en améliorant sans cesse notre tactique, en utilisant à plein[1] la surprise, en agissant chaque fois en disposant judicieusement nos équipes de protection,[2] en choisissant méticuleusement nos replis,[3] en employant de nouvelles ruses pour dérouter et impressionner l'ennemi et surtout en faisant preuve à tout instant, d'esprit de décision, d'initiative. Quelle que soit la situation, prévue ou imprévue, chaque homme doit être animé contre les boches et ses valets, de la volonté implacable de se battre jusqu'au bout.

Nous serons, en tous temps, insaisissables pour l'ennemi, si notre vigilance est constante, avant, pendant et entre les actions. Gardons-nous bien, respectons les règles de sécurité; faisons échec à la police, comme aux boches, soyons des F.T.P.F.[4] hors du combat comme dans le combat. Alors nos ennemis ne pourront rien contre nous et leur désarroi[5] s'en accentuera. Ne gaspillons[6] pas nos forces.

Améliorons encore les offensives F.T.P.F. en appelant tous les combattants à maîtriser la meilleure tactique, à utiliser les ruses inconnues de l'ennemi, à porter des coups de plus en plus rudes[7] à l'envahisseur, à ses valets.

 THIS is a slight indication of how they succeeded:

BILAN DE TROIS MOIS

Le bilan des principales actions exécutées par les F.T.P. au cours de ces derniers trois mois marque un progrès important dans la lutte armée contre l'envahisseur.

Le nombre des déraillements s'accroît régulièrement malgré le

1. *à plein:* fully. 2. *équipes de protection:* protective detachments. 3. withdrawals. 4. *Franc-Tireurs et Partisans Français.* 5. confusion. 6. squander. 7. staggering.

redoublement de surveillance des voies ferrées par l'ennemi. De plus, *l'accroissement notable du nombre de locomotives détruites* dans les dépôts porte un grave coup[1] au matériel de traction[2] ennemi et sans aucun danger pour les cheminots.[3]

Enfin, il faut souligner les graves coups portés aux transports 5 fluviaux[4] par une tactique bien étudiée qui paralyse fortement ce mode de communication important puisque deux péniches[5] portent autant qu'un train.

Par un redoublement d'effort contre les formations terroristes et la production ennemie, par la formation de multiples 10 groupes de combat F.T.P. dans les usines, les gares, les puits de mines,[6] etc., parallèlement avec[7] l'organisation massive des réfractaires, les patriotes répondront victorieusement aux mesures de guerre civile, des bandits de Pétain, Darnand, et formeront avec la Résistance unie, l'armée de la Libération. 15

L'E.M.[8] des F.T.P.F.

Le Franc-Tireur
1er décembre 1943

GRENOBLE EN PLEINE BATAILLE

Dans la Cité des Alpes, au bruit des explosions, une atmosphère d'état de siège, un 11 Novembre de combat . . . 20

Depuis de longs mois déjà, Grenoble, en place d'honneur parmi les grandes cités françaises, poursuit la lutte héroïque et quotidienne de la résistance nationale.

Le 6 octobre, un ingénieur grenoblois,[9] M. Abry, était 25 abattu[10] par une sentinelle allemande en faction[11] devant le « Royal »[12] et qui faisait feu[13] en même temps qu'elle le sommait de s'arrêter. Dix mille personnes suivirent ses funérailles[14] et se retirèrent en chantant « La Marseillaise » et acclamant le général de Gaulle. 30

Le 17 octobre, cinq tonnes d'explosifs étaient enlevés en

1. *porte . . . coup:* deals a severe blow. **2.** transport. **3.** railroad workers. **4.** river-borne. **5.** barges. **6.** *puits de mines:* mine-pits. **7.** paralleling. **8.** *E.M. = Etat-Major:* General Staff. **9.** *de Grenoble.* **10.** shot down. **11.** on guard. **12.** a hotel. **13.** opened fire. **14.** funeral procession.

camions par soixante patriotes à Pont-de-Claix. Quelques jours après, c'étaient les usines Soulage qui brûlaient et accusaient 15 millions de dégâts.[1]

Le 20 octobre enfin, pour répondre aux actes de sabotage
5 et aux exécutions de quelques anthropoïdes de la Milice française,[2] trente membres d'une brigade extraordinaire antiterroriste étaient envoyés dans la ville. Surpris au déjeuner de midi par six G.F.[3] armés et masqués, ils furent désarmés et dépouillés de tout ce qu'ils portaient par les « terroristes »
10 qui se retirèrent sans encombre.[4]

Mais les événements des dernières semaines viennent de mettre Grenoble à l'ordre du jour.[5] La presse vichyssoise[6] ayant, si l'on excepte les journaux locaux, fait sur eux un silence unanime, ils n'ont été qu'imparfaitement connus.
15 Voici donc ce qui s'est passé.

UN 11 NOVEMBRE DE COMBAT. Le 11 novembre, malgré les menaces allemandes, malgré les exhortations de l'autorité vichyssoise, les patriotes, par milliers, descendirent dans la rue[7] pour crier leur foi en la victoire. Affolés et furieux, les Allemands
20 voulurent frapper. 493 personnes, baptisées[8] « communistes » pour la circonstance, furent arrêtées et expédiées en Allemagne dans des wagons à bestiaux.[9]

La réponse de Grenoble ne se fit pas attendre: dans la nuit du 13 au 14, la poudrière[10] de Grenoble et deux gazomètres[11]
25 de l'usine à gaz sautaient. De minuit 40 à 6 heures du matin, de formidables explosions ébranlèrent la ville. Croyant à un bombardement, de nombreux habitants se précipitèrent dans la rue; ils n'y trouvèrent que les soldats allemands qui, ne sachant où donner de la tête,[12] ouvrirent le feu sans sommation[13]

1. resulted in damages worth 15 million francs. **2.** Vichy militia. **3.** *Groupes Francs:* special small armed bands of the resistance movement formed to operate in large towns and cities. They carried out many dangerous missions such as the execution of spies, informers and traitors; the armed robbery of vital documents, military plans, and secret data from the German couriers and offices; the sabotage of barracks, arms depots, car parks and industrial establishments working for the German war machine. Few of the original members were alive on the day of liberation, but their ranks were always filled by volunteers. Students, professors, businessmen, etc., in its ranks learned to be an efficient combination of gangsters and G-men. **4.** without incident. **5.** *à l'ordre du jour:* order of the day (*honorary citation*). **6.** *de Vichy.* **7.** *descendirent dans la rue:* made a demonstration in the streets. **8.** labelled. **9.** cattle-cars. **10.** powder-house. **11.** gas containers. **12.** not knowing where to turn. **13.** without warning.

sur toutes les personnes qu'ils voyaient. Bilan[1]: 19 morts, au nombre desquels un rédacteur[2] du journal *Sud-Est* et un correspondant du *Nouvelliste* de Lyon. Le lendemain, la ville présentait un aspect lamentable: partout ce n'était que vitres brisées, cloisons[3] écroulées ou lézardées,[4] rideaux de fer gondolés[5] et arrachés, trottoirs jonchés de[6] débris; dans le quartier de l'explosion, tous les toits étaient arrachés, de nombreuses usines dévastées. Seuls les gros murs restaient debout.

Le lendemain un communiqué de la Préfecture annonçait que les laissez-passer[7] pour le couvre-feu[8] restaient valables mais que, si un attentat se produisait, il était « instamment recommandé à la population de ne pas sortir, même munie d'un laissez-passer. » On ne saurait mieux dire . . .

Cependant le combat continue: dans la nuit du 15 au 16, l'Hôtel Moderne, le plus grand hôtel de la ville, occupé par les Allemands, a sauté. Et, aux dernières nouvelles, les attentats se poursuivent.

Parmi les cités résistantes, Grenoble a droit aujourd'hui à la place d'honneur.

GRENOBLE has other claims to glory. It has a university which has long been a favorite with American graduate students in France. And it was the birthplace of Henri Beyle, who signed the name Stendhal to two great novels and who once wrote: "All my life I have wanted to be loved by a woman who was thin, melancholy and an actress. Now I have been and I am not happy."

1. total. **2.** editor. **3.** partitions. **4.** cracked. **5.** warped. **6.** *jonchés de:* strewn with. **7.** passes. **8.** curfew.

COUPS DE MAIN

Libération
1er janvier 1944

AU TABLEAU[1] *DES M.U.R.*[2]

Durant le mois de novembre 1943 les Groupes Francs des
5 M.U.R. ont exécuté en zone sud seulement 63 traîtres et
délateurs.[3]

Avis aux amateurs ![4]

L'ATTAQUE DE LA CASERNE DE LA GARDE[5] *A BOURGOIN*

10 Dans la nuit du 19 au 20 novembre un groupe de jeunes gens
des Forces Unies de la Jeunesse Patriotique ont attaqué la
caserne de la Garde à Bourgoin (Isère).

L'opération commença à trois heures du matin. Le détachement se divisa en deux groupes. L'un des groupes es-
15 caladant le mur d'enceinte[6] entra par surprise dans le poste de
garde où 5 hommes furent promptement mis hors d'état de
nuire.[7] Le second groupe put ensuite pénétrer dans la caserne
et s'attaqua à la réserve aux munitions.[8] Le butin[9] fut chargé
dans la cour même de la caserne sur un camion: butin pré-
20 cieux car ils s'agissait d'une tonne et demie de matériel composé en majeure partie par des caissons de cartouches.[10]

1. score board. **2.** *Mouvements Unis de la Résistance.* Formed by union of three groups, already large, early in 1943: *Combat, Libération* and *Franc-Tireur.* Each of these groups had its own clandestine newspaper. **3.** informers. **4.** *Avis aux amateurs:* Any more candidates? Those fancying this, take note! **5.** *La Garde Mobile* contained many enlisted members who were "*pas méchants pour un sou,*" as the French say. They seldom opposed the patriots, and this story looks like an alibi, printed at their request so they could show it to the Gestapo to prove they had not given their *matériel* away. There is a story of one member of the Garde who was "captured" and "robbed" of his weapons so often that he told his most recent "captors" he was afraid to go back. "The Gestapo will shoot me," he said. "Well, then, join us," said the maquisards. So he did. L. **6.** *escaladant . . . enceinte:* scaling the outer wall. **7.** *mis . . . nuire:* put out of commission. **8.** *réserve aux munitions:* munitions stores. **9.** booty. **10.** *caissons de cartouches:* boxes of ammunition.

L'HONNEUR DU MAQUIS

Depuis quelques semaines les habitants de la région du Petit-Bornand en Savoie étaient attaqués sur la route par des hommes du maquis.

Une enquête fut immédiatement ouverte par les chefs responsables. On apprit que ces hommes avaient été chassés d'un des camps de la région comme doriotistes.[1]

Les deux chefs de la bande furent alors condamnés à mort. L'un d'eux réussit à échapper aux recherches.[2] L'autre fut repéré[3] et le groupe-franc de l'arrondissement[4] de Bonneville se rendit au Petit-Bornand où il commença la surveillance.

Le bandit dut se rendre compte qu'il était suivi et il tenta de s'enfuir en moto.[5] Il fut abattu d'une rafale[6] de mitraillette. On trouva dans ses poches des tracts du P.P.F.[7] et des exemplaires de l'Emancipation Nationale.[8]

Le chef du groupe-franc fit alors savoir à la population qu'elle n'avait pas à s'inquiéter mais que la police du maquis ne pouvait tolérer que des actes de brigandage fussent commis impunément et qu'on en rejetât la responsabilité sur le maquis.

LA DESTRUCTION DE L'USINE DES ANCIZES[9] A CLERMONT

Les patriotes ont exécuté dans le courant de novembre contre l'usine d'aciers spéciaux[10] des Ancizes à Clermont-Ferrand une opération qui a pleinement réussi.

L'usine était étroitement gardée par un peloton[11] de gendarmes. Des patriotes se présentèrent un soir devant la porte de l'établissement et se firent passer pour[12] des fonctionnaires supérieurs de la police.

— Vous êtes bien mal armés,[13] déclara le chef de ces pseudo-

1. followers of Jacques Doriot, a renegade Communist. He worked for the Germans after the occupation and was reported killed in an Allied strafing in 1944. **2.** *échapper aux recherches:* eluding the searchers. **3.** sighted. **4.** subdivision (of a department). **5.** motorcycle. **6.** volley. **7.** *Parti Populaire Français,* French fascist organization led by Doriot. **8.** a P.P.F. organ. **9.** name of a French firm making steel products. **10.** alloy steels. **11.** platoon. **12.** *se firent . . . pour:* passed themselves off as. **13.** Since the gendarmes in most cases were sympathetic to the members of the Resistance, the Germans allowed them to retain only the simplest weapons.

policiers. Nous allons vous faire remettre immédiatement des mitraillettes. Veuillez déposer vos armes dans ce camion.

Les gendarmes s'exécutèrent.[1] Pendant ce temps d'autres patriotes escaladant[2] les murs de l'usine avaient pénétré à
5 l'intérieur. Les bombes furent alors placées tout à loisir aux endroits choisis et devant les gendarmes désarmés — et pétrifiés — les explosifs firent leur œuvre.

Cependant que les patriotes s'éloignaient tranquillement avec un lot[3] respectable de mousquetons et de revolvers.

1. complied. 2. scaling. 3. haul.

EN PLEINE BATAILLE

Lorraine
15 février 1944

ACTION DIRECTE

En Lorraine, pendant le mois de janvier, il y eut des sabo-
5 tages dans la S.N.C.F. A Homécourt, la ligne a été coupée par suite d'un déraillement. A Gérardmer, une locomotive a sauté.

Dans les Ardennes,[1] un déraillement a eu lieu entre Sedan et Donchery.

10 Les patriotes du Jura[2] et de Franche-Comté[3] continuent à se signaler dans leur lutte contre l'envahisseur et les traîtres.

A Belfort,[4] le vérin hydraulique[5] a sauté. Après sabotage des grues[6] de Valdoie-Ronchamps, celui-ci montre la volonté délibérée des belfortains[7] de détruire les services auxiliaires de
15 la S.N.C.F.

Les trois Bastar, des agents de la Gestapo, ont été exécutés. Après Basler et ses amis, c'est le tour de Bastar. Il en reste encore. Mais déjà les traîtres ont peur. Ils s'enfuient. Mais

1. plateau, south of Belgium. 2. plateau and mountains, near Switzerland, north of the Alps; also a department of France. 3. a former province, between the Rhône and the Rhine, along the Swiss border, includes the Jura mountains. 4. Belfort, in the gap between the Vosges and Jura mountains, near the southern bend of the Rhine (at Bâle). 5. *vérin hydraulique:* hydraulic jack. 6. cranes. 7. *habitants de Belfort.*

où qu'ils aillent la vengeance des patriotes les poursuivra. *Vous serez abattus comme des chiens*, Vilzer . . . et vos complices, la justice passe!

A Vougeaucourt un train a déraillé. 2 blessés. A Mouchard sept locomotives ont sauté. A Voirnans un train de chars[1] a 5 déraillé, 20 morts.

A Montbéliard les patriotes ont attaqué la prison pour délivrer un des leurs. Ils ont fait l'appel des prisonniers politiques et les ont libérés. A la sortie de la ville les autos qui emmenaient nos camarades se heurtèrent à un barrage.[2] Il y 10 eut un bref combat, 2 Français tombèrent, 30 Allemands furent tués ou blessés.

Les patriotes de Belfort et de Montbéliard auront bien mérité de la Patrie.[3] Ils ont fait de cette région le Grenoble de la zone nord.[4] 15

Que les boches ne croient pas affaiblir la résistance en Franche-Comté en faisant régner la terreur. La haine grandit. Bientôt une St. Barthélemy[5] gigantesque leur fera expier leurs crimes.

Contre ces sadiques et ces barbares, il n'y a qu'une chose: 20 la lutte à mort!

WE noted the formation of the maquis in Corrèze. Here it meets its test by arms.

Libération
14 avril 1944

LA GUERRE AU MAQUIS EN CORRÈZE[6]

Toute une région française soumise au plus sauvage terrorisme 25

« Alerte au maquis du Limousin »,[7] avait annoncé *Libération*, en relevant[8] les préparatifs d'une offensive allemande contre les réfractaires de la bordure ouest du Massif Central.[9]

1. tanks. **2.** ran into a road-block. **3.** *auront . . . Patrie!:* formula used on monuments to the War Dead (*lit.*, will have well deserved (the praise) of their country). **4.** Grenoble was at the forefront of resistance in the southern zone, as preceding articles have shown. **5.** a general massacre, similar to that of the Protestants during the Religious Wars, on St. Bartholomew's Day (August 23, 1572). **6.** department in south central France. **7.** includes departments of Corrèze and Haute-Vienne (*see map*), halfway between the Garonne river and the upper Loire. **8.** calling attention to. **9.** mountains and plateaus in central France.

FRONT PAGES OF A GROUP OF LEADING RESISTANCE NEWSPAPERS. *Le Courrier de l'Air* (upper left) was printed by the De Gaulle Committee in London and dropped over France by Allied planes.

L'offensive n'a point tardé. A l'heure actuelle, elle est en plein développement et s'accompagne des sauvageries commises par une soldatesque[1] déchaînée, avec l'active complicité des traîtres qui prennent leurs consignes[2] à Vichy. Chaque jour apporte, là-bas, des rallonges[3] à la rubrique[4] des crimes de guerre boches. Toute une région est soumise à la pire des terreurs. 5

Cette offensive contre les patriotes du Bas-Limousin,[5] qui a commencé aux confins de la Dordogne[6] pour se poursuivre dans le sud de la Corrèze, est exclusivement menée par des Allemands. La gendarmerie, les gardes mobiles, n'y participent point. L'ennemi n'a point confiance dans les forces auxquelles commande Darnand.[7] Serait-il exact, comme le bruit en circule dans la région, qu'elles ont refusé de prendre part aux opérations? Un refus en bloc[8] est certainement invraisemblable. Mais il paraît bien qu'il y ait eu des attitudes hostiles à l'ennemi. On a signalé l'arrestation de gendarmes, de policiers (par exemple celle du commissaire de police[9] de Brive), qui ne mettaient pas assez de zèle à faire les besognes exigées par les Boches. La Milice ne prend pas davantage part aux opérations militaires. Mais la racaille[10] de Darnand n'est pas pour cela absente. Des miliciens paradent — à l'arrière! — avec leurs mitraillettes; on en voit accompagner des patrouilles boches, monter la garde dans les gares . . . Et surtout, ce sont leurs dénonciations qui alimentent la terreur: avec leurs complices en collaboration, ils sont déjà responsables de la mort de nombreux patriotes. Sans eux, la répression boche serait aveugle et à peu près impuissante. 10 15 20 25

Quant aux Allemands, il ne semble point — tout au moins d'après les témoignages dont nous pouvons faire état[11] — qu'on compte parmi eux des S.S. Mais il est possible qu'il y en ait aujourd'hui des convois ayant été vus se dirigeant vers la région. Sont en ligne des unités de la Wehrmacht,[12] mais aussi des Georgiens.[13] Et ce ne sont pas ces derniers qui sont les 30

1. soldiery. **2.** orders. **3.** additions. **4.** (*lit.*, heading): list. **5.** lower section of Limousin. **6.** department west of Corrèze. **7.** head of La Milice, a notorious Vichy police organization. **8.** a general refusal. **9.** chief of police. **10.** rabble. **11.** *dont . . . état:* on which we can depend. **12.** (*inversion*): Units of the Wehrmacht are in action. **13.** from Georgia (*in the Caucasus*).

moins redoutables. On avait signalé des débris de l'armée Vlassov[1] opérant dans l'Ain.[2] Ils prennent une part active à l'offensive du Limousin et leur bestialité ajoute encore à la sauvagerie de leurs maîtres.

5 Les Allemands ont mis en ligne des contingents considérables, certainement beaucoup plus que l'équivalent d'une division.

Leur tactique consiste à faire progresser du sud-ouest vers le nord-est une chaîne de tirailleurs très étendue, dont les hommes de la première ligne sont suffisamment proches les uns des autres 10 pour ne point se perdre de vue en campagne découverte ou dans les bois.

Mais les maquisards se défendent, malgré leur infériorité pour le nombre et pour l'armement. S'ils reculent, c'est sous la protection d'arrières-gardes qui disputent le terrain pied à 15 pied.[3] Il y a des victimes, mais qui ne sont pas toutes du côté des patriotes. Chaque jour, des Allemands blessés sont ramenés à l'ambulance de campagne[4] qu'ils ont installée dans une école de Brive.

On doit reconnaître qu'ils ont choisi un moment favorable. 20 L'hiver a pris fin depuis longtemps: le terrain est sec; malgré la précocité du printemps[5] dans cette région, les feuilles ne commencent qu'à se montrer et ne constituent pas encore l'écran[6] protecteur qu'elles formeront bientôt.

La progression ennemie n'en est pas moins lente. Pourtant, 25 l'offensive a débuté par une région relativement facile, qui n'est pas encore le véritable Limousin.

Seulement, la guerre aux réfractaires n'est qu'un aspect de ces opérations. La chasse aux patriotes est l'autre, et qui n'est sans doute pas moins important. Pour les Boches et leurs 30 auxiliaires, il s'agit de terroriser la population, d'écraser toute résistance pour aujourd'hui et pour demain.

La terreur sévit.[7] Des arrestations sont partout opérées, que l'on peut à présent compter par centaines. Quiconque

1. White Russian general, hostile to the Soviet Union. He turned against the Germans in the last week of fighting in Europe, aiding the Czech resistance forces in Prague. But this did not save him from indictment as a war criminal. 2. department of France. 3. *disputent . . . à pied:* fought for every foot of ground. 4. *ambulance de campagne:* field-hospital. 5. *précocité du printemps:* early spring. 6. screen. 7. reigns.

est suspect de patriotisme est sûr d'être dénoncé et enlevé, à moins d'avoir pu s'esquiver[1] à temps. Les mouchards[2] s'en donnent à cœur joie,[3] et l'on pense[4] si les vengeances personnelles se mettent de la partie.[5]

Malheur surtout à qui est suspect d'avoir aidé les réfractaires, d'en avoir hébergé,[6] de les avoir nourris! Ceux-là sont collés au poteau[7] sans autre forme de procès.[8] On a dit que les opérations avaient commencé aux confins de la Dordogne. La vallée de la Vézère a été dévastée par l'ennemi. Paysans fusillés, femmes violées — mais oui! — fermes incendiées, les Boches ont semé un chapelet[9] de ruines dans les bourgs, naguère prospères, qui s'étalent en aval[10] de Brive: à la Bachellerie, au Lardin, à Terrasson, à Mansac, à Larche, à Varetz . . . Encore ignore-t-on beaucoup de choses, toute cette région étant maintenue isolée; on n'y pourrait accéder sans les plus grands risques. Mais ce n'est pas la seule où l'ennemi ait sévi. Partout, il a étalé ses crimes.

Malheur aussi aux Juifs qui avaient cherché refuge dans cette région! Ils sont pourchassés, abattus à vue.[11] Trois cadavres abandonnés dans un fossé, sur la route de Bordeaux à Clermont[12]: ce sont ceux de trois Israélites surpris par les brutes hitlériennes . . . Toutes les maisons où des Juifs avaient logé sont systématiquement brûlées, comme les fermes hospitalières aux maquisards.

Le pillage est de règle.[13] Les maisons sont mises à sac.[14] Ivres ou non, les brutes allemandes détruisent à plaisir. Quand le mobilier n'est pas ruiné, il est confisqué. On a vu, par exemple, passer des wagons[15] chargés de meubles et portant cette inscription: « Don des habitants de Terrasson (France) aux sinistrés[16] d'Allemagne. » Comme dans les zones évacuées du Nord. Les méthodes boches ne changent point!

Pour compléter ce tableau sommaire et sinistre, il faudrait encore parler des déportations. Les Boches procèdent à de

1. slip away. **2.** stool-pigeons. **3.** *s'en . . . joie:* enjoy themselves to their hearts' content. **4.** wonders. **5.** *se . . . partie:* enter into the picture. **6.** received, lodged. **7.** *collés au poteau:* placed against the stake (*i.e.*, in order to shoot them). **8.** *sans . . . procès* (*lit.*, without due process of law): for summary execution. **9.** string. **10.** *en aval:* below. **11.** on sight. **12.** town in central France. **13.** *est de règle:* is the rule. **14.** *mises à sac:* looted. **15.** freight-cars. **16.** bombed-out persons.

vastes rafles,[1] avec visites domiciliaires. De 18 à 40 ans, tous les hommes sont enlevés dans la rue ou de leur demeure, parqués[2] comme du bétail sur une place pour être de là, conduits, sous la menace des fusils chargés et des mitrail-
5 lettes, vers des trains qui les emporteront en Allemagne. Cela s'est vu, d'ailleurs, en dehors de la zone actuelle d'opérations, à Cahors,[3] à Périgueux.[4]

L'Humanité
15 février 1944

10 *UN GÉNÉRAL BOCHE FAIT PRISONNIER ET EXÉCUTÉ PAR LES F.T.P.*[5]

Les F.T.P. ont accompli une action d'éclat en faisant prisonnier un général boche. Le fait que ce soudard[6] s'est laissé faire prisonnier montre bien que les boches sont aussi lâches
15 quand ils sont les plus faibles, qu'ils sont cruels quand ils sont les plus forts.

Voici le communiqué des F.T.P.F. publié par *France d'abord:*

Communiqué supplémentaire no. 63 des F.T.P.F.

Le général major de la Gestapo Werner et sa suite ont été
20 cernés[7] par une de nos compagnies au passage à niveau[8] de Pontailler-sur-Saône (Côte-d'Or).

Tous les officiers qui l'accompagnaient, attaqués à la mitraillette et à la grenade, ont été tués sauf un qui a pu s'enfuir.

Le général a été fait prisonnier.

25 Trouvé porteur de documents établissant sa responsabilité dans de très nombreux crimes commis par les forces d'occupation contre les patriotes, le général Werner a été immédiatement jugé par un conseil de guerre[9] de la Résistance.

Après avoir refusé de donner un ordre écrit de relâcher tous
30 les patriotes arrêtés en Côte-d'Or, il a été condamné à mort. Le général Werner a été exécuté militairement.[10]

L'E-M.[11] des F.T.P.F.

1. raids. **2.** penned. **3.** town in the Department of Lot. *See map.* **4.** town in the Department of Dordogne. *See map.* **5.** *Francs-Tireurs et Partisans (Français).* **6.** mercenary. **7.** surrounded. **8.** *passage à niveau:* road crossing. **9.** *conseil de guerre:* court-martial. **10.** *i.e.*, by firing-squad. **11.** *E.-M.* = *Etat-Major:* General Staff.

Libération
14 mars 1944

CRIMES DANS LE MORVAN[1]

Nous sommes de la Résistance et les Boches sont à nos trousses ![2] Cachez-nous d'urgence ! 5

C'est ainsi que se présentaient, ces jours derniers à M . . ., petit bourg du Morvan, une douzaine d'hommes armés de mitraillettes et de revolvers.

Un jeune réfractaire, René L . . ., se laissa toucher[3] et conduisit ces hommes dans la cabane où, avec quatre copains[4] du 10 pays, il s'abritait en plein bois.

René L . . . et ses quatre copains sont morts. Les miliciens[5] — car c'en étaient ! — les ont assassinés dans la cabane, lâchement. Que se passa-t-il exactement ? Est-ce maladresse d'un milicien ou réaction d'une victime ? En tout cas, le chef de 15 l'expédition reçut une balle dans le ventre et dût être conduit à l'hôpital sur le conseil du docteur Gaudrat de Montsauche, collaborateur actif, tout dévoué à Darnand.

Pendant ce temps, six hommes de la Gestapo tuaient, dans la région, un réfractaire qui rentrait chez lui et envoyaient la 20 police française identifier leur victime.

Quant aux miliciens, devant l'indignation de la population, ils nièrent toute participation au meurtre et déclarèrent que les cinq jeunes patriotes avaient été exécutés par des « bandits ». Ils montèrent alors une mise en scène[6] répugnante, arrêtèrent 25 des innocents sous les prétextes les plus futiles, exercèrent d'inutiles brimades[7] et firent régner la terreur dans la région pendant plusieurs jours.

Mais alors qu'ils niaient leurs crimes, ils envoyaient à Nevers[8] un communiqué où ils précisaient avoir achevé les 30 réfractaires d'une balle dans la nuque ![9]

1. mountainous region, between the Saône river and the upper Loire. **2.** *à nos trousses!* hot upon our tracks! **3.** *se laissa toucher:* allowed himself to be reached, swayed. **4.** buddies. **5.** Darnand's men. **6.** *montèrent . . . scène:* put on a show. **7.** bullying. **8.** town on the upper Loire. **9.** nape of the neck.

Le Franc-Tireur, édition sud
6 mai 1944

LA GUERRE CHEZ NOUS SUR LE FRONT DE LA RÉSISTANCE

5 *Combats victorieux des maquis dans l'Ain et le Jura*

Considérant le plateau du Jura comme une citadelle de la Résistance, l'ennemi tente de le réduire par des attaques violentes et soudaines. C'est ainsi qu'une fois de plus des combats acharnés[1] viennent de se dérouler dans les deux départements
10 entre les troupes allemandes et l'armée du maquis.

Les opérations commencèrent le vendredi 7 avril à 3 heures du matin, et portèrent principalement contre le quadrilatère[2] formé par Morez, Bellegarde, Nantua et Lons-le-Saunier. Les effectifs engagés atteignaient deux divisions avec tout leur
15 matériel motorisé, auto-mitrailleuses, chars légers, canons de 25 et de 77. La Milice était également présente mais, avec son courage bien connu, participa surtout au « nettoyage »[3] et aux arrestations.

La bataille, qui fut menée par l'ennemi avec une violence
20 inouïe, tourna nettement à l'avantage des maquis. Nos pertes totales ne dépassent pas vingt morts, tandis que les Allemands perdirent un minimum de 300 hommes. Encore ce chiffre de 20 a-t-il été atteint parce que le lieutenant Minet, des maquis de l'Ain, surpris à Montanges, fut tué avec les neuf
25 jeunes qui l'accompagnaient.

Le combat principal se déroula à Vulnoz, où un groupe du maquis était réfugié dans une grotte quasi-inaccessible. Plus de mille Allemands montèrent à l'attaque. Accueillis par un feu nourri[4] de fusils-mitrailleurs, ils durent se retirer en laissant
30 près de deux cents morts sur la terrain.

Dans le Jura, nous avons encore à déplorer la perte du commandant Vallin, chef des maquis, fusillé à Viry, après avoir été fait prisonnier.

A Sièges, cinq patriotes, dont le lieutenant Nancourt, furent
35 massacrés après d'atroces tortures.

1. fierce. **2.** quadrangle. **3.** mopping up. **4.** *feu nourri:* brisk steady fire.

Dans la plupart des cas, les Allemands ont rompu le contact et se sont retirés. On peut donc dire que ces opérations représentent un gros succès pour le maquis, un net progrès depuis la bataille de février.

Malheureusement, cette fois encore les Allemands se vengèrent de leur échec sur la population civile: à Cerdon, cinq cadavres non identifiés, cinq autres à Saint-Germain-de-Joux où 22 fermes sont brûlées et les habitants déportés: à Southounax-la-Montagne, une famille de sept personnes massacrée. A Sougeat, le village détruit par le feu ainsi qu'à Sièges, au Grand-Coron et Southounax. A Chavans-sur-Suran, tout le centre du village brûlé. Des rafles[1] monstres se déroulèrent à Saint-Claude où 367 personnes furent déportées et à Oyonnax, le jour de Pâques,[2] où il y en eut 98.

La lutte des Groupes Francs

Mais c'est en vain que, faute de pouvoir atteindre les combattants de la Résistance, les Allemands se retournent contre des populations sans défense. Inexorablement les groupes francs de l'armée intérieure poursuivent la destruction et la désorganisation systématiques des installations de l'ennemi.

CEUX DES GLIÈRES[3] ONT TENU JUSQU'A LA MORT

Les gars[4] du maquis des Glières se sont battus héroïquement. Henriot[5] a pu aller à Thorens insulter les patriotes prisonniers. Darnand a pu chanter victoire, il n'en reste pas moins, et tous les habitants de la région le savent, que les miliciens ont été impuissants devant la résistance acharnée des 600 gars du plateau. Pour réduire ce maquis, il a fallu une division allemande (la 151e), avec artillerie, mortiers[6] et pièces de montagne,[7] et l'appui des stukas.[8]

Pendant trois jours, le combat a été rude. Une fois de plus, Henriot a menti quand il affirmait que les réfractaires s'étaient

1. round-ups. **2.** Easter. **3.** plateau in Haute-Savoie east of the town of Thorens. **4.** lads. **5.** Philippe Henriot, collaborationist-Vichy minister of Public Information, commentator on the Paris radio. **6.** mortars. **7.** mountain artillery. **8.** dive-bombers.

rendus; ils ont au contraire combattu avec acharnement, le chiffre des pertes en fait foi[1]:

Allemands tués	350
Allemands blessés	350
Miliciens hors de combat[2]	150
Pertes du maquis	150
Prisonniers	160

Henriot a menti en disant que les jeunes patriotes avaient été abandonnés par leurs chefs. Ceux-ci ont lutté jusqu'au bout au milieu de leurs troupes. Le capitaine X... et trois lieutenants ont trouvé la mort dans le combat. Un sergent et un adjudant[3] sont également tombés héroïquement.

Plus de deux cents maquisards ont pu décrocher,[4] se sont regroupés et ont rejoint d'autres maquis de la région qui tous sont intacts.

Non M. Henriot, non M. Darnand, le maquis n'est pas vaincu. Le plateau des Glières n'est qu'un épisode dans la grande bataille menée par les patriotes de France. Cette bataille, elle continue plus ardente que jamais, vous avez déjà pu vous en rendre compte depuis vos chants de victoire prématurés.

La Marseillaise
15 juin 1944

LA GUERRE DANS LA RÉGION

RHÔNE[5]

Destruction à Villeurbanne de l'Oxhydrique Française[6] qui travaillait pour les Allemands.

Le 26 mai, les G.F.[7] ont réquisitionné à Villeurbanne le dépôt de vivres et l'ont distribué aux sinistrés[8] du quartier le plus éprouvé.[9]

1. *en fait foi:* proves the point. 2. *hors de combat:* disabled. 3. warrant officer. 4. disengage themselves, slip away. 5. Department at confluence of Rhône and Saône rivers. All the names in capital letters in this article are the names of departments. *Cf. map.* 6. *l'Oxhydrique Française:* Chemical Works. 7. *Groupes Francs.* 8. homeless. 9. stricken.

AIN

A Ambérieu, le maquis fait sonner l'alerte aérienne[1] et comme les Boches se sont réfugiés dans les abris, il fait sauter 42 machines[2] du dépôt.

Les villes d'Oyonnax, Bellegarde et La Clusaz sont aux mains de la Résistance. 5

Pont-de-Vaux: le 8 juin, deux groupes de miliciens ont été arrêtés par la Résistance et enfermés dans les cellules de la gendarmerie. Dur combat contre les Allemands qui perdent 30 hommes et le poste de guet[3] de Marsonnas. 10

JURA

Le maquis, attaqué en mai par une division alpine boche, a réussi à se dégager en infligeant de lourdes pertes à l'ennemi.

SAÔNE-ET-LOIRE

Cluny se trouve depuis le 7 juin aux mains de la Résistance. 15 Les armes sont distribuées dans la rue. Toutes les routes sont coupées par les barrages et tenues sous le feu d'armes automatiques qui ont arrêté jusqu'ici les détachements allemands. Salornay est aussi aux mains de la Résistance. Les armes ont été distribuées à la population. 20

SAVOIE

Aux Chavannes, engagement entre un détachement des F.F.I. et une patrouille allemande.

A Freney, des blocs de rochers dynamités ont obstrué les communications. 25

LOIRE

A La Ricamarie, l'Etablissement Nadellea, qui avait échappé au bombardement n'est pas raté[4] par nos G.F.

A Rive-de-Gier, l'Etablissement Marel (plaques de blindage[5] pour chars) est arrêté après la destruction de la Centrale Electrique.[6] 30

A Firminy, les Usines Verdier chôment après la destruction des lignes haute-tension.

1. air-raid alarm. **2.** locomotives. **3.** *poste de guet:* look-out post. **4.** missed. **5.** *plaques de blindage:* armor plates. **6.** power-station.

"THE LATE Philippe Henriot," referred to in the following account, was the Vichy Minister of Propaganda, a pre-war Fascist Deputy and under the occupation the most effective radio speaker of the collaborationists. Hatred of the "Anglo-Saxons" and the Russians, fake indignation at Allied bombings, and revilement of the patriots, whom he called "terrorists," were his favorite themes on the air. He exulted over every massacre of "terrorists" by the militia, and an orgiastic note came into his voice when he described the dead bodies of his "misguided" countrymen. On the night of June 28 fifteen members of the Resistance, disguised as Militiamen, entered the Ministry of Information at Paris, where Henriot was lodged, forced their way into his bedroom and shot him to death. That was how he became "late."

Le M.U.R. d'Auvergne
14 juillet 1944

LA BATAILLE DE LA TRUYÈRE

Le 20 juin, huit jours après la glorieuse victoire du Mont
5 Mouchet,[1] où une division allemande blindée[2] perdit 3000 hommes, dont 1400 tués, les autres blessés, alors qu'une défense adroite limitait nos propres pertes à 50 tués et 60 blessés, huit jours après donc, un assaut furieux de nos ennemis était donné à nouveau contre nos troupes de la Résistance d'Auvergne.[3]
10 Cette fois, les Allemands avaient mis en ligne près de deux divisions. Plus de 1000 véhicules, dont de nombreux chars[4] et auto-mitrailleuses,[5] déferlèrent[6] ce matin sur la Truyère.[7]

Une artillerie solide, composée de mortiers,[8] 75 et 105[9] appuyait la marche de l'infanterie, pendant qu'une dizaine d'a-
15 vions (quel honneur!) attaquaient en rase mottes[10] nos postes de mitrailleurs.

Ils avaient mis toute la sauce,[11] prouvant ainsi leur méfiance

1. mountain in Central France. **2.** armored. **3.** old province of Central France. **4.** tanks. **5.** armored-cars. **6.** bore down. **7.** French river. **8.** howitzers. **9.** *75 et 105*: 75 mm. and 105 mm. guns. **10.** hedge-hopping. **11.** They had thrown in the "works."

cidence. Bruller was demobilized in the shadow of the Vercors; it was in his mind when he adopted his writing name.

The geographical Vercors attracted the attention of other Resistance figures almost as soon as an Allied landing in France began to seem possible. They planned to take and hold it as a central bastion of military resistance as soon as they received the order from London. The order came by radio on June 9, 1944. The Resistance men seized the Vercors and it became a little republic of free men hundreds of miles behind the beachhead lines. There were about 3000 F.F.I.'s there. The Germans made a raid in June and retired, not wishing to undertake a major operation then. The flat top of the Vercors offered a good surface for a landing strip. The French smoothed it off so that Allied planes could land there. To the Germans, once they had failed definitely to throw the Allies out of Normandy, it seemed obvious that there would be another landing in the south and that the F.F.I. were preparing the Vercors to receive airborne Allied troops. So on July 19 they attacked the Vercors with between one and two full divisions. The handful of footpaths by which the Vercors was accessible made it easy to defend; they also made it hard to get out of. The defenders held heroically and appealed for Allied air aid. On the morning of July 21, twenty planes towing as many gliders appeared above the landing strip. The gliders came in among cheering patriots — and disgorged German paratroopers who massacred everybody within gunshot and then dug in. The patriots had neither mortars nor artillery to use against the paratroopers, who soon received reinforcements. Attacked front and rear the defenders were slaughtered. Few indeed made their way out. There were neither prisoners, nor wounded; only dead.

Among these dead was Jean Prévost, a leader among young French writers. He had come to Grenoble soon after the armistice, to take refuge from the depressing present in a long excursion into the eighteenth century — a study of Stendhal's youth. Alpinist friends of his had brought him into the ranks of the militant Resistance. He had become an adept of the paths leading to the Vercors, which he could see from his library window as he wrote. He became a captain in the F.F.I. The Stendhal study was published and was something of a triumph. "Mobilized" in June, 1944, Prévost went up to the Vercors. On the morning of August 1 he was shot to death while trying to escape by one of the paths he had helped reconnoitre. On his body were notes for a study of Baudelaire. He had been working on it during intervals in the battle. He chose to be a company officer, because, he told a friend, "in the ranks you find the profound honesty of the race." If I seem to mention writers frequently, bear with me. I have a pride in them.

Among the men who fought in the underground army there were many who were capable of writing about that curious warfare as Pozner had written about the fighting in 1940, but they lacked the opportunity to do so. Joseph Kessel, a popular novelist before the war and an officer of the Armée de l'Air in 1939–40, took part in the first struggles of the Resistance. He came out of France by airplane late in 1942, charged with a mission of liaison between the forces of the interior and General de Gaulle. While in Britain he wrote *L'Armée des ombres*, a panorama-novel of the Resistance movement.

Like *Deuil en 24 heures*, *L'Armée des ombres* falls neatly into detached segments. The two chapters that follow, "L'Exécution" and "Le Champ de tir" are self-explanatory as short stories. In the first, I would like to call your attention to two peculiarly modern themes, as up-to-the-minute as jive or an interest in Henry James. One is the contemporary reality of torture, another is the necessity, sometimes, for a civilized man to kill another. Until the advent of Hitler in 1933 torture had been for modern men only something related in old books; even to read about it was considered a bit morbid. Under Hitler it became a part of daily life in Europe, like bread-tickets and the official radio. Because torture is real, Gerbier in the story finds it necessary to kill a man who has proved unable to resist it. In the same way a farmer might have to kill a cow that had been exposed to hoof-and-mouth disease, in order to protect his herd. One evil entails another. It would have seemed fantastic to a man of say 1880 or 1925 that he should ever have to kill another man, personally, that is. If it became necessary for reasons of state that a man should be killed in those days, a jury would tell somebody else to kill him. Nobody liked to think of it. The characters in "L'Exécution" are not gangsters in a James M. Cain thriller. They are decent men under Fascism.

L'ARMÉE DES OMBRES

PAR J. KESSEL

L'EXÉCUTION[1]

Une note de l'organisation à laquelle il appartenait avait prescrit à Paul Dounat (qui s'appelait maintenant Vincent Henry) de se trouver à Marseille vers le milieu de l'après-midi ct d'attendre un camarade, qu'il connaissait bien, devant l'Eglise des Réformés. Dounat était à l'endroit convenu depuis quelques minutes, lorsqu'une voiture à gazogène[2] le dépassa et s'arrêta à une trentaine de mètres en contre-bas.[3] Un homme de petite taille en descendit. Il portait un chapeau melon,[4] un pardessus marron foncé[5] et roulait[6] fortement les épaules en marchant. Cet homme que Dounat n'avait jamais rencontré, alla droit à lui et dit en montrant une carte de la Sûreté[7]:

— Police, vos papiers.

Dounat ne sourcilla[8] pas. Ses fausses pièces d'identité étaient parfaites. L'homme au chapeau melon dit avec plus d'aménité:

— Je vois que vous êtes en règle,[9] Monsieur. Je vous prierai tout de même de m'accompagner jusqu'à nos bureaux. Une simple vérification.

1. By permission of J. Kessel. This chapter and the next are taken from *L'Armée des ombres*, French Pantheon Books, edited by Jacques Schiffrin. 2. A device for producing a more or less explosive mixture by burning wood or charcoal in a large cooker attached to an automobile. This method was devised to meet the shortage of gasoline. 3. down the road. 4. *chapeau melon:* derby hat. 5. *marron foncé:* dark brown. 6. swayed. 7. Criminal Investigation Department (*corresponding to our F.B.I.*). 8. (*lit.*, did not wince): did not betray the slightest emotion. 9. *vous êtes en règle:* your papers are in order.

Dounat s'inclina. Il ne cragnait pas davantage la vérification.

Près de la voiture, le chauffeur se tenait devant le marchepied.[1] Il était massif et avait un nez écrasé de boxeur. Il
5 ouvrit la portière et poussa Dounat à l'intérieur d'un même mouvement. L'homme au chapeau melon monta sur les talons de Dounat. L'automobile partit très vite sur la pente.[2] Dounat vit, enfoncé dans un coin, et la tête rejetée en arrière pour qu'on ne l'aperçut pas du dehors, André Roussel, qui
10 portait aussi le nom de Philippe Gerbier et qui avait laissé pousser sa moustache. Tout le sang de Paul Dounat lui afflua au cœur d'un seul coup et il s'affaissa[3] comme désarticulé[4] sur un strapontin.[5]

Le faux policier épongea sa calvitie[6] en forme de tonsure,
15 considéra son chapeau avec dégoût, et grommela[7]:

— Sale boulot.[8]

— Félix, vous avez beau détester les chapeaux melon, il faut tout de même le remettre, dit Gerbier distraitement.[9]

— Je le sais bien, grommela Félix, mais seulement quand on
20 descendra.

Paul Dounat songea: C'est alors qu'ils me tueront.

Il formula cette pensée avec indifférence. Il n'avait plus peur. Le premier choc avait épuisé en lui tout sentiment vivant. Comme toujours, et du moment[10] qu'il n'avait pas à
25 choisir, il s'accommodait du pire avec une docilité et une facilité étranges. Il aurait voulu seulement boire quelque chose de fort. Ses veines lui semblaient toutes creuses.

— Regardez-le, dit Félix à Gerbier. C'est bien lui qui vous a vendu[11] et qui a vendu Zéphir et le radio.[12]

30 Gerbier approuva d'un léger mouvement de paupières. Il n'avait pas envie de parler. Il n'avait pas envie de réfléchir. Tout était rendu évident par l'attitude même de Paul Dounat: la trahison, et le mécanisme intérieur de cette trahison. Dounat avait été entraîné dans la Résistance par sa maîtresse.
35 Tant qu'elle avait pu l'animer, Dounat s'était montré utile,

1. running-board. **2.** slope. (Marseille is built on hills.) **3.** collapsed. **4.** *comme désarticulé:* as though his limbs were disjointed. **5.** folding seat. **6.** bald spot. **7.** grumbled. **8.** (*colloq.*): dirty job. **9.** absent-mindedly. **10.** *du moment que:* since. **11.** betrayed. **12.** radio-operator.

intelligent et courageux. Françoise arrêteé,[1] il avait continué d'agir par inertie. Pris à son tour, mais relâché très vite, il était devenu l'instrument de la police.

« Nous aurions dû cesser de l'employer quand Françoise a disparu, se dit Gerbier. C'est une faute. Mais on a si peu de monde et tant de missions à couvrir. »[2]

Gerbier alluma une cigarette. A travers la fumée Dounat lui parut encore plus vague, encore plus inconsistant[3] qu'à l'ordinaire. Bonne famille, bonnes manières . . . traits[4] agréables . . . Un petit grain de beauté,[5] situé au milieu de la lèvre supérieure, attirait l'attention sur la bouche, qu'il avait belle et tendre. La figure était lisse,[6] sans arêtes prononcées,[7] et s'achevait par un menton de forme indécise, un peu gras.

« Paresse manifeste de la volonté, pensait distraitement Gerbier. Il lui faut quelqu'un qui décide à sa place. Françoise, la police, et maintenant nous . . . Pour l'action, la délation,[8] la mort. »

Gerbier dit à haute voix:

— Je crois, Paul, qu'il est inutile de vous donner nos preuves et de vous poser des questions.

Dounat ne releva même pas la tête. Gerbier continua de fumer. Il éprouvait cette sorte d'ennui qu'inspire une formalité fastidieuse[9] et nécessaire. Il se prit[10] à songer à tout ce qu'il avait à faire *après*. Son rapport . . . expédier deux instructeurs . . . rédiger en chiffré[11] les messages pour Londres . . . le rendez-vous avec le grand patron[12] qui arrivait de Paris . . . choisir le P.C.[13] pour le lendemain.

— On ne pourrait pas se dépêcher? demanda Gerbier à Félix.

— Je ne crois pas, dit Félix. Le Bison connaît son métier comme personne. Il conduit le plus vite qu'on peut, sans se faire remarquer.

Dounat, le menton appuyé sur une main, regardait du côté de la mer.

1. after Françoise had been arrested. **2.** fulfill. **3.** flabby, soft. **4.** features. **5.** *grain de beauté:* mole. **6.** smooth. **7.** marked outlines. **8.** denunciation. **9.** tiresome. **10.** began. **11.** *rédiger en chiffré:* to encode. **12.** *grand patron:* big chief. **13.** *Poste de Commandement:* command post.

— Je suis pressé moi aussi, poursuivit Félix. J'ai ce vieux poste[1] à revoir. Je dois changer le guidon[2] au vélo[3] du petit agent de liaison. Et puis il y a la réception du parachutage[4] cette nuit.

5 — Les nouveaux papiers du patron? demanda Gerbier.

— Je les ai sur moi, dit Félix. Je vous les donne tout de suite?

Gerbier inclina la tête.

Paul Dounat comprenait parfaitement que si les deux 10 hommes parlaient avec tant de liberté en sa présence, c'est qu'ils se sentaient assurés de son silence, de son silence éternel. Leurs préoccupations rejoignaient déjà le moment — et ce moment était proche — où il serait effacé de l'ordre humain.[5] Mais cette condamnation laissait Dounat sans anxiété, ni 15 trouble.[6] Pour lui également, sa mort était un fait acquis.[7] Elle appartenait en quelque sorte au passé. Le présent seul avait une valeur et un sens. Et maintenant que la voiture avait doublé la pointe du Vieux Port,[8] le présent était formé tout entier, et avec une intensité prodigieuse, par cette étendue 20 d'eau bleue, ces îlots crénelés[9] comme des galères antiques,[10] ces collines arides et pures,[11] couleur de sable clair, qui semblaient supporter le ciel de l'autre côté du golfe.

Soudain, parce que la voiture passait devant un hôtel de la Corniche[12] que Dounat reconnut, la figure de Françoise ras-25 sembla, absorba tous les traits épars de cette magnificence. Françoise se tenait au bord de la terrasse qui surplombait[13] la mer.

Elle avait une robe d'été qui lui laissait le cou et les bras nus. Elle portait la lumière et la chaleur du jour dans la 30 matière généreuse de son visage.[14] Dounat caressait d'un mouvement léger et familier la belle nuque de Françoise. Elle

1. *poste de T.S.F.* **2.** handlebar. **3.** (short for *vélocipède*): bicycle. **4.** *réception du parachutage:* taking of delivery of parachuted supplies (from Allied planes). **5.** *effacé . . . humain:* erased from the human species. **6.** uneasiness. **7.** foregone conclusion. **8.** picturesque section of Marseille, around the old port. All the buildings of this quarter were demolished by order of the Germans in 1943. They served as a refuge for thousands of *réfractaires* and other thousands of German deserters. **9.** (*lit.*, crenelated like battlements): indented. **10.** *galères antiques:* ancient galleys. **11.** clearly outlined. **12.** famous scenic highway along the Mediterranean. **13.** towered over. **14.** *matière . . . visage:* rich texture of her face.

renversait un peu la tête, et Dounat voyait sa gorge, ses épaules, sa poitrine se gonfler, s'épanouir,[1] comme ces plantes qui, d'un seul coup, mûrissent. Et Françoise l'embrassait sur le grain de beauté qu'il avait au milieu de la lèvre supérieure.

Sans en avoir conscience, Dounat toucha cette petite tache[2] brune. Sans en avoir davantage conscience, Gerbier toucha la moustache encore rêche[3] qu'il portait depuis son évasion du camp de L... Félix considérait son chapeau melon avec dégoût.

Un tournant de la route déroba l'hôtel au regard de Paul Dounat. L'image de Françoise à la tête renversée disparut. Dounat ne s'en étonna point. Ces jeux appartenaient à un autre âge du monde. La vie souterraine, alors, n'avait pas commencé.

Félix frappa du bord de son chapeau melon contre la vitre qui le séparait du chauffeur. Puis il enfonça le chapeau melon sur sa tête au sommet chauve.[4] La voiture s'arrêta. Paul Dounat cessa de contempler la mer et se tourna vers l'autre côté du boulevard. Il y avait là une colline à pente très vive[5] qui portait sur son flanc un quartier de petits pavillons et de petites villas paisibles, humbles et misérables. L'automobile se trouvait au bas d'une ruelle[6] sans asphalte ni pavé, qui montait entre ces maisons basses et ces tristes jardinets comme un sentier de montagne.

Le chauffeur baissa la vitre placée derrière lui et dit à Gerbier:

— Le gazo ne va pas l'avoir facile sur ce raidillon.[7]

— Et il fera un bruit... tout le monde sera aux fenêtres, dit Félix.

Gerbier posa ses yeux rapprochés par l'attention[8] sur le profil de Paul Dounat. Celui-ci, sans expression, était orienté de nouveau vers la mer.

— Nous irons à pied, dit Gerbier.

— Je vous accompagne alors, dit le chauffeur.

Il avait la voix éraillée[9] des hommes qui ont trop fumé,

1. expand. **2.** mark. **3.** stiff. **4.** bald. **5.** steep. **6.** alley. **7.** The gazogene will find it tough on this steep, narrow road. **8.** drawn together in thought. **9.** harsh.

trop bu, et qui ont eu à crier longtemps des ordres. Sa face massive et hâlée[1] aux yeux gris profondément enfoncés dans leurs orbites, bouchait presque entièrement l'encadrement[2] de la vitre.

5 Gerbier regarda encore une fois Dounat et dit:

— Ce n'est pas la peine, Guillaume.

— Vraiment pas, dit Félix.

Le chauffeur considéra à son tour Paul Dounat et grommela:

— Je pense comme vous.

10 Gerbier attendit que fût passé un tramway gémissant[3] et peuplé de voyageurs jusque sur le marchepied. Puis il ouvrit la portière, Félix descendit, et Dounat, sur un geste de Gerbier, fit de même. Félix prit un bras de Dounat et Gerbier prit l'autre.

15 — Je vais chercher les caisses et je serai revenu à la nuit, pour le corps, dit le chauffeur en embrayant.[4]

Dounat gravissait[5] la ruelle abrupte, serré entre Félix et Gerbier, comme entre deux amis et il pensait à la manière dont les communistes se débarrassaient parfois de leurs traîtres. On 20 attirait l'homme, de nuit, au bord de la mer, on l'assommait,[6] on le déshabillait, on l'enroulait dans un treillage en fil de fer,[7] et on le jetait à l'eau. Les crabes à travers les mailles[8] dévoraient entièrement le corps. Françoise était avec Dounat le soir où il avait entendu ce récit. Un mouvement de passion 25 impitoyable avait enflammé le visage de Françoise à l'ordinaire si doux et si gai. Je voudrais prendre part à une opération pareille, avait dit Françoise. Il n'y a pas de mort assez sale pour les gens qui vendent leurs camarades. Paul Dounat se souvenait de ce cri et aussi du cou de sa maîtresse qui était 30 devenu tout rose, et il montait docilement entre Gerbier et Félix la haute ruelle poudreuse.

Sur le pas des portes, on voyait, parfois, une femme en jupe noire, mal coiffée,[9] secouer paresseusement un tapis. Des enfants jouaient dans les petits jardins sordides.[10] Un homme 35 appuyé contre une clôture grattait ses chevilles[11] nues dans des

1. tanned. **2.** frame. **3.** creaking. **4.** letting in the clutch. **5.** climbed. **6.** beat to death. **7.** *treillage . . . fer:* wire netting. **8.** meshes. **9.** *mal coiffée:* her hair poorly done up. **10.** squalid. **11.** ankles.

pantoufles[1] en regardant les trois passants. A chacune de ces rencontres, Félix serrait le revolver que sa main ne lâchait pas au fond de sa poche et grondait dans l'oreille de Paul Dounat:

— Un seul mot et je t'abats tout de suite.

Mais Gerbier sentait bien dans le bras qu'il tenait, la même mollesse[2] et la même obéissance. Il éprouva de nouveau un sentiment d'ennui profond. 5

Ils tournèrent enfin dans une impasse[3] étroite, bordée de murs aveugles,[4] et bouchée au fond par deux pavillons jumeaux[5] accollés[6] l'un à l'autre. Les persiennes[7] étaient relevées dans celui de gauche. 10

— Nom de Dieu ![8] dit Félix, en s'arrêtant brutalement. Sa figure franche et ronde était toute désemparée.[9]

— Le nôtre, dit-il à Gerbier, c'est le pavillon de droite qui a les volets fermés. 15

Félix jura encore.

— L'autre jour quand nous avons loué, la bicoque[10] voisine était vide, reprit-il.

— C'est évidemment fâcheux, mais raison de plus[11] pour ne pas se faire remarquer, dit Gerbier. Allons. 20

Les trois hommes furent vite au bout de l'impasse. Alors la porte du pavillon de droite parut s'ouvrir toute seule et ils pénétrèrent à l'intérieur. Le garçon qui se tenait derrière la porte, la repoussa aussitôt, rabattit le volet du judas,[12] donna un tour de clé. Tous ses mouvements s'étaient faits sans bruit. 25 Mais il y avait dans leur précipitation et leur cadence une tension nerveuse mal contenue. Et Gerbier en perçut également le témoignage quand il entendit un chuchotement saccadé.[13]

— La pièce du fond . . . allez donc dans la pièce du fond . . . 30

Félix poussa Dounat par la nuque et le suivit.

— C'est lui . . . le traître . . . qu'il faut . . . demanda d'une voix à peine perceptible le garçon qui avait accueilli le groupe.

— C'est lui, dit Gerbier.

— Et vous êtes le chef? 35

1. slippers. **2.** spinelessness. **3.** dead-end street. **4.** blank. **5.** *pavillons jumeaux:* twin cottages. **6.** joined. **7.** shutters. **8.** My God! **9.** bewildered. **10.** shack. **11.** more reason. **12.** *volet du judas:* panel of the peephole. **13.** jerky.

— Je suis chargé de l'opération, dit Gerbier.

Ils entrèrent à leur tour dans la pièce du fond. Les persiennes[1] étaient tirées, et après l'éclat du jour,[2] l'obscurité semblait profonde au premier abord.[3] Mais il entrait assez de lumière à travers les lattes[4] mal jointes pour que l'on pût au bout de quelques instants, y voir avec netteté. Ainsi Gerbier distingua les écailles de plâtre[5] qui tremblaient au plafond, les taches d'humidité sur les murs, les deux chaises dépareillées,[6] le matelas posé à même[7] la terre, et couvert d'une courtepointe.[8] Et il put examiner le camarade choisi par Félix pour aider à l'exécution de Dounat. C'était un grand jeune homme droit, maigre, habillé modestement, avec une figure au dessin aigu et sensible.[9] Il avait les yeux un peu saillants,[10] exaltés.

Félix pointa[11] son chapeau melon dans la direction du jeune homme et dit à Gerbier:

— Voilà Claude Lemasque.

Gerbier sourit à demi. Il savait que les surnoms[12] livraient[13] souvent une partie du caractère quand les gens les choisissaient pour eux-mêmes. Celui-là était venu à la Résistance avec la religion[14] des sociétés secrètes.

— Il pleure depuis longtemps pour être d'un coup dur,[15] ajouta Félix.

Lemasque dit précipitamment à Gerbier:

— Je suis venu il y a plus d'une heure, pour tout mettre en ordre. C'est alors que j'ai vu le désastre à côté. Ils sont arrivés ce matin, ou dans la nuit au plus tôt. Hier soir je suis passé par ici et il n'y avait personne. Quand j'ai vu les volets[16] ouverts, j'ai couru téléphoner à Félix, mais il était déjà en route. Il n'y avait rien à faire, n'est-ce pas?

— Absolument rien, je vous assure, absolument rien, dit Gerbier, avec toute la lenteur et toute l'égalité de ton qu'il put mettre dans ces quelques mots.

Ce garçon parlait trop, parlait trop bas, parlait trop vite.

— L'endroit est bon, dit encore Gerbier, on s'arrangera.

1. shutters. **2.** *éclat du jour:* brilliance of the daylight. **3.** *au premier abord:* at first glance. **4.** slats. **5.** *écailles de plâtre:* (*lit.*, scales of plaster), peeling plaster. **6.** unmatched. **7.** *à même:* right on. **8.** quilt. **9.** sensitive. **10.** bulging. **11.** pointed with. **12.** last names. **13.** revealed. **14.** religious fervor. **15.** tough assignment. **16.** shutters.

— Nous pouvons passer à l'interrogatoire[1] si vous voulez bien, dit Lemasque. Tout est prêt là-haut dans le grenier.[2] C'est un peu comme un tribunal. J'ai mis des fauteuils, une table, du papier.

Gerbier sourit à demi et dit: 5

— Il ne s'agit pas d'un procès.[3]

— Il s'agit de cela, dit impatiemment Félix. Il avait tiré de sa poche la crosse[4] du revolver qu'il n'avait pas cessé de palper.[5] Le métal brilla dans la pénombre.[6] Lemasque porta pour la première fois les yeux vers Dounat. Celui-ci était 10 adossé à un mur et ne regardait personne.

Les hommes qui l'entouraient continuaient à manquer d'épaisseur et de réalité.[7] Mais les choses étaient armées d'un pouvoir qu'il ne leur avait jamais connu. Le plafond écaillé,[8] les cloisons moisies[9] et les meubles semblaient attendre, ob- 15 server, et comprendre. Les objets avaient le relief, la substance et la densité de la vie que Dounat n'avait plus. Cependant ses yeux avaient fini par se fixer sur le couvre-pied[10] d'un rouge brun et terne.[11] Dounat le reconnaissait. Dans les hôtels douteux,[12] dans les pauvres maisons de passage,[13] où, entre deux 20 missions, il avait eu la chance de croiser[14] Françoise, Dounat avait toujours vu ce couvre-pied. C'était encore un autre âge du monde. Les raffinements[15] n'y avaient plus de place. Les hasards, les périls de l'action secrète, donnaient leur forme et leur couleur à l'amour. Françoise s'asseyait sur le couvre- 25 pied rouge, redressait sa coiffure[16] et racontait d'une voix étouffée et heureuse la trame[17] de ses journées et de ses nuits. Elle aimait ce travail, elle aimait les chefs, elle aimait les camarades, elle aimait la France. Et Dounat sentait qu'elle reportait[18] physiquement cette passion sur lui. Alors, lui aussi 30 il aimait la Résistance. Il n'était plus harassé, il n'était plus anxieux de vivre sans logis et sans nom. Il n'était plus l'homme

1. questioning. **2.** attic. **3.** trial. **4.** butt. **5.** finger. **6.** semi-darkness. **7.** *épaisseur . . . réalité:* substance and reality. **8.** peeling. **9.** *cloisons moisies:* mouldy partitions. **10.** quilt. **11.** dull. **12.** shady. **13.** *maisons de passage:* (*lit.*, transient houses), places of rendezvous. These *maisons de passage* are not subject to the usual rules of registration and police surveillance which apply to hotels and lodging houses in France, since accommodations are not rented by the day but for a short time only. **14.** meet. **15.** fine things. **16.** *redressait sa coiffure:* would do up her hair. **17.** web. **18.** transferred.

illégal,[1] traqué, perdu. Sous le couvre-pied rouge il se serrait contre les épaules et les seins de Françoise. Ce corps chaud, exalté, courageux devenait une sorte de tanière[2] merveilleuse, un lieu d'asile. Une extraordinaire sécurité étoilée[3] envelop-
5 pait le plaisir[4]:

— Eh bien? demanda Félix en sortant complètement son revolver.

— C'est impossible . . . c'est impossible . . . dit Lemasque. Je suis venu ici avant vous. On entend tout.

10 Dans le pavillon voisin une petite fille commença de chanter une mélodie grêle[5] et monotone. La chanson parut s'élever de la chambre même.

— Ce ne sont pas des murs, c'est du papier à cigarettes, dit Lemasque avec fureur.

15 Félix remit son revolver dans sa poche, et jura.

— Ces sacrés[6] Anglais ne nous enverront donc jamais les silencieux[7] qu'on leur demande.

— Venez avec moi, dit Gerbier. Nous allons voir s'il n'y a pas un coin plus propice.

20 Gerbier et Félix quittèrent la pièce. Lemasque se plaça vivement devant la porte comme si Dounat avait voulu s'enfuir. Mais Dounat ne fit aucun mouvement.

Rien ne se passait comme Lemasque l'avait cru. Il s'était préparé avec une exaltation profonde à un acte terrible, mais
25 plein de solennité. Trois hommes siégeaient[8]: un chef de l'organisation, Félix, lui-même. Devant eux, le traître défendait sa vie par des mensonges, par des cris désespérés. On le confondait.[9] Et Lemasque le tuait, fier de trouer[10] un cœur criminel. Au lieu de cette justice farouche . . . une chanson de
30 petite fille, les pas de ses complices qui résonnaient à l'étage supérieur et, devant lui, cet homme aux cheveux châtain clair,[11] jeune, de figure triste et docile, avec son grain de beauté au milieu de la lèvre, et qui regardait obstinément un couvre-pied rouge.

35 En vérité, Dounat ne voyait plus l'édredon.[12] Ce qu'il

1. outlawed. **2.** (*lit.*, den): *here,* retreat. **3.** (*lit.*, starry): *here,* exalted. **4.** *here,* love-making. **5.** high-pitched. **6.** confounded. **7.** silencers, *i.e.*, for guns. **8.** would preside. **9.** would get him tangled in contradictions. **10.** drill. **11.** (*lit.*, chestnut): light brown. **12.** feather quilt.

voyait maintenant, c'était Françoise nue, au milieu de policiers qui la tourmentaient. Dounat s'appuyait de plus en plus contre le mur. Il se sentait près de l'évanouissement. Mais il n'y avait pas seulement de l'épouvante au fond de sa faiblesse.

La petite fille continuait de chanter. Sa voix inégale[1] et fragile répandait dans les nerfs de Lemasque une anxiété insupportable. 5

— Comment avez-vous pu? demanda-t-il soudain à Paul Dounat.

Celui-ci releva machinalement la tête. Lemasque ne pouvait deviner la nature des images qui faisaient à Dounat ces yeux humbles, honteux et troubles.[2] Mais il y vit une telle misère humaine qu'il eut envie de crier. 10

Gerbier et Félix reparurent.

— Rien à faire, dit le dernier. La cave communique avec la cave voisine et le grenier est encore plus sonore[3] qu'ici. 15

— Il faut pourtant faire quelque chose, il le faut, murmura Lemasque dont les mains maigres commençaient à s'agiter d'impatience. Félix serra[4] les poings et dit:

— Il faudrait un couteau solide. Le Bison en a toujours un sur lui. 20

— Un couteau? murmura Lemasque. Un couteau? Tu n'y penses pas sérieusement.

La figure ronde et franche de Félix devint très rouge.

— Est-ce que tu crois que c'est pour le plaisir, imbécile? dit Félix d'un ton presque menaçant. 25

— Si tu essaies, je t'en empêche, chuchota Lemasque.

— Et moi je vais te casser les dents, dit Félix.

Gerbier sourit, de son demi-sourire.

— Regardez dans la salle à manger et dans la cuisine si vous trouvez quelque chose qui puisse servir, dit-il à Félix. 30

Lemasque s'approcha fébrilement de Gerbier et lui dit à l'oreille:

— C'est impossible, réfléchissez, je vous en supplie. C'est un assassinat. 35

— De toute façon, nous sommes ici pour tuer, dit Gerbier. Vous êtes d'accord?

1. irregular. **2.** blurred. **3.** echoing. **4.** clenched.

— Je . . . Je suis d'accord . . . balbutia Lemasque. Mais pas comme cela . . . Il faut . . .

— La manière; je sais, je sais, dit Gerbier.

Lemasque n'était pas habitué à ce demi-sourire.

5 — Je n'ai pas peur, je vous jure, dit-il.

— Je sais, je sais bien . . . C'est tout à fait autre chose, dit Gerbier.

— Je fais cela pour la première fois, vous comprenez, reprit Lemasque.

10 — Pour nous aussi, c'est la première fois, dit Gerbier. Je pense que cela se voit.

Il regarda Paul Dounat qui s'était un peu redressé. Sa faiblesse avait disparu, et l'image de Françoise. Le dernier âge du monde était arrivé.

15 La porte s'ouvrit.

— Saleté de maison,[1] dit Félix, les mains vides.

Il avait l'air très fatigué et ses yeux allaient de tous côtés à travers la pièce, mais en évitant l'endroit où se trouvait Dounat.

20 J'ai pensé, reprit sourdement[2] Félix, j'ai pensé que peut-être en le laissant ici jusqu'à la nuit, jusqu'à l'arrivée du Bison, on ferait mieux.

— Non, dit Gerbier. Nous sommes tous très occupés, et puis je veux rendre compte[3] au patron que l'affaire est terminée.

25 — Nom de Dieu de nom de Dieu,[4] on ne peut tout de même pas lui défoncer le crâne[5] à coups de crosse,[6] dit Félix.

Paul Dounat fit à cet instant son premier mouvement spontané. Il battit faiblement des bras,[7] et plaça ses paumes devant son visage. Gerbier comprit à quel point Dounat redoutait la 30 souffrance physique.

Beaucoup plus que la mort, pensa Gerbier. C'est par là que les policiers l'ont obligé à trahir.

Gerbier dit à Félix:

— Mettez-lui un bâillon.[8]

35 Quand Félix eut enfoncé son épais mouchoir à carreaux[9] dans

1. *saleté de maison:* stinking house. 2. dully. 3. *rendre compte:* report. 4. a profane oath. 5. *défoncer le crâne:* crack open his skull. 6. *à coups de crosse:* with revolver-butt blows. 7. *Il . . . bras:* He moved his arms feebly. 8. gag. 9. *à carreaux:* checkered.

la bouche de Dounat et que Dounat fut tombé sur le matelas, Gerbier dit nettement:

— L'étrangler.

— Avec . . . les mains? . . . demanda Félix.

— Non, dit Gerbier, il y a un torchon[1] dans la cuisine, qui fera très bien. 5

Lemasque se mit à marcher à travers la chambre. Il ne s'apercevait pas qu'il tirait si fort sur ses doigts que les jointures[2] craquaient. Soudain il se boucha les oreilles: La petite fille dans la maison voisine recommençait à chanter. Le visage de 10 Lemasque avait une telle expression que Gerbier eut peur de le voir céder à une crise de nerfs.[3] Il vint à Lemasque et lui rabattit brutalement les poignets.

— Pas d'histoires,[4] je vous prie, dit Gerbier. Il faut que Dounat meure. Vous êtes venu pour cela et vous nous aiderez. 15 Un de nos radios[5] a été fusillé par sa faute. Un camarade crève[6] en Allemagne, cela ne vous suffit pas?

Le jeune homme voulut parler. Gerbier ne lui en laissa pas le loisir.

— Vous êtes employé à la mairie, je sais; et aussi officier de 20 réserve. Et votre métier n'est pas d'étouffer un homme sans défense. Mais Félix est garagiste et je suis ingénieur. Seulement en vérité, vous et Félix et moi nous ne sommes plus rien que des hommes de la Résistance. Et cela change tout. Auriez-vous pensé, avant, que vous alliez fabriquer avec joie de faux 25 cachets,[7] de faux tampons,[8] de faux documents, que vous seriez fier d'être faussaire?[9] Vous avez demandé à faire quelque chose de plus difficile. Vous êtes servi.[10] Ne vous plaignez pas.

Félix était revenu sans bruit et il écoutait. 30

— Nous avons un spécialiste pour les exécutions, continua Gerbier. Mais il n'est pas libre aujourd'hui. Et tant mieux. Il faut que chacun ait sa part du plus dur.[11] Il faut apprendre. Ce n'est pas de la vengeance. Ce n'est même pas de la justice.

1. dish towel. **2.** knuckles. **3.** *céder . . . nerfs:* become hysterical. **4.** Let's have no dramatics. **5.** radio operators. **6.** is dying (normally applied to animals, hence suggestive of Nazi brutality). **7.** seals. **8.** rubber stamps. **9.** forger. **10.** Your request has been taken care of. **11.** *sa part . . . dur:* his share of the most difficult (*here*, repugnant) assignments.

C'est une nécessité. Nous n'avons pas de prison pour nous protéger des gens dangereux.

— C'est juste, dit Félix. Je suis content de vous avoir entendu.

5 Sa figure franche et ronde avait repris une sorte de sérénité implacable. Il étira [1] soigneusement le long et raide torchon de cuisine [2] qu'il avait rapporté. Lemasque tremblait toujours. Mais son tremblement allait s'affaiblissant comme à la fin d'un accès de fièvre.

10 — Portez Dounat sur cette chaise, dit Gerbier. Félix se mettra devant lui. Je tiendrai les bras, et Lemasque tiendra les genoux.

Dounat ne résista point.

Et vaguement étonné de voir que tout se déroulait avec tant 15 de facilité — surtout intérieure — Gerbier vint se placer derrière le dossier de la chaise que la tête de Paul Dounat dépassait. Mais au moment de saisir Dounat par les épaules, Gerbier hésita. Il venait de voir, sur le cou de Dounat, un peu plus bas que l'oreille, un grain de beauté pareil à celui que Dounat 20 avait sur la lèvre supérieure. A cause de cette petite tache, la chair qui l'environnait semblait plus vivante, plus tendre, plus friable, [3] comme une parcelle d'enfance. [4] Et Gerbier sentit que cette chair n'était pas d'un grain [5] capable de supporter la torture. Par cette chair, la trahison de Dounat devenait inno-25 cente. Le Bison pouvait affronter la question. [6] Et Félix. Et Gerbier lui-même. Mais pas Dounat, et sans doute pas davantage le jeune homme qui, accroché aux genoux du condamné, respirait comme on râle. [7]

En face de Gerbier, Félix attendait que le chef fît un signe. 30 Mais les bras de Gerbier étaient si lourds qu'il ne pouvait pas les poser sur les épaules de Dounat.

« A coup sûr, Félix, en ce moment, a une figure plus affreuse que ce malheureux », pensa Gerbier.

Puis il pensa à la bonhomie, [8] à la fidélité, au courage de 35 Félix, à sa femme, à son petit garçon maladif [9] et sous-alimenté, [10]

1. stretched. **2.** *torchon de cuisine:* dish towel. **3.** brittle. **4.** *comme . . . d'enfance:* like a bit of childhood. **5.** texture. **6.** *affronter la question:* face the horror of the torture-chamber. **7.** *respirait . . . râle:* breathed as if he were in the last throes. **8.** good nature, kindliness. **9.** sickly. **10.** undernourished.

à tout ce que Félix avait fait pour la Résistance. Ne pas tuer Dounat, c'était tuer Félix. Dounat vivant livrerait Félix. Cela aussi était inscrit dans la petite tache brune et la chair trop tendre du cou. Gerbier eut soudain la force de lever les bras. Ce n'était pas la faute de Paul Dounat s'il allait mourir et ce n'était pas la faute de ceux qui l'assassinaient. Le seul, l'éternel coupable, était l'ennemi qui imposait aux Français la fatalité de l'horreur.

Les mains de Gerbier retombèrent sur les épaules de Dounat. Mais en même temps Gerbier lui dit à l'oreille:

— Je te le jure, mon pauvre vieux, [1] tu n'auras pas mal.

Le torchon roulé [2] s'abattit sur la nuque faible. Félix tira sauvagement aux deux bouts. Gerbier sentit la vie s'épuiser très vite dans les bras qu'il tenait. Il lui sembla que leurs convulsions passaient dans son corps. Chacune d'elles accumulait en Gerbier une nouvelle force de haine contre l'Allemand et contre ses serviteurs. [3]

Gerbier fit porter le corps de Dounat sur les matelas et le recouvrit de l'édredon [4] rouge.

Il alla à la fenêtre. A travers les fentes des persiennes, [5] on voyait un terrain vague. [6] L'endroit était bien choisi.

Félix mettait son chapeau melon. Ses jambes courtes et fortes étaient peu sûres. [7]

— On s'en va? demanda-t-il d'une voix enrouée. [8]

— Un instant, dit Gerbier.

Lemasque s'approcha de Gerbier. Son visage aigu et nerveux était couvert de sueur.

— Je ne croyais pas, dit-il, qu'on pût faire tant pour la Résistance.

Il se mit à pleurer silencieusement.

— Moi non plus, dit Gerbier.

Il jeta un regard rapide sur l'édredon rouge et dit avec bonté à Lemasque:

— Il faut toujours avoir sur soi des pilules de cyanure. [9] Et si vous êtes pris, il faut vous en servir, mon vieux.

1. *mon pauvre vieux:* my poor chap. **2.** twisted dish towel. **3.** menials. **4.** feather quilt. **5.** slits of the shutters. **6.** *terrain vague:* vacant lot. **7.** *peu sûres:* unsteady. **8.** hoarse. **9.** cyanide.

IN "Le Champ de tir" the Nazis are the executioners, and a very sporting lot, too, for Nazis. In Paris in the summer of 1944 the French police found a shooting gallery that the Germans had used to pot patriots in, but there the victims' heads had been fixed to posts with clamps. The German officer of "Le Champ de tir" must have been a hearty, gentlemanly type, a true Junker.

LE CHAMP DE TIR[1]

La partie de la vieille caserne[2] était reliée au champ de tir par un très long corridor voûté.[3] Les sept condamnés s'y engagèrent un à un, encadrés[4] par des soldats d'une formation S.S.[5] Gerbier se trouvait à peu près au milieu de la file. L'étudiant marchait en tête et le paysan était le dernier. Les condamnés avançaient lentement. Ils portaient toujours leurs fers aux pieds. Le corridor n'avait pas d'ouverture sur l'extérieur. Des ampoules[6] piquées[7] à intervalles réguliers l'éclairaient d'une lumière confuse.[8] Les ombres des condamnés et celles de leurs gardiens en armes formaient une escorte géante et vacillante sur les murs. Dans le silence sonore[9] du couloir, les pas bottés des soldats faisaient un bruit lourd et profond et l'on entendait en même temps cliqueter[10] les chaînes des condamnés et grincer[11] leurs fers.

« Cela compose une sorte de symphonie, se dit Gerbier. Je voudrais que le patron[12] pût l'entendre. »

Gerbier se souvint de l'expression qu'avait Luc Jardie lorsqu'il parlait de la musique. Et Gerbier fut comme ébloui[13] de rencontrer dans le corridor voûté ce visage. Les chaînes cliquetaient. Les fers grinçaient.

« C'est vraiment curieux, se dit Gerbier. Nos entraves[14] me font songer au patron. Sans elles . . . peut-être . . . »

Et soudain, Gerbier pensa:

« Je suis un idiot. »

1. The Rifle Range. **2.** barracks. **3.** arched. **4.** framed. **5.** S.S. unit, *i.e.*, an Elite Guard outfit. **6.** electric bulbs. **7.** placed. **8.** dim. **9.** reverberating. **10.** rattle. **11.** grate. **12.** *Le patron* refers to Luc Jardie (mentioned in the following sentence), the head of Gerbier's resistance group, and a music lover. **13.** *comme ébloui:* as though dazzled. **14.** shackles.

Il venait de savoir que toute image et toute sensation l'auraient ramené à cet instant à Luc Jardie par un détour imprévu et inévitable.

« Le mot *aimer* a un sens, pour moi, seulement quand il s'applique au patron. Je tiens à lui plus qu'à tout »,[1] se dit Gerbier. Mais ce fut alors qu'une réponse lui vint de ses viscères[2]: « Plus qu'à tout et moins qu'à la vie. »

Les ombres dansaient, les entraves gémissaient.

« Saint Luc est ce que j'aime le plus dans la vie, mais saint Luc disparaissant je voudrais tout de même vivre. »

Les ombres . . . quelques heurts[3] . . . le bruit des chaînes . . . Gerbier réfléchissait de plus en plus vite.

« Et je vais mourir . . . et je n'ai pas peur . . . c'est impossible de ne pas avoir peur quand on va mourir . . . C'est parce que je suis trop borné,[4] trop animal pour y croire. Mais si je n'y crois pas jusqu'au dernier instant, jusqu'à la plus fine limite, je ne mourrai jamais . . . Quelle découverte ! . . . Et comme elle plairait au patron. Il faut que je l'approfondisse[5] . . . Il faut . . . »

A ce point, la méditation fulgurante[6] de Gerbier fut rompue d'un seul coup. Au premier instant, il ne comprit pas la cause de cet arrêt. Puis il entendit un chant qui emplissait tout le volume sonore du couloir. Puis il reconnut ce chant. *La Marseillaise.* L'étudiant avait commencé. Les autres avaient repris aussitôt. L'étudiant, le rabbin et l'ouvrier avaient de belles voix pleines et passionnées. C'étaient elles que Gerbier entendit le mieux. Mais il ne voulait pas les écouter. Il voulait réfléchir. Ces voix le gênaient. Et surtout, il ne voulait pas chanter.

« *La Marseillaise* . . . cela se fait toujours dans un cas pareil », se dit Gerbier. Pour un instant il retrouva son demi-sourire.

La file des condamnés avançait lentement. Le chant passait au-dessus de Gerbier sans l'entamer.[7]

« Ils ne veulent pas penser, et moi je veux . . . », se disait-il. Et il attendait avec une impatience sauvage que les strophes connues fussent épuisées. Le corridor était long.

1. *Je tiens . . . tout:* I love him more than anything. 2. viscera, *i.e.*, the very depths of his body. 3. collisions. 4. narrow-minded. 5. get to the heart of it. 6. lightning-like thinking. 7. (*lit.*, impair, encroach upon): *here*, arousing.

« J'aurai encore du temps à moi », se dit Gerbier. *La Marseillaise* s'acheva.

« Vite, vite, il faut creuser ma découverte », pensa Gerbier. Mais la voix forte et pure de l'étudiant s'éleva de nouveau. Et
5 cette fois Gerbier se sentit pris et noué à l'intérieur[1] comme par une main magique. *Le Chant du départ*[2] avait toujours agi de cette façon sur lui. Gerbier était sensible à ses accents, à ses paroles. Il se raidit. Il ne voulait pas faire comme les autres. Il avait un problème essentiel à résoudre. Pourtant il sentit
10 la mélodie sourdre[3] dans sa poitrine. Il serra les dents. Ses compagnons chantaient . . .

Un Français doit vivre pour elle . . .[4]
Pour elle un Français doit mourir . . .

Gerbier serra les dents plus fort parce que ces vers chantaient
15 déjà dans sa gorge. Allait-il se laisser emporter?

« Je ne cèderai pas . . . je ne cèderai pas . . ., se disait Gerbier. C'est l'instinct du troupeau . . . Je ne veux pas chanter comme je ne veux pas courir devant les mitrailleuses. »[5]

Ce rapprochement[6] aida Gerbier à contenir le chant prêt à
20 s'échapper de lui. Il eut le sentiment d'avoir vaincu un danger intérieur.

La file entravée[7] arriva enfin devant une petite porte ménagée[8] dans l'épaisseur du mur qui était sur la gauche. Les ombres s'arrêtèrent de danser. Le grincement des chaînes se
25 tut. Et aussi le chant. Une sentinelle ouvrit la porte. Une clarté naturelle se répandit sur un morceau du corridor. L'étudiant reprit *La Marseillaise*, et les condamnés pénétrèrent l'un derrière l'autre dans l'enclos de leur mort.

C'était un champ de tir militaire classique.[9] Un rectangle
30 nu et fermé de murailles assez hautes. Contre le mur du fond et séparée de lui par un espace étroit, on voyait la butte[10] destinée à porter les cibles.[11] Quelques vieux lambeaux[12] de toile et de papier tremblaient sur ses flancs à la brise aiguë[13] du matin.

1. *noué à l'intérieur:* knotted up inside. **2.** stirring revolutionary song of the French Revolution. **3.** well up. **4.** *la République.* **5.** machine-guns. **6.** parallel. **7.** shackled. **8.** built. **9.** standard. **10.** butt (a mound of earth before which targets are placed). **11.** targets. **12.** shreds. **13.** sharp.

La lumière était nette et triste. Un à un les condamnés cessèrent de chanter. Ils venaient d'apercevoir à quelques pas six mitrailleuses de campagne.[1] Un lieutenant de S.S., très maigre, le visage minéral,[2] qui commandait le peloton d'exécution,[3] regarda sa montre. 5

— Exactitude boche, grommela l'ouvrier communiste.

L'étudiant aspirait de toutes ses forces l'air frais et tirait sur sa petite moustache.

« Je ne veux pas courir . . . je ne veux pas . . . », se disait Gerbier. 10

Les autres, comme fascinés, ne quittaient pas du regard le lieutenant S.S. Il cria un ordre. Des soldats donnèrent un tour de clé aux cadenas[4] qui tenaient les entraves[5] des condamnés. Les fers tombèrent avec un bruit sourd[6] sur la terre. Gerbier frémit de se sentir d'un seul coup si léger. Il eut l'impression que ses jambes étaient toutes neuves, toutes jeunes, qu'il fallait les essayer sans attendre, qu'elles demandaient du champ.[7] Qu'elles allaient l'emporter à une vitesse ailée. Gerbier regarda ses compagnons. Leurs muscles étaient travaillés[8] par la même impatience. L'étudiant surtout se maîtrisait avec peine. Gerbier regarda l'officier de S.S. Celui-ci tapotait[9] une cigarette sur son pouce droit. Il avait des yeux glauques murés.[10] 15 20

« Il sait très bien ce que veulent mes jambes, pensa brusquement Gerbier. Il se prépare au spectacle. » 25

Et Gerbier se sentit mieux enchaîné par l'assurance de cet homme qu'il l'avait été par ses fers. L'officier regarda sa montre et s'adressa aux condamnés dans un français très distinct.

— Dans une minute vous allez vous placer le dos aux mitrailleuses et face à la butte, dit-il. Vous allez courir aussi vite que vous pourrez. Nous n'allons pas tirer tout de suite. Nous allons vous donner une chance. Qui[11] arrivera derrière la butte sera exécuté plus tard, avec les condamnés prochains. 30

L'officier avait parlé d'une voix forte, mécanique et comme 35

1. *de campagne:* field. **2.** *le visage minéral:* with a dead-pan face. **3.** *peloton d'exécution:* firing-squad. **4.** padlocks. **5.** shackles. **6.** *un bruit sourd:* a thud. **7.** *du champ:* space, room. **8.** strained. **9.** was tapping. **10.** beady sea-green eyes. **11.** *Qui = celui qui.*

pour un règlement de manœuvres.[1] Ayant achevé, il alluma sa cigarette.

— On peut toujours essayer . . . On n'a rien à perdre, dit le paysan au rabbin.

5 Ce dernier ne répondit pas, mais il mesurait des yeux avec avidité la distance qui le séparait de la butte. Sans le savoir davantage, l'étudiant et le jeune Breton faisaient de même.

Les soldats alignèrent les sept hommes, comme l'officier l'avait ordonné. Et ne voyant plus les armes, sentant leur 10 gueule[2] dans son dos, Gerbier fut parcouru[3] d'une contraction singulière. Un ressort[4] en lui semblait le jeter en avant.

— Allez . . . dit le lieutenant de S.S.

L'étudiant, le rabbin, le jeune Breton, le paysan, se lancèrent tout de suite. Le communiste, Gerbier et le châtelain[5] ne bou-15 gèrent pas. Mais ils avaient l'impression de se balancer d'avant en arrière comme s'ils cherchaient un équilibre entre deux forces opposées.

« Je ne veux pas . . . je ne veux pas courir . . . », se répétait Gerbier.

20 Le lieutenant de S.S. tira trois balles de revolver qui filèrent[6] le long des joues de Gerbier et de ses compagnons. Et l'équilibre fut rompu . . . Les trois condamnés suivirent leurs camarades.

Gerbier n'avait pas conscience d'avancer par lui-même. Le ressort[7] qu'il avait senti se nouer[8] en lui s'était détendu[9] et le 25 précipitait droit devant. Il pouvait encore réfléchir. Et il savait que cette course qui l'emmenait dans la direction de la butte ne servait à rien. Personne jamais n'était revenu vivant du champ de tir. Il n'y avait même pas de blessés. Les mitrailleurs connaissaient leur métier.

30 Des balles bourdonnèrent[10] au-dessus de sa tête, contre ses flancs.

« Des balles pour rien, se dit Gerbier . . . Tireurs d'élite . . . Pour qu'on presse l'allure[11] . . . Attendent distance plus méritoire[12] . . . Grotesque de se fatiguer. » Et cependant, à chaque

1. *comme . . . manœuvres:* as if (reading) from a drill-book. **2.** muzzle. **3.** seized. **4.** spring. **5.** owner of a château. **6.** flashed. **7.** spring. **8.** coil up. **9.** released. **10.** buzzed. **11.** *Pour . . . l'allure:* So that we should run faster. **12.** *attendent . . . méritoire* = *(ils) attendent (une) distance plus méritoire: i.e.*, more worthy of the excutioners' marksmanship.

sifflement qui passait près de lui, Gerbier allongeait sa foulée[1]. Son esprit devenait confus. Le corps l'emportait sur la pensée. Bientôt il ne serait plus qu'un lapin fou de peur. Il s'interdisait de regarder la butte. Il ne voulait pas de cet espoir. Regarder la butte c'était regarder la mort, et il ne se sentait pas en état 5 de mort . . . Tant qu'on pense, on ne peut pas mourir. Mais le corps gagnait . . . gagnait toujours sur la pensée. . . . Des pointes de bougies[2] tremblèrent devant ses yeux . . . Le dîner chez la vieille lady avec le patron.[3]

Et puis ce fut l'obscurité. Une vague de fumée épaisse et 10 noire s'étendit d'un bout à l'autre du champ de tir dans toute sa largeur. Un rideau sombre était tombé. Les oreilles de Gerbier bourdonnaient tellement qu'il n'entendit pas les explosions des grenades fumigènes.[4] Mais parce que sa pensé était seulement à la limite de la rupture il comprit que ce brouillard pro- 15 fond lui était destiné. Et comme il était le seul qui n'avait jamais accepté l'état de mort, il fut le seul à utiliser le brouillard.

Les autres condamnés s'arrêtèrent net.[5] Ils s'étaient abandonnés à leurs muscles pour un jeu suprême.[6] Le jeu cessait, leurs muscles ne les portaient plus. Gerbier, lui, donna[7] tout 20 son souffle, toute sa force. Maintenant il ne pensait plus du tout. Les rafales[8] se suivaient, les rafales l'entouraient, mais les mitrailleurs ne pouvaient plus que tirer au jugé.[9] Une balle arracha un lambeau[10] de chair au bras. Une autre lui brûla la cuisse.[11] Il courut plus vite. Il dépassa la butte. Derrière 25 était le mur. Et sur ce mur, Gerbier vit . . . c'était certain . . . une corde. . . .

Sans s'aider des pieds, sans sentir qu'il s'élevait à la force des poignets comme un gymnaste, Gerbier fut sur la crête du mur. A quelques centaines de mètres il vit . . . c'était certain . . . 30 une voiture. Il sauta . . . il vola . . . Le Bison[12] l'attendait, le moteur tournait, la voiture partit. A l'intérieur il y avait Mathilde et Jean-François.[12]

1. *allongeait sa foulée:* lengthened his stride. **2.** *pointes de bougies:* candle-light flames. **3.** The candle-light flames recall this incident. **4.** *grenades fumigènes:* smoke bombs. **5.** short. **6.** They had staked everything on their muscles in one final gamble. **7.** exerted. **8.** Volleys (of machinegun fire). **9.** *au jugé:* by guesswork. **10.** shred. **11.** creased his thigh. **12.** Le Bison, Mathilde and Jean-François are other members of Gerbier's Resistance group.

Le Bison conduisait très bien, très vite. Gerbier parlait, et Jean-François et Mathilde. Jean-François disait que ce n'était pas difficile. Il avait toujours été bon lanceur de grenades au corps-franc. L'important[1] était de bien minuter[2] l'action 5 comme l'avait fait Mathilde. Et Mathilde disait que c'était aisé avec les renseignements qu'on avait eus.

Gerbier écoutait, répondait. Mais tout cela n'était que superficiel. Sans valeur. Une seule question, une question capitale obsédait l'esprit de Gerbier.

10 « Et si je n'avais pas couru? . . . »

Jean-François lui demanda:

— Quelque chose qui ne va pas? Les camarades qui sont restés?

— Non, dit Gerbier.

15 Il ne pensait pas à ses compagnons. Il pensait à la figure minérale[3] du lieutenant de S.S. et à ses yeux murés[4] quand il tapotait sa cigarette sur son ongle, et qu'il était certain de faire courir Gerbier comme les autres à la manière d'un lapin affolé.

— Je me dégoûte de vivre,[5] dit soudain Gerbier.

20 La voiture traversa un pont, puis un bois. Mais Gerbier voyait toujours le visage de l'officier de S.S., la cigarette, l'ongle du pouce. Il avait envie de gémir.

Jusque-là, Gerbier avait été sûr de détester les Allemands avec une pléntitude si parfaite qu'elle ne pouvait plus se grossir 25 d'aucun apport.[6] Et sûr également d'avoir épuisé toutes les sources d'une haine qu'il chérissait. Or, il se sentait soudain dévoré par une fureur qu'il n'avait pas connue encore et qui dépassait et renouvelait toutes les autres. Mais gluante[7] et malsaine et honteuse d'elle-même. La fureur de l'humiliation . . .

30 « Il a sali[8] ma haine . . . », pensait Gerbier avec désespoir.

Son tourment dut entamer[9] ses traits, puisque Mathilde eut un mouvement dont elle paraissait incapable.[10] Elle prit une main de Gerbier et la garda entre les siennes un instant. Gerbier ne sembla pas remarquer ce geste. Mais il en sut plus de 35 gré à Mathilde que de lui avoir sauvé la vie.

1. *L'important = La chose importante.* **2.** to time. **3.** dead-pan. **4.** beady. **5.** I'm sick of still being alive. **6.** addition. **7.** repulsively sticky. **8.** sullied. **9.** must have shown in. **10.** Since she had joined the Resistance, Mathilde had never displayed any tender emotions.

THE WAR BEHIND THE WAR

A quoi reconnaît-on une démocratie d'un régime totalitaire? Réponse: dans une democratie, si l'on sonne chez vous à 7 heures du matin, c'est le laitier.[1] — *Le Gaullois*, Novembre 1943

THERE was a humorous clandestine paper, *Le Gaullois* — the name itself a play on words. *L'esprit gaulois* means wit of a blue type; doubling the *l* in the second word makes it mean *Gaullist* wit. But the humor was often acrid. Jokes, like the sample above, were too near to reality.

A man in a bar in Paris in August, 1944, said to me, "What really brought the liberation home to me was when I went back to my apartment in the evening after seeing the first American troops in Paris. I closed the door, and suddenly I thought, 'I can lock it tonight and be sure that no one will break it in.' " He had been in the Resistance, and he wasn't joking.

"Les Bons Voisins," is a story of a "visit" from the Gestapo, a *perquisition à domicile*. It is not as grim as some, but neither is it as funny as it sounds.

LES BONS VOISINS

PAR LOUIS ARAGON (ARNAUD DE SAINT-ROMAN)

Ça c'est passé comme au cinéma. Ces Messieurs[2] sont entrés d'un seul coup d'épaule. Sauf que chez moi il n'y a pas de porte-tournante,[3] et que huit bonshommes[4] à la fois dans notre deuxième au dessus,[5] on manque un peu d'air. Et en été, pensez-donc. Nous allions nous mettre à table, on dîne tôt 5

1. milkman. 2. (*ironical*): Vichy police. 3. revolving door. 4. (*colloq.*): guys. 5. *deuxième au dessus* (*colloq.*): third floor walk-up.

pour économiser l'électricité, et Pauline m'a crié de la cuisine de les mettre à la porte, que tout allait être froid. Ça les a fait bien rigoler,[1] Pauline est arrivée avec la soupe, et c'est tout juste[2] si elle ne l'a pas laissé tomber de saisissement.[3] Notre
5 chez-nous[4] n'est ni bien grand, ni très luxueux, mais on tient à ses affaires,[5] ce qu'on a depuis longtemps vous raconte toutes sortes d'histoires. Nous avons plus de souvenirs que de meubles, quoi.[6]

Huit. Leur patron[7] était le gros, qui rejetait son Borsalino[8]
10 beige[9] en arrière pour mieux se gratter les tempes.[10] Il y avait un très maigre avec des grandes mains, on aurait dit des pinces de homard[11]: ça s'avançait vers tout comme pour tout prendre. Les autres . . . Ils étaient comme sur les images, pas difficile.[12] En moins de deux,[13] tout était sens dessus dessous.[14]
15 Pendant que je m'expliquais avec le gros, que je protestais, me rappelant qu'ils doivent vous présenter un papier, un ordre, quoi. Ça aussi, ça les a fait bien rigoler. Paraît que ça n'est plus comme ça de nos jours. Pauline avait d'abord crié à cause de son dessus de lit.[15] Ah, il avait vite volé en l'air, le dessus
20 de lit. C'est inouï, cette façon qu'ils ont de tortiller[16] les draps comme un mouchoir sale, et déjà il y avait un bonhomme dans le buffet,[17] l'autre dans l'armoire à glace,[18] les papiers volaient, une boîte à épingles[19] était renversée par terre,[20] ils regardaient sous les chaises enfonçant de grandes aiguilles[21] dans le capiton-
25 nage.[22] Deux ou trois qui ne faisaient rien qu'encombrer.[23] Puis, grossiers![24] Quand le maigriot[25] a appelé Pauline *la Mémère*,[26] j'ai éclaté: « Ah, permettez, permettez! »[27] C'est ça encore qui les a fait rire. Dans l'ensemble,[28] ils étaient hilares. Celui qui me fouillait, parce que il y en avait un qui me fouil-
30 lait, secoua mon portefeuille, en faisant dégringoler dix petits

1. *Ça . . . rigoler* (*colloq.*): They got a big laugh out of that. **2.** *tout juste:* almost. **3.** from surprise. **4.** place. **5.** *on . . . affaires:* people are fond of their things. **6.** (*colloq.*): if you know what I mean. **7.** boss. **8.** Italian felt hat. **9.** tan. **10.** temples. **11.** *on . . . homard:* you would have thought they were lobster claws. **12.** *pas difficile* (*à imaginer*). **13.** *En moins de deux* (*lit.*, in less than two): In two shakes. **14.** *sens dessus dessous:* topsy-turvy. **15.** *dessus de lit:* bed-spread. **16.** twist. **17.** sideboard. **18.** *armoire à glace:* wardrobe (with a large mirror framed in the door). **19.** *boîte à épingles:* pin box. **20.** *par terre:* on the floor. **21.** needles. **22.** upholstery. **23.** be in the way. **24.** vulgar ones! **25.** skinny guy. **26.** old girl. **27.** (*lit.*, allow me to protest): look here! **28.** On the whole.

papiers inutiles[1] que je n'avais pas eu l'énergie de mettre au panier,[2] ma carte de savon,[3] il m'interrogeait sur tout, voulait à toute force[4] que mon trousseau de clefs[5] eût des usages que j'ignorais.[6] Le gros s'était emparé du classe-lettres[7] orné de coquillages[8] que nous avons rapporté du Tréport[9] et il lisait les notes de la blanchisseuse,[10] les lettres d'Alfred, et il fallait lui dire qui étaient les gens sur les photographies.

J'étais incapable, dans le groupe pris à Meudon,[11] trois ans avant la guerre, de dire qui était le type[12] qui se trouvait derrière le cousin Maurice: un gaillard[13] avec une envie[14] sur la joue, un ami des Picherelle, je crois bien, mais c'était tout ce que je savais. Ça lui parut suspect, au gros, et il commença d'embêter[15] Pauline avec cette histoire; pour essayer de nous faire nous couper.[16] Pauline comme toujours me contredisait: « Un ami des Picherelle. Qu'est-ce que c'est que cette idée?[17] C'était l'amoureux de Mme Janeau, la corsetière . . . » J'ai eu le malheur de dire que l'ami de Mme Janeau était blond et que celui-là était brun . . . Quand on commence à discuter[18] de la couleur des cheveux! Le gros s'intéressait à notre dispute. « Là, là, disait-il, mettez-vous d'accord ! »[19] Moi, ça me flanquait hors de moi.[20] Qu'est-ce que ça pouvait lui faire[21] que ce fût l'ami de la Janeau ou bien . . . « Vous bilez[22] pas, qu'il[23] me disait, c'est mes oignons. »[24] Et il se tripotait[25] le Borsalino. Ceux qui encombraient la pièce à ne rien faire avaient l'air d'un jeu de quilles.[26] Cette chaleur ![27]

A la fin, je le lui dis: quand on est chez des gens, on enlève son chapeau. Ça suffit déjà de tout mettre en l'air.[28] Pauline criait. Ses taies d'oreiller[29] qu'il lui dépliait[30] maintenant ! Sûr qu'il faudrait tout donner à laver, après leurs pattes[31] sales . . .

1. *en . . . inutiles:* causing little useless pieces of paper to fall out of it. **2.** waste basket. **3.** soap ration card. **4.** *voulait . . . force:* insisted. **5.** *trousseau de clefs:* key-ring. **6.** was unaware of. **7.** letter-holder. **8.** shell work. **9.** seaside resort on the English Channel. **10.** *notes de la blanchisseuse:* laundry-bills. **11.** small town near Paris. **12.** guy. **13.** big fellow. **14.** birthmark. **15.** pester. **16.** *nous couper:* trip each other up. **17.** Where did you get that idea? **18.** argue about. **19.** *Là, là . . . d'accord!* Come, come, get together! **20.** *ça . . . moi:* that got my goat. **21.** *Qu'est-ce . . . faire:* What difference did it make to him. **22.** Don't get worked up. **23.** (*colloq.*) for *me disait-il.* **24.** *mes oignons:* my business. **25.** *se tripotait:* kept fiddling with. **26.** *avaient . . . quilles:* looked like nine-pins. **27.** *Cette chaleur!* And was it hot! **28.** *tout . . . l'air:* tear everything apart. **29.** *taies d'oreiller:* pillow cases. **30.** unfolded. **31.** paws.

Le maigriot siffla d'un air menaçant: « La grosse,[1] dit-il, et j'en fus pour mon geste de protestation,[2] tâchez d'être polie! » Un comble.[3]

Il y en avait un, trapu,[4] avec une moustache rousse,[5] ça
5 devait être un vicieux,[6] il ne s'intéressait qu'à la machine à coudre, mais alors![7] Il avait ouvert le tiroir, tout répandu par terre, vidé les navettes,[8] débobiné le fil,[9] la soie de toutes les bobines,[10] examiné avec une curiosité exorbitante chaque bout d'acier,[11] chaque truc[12] qui sert à faire le plissé,[13] enfin tous ces
10 fourbis[14] que Pauline considère comme plus précieux que tout dans la maison. Et puis il vous les envoyait dinguer[15] par dessus son épaule. Ça tombait ou ça pouvait. Même que ça fit une dispute avec l'un de ses collègues qui avait reçu un machin quelconque[16] dans le cou. Alors, j'ai dit: « Messieurs,
15 Messieurs! » et, cette fois, ça ne les a pas fait rigoler du tout, et ils sont tombés tous les deux sur moi à me poser des questions sur le gouvernement.

Moi, je ne pouvais pas leur répondre à cause des cris de Pauline qui se débattait avec un grand diable,[17] lui arrachant notre
20 photo en mariés,[18] celle qui a un cadre d'argent. Quand les petites cuillères ont valsé du tiroir du buffet,[19] ça m'a encore couvert la parole.[20] A la fin, je leur ai montré le Maréchal,[21] qui est à la place d'honneur sur la cheminée,[22] celui où il caresse un chien (le portrait de famille,[23] comme dit Alfred), mais ça
25 ne les a pas adoucis pour un centime.[24] Le gros a ricané[25] et déclaré sur un ton péremptoire: « Nature![26] Trop facile, mon gaillard! Ils en ont tous chez eux, *ces bougres-là!* »[27] Et les autres ont opiné du bonnet.[28] On voyait qu'ils en avaient l'expérience.[29]

1. You fat tub. **2.** *j'en . . . protestation:* I got nowhere when I tried to protest. **3.** (*lit.*, crowning touch): That topped everything. **4.** stocky. **5.** red. **6.** low character. **7.** and how! **8.** shuttles. **9.** *débobiné le fil:* unwound the thread. **10.** spools. **11.** *bout d'acier* (*lit.*, steel): piece of metal. **12.** thingumbob. **13.** pleating. **14.** gadgets. **15.** *vous . . . dinguer* (*colloq.*)*:* sent them flying. **16.** *un machin quelconque:* something. **17.** *un grand diable:* a tall guy. **18.** *photo en mariés:* wedding picture. **19.** *valsé . . . buffet:* came flying (waltzing) out of the cupboard drawer. **20.** *couvert la parole:* drowned me out. **21.** Pétain. **22.** mantelpiece. **23.** family portrait (*an uncomplimentary reference to the Marshal*). **24.** *ne . . . centime:* didn't soften them up a bit. **25.** sniggered. **26.** Naturally! **27.** *ces bougres-là!* those mugs! **28.** *opiné du bonnet:* nodded approval. **29.** *ils . . . expérience:* were old hands.

« Mais de quoi nous accuse-t-on? » pleurnichait[1] Pauline. Le gros la regarda à vous faire frémir[2]: « On ne vous accuse pas, Madame, dit-il, on vous soupçonne, c'est pire . . . » Et ça devait être pire en effet. Le maigriot malaxait le coussin en tapisserie[3] que ma belle-sœur Michaud a fait quand elle est devenue aveugle, et il poussa un cri de satisfaction: « Qu'est-ce que je disais! » Je ne sais pas ce qu'il disait, mais ce que je sais, c'est qu'il s'est mis à arracher la tapisserie, et à répandre les plumes qui volaient autour de lui. Après, il a affirmé qu'il avait senti dedans quelque chose de dur. Peut-être qu'il l'avait senti, mais il ne l'a pas trouvé. Pauline hurlait.[4] Le maigriot eut le toupet[5] de lui mettre sa pince de homard sur la bouche, et qu'est-ce que je me suis fait passer[6] quand j'ai protesté! Remarquez que j'ai soixante-deux ans, que je sais me tenir,[7] et que je respecte la justice de mon pays, mais enfin quand on touche aux dames . . . « Vous mettez pas en nage! »[8] me conseilla le rouquin.[9] Le fait est qu'on étouffait.

Deux des inspecteurs s'étaient mis à table et mangeaient la soupe. Ils s'étaient versé du vin. Ils trinquaient.[10] Comme je le faisais remarquer au gros, il me dit: « Ne cherchez pas à détourner la question! »[11] J'aurais bien été en peine.[12] Quelle question? Je me creusais la tête[13] pour savoir ce qui nous valait cette visite: sûrement une lettre anonyme . . . les gens sont si mauvais de nos jours . . . mais enfin qu'est-ce qu'elle pouvait bien dire, cette lettre anonyme?

Pauline avait voulu s'asseoir sur le pouf.[14] Mais alors le maigriot, pris de soupçons, s'était jeté sur le pouf, l'avait retiré de sous elle, en arrachait les franges, en sondait la profondeur. Un autre l'empêcha d'ouvrir la fenêtre, malgré la chaleur. Des fois[15] qu'elle aurait voulu ameuter[16] les voisins . . .

« Allez-vous me dire, enfin, Messieurs, ce qui nous vaut l'honneur. . . ? — L'honneur! L'honneur . . . vous vous payez ma fiole? »[17]

1. whined, whimpered. **2.** *à . . . frémir:* in a way to make you shiver. **3.** *malaxait . . . tapisserie:* prodded the needle-point cushion. **4.** set up a yowl. **5.** nerve. **6.** *qu'est-ce . . . passer:* did I catch it. **7.** *me tenir:* behave. **8.** *Vous . . . nage!* Don't get yourself in a sweat! **9.** redhead. **10.** clinked glasses. **11.** *détourner la question!* change the subject! **12.** *J'aurais . . . peine:* I couldn't have if I'd tried. **13.** *creusais la tête:* racked my brains. **14.** ottoman. **15.** *Des fois que:* In case. **16.** arouse. **17.** *vous . . . fiole?* you're making a fool of me?

Je voulais bien reconnaître que j'étais allé fort[1]: la visite de ces Messieurs n'était pas précisément un honneur . . . mais . . .

« Mais quoi? dit le gros, en s'asseyant dans *mon* fauteuil Voltaire,[2] le rouge et brun, comme si tout cela l'avait épuisé. 5 Vous m'agacez à la fin avec vos formules hypocrites, vos si, vos mais, vos que! Est-ce que c'est vous qui allez m'interroger, peut-être? Le monde renversé! Pfeffer! »

Le maigriot se retourna, il était tout occupé à démonter[3] la pendule, ma belle pendule, avec le mécanisme apparent,[4] qui 10 marche cent jours . . . il faudra la faire entièrement réviser,[5] c'est sûr . . .

« Quoi donc, Patron? » demanda-t-il. L'autre soupira:

« Pfeffer, est-ce que c'est moi qui vais interroger Monsieur, ou est-ce que c'est Monsieur qui va m'interroger? Qu'en pen- 15 sez-vous, Pfeffer? »

Pfeffer leva les sourcils d'un air de grande perplexité:

« Je me le demande . . .

— Eh bien, ça a assez duré . . . Où caches-tu le matériel,[6] dis-nous où tu caches le matériel, et un peu plus vite que ça!

20 — Quel matériel? »

Je jure que je n'avais pas la moindre idée de quel matériel il voulait parler, mais ça lui parut d'une mauvaise foi insigne,[7] et il ne me l'envoya pas dire.[8] Sur quoi, il sembla changer d'idée, et à brûle-pourpoint[9] il me demanda:

25 « Qu'est-ce que tu penses de la politique du Président[10] Laval? »

Ce que je pensais de la politique . . . Il paraît qu'il aurait fallu répondre sans réfléchir, que de réfléchir prouvait que j'en pensais pis que pendre.[11] « Ah, pardon, dis-je, c'est vous qui le 30 dites . . . » L'autre haussait les épaules: « Pas même le courage de ses opinions! » J'essayai de lui expliquer que j'avais été surpris par sa question. Personne ne m'avait jamais demandé . . . « Ça donne idée, triompha l'homme au Borsalino,

1. *j'étais allé fort:* I had put it on a bit thick. **2.** *fauteuil Voltaire:* reclining armchair. **3.** take to pieces. **4.** *avec . . . apparent:* visible works (showing behind the glass). **5.** overhauled. **6.** stuff. **7.** evident. **8.** *il ne . . . dire:* he didn't hesitate to tell me so. **9.** *à brûle-pourpoint:* point-blank. **10.** *Président du Conseil des Ministres:* Prime Minister. **11.** *pensais . . . pendre:* hanging was too good for him (*lit.*, think that a person deserves worse than hanging).

des gens que vous fréquentez ! »[1] Le maigriot approuva d'un son qui faisait à peu près: Houimph ! Et c'était peine perdue que d'essayer de se disculper.[2]

Je voulais dire que je ne pensais rien de la politique du Président Laval, pas plus que de la politique de tout autre 5 président. Il y a des gens qui s'occupent de ces choses-là, moi pas. Si on met un homme à la tête du gouvernement, il doit pour cela y avoir des raisons. Comme je ne les vois pas, ces raisons, comment à plus forte raison voulez-vous que je juge de sa politique?[3] S'il fait cette politique-là c'est sans doute 10 pour cela qu'on l'a mis où il est . . . alors . . . Bien sûr, je n'ai pas pu expliquer ça au gros qui ne m'écoutait pas, et qui ne semblait guère me poser des questions que pour le plaisir de se les entendre prononcer.

Tous les vêtements de Pauline, et les miens, gisaient[4] par 15 terre. Le trapu à moustache rousse[5] était monté sur une chaise et farfouillait[6] dans les cartons[7] au dessus de l'armoire d'où il ressortait de vieilles fleurs artificielles, un tablier noir[8] qui avait servi à Alfred à la Maternelle,[9] des chiffons[10] de toute sorte . . . La pièce avait bonne mine.[11] Les deux affamés[12] égouttaient[13] 20 la soupière et l'un d'eux cria: « Et le second service? »

Alors ça,[14] la rigolade était complète.[15] Quand elle se calma un peu le gros ramena son Borsalino jusque sur les sourcils: « Vous écoutez les radios étrangères, à ce qu'il paraît? »[16]

Voilà, qu'est-ce que je disais ! Une lettre anonyme, ça ne 25 pouvait être qu'une lettre anonyme !

« Moi, dis-je, dans l'innocence de mon cœur, mais je n'écoute même pas la Radio Nationale ![17]

— Ah, vous n'écoutez pas la Radio Nationale ! Notez ! Pfeffer ! que Monsieur a le front[18] de se vanter de ce qu'il 30 n'écoute pas la Radio Nationale !

— Mais . . .

1. run around with. 2. to clear oneself. 3. *comment . . . politique?* why should I have any reason to judge his policies? 4. were heaped. 5. The squatty one with the red mustache. 6. was rummaging. 7. cardboard boxes. 8. black smock (worn by French children to elementary school). 9. *la Maternelle:* kindergarten. 10. rags, bits of clothing. 11. *avait bonne mine:* (*ironical*) looked a sight. 12. famished guys. 13. were draining. 14. at that. 15. roar of laughter was unanimous. 16. *à ce qu'il paraît:* it seems. 17. French national radio network, operated at the time by Vichy and carrying its propaganda. 18. audacity, crust.

— Il n'y a pas de mais. Et pourquoi n'écoutez-vous pas la Radio Nationale et écoutez-vous les radios étrangères? Vous les trouvez plus intéressantes? Mieux renseignées peut-être? Mieux faites, qui sait! Quel toupet![1]

5 — Avec quoi voulez-vous que je l'écoute, la Radio Nationale? arrivai-je[2] à dire.

— Avec quoi? Oh ne faites pas l'imbécile,[3] mon gaillard.[4] Avec quoi? Bien pas[5] avec mes fesses[6] peut-être . . . avec votre poste . . .

10 — Mais je n'ai pas de fesses . . . »

Ça m'était parti,[7] il faut bien le comprendre, dans le feu,[8] je voulais dire, je n'ai pas de poste. Ça fit un de ces raffûts![9] « Dites donc, le petit vieux,[10] vous faites de l'esprit? »[11]

Je rougis très fort, et je m'excusai de mon mieux. Mais, c'est 15 vrai, ces Messieurs me bousculaient,[12] je ne savais plus ce que je disais, j'avais voulu dire que je n'avais pas de poste, alors comment voulait-on que j'écoute la Radio Nationale?

« Evidemment . . . si vous n'avez pas de poste . . . mais c'est à voir si vous n'avez pas de poste . . . et comment, si vous n'avez 20 pas de poste, écoutez-vous donc les radios étrangères!

— Eh bien, justement,[13] je vous demande . . .

— Vous me demandez! Pfeffer! Il me demande. Le monde renversé.[14] Qui est-ce qui interroge l'autre! Tâchez d'être correct. Alors, comment est-ce que vous prenez[15] les 25 radios étrangères . . .

— Mais je ne les prends pas!

Le gros siffla longuement: « Voyez-vous ça! D'abord vous avez mis bien longtemps à trouver ça . . . Vous ne les prenez pas! Tous disent la même chose. Vous auriez pu avoir un 30 peu plus d'imagination . . .

— Mais je n'ai pas besoin d'imagination . . .

— On a toujours besoin d'imagination. Surtout dans la situation où vous vous êtes mis!

1. nerve. **2.** I managed. **3.** *ne . . . imbecile:* don't play dumb. **4.** (*ironical*): my fine friend. **5.** *Bien pas:* Certainly not. **6.** *mes fesses:* my behind. **7.** *Ça . . . parti:* That popped out. **8.** *dans le feu:* in the heat of the moment. **9.** *Ça . . . raffûts!* They hit the ceiling; there was an uproar! **10.** *le petit vieux:* old man. **11.** *vous . . . esprit?* are you trying to be funny? **12.** *me bousculaient:* got me excited. **13.** that's just the point. **14.** A topsy-turvy world. **15.** tune in on.

— Mais dans quelle situation . . .

— Voulez-vous comprendre que c'est moi qui vous interroge? Avancez, Madame . . . »

Le nommé Pfeffer[1] poussa Pauline à côté de moi. Les silencieux encombraient toujours la pièce, comme des candélabres.[2] Je voulais lui dire de ne pas se troubler, que tout allait s'expliquer, que c'était une lettre anonyme. Mais Pfeffer me mit sa pince de homard sur la bouche, et d'un air menaçant: Pas de ça, Lisette![3] Il n'est pas permis de se consulter!

Là-dessus le rouquin[4] qui trifouillait[5] les rideaux de la fenêtre depuis un moment en décrocha un qui dégringola,[6] lamentable.[7]

Le gros recommençait à tracasser[8] Pauline maintenant, avec la Radio Nationale, les radios étrangères . . . Comme elle jurait que nous n'avions pas de poste, il s'écria:

« Vous dites ça, parce que vous avez entendu votre mari le dire! »

J'essayais d'expliquer que ça aurait été bien la première fois en trente-cinq ans de mariage, on ne prêtait aucune attention à mes paroles.

« Vous voyez bien, s'exclamait Pauline, que nous n'avons pas de poste! »

Le Borsalino reprit sa place sur la nuque rougeaude,[9] découvrant un début de calvitie[10] suante.[11] Le gros leva son index[12] droit:

« Un peu de logique, Madame, un peu de logique! Comment voulez-vous que je voie *bien* quelque chose qui n'est pas là? C'est toujours comme ça avec les femmes, Pfeffer . . . il y a deux choses qu'il ne faut pas demander aux femmes: de la logique et l'heure qu'il est . . .

— Surtout que vous avez démoli la pendule! »

C'était bien vrai, mais je frémis de l'audace de Pauline. Je l'admirai. Il y a trente-cinq ans que je l'admire et qu'elle m'agace.

1. *Le nommé Pfeffer:* The guy named Pfeffer. **2.** lampposts. **3.** *Pas de ça, Lisette! (colloq.):* None of that now! **4.** redhead. **5.** was messing around with. **6.** fell. **7.** in sad shape. **8.** pester. **9.** *nuque rougeaude:* reddish neck (nape of the neck). **10.** *début de calvitie:* beginning of a bald spot. **11.** covered with perspiration. **12.** forefinger.

« Madame, prenez garde aux mots que vous employez ! Démoli la pendule, c'est vite dit . . .

— Vite fait aussi . . .

— . . . mais il faudrait le prouver. Est-ce que je sais si elle
5 marchait, cette pendule ! Dans laquelle vous avez peut-être caché des tracts . . .[1]

— Comment voulez-vous y cacher des choses puisqu'on voit tout à travers la glace ? »

Voilà qui est bien subtil, chère Madame, bien subtil, et vous
10 ne nous avez pas habitué à des remarques aussi pertinentes . . .

Pauline se fâcha, elle avait cru qu'il disait qu'elle était impertinente, je dus m'en mêler, dire à Pauline qu'elle se mettait dans son tort,[2] alors que pourtant nous n'avions rien à nous reprocher. Alors Pauline piqua une colère[3] contre moi. Ça
15 n'arrangeait rien.

« Tout de même, reprit le gros, si nous en revenions à ces radios étrangères ? Vous prétendez donc que vous ne les écoutez pas parce que vous n'avez pas de poste ! »

Ça me paraissait lumineux.[4] A lui, pas.

20 « On dit, je n'ai pas de poste, et on croit avoir tout dit. Mais . . . »

Et ici il fit avancer le fauteuil Voltaire et se pencha en avant les deux mains sur ses cuisses. Je vis qu'il portait une chaînette d'or au poignet gauche : « . . . Mais . . . pourriez-vous me prou-
25 ver que vous n'avez pas de poste ?

— Regardez vous-même . . .

— Ce n'est pas à moi, proféra-t-il avec solennité, d'apporter la preuve, mais à vous, et à vous ! » Son index pointait vers moi, puis vers Pauline. « Il ne manquerait plus que ça[5] que
30 je dusse apporter la preuve de ce que vous n'avez pas de radio ! Est-ce que je sais, moi, si vous avez ou non une radio ? Vous me direz que je n'en vois pas ici. Est-ce une raison ? D'abord, je n'ai pas tout regardé ici . . . »

Il eut, sur le grand saccage[6] de notre logis, un coup d'œil
35 circulaire.

1. leaflets. **2.** *se . . . tort:* getting herself in wrong. **3.** *piqua une colère:* flew into a rage. **4.** (*lit.*, luminous): bright as day. **5.** *Il . . . ça:* The only thing lacking was. **6.** mess.

« Mes hommes, ajouta-t-il en souriant, n'ont fait qu'un examen très superficiel des lieux . . . Rien dans la cuisine, Petitpont? » Petitpont et un autre dans la cuisine, les deux affamés de tantôt[1] fouillaient les tiroirs. Ils répondirent en chœur: « Non, patron! » avec la bouche pleine. Je ne sais ce qu'ils avaient pu dénicher,[2] par le temps qui court,[3] mais Pauline me cache toujours des provisions qu'elle fait on se demande comment.

« Et alors qu'est-ce que ça prouve? continua le gros. Votre poste peut être ailleurs, en réparation. Vous avez été prévenus, vous l'aurez fait filer.[4] D'ailleurs, je ne vous ai pas trouvé bien surpris de notre visite, vous aviez préparé vos réponses, votre défense . . .

— Je vous jure . . .

— Ne jurez pas! Ce n'est pas joli. On s'en repent toujours. Enfin, reconnaissez que vous écoutez les radios étrangères, que nous ne perdions pas notre temps . . . et vous le vôtre . . . »

Il était jovial et conciliant, soudain.

« Entre nous, ce n'est pas un bien grand crime que d'écouter les radios étrangères . . . tout le monde le fait . . . nous le savons bien . . . moi qui vous parle . . . et puis c'est compréhensible . . . c'est plus intéressant que la Radio Nationale . . . mieux renseigné . . . mieux fait que la Radio Nationale . . . »

Mais j'étais buté[5]: « Je n'en sais rien, puisque je n'écoute pas la Radio Nationale! »

Il leva les bras au ciel: « A quoi bon se guinder[6] comme ça ENTRE NOUS! Cette guerre est trop longue aussi, on s'ennuie, je comprends ça. Alors, une fois par hasard, comme on est à son poste . . .

— Mais puisque je n'ai pas de poste!

— Ne m'interrompez pas tout le temps: c'est désobligeant . . . une fois, comme on est à son poste, on tourne le bouton, on tombe sur le brouillage,[7] on essaye de l'éliminer, on entend mal, on veut entendre mieux . . . Oh, ce n'est pas par méchanceté! par jeu, par sport . . . On n'est pas un conspirateur parce

1. *de tantôt:* of a while ago. **2.** (*lit.*, take out of a nest): find. **3.** *par . . . court:* in days like these. **4.** *vous . . . filer:* must have sneaked it out. **5.** stubborn. **6.** *A . . . guinder:* What's the good of getting on one's high horse. **7.** jamming.

qu'on écoute les radios étrangères . . . sans ça il faudrait croire que toute la France conspire . . . c'est bien un peu vrai du reste . . . mais enfin ce n'est pas si grave que tout ça . . . on écoute un peu . . . on conspire un peu . . . On n'a pas mauvaise in-
5 tention . . . Alors, vous avouez? »

Comme je faisais non de la tête, le ton changea, menaçant:

« Vous refusez de reconnaître les faits? Bon, bon.[1] Nous suivrons cette affaire. Après cette façon louvoyante[2] que vous
10 avez eue de parler du Président Laval . . .

— Ah, mais permettez . . .

— Je ne permets rien. On a trop permis. C'est ce qui fait que nous en sommes où nous en sommes. Des gens qui parlent mal du Président Laval, ça c'est un test! Vous ne savez pas,
15 probablement, ce que c'est qu'un test? Pfeffer, il ne sait pas ce que c'est qu'un test! »

Il eut un geste de lassitude, de découragement. J'aurais su ce que c'était qu'un test, que je n'aurais pas eu le loisir de le lui expliquer. Il parlait pour Pfeffer maintenant:

20 « Voyez-vous, Pfeffer, quand vous serez dans la carrière[3] depuis aussi longtemps que moi, vous éprouverez parfois un sentiment de fatigue à l'idée des gens que nous sommes amenés à fréquenter,[4] à coudoyer[5] dans notre métier. Intellectuellement parlant, ah-là-là. Un monde assez mêlé.[6] Il faut tout le
25 temps se mettre à leur portée,[7] surveiller ses mots, choisir son vocabulaire. La pauvreté du vocabulaire des gens, Pfeffer! Quelle pitié! Comment voulez-vous que les choses aillent bien? Et avec un modèle de clarté et de simplicité! Songez qu'en allemand . . . tenez,[8] en allemand, à ce qu'il paraît, c'est
30 cet officier de la Feldgendarmerie[9] qui me le disait l'autre jour, il y a des mots de soixante-dix lettres . . . alors, vous imaginez! Et déjà, voyez-moi ces benêts-là[10] rien qu'avec un petit mot français de quatre lettres comme test! »

Il s'interrompit, et sembla en proie à un doute grave:

35 « Je ne me trompe pas, Pfeffer? quatre lettres . . . t, e, s, t

1. *Bon, bon:* O.K., O.K. **2.** dodging. **3.** business. **4.** *amenés à fréquenter:* obliged to deal with. **5.** rub elbows with. **6.** *Un . . . mêlé:* A rather mixed group. **7.** *se . . . portée:* put oneself on their level. **8.** now. **9.** German military police. **10.** dopes.

. . . ça ne prend pas d'e muet au bout, test, teste, test . . .? Non, je crois que ça n'a que quatre lettres . . . »

Ici, il regarda son subordonné avec un air de mépris mêlé d'indulgence:

« Quatre lettres, Pfeffer . . . Mais j'attendais au moins que vous me fassiez une remarque. Un petit mot français de quatre lettres . . . ça ne vous dit rien? »[1]

Pfeffer marqua sur tout son visage une grande inquiétude. Qu'est-ce que le patron voulait dire? Un mot de quatre lettres? Il ne savait pas s'il fallait rire: interrogea du regard ses collègues, ceux qui faisaient les quilles.[2] Ils ne l'aidèrent pas.

« Un petit mot FRANÇAIS, Pfeffer, vous êtes un ignorant! Ce n'est pas un mot français, c'est un mot anglais, Pfeffer, un mot anglais . . . oh, ne prenez pas l'air prude comme ça, on peut employer un mot anglais de nos jours sans être anglophile pour ça! Par exemple le mot *trust* . . . eh bien, c'est un mot anglais, et puis tout de même c'est du vocabulaire de la Révolution Nationale.[3] Il faut les nommer pour les combattre . . . Les trusts,[4] pas les tests, bien sûr, vous êtes stupide! »

Pauline eut l'imprudence de lui couper la parole.[5] C'est son genre,[6] je le lui dis toujours, mais elle ne m'écoute pas.

« En fait de[7] trust, dit-elle, est-ce que vous n'allez pas décamper? »[8]

Il faut reconnaître que c'était très incorrect,[9] et puis que ça n'avait ni queue ni tête.[10] Le gros, et Pfeffer, se mirent à tempêter. Je tâchai d'intervenir:

« Pauline est comme ça, M. l'Inspecteur, ça fait trente-cinq ans . . .

— Eh bien, glapit-il,[11] si vous la supportez depuis trente-cinq ans, moi ça ne durerait pas trente-cinq minutes! »

Là-dessus, ceux qui fourrageaient[12] dans la cuisine apparurent avec la bouteille d'huile. Petitpont exultait:

1. *ça . . . rien?* doesn't that mean anything to you? **2.** *ceux . . . quilles:* who stood there like ninepins. **3.** *Révolution Nationale:* Pétain's new regime. **4.** The Nazis and their French disciples claimed that their system was directed against trusts and other forms of international capitalism; hence their use of phrases such as National Socialism and *Révolution Nationale.* **5.** *couper la parole:* interrupt. **6.** *C'est son genre:* It's just like her. **7.** *En fait de:* Speaking of. **8.** clear out. **9.** rude. **10.** *n'avait . . . tête:* did not make sense. **11.** he yelped. **12.** were foraging.

« Vous voyez, patron, marché noir ! il y a près d'un litre d'huile ! »

Pauline se défendit: « C'est la ration de juillet . . . »

Le gros ne voulait rien entendre: « Marché noir ! Marché noir ! Ils écoutent les radios étrangères et achètent de l'huile au marché noir ? »

Là, je me mis de la partie.[1] C'était trop absurde. Je ne le disais pas, remarquez bien, parce que je commençais à comprendre que ça n'aurait rien arrangé. Le gros agitait les bras:

« Je confisque ! Je confisque ! Quand le pays manque de matières grasses[2] . . . Votre compte est bon ! »[3]

Ça, Pauline était effondrée.[4] Son huile, vous comprenez.

« Et puis en voilà assez ! cria le gros. Conspirez si vous voulez, mais n'affamez pas le pauvre monde.[5] Tant qu'il y aura des gens comme vous, la France ne se redressera pas ! »

A nouveau, il eut ce changement de ton qui m'avait déjà étonné:

« Allons, vous me direz bien qui vous a vendu cette huile . . .

— Naturellement, fit Pauline, c'est Mme Delavignette . . .

— Ah, ah ? Delavignette, notez Pfeffer, Delavi . . .

— Aux Docks Réunis,[6] Mme Delavignette, notre épicière . . .

— Dans la rue . . . ?

— Bien sûr, à côté . . . C'est tout naturel, puisque c'est notre épicière . . .

— Et combien vous l'a-t-elle vendue ?

— Ma foi, je ne sais pas, le prix quoi . . . le prix . . .

— Huit cents francs le litre, hein ?

— Vous n'êtes pas fou ?[7] Oh pardon, M. l'Inspecteur . . . »

Enfin encore un quiproquo sans nom.[8] Ils avaient empilé un tas de choses sur la table à écrire, dont ils avaient jeté le tapis[9] par terre: mon vieil agenda, les quittances du gaz,[10] la bouteille d'huile, un livre de détectives qui leur avait paru louche[11] parce qu'il s'appelait *Le Crime de Vichy*, enfin des bricoles[12]; et l'un de

1. *je . . . partie:* I got into the argument. 2. *matières grasses:* fats. 3. *Votre . . . bon!* You're in for it! 4. collapsed. 5. *n'affamez . . . monde:* don't starve poor people. 6. name of the shop. 7. *Vous . . . fou?* Aren't you crazy? 8. *quiproquo sans nom:* an incredible mix-up. 9. table cloth. 10. *quittances du gaz:* receipted gas bills. 11. suspicious. 12. odds and ends.

ceux qui ne parlaient pas suait sang et eau[1] à côté de leur butin, à rédiger un procès-verbal de perquisition[2] qu'ils me présentèrent à signer. Moi, je voulais lire avant de signer. Il paraît que ça aussi, ça ne se fait pas. Enfin, j'ai signé pour en avoir la paix. L'un des silencieux s'essuyait les souliers avec le tapis 5 de table. Le gros a pris le papier et a soufflé sur la signature. Puis il l'a écarté[3] un peu comme pour lire. Il a lu ma signature. Il a froncé le sourcil. Il a rapproché le papier de ses yeux, puis l'a écarté de nouveau. Il a éclaté.

« Qu'est-ce que c'est que cette plaisanterie? Comment avez- 10 vous signé? »

Je courbais légèrement le dos.

« De mon nom, dis-je. C'est mon nom malheureusement . . .

— Comment, malheureusement? Vous prétendez[4] vous nommer . . . 15

— Pétain . . . mais Robert, moi, Robert Pétain . . . oui, ça me fait un peu de tort dans le quartier . . . mais je n'y peux rien, c'est mon nom . . . oh, nous ne sommes pas parents! »

L'inspecteur écumait.[5] Qu'est-ce que j'ai pris![6] Enfin, j'ai sorti mes papiers,[7] je lui ai montré que je ne me moquais pas 20 de lui, que je m'appelais bien comme ça, et mon père aussi, le pauvre digne homme. Si on avait su, on aurait changé de nom. Mais mon père, quand il était jeune, c'était un nom comme un autre.

« En voilà assez! » Le Borsalino se rabattait sur les yeux. 25 « Vos plaisanteries sont déplacées . . . Mais si vous vous appelez . . . comme vous dites . . . alors qui est-ce qui s'appelle Sellières, Simon Sellières? Pas vous, vous prétendez, pas vous? C'est bien ennuyeux. Vous ne vous trompez pas? Nous devions perquisitionner[8] chez un certain Sellières, Simon . . . 30 Voyons, c'est le combien ici? . . .[9]

— Le combien?

— Je veux dire dans la rue . . . le numéro . . .

— Le dix-huit . . .

— Maladie![10] C'est au seize qu'il habite, ce Sellières . . . » 35

1. *suait sang et eau:* perspired like anything. 2. *procès-verbal de perquisition:* report of the search. 3. held it off. 4. claim. 5. was foaming. 6. *Qu'est-ce . . . pris!* Did I catch it! 7. *papiers d'identité.* 8. make a (house) search. 9. *c'est . . . ici:* what number is this? 10. Good God!

Là-dessus, Pauline, comme toujours, crut qu'elle pouvait reprendre du poil de la bête[1]; et elle commença à crier:

« Ah, par exemple,[2] vous ne savez pas compter jusqu'à dix-huit et vous venez embouscailler[3] les gens chez eux ! »

5 Encore une fois, ça n'avait ni queue ni tête, car les maisons ça ne se compte pas de un à dix-huit, mais de deux en deux, et puis ce ne serait pas une raison parce qu'on sait compter jusqu'à dix-huit pour avoir le droit d'embouscailler son monde.[4] Le gros ne le lui envoya pas dire.[5]

10 « D'ailleurs, ajouta-t-il, vous avez signé le procès-verbal[6] et l'affaire suivra son cours . . . »

J'eus beau protester, dire que si j'avais su je n'aurais pas signe, j'avais signé et j'avais signé.[7]

« Bien attrapé,[8] dit Pauline, tu n'en fais jamais d'autre. »[9]

15 En moins de deux,[10] le Borsalino avait rassemblé son jeu de quilles.[11]

Ils partirent comme ils étaient venus, d'un coup d'épaule. Mais avec, en plus, l'huile, les notes de gaz et le procès-verbal, sans parler de quelques petits-beurres[12] raflés[13] en dernière 20 minute. Le maigriot, sortant le dernier, se retourna, la bouton de porte dans sa pince de homard, et dit simplement à notre intention[14]: « Houimph ! » et ce fut leur dernier mot.

Bien ! La maison avait bonne mine. Quel capharnaüm ![15] Le piteux,[16] c'étaient surtout les plumes du coussin et le rideau 25 décroché. Je jetai un œil de regret sur le litre vide (on n'aura plus de vin avant mardi !) et la soupe mangée . . .

Pauline ne décolérait pas.[17] Tout était de ma faute. Qu'est-ce que j'entendis comme noms d'oiseaux ![18] Le pis, c'était cette histoire du prétendu amoureux de la corsetière. Comment, du 30 prétendu, Pauline? Elle dit que naturellement c'était cet ami des Picherelle, mais qu'est-ce que j'avais eu besoin de mêler les Picherelle à cette affaire, de les nommer devant la police?

1. *reprendre . . . bête:* get in another crack. **2.** *par exemple:* that's a good one ! **3.** annoy, shove around. **4.** *d'embouscailler son monde:* to bother people. **5.** *ne le . . . dire:* told her off. **6.** report. **7.** I had signed and that was that. **8.** *Bien attrapé:* Serves you right. **9.** *tu . . . d'autre:* you've never done better. **10.** In less than two shakes. **11.** *rassemblé . . . quilles:* called together his ninepins. **12.** cookies. **13.** snatched up. **14.** *à notre intention:* for our benefit. **15.** What a mess! **16.** The sorriest sight. **17.** *ne décolérait pas:* wouldn't calm down. **18.** *Qu'est-ce . . . d'oiseaux !* What names she called me !

Pourquoi est-ce que je ne les aurais pas nommés, je ne voyais pas . . .

« Tu sais bien, dit-elle, ne te fais pas plus bête que tu n'es, leur fils est chez de Gaulle . . .

— Oh bien, ils ne pouvaient pas voir ça sur cette vieille photo 5
. . . d'ailleurs ce n'était qu'un ami à eux . . . qui a été écrasé,[1] si je me souviens bien, à moins qu'il n'ait chopé[2] une pneumonie . . . »

Tout d'un coup, qu'est-ce qu'elle avait, Pauline? Elle ne s'intéressait plus du tout aux Picherelle, ni à la corsetière. 10
J'allais ouvrir la fenêtre, histoire d'aérer[3]: elle m'en empêcha.

« Laisse la fenêtre, viens vite, cria-t-elle, et elle se précipita dans la cuisine vers le mur du fond. Je regardai l'heure. Bon Dieu, c'était vrai. Alors, à côté du fourneau à gaz,[4] nous nous installâmes, l'oreille aux aguets.[5] On entendait dans l'apparte- 15
ment à côté la voix qui hurlait à toute gueule[6]:

« Aujourd'hui 753e jour de la LUTTE[7] du peuple français pour sa libération . . . »

Pauline eut un geste de fureur: « Les canailles,[8] dit-elle, ils nous auront fait rater les informations! »[9] 20

1. run over. **2.** (*colloq.*): caught. **3.** *histoire d'aérer* (*colloq.*): for the sake of letting in some fresh air. **4.** *fourneau à gaz:* gas stove. **5.** *l'oreille aux aguets:* listening intently, ears cocked. **6.** *hurlait . . . gueule:* booming forth. **7.** obviously a De Gaullist broadcast. This dates the period of the story around July, 1942. The first day of the struggle was June 18, 1940, when De Gaulle made his proclamation. L. **8.** scum. **9.** *rater les informations:* miss the news bulletins.

LA GUERRE CONTRE L'ESPRIT

THE DAY–TO–DAY life of forty million people did not change immediately when open war began in the *maquis*. Students for example continued to attend the universities. When the Vichy police, acting as agents for their German masters, ran a dragnet through the student quarters to pick up men for forced labor, eligible students disappeared. But they returned to their studies when the alarm had passed. Only when repeated narrow escapes from the police made it apparent to a student that his number was up would the student definitely take to the *maquis*. The library and the classroom, the student felt, were the primary positions he had to hold. This was because every student knew that Hitler had set out to destroy France as an intellectual power. By limiting the number of educated French men and women in the "New Europe," Hitler planned to make permanent the reduction of France to impotence. France was to be a pantry and vacation land for the master race, populated by second-class Europeans with just enough instruction to make them good servants. Exception would be made for a small élite of Germanophile "leaders," who would be permitted enough education to give them an advantage over their compatriots. It was the task of the French universities to prevent this wrecking job.

There is an integrated national university system in France. The University of Paris and the sixteen provincial universities are closely coordinated, and teachers move from one to another until they settle into their ultimate chairs. There is therefore a great deal closer intellectual rapport between the Universities at Caen and Montpellier, for example, at opposite ends of France, than between Providence College and Brown, which are at opposite ends of Providence, Rhode Island. The connection of universities with secondary schools and of these latter with the lower schools is also much closer than in this country. The French public educational system thus offered a natural framework for a national Resistance movement. It could fight as a unit, and it did. It was easy for Vichy to find a few traitors for the big jobs in the educational system. Abel Bonnard was a member of the Académie Française, so old and obscure that his existence had been almost forgotten, except when colleagues made jokes about his ladylike ways. This creature was made Minister of Public Instruction. He installed a few friends of his own sort as rectors of universities, but there was no trained teaching personnel with which to replace the incumbents.

The only way to eradicate patriotism from the schools would have been to abolish them. Not even the Germans were ready to do that, — yet. They even continued to make sporadic gestures of conciliation to the French intellectual "élites." The

Germans were unable to the end to believe that educated men could be sincerely democratic. In Nazidom a university degree had become not an evidence of scholarship but a grade in the social hierarchy. German nationality was a license to kick other Europeans in the face and each successive diploma entitled the German receiving it to kick a greater number of his own countrymen. Theirs was the army in which privates snapped to rigid attention to salute corporals. They had some vague idea until the end that they would make France a corporal among nations, if the French would only behave. Some of the German leaders' complaints about French "ingratitude" were ingenuous. They had expected France to jump at the offer.

L'Université libre, the organ of the Resistance movement in the universities, was one of the oldest Resistance publications. The following comments on a rise in matriculation fees and a change in the curricula for secondary schools are examples of the constant fight on the educational front.

L'Université libre
15 mai 1943

LES PAUVRES PAIERONT

Un décret vient de doubler les frais d'inscription[1] pour le baccalauréat[2] et les frais d'études[3] dans les Facultés.[4] 5

Cette augmentation sensible de dépense écartera encore des études une série de jeunes gens d'origine modeste.[5] Et c'est toujours ça de gagné pour les partisans de « l'élite ».[6]

On prétend ainsi faire récupérer aux Universités les diminutions sévères (jusqu'aux 4/5) de crédits[7] qu'elles ont subies ! Sur 10 le dos de[8] dizaines de milliers de jeunes, on récoltera[9] ainsi de quoi payer 3 heures de « frais d'occupation ».[10]

Professeurs, ne laissez pas vider les Universités et brimer[11]

1. registration fees. **2.** the first University Degree in the French Educational System. **3.** tuition. **4.** the Faculties (of letters, science, law, medicine, pharmacy) which make up a university. **5.** of moderate means. **6.** here used ironically for the sons of wealthy collaborators. **7.** governmental allotments. **8.** *Sur le dos de:* By burdening. **9.** will extract. **10.** occupation costs. (By the terms of the Pétain Armistice, France paid to the Reich a sum in francs calculated by German economists on French ability to pay for the maintenance of the army of occupation). **11.** be bullied.

vos élèves. Gardiens de la culture, vous devez exiger la liberté de son accès à tous. Protestez, faites entendre une fois de plus votre voix redoutée.[1] Obtenez par votre action incessante la multiplication des bourses[2] et des exonérations,[3] et le retrait[4]
5 de l'augmentation.

L'Université libre
15 février 1944

LES NOUVEAUX PROGRAMMES D'HISTOIRE ET DE GÉOGRAPHIE

10 Première remarque: c'est une absurdité de changer les programmes en un temps où manquent livres, cahiers, papier, où, de l'aveu même des bureaux de Bonnard,[5] il faut s'arranger[6] de manuels anciens qui ne correspondent plus aux programmes complets d'une classe. Actuellement, un élève de 5e[7] a besoin
15 de deux livres d'histoire (anciens livres de 6e et 5e) et de deux livres de géographie (anciens livres de 6e et 3e). Les élèves des classes d'examen[8] ne peuvent se procurer les livres conformes aux exigences du ministre: tel livre manque, tel autre est interdit par les Allemands ou les pétainistes; les éditeurs, con-
20 tingentés en papier,[9] n'éditent plus. Pénurie[10] et incohérence sont, ici comme ailleurs, les marques du régime.

A ces conditions de fait s'ajoute une volonté d'obscurantisme,[11] la négation systématique de nos traditions. Les pro-

1. revered. **2.** scholarships. **3.** exemptions. **4.** cancellation. **5.** Abel Bonnard, poet and novelist, member of the Académie Française, became Minister of Education in 1942, succeeding Jérôme Carcopino. (*Cf. note* **1** *next page.*) After the Liberation, Bonnard was read out of the Académie for his collaborationist activities. **6.** get along. **7.** *élève de cinquième:* Classes in a French *lycée* are counted from the top down: *première* for boys whose average age is 17 or 18 and who are preparing for the *baccalauréat*, *deuxième* for 16-year-old boys, etc. The *cinquième* is the second year, the *sixième* being the first year of the normal *lycée* course. **8.** *classes d'examen:* The classes are the *première*, described above, for students preparing the *baccalauréat, première partie*. The *classe de mathématiques* is for boys preparing the *baccalauréat; deuxième partie*, for those specializing in science. The *classe de philosophie* is for boys preparing the *baccalauréat; deuxième partie*, for boys who are specialising in arts. The *classe de mathématiques spéciales* is for boys who have the two parts of the *baccalauréat* and are preparing entrance examinations to such national schools as *Polytechnique*, *Ecole des Mines*, etc. Finally, there are other special sections preparing for entrance to the *Ecole Normale Supérieure*, *St.-Cyr* (the French West Point), *Ecole Navale* (the French Annapolis). **9.** with a rationed supply of paper. **10.** scarcity. **11.** obscurantism, *i.e.*, the philosophy of the ruling classes who wish to keep the masses ignorant.

grammes d'histoire de Carcopino[1] et Bonnard offrent partout un point de vue étriqué[2] et réactionnaire de l'histoire, où les grands mouvements de libération humaine sont avec soin déformés ou éliminés. Ainsi, la Réforme[3] est présentée comme l'affaiblissement de l'idée « chrétienne »; on a supprimé Calvin 5 et Cromwell; on a escamoté[4] l'histoire des Provinces-Unies[5] au XVIIe siècle: une nation libérée de l'oppression espagnole, qui se développe en grande puissance maritime et culturelle, abrite un Descartes,[6] nourrit un Rembrandt et un Spinoza, ne mérite pas une mention! 10

Les programmes de géographie sont aussi conçus pour satisfaire aux exigences des Allemands. A l'Eurasie des géographes se substitue l'Eurafrique, rêverie des géopoliticiens germaniques. On doit consacrer à peu près le même temps à l'étude de l'Afrique d'une part, de l'U.R.S.S.,[7] du reste de l'Asie et de 15 l'Insulinde[8] d'autre part: 150 millions d'hommes, contre environ 1.500 millions. Prédilection africaine, mais dédain pour « les Amériques », séparées en trois tronçons,[9] à peine mieux partagées que l'Asie.

Quant à l'étude de l'Europe, elle est revue et simplifiée. Si 20 on continue à regarder l'ensemble de l'Europe dans ses limites « classiques » jusqu'à l'Oural, cependant, dans l'analyse régionale, on en retranche[10] toute la partie européenne de l'U.R.S.S.; on omet de parler de la Belgique, des Pays-Bas, du Danemark, de la Yougoslavie, de la Grèce, tous hostiles à la germanisation; 25 mais on recommande d'« insister sur l'Allemagne, la Hongrie et la Roumanie ».

Plus significatives encore sont les omissions concernant la France.[11] Le programme de 5e indique les unités régionales à

1. Jérôme Carcopino became Minister of Education in the Vichy Government in July, 1941, and was replaced by Abel Bonnard in April, 1942. **2.** narrow-minded. **3.** the Protestant Reformation of the 16th century. **4.** (*lit.*, spirited away): omitted, deleted. **5.** the Low Countries that resisted their Spanish masters and fought for religious and political freedom. **6.** René Descartes (1596–1650), celebrated French philosopher and mathematician; Rembrandt van Ryn (1606–1669), illustrious Dutch painter and illustrator; Benedict Spinoza (1632–1667), celebrated Dutch Jewish philosopher. **7.** *Union des Républiques Socialistes Soviétiques* (U.S.S.R.). **8.** the Indian archipelago, comprising Java, Sumatra, Borneo, the Philippines and all the islands between Australia and Asia south of Formosa. **9.** sections (probably North America, Central America and South America). **10.** removes. **11.** The parts omitted were those which Germany proposed to annex.

étudier: l'Alsace n'y figure pas. Toute la région du N.E.[1] est oubliée; le fer lorrain, les cultures[2] alsaciennes, les forêts vosgiennes,[3] Metz et Strasbourg, Mulhouse et Nancy. C'est l'Auvergne qui est proposée comme « le type de région his-
5 torique » qui a joué « un rôle dans l'unité française ». La France du Nord n'est plus qu'une région économique, la Flandre n'est même pas mentionnée parmi les vieilles provinces. Le programme de 1° est analogue: au baccalauréat,[4] le jeune Français de 17 ans est en droit[5] d'ignorer tout de l'Alsace, de
10 la Lorraine et de la Flandre. *Mais Bonnard sera plus vite rayé*[6] *de notre histoire que ces provinces dont lui et ses complices voudraient nous ôter jusqu'au souvenir.*[7]

Dans un dîner, il y a quelques mois Bonnard vantait les jeunesses allemande et italienne et soupirait: « Que la France
15 est lente à mourir! » Mais la France apprend à revivre, et quoi que vous disiez et fassiez, elle revivra. Tel est son véritable programme. Quant aux vôtres, ni les parents, ni les professeurs, ni les élèves n'ont accepté de les suivre; et rien ne restera de votre besogne d'obscurantisme et d'asservissement,[8]
20 que l'évidence de votre infamie.

1. *Nord-Est.* **2.** crops. **3.** of the Vosges mountains. **4.** An examination given by university and lycée professors for the degree of "*Bachelier-ès-lettres*" or "*Bachelier-ès-sciences*" which is required for admission to the various French universities. **5.** *est en droit:* has good reason. **6.** struck. **7.** *nous . . . souvenir:* Not a bad prediction. Bonnard was convicted of treason and sentenced to death in absentia. He escaped to Germany with Laval in August, 1944, and, still with Laval, flew to Spain when Germany fell. General Franco's government allowed him to stay there. L. **8.** enslavement.

THE STRUGGLE on the university front was sometimes violent. The students of the University of Paris demonstrated at the tomb of the unknown soldier at the Arc de Triomphe on November 11, 1940. Several of them were shot by German military police. This was the first large public manifestation of the Resistance. We have already seen how the students of the University of Lyon greeted the Berlin Philharmonic in the Spring of 1942.[1] In the universities as everywhere the fight grew bloodier and grimmer as the day of lib-

1. *See page* **160**.

eration approached. This is the story of the murder of the University of Strasbourg, which has since risen from its grave.

The students and masters of the University of Strasbourg had been evacuated to Clermont-Ferrand, in Auvergne, at the beginning of the war. There they doubled up with the students and masters of the University of Clermont-Ferrand in the latters' buildings. This worked out well enough because both student bodies had been much diminished by the call-up of male students to the Army. Strasbourg is near the Rhine, and was directly under the enemy guns across the river. It was entirely evacuated in September, 1939. When I visited it on Christmas of that year the only inhabitants were pigeons and a few soldiers guarding the French end of the Kehl bridge. This had not been destroyed, and the sentries in the blockhouse at the French end could look over at their German opposite numbers. There was no point in shooting. All the inhabitants had been moved to the south and southwest of France.

After the Pétain armistice the Germans invited the Alsatians to come home. Many did. Then in November, 1940, Hitler incorporated Alsace and Lorraine into the Reich. The inhabitants could choose between German citizenship and emigration. If they emigrated they could take only personal belongings. Thousands chose French citizenship, poverty and exile. Thousands of others had remained in southern France. The presence of the Strasbourg student body at Clermont-Ferrand was always particularly offensive to the Germans. But they tolerated it until November, 1942, when they crossed the line of demarcation. They then began a systematic persecution of these young people who had refused to be Germans. They had ruled that Alsatians of military age were liable to conscription into the German Army. The students obtained false identity cards indicating they had been born in other provinces of France. Even so they were of course liable to labor service.

The Resistance in Alsace was particularly heroic, and much of it was directed from Clermont-Ferrand. Smuggling of Alsatians across the border into "free" France was a perilous business. But it was carried on constantly. The Resistance felt Alsace must not be allowed to be detached from France: the liaison must be maintained. The University of Clermont-Ferrand was a symbol of solidarity. The Germans decided it must be destroyed. And they tried to do it in November, 1943.

COMMENT LA GESTAPO A DÉTRUIT A CLERMONT L'UNIVERSITÉ DE STRASBOURG[1]

PAR ROGER MASSIP

Il faut que tous les Français sachent comment les Allemands ont, le 25 novembre 1943, « détruit » purement et simplement l'Université de Strasbourg repliée[2] à Clermont-Ferrand.

L'événement, sur lequel la presse française des deux zones a
5 fait pieusement le silence, ne déshonore pas seulement la Gestapo d'Himmler. Il accable Pétain et ses hommes.

Nous posons, une fois de plus, la question: Que signifie la mascarade de Vichy? Osera-t-on encore prétendre que le misérable vieillard qui règne sur les bords de l'Allier[3] — pas plus
10 loin — représente encore quelque chose en France?

Dans une Université *française*, dans une ville située théoriquement dans la zone où s'exerce la souveraineté française, les Allemands se conduisent comme d'immondes gangsters, raflent[4] par centaines des Alsaciens qui avaient préféré partager les souf-
15 frances de la patrie plutôt que d'accepter l'esclavage doré offert par Hitler, brutalisent et tuent des professeurs et des étudiants, *et Vichy ne dit rien!* Et Pétain continue imperturbablement à présider aux ébats[5] de ses marionnettes! Son silence est aussi coupable qu'un acquiescement.

20 Jamais en vérité nous n'avons tant envié le sort des Belges, des Hollandais, des Polonais. Eux au moins sont seuls devant l'ennemi. Ils n'ont pas à rougir d'être menés par des traîtres.

1. From *Libération, 1er janvier 1944.* See page 155 for the part of Massip in the Resistance. **2.** moved back. **3.** tributary of the Loire River which flows through Vichy. **4.** round up. **5.** antics.

RÉCIT D'APRÈS DES NOTES PRISES PAR UN TÉMOIN

10 h. du matin le 25 novembre 1943, avenue Carnot, dans les bâtiments neufs de l'Université, où fonctionnent simultanément depuis 1939 l'Université de Clermont-Ferrand et l'Université de Strasbourg. Tout est calme. 5

A 10 h. 35 par les fenêtres de l'amphithéâtre[1] du rez-de-chaussée[2] les professeurs aperçoivent des soldats allemands, l'arme sous le bras, qui s'approchent du bâtiment, puis demeurent immobiles. Ils ont un instant d'hésitation. Mais rien ne se produit. Les professeurs continuent leurs cours. Peut-être s'agit-il d'une manœuvre. A 11 h. les cours prennent fin. Les professeurs avertissent leurs élèves de ce qu'ils aperçoivent de leur chaire. Le bâtiment semble encerclé. Les élèves quittent les amphithéâtres. 10

A ce moment un immense vacarme[3] éclate. Des coups de feu, des cris. De toutes parts débouchent des soldats allemands qui hurlent en allemand l'ordre de se rendre dans la cour centrale. En passant ils donnent des coups de pied, des coups de poing à tous ceux qu'ils rencontrent et les bousculent pour qu'ils aillent plus vite. Vers 11 h. 15, 500 personnes sont parquées[4] dans la cour centrale. C'est une sorte de fosse[5] entourée de tous côtés par les bâtiments de l'Université qui la surplombent.[6] A chaque instant sont projetés dans la cour des retardataires.[7] On entend des coups de feu. Un sous-officier monte sur un banc, fait lever les bras et ordonne: « Le nez en l'air » (Die Nasen hoch!). Il fait froid. Personne n'a pu aller chercher son manteau. Cela dure environ trois quarts d'heure. 15 20 25

A midi on appelle le corps enseignant[8] qui est conduit, les bras toujours en l'air, vers l'escalier menant dans le hall d'entrée. Là, des agents de la Gestapo en civil, une mitraillette sur chaque épaule. Des faces de brutes. Quelques officiers en tenue, qui ont l'air gêné[9] et regardent le plafond. 30

Un soi-disant étudiant en histoire, le béret basque sur la tête, connu sous le nom de Mathieu, inscrit à la Faculté de Strasbourg aidé par une jeune Allemande en manteau de four- 35

1. auditorium, lecture-room. **2.** ground floor. **3.** commotion. **4.** penned. **5.** pit. **6.** overhang. **7.** late comers. **8.** *corps enseignant:* teaching staff. **9.** ill at ease.

rure que l'on avait vue suivre les cours publics de la Faculté, commande. Ils font présenter les cartes d'identité. A droite doivent se placer les Strasbourgeois,[1] sauf 4 professeurs, dont MM. Bounhours, Olivier et Forestier, ce dernier contusionné[2] 5 par les coups de pied qu'il vient de recevoir. A gauche les professeurs de Clermont et les quatre Strasbourgeois en question. Les étudiants à leur tour sont amenés dans le hall, triés[3] de la même façon. Un jeune homme veut expliquer qu'il n'est pas étudiant mais ingénieur, qu'il se trouve par hasard dans 10 l'Université. Il est battu à coups de poing et de pied. Un autre arrive entre deux soldats allemands. Un agent de la Gestapo après lui avoir fait tenir les bras le gifle à pleine volée.[4]

Le doyen de la Faculté de Strasbourg, M. Dangeon, vice-15 recteur, était à son bureau à 10 h. 30. Les Allemands sont arrivés en hurlant, revolver au poing, ouvrant les portes à coups de pied, brisant les instruments de physique. Le doyen, en entendant le vacarme, est sorti dans le corridor. Il a rencontré M. Collomp, professeur d'épigraphie[5] grecque. A peine avait-20 il eu le temps de lui demander ce qui se passait qu'un agent de la Gestapo, surgissant dans le couloir, hurlait l'ordre de lever les bras. Le professeur se retourne. L'Allemand lui donne un grand coup dans le dos et comme le professeur surpris n'avait pas encore levé les bras, il pose le revolver sur la poitrine et 25 tire. Le professeur s'effondre. Le doyen descend les escaliers et rencontre Mme Colas, la secrétaire de l'Université, que les Allemands viennent de rouer de coups.[6] Mme Colas a eu toutefois le temps de passer à côté du professeur Collomp qu'elle entend gémir. Un quart d'heure après l'appariteur[7] Benoît, 30 traversant le même couloir pour descendre dans le hall, trouve le professeur, toujours là, mort.

Cependant dans le hall on fouille tout le monde. Des camions arrivent. On embarque professeurs et étudiants qui sont emmenés à la caserne.

35 Tout le monde est parqué[8] dans une cour entre la prison

1. Strasbourg residents. **2.** bruised. **3.** sorted out. **4.** *le gifle . . . volée:* slaps him resoundingly (*lit.*, with a wide sweep of the arm). **5.** epigraphy (the science of reading inscriptions). **6.** *viennent . . . coups:* have just beaten unmercifully. **7.** attendant. **8.** penned.

militaire et un grand bâtiment, étudiantes à part. Sur un ordre des rangs de quatre sont formés. Tout le monde doit faire face dans la même direction. Il fait toujours aussi froid.

L'ordre est donné de faire demi-tour à droite. C'est pour éviter que les prisonniers puissent voir les nouveaux contingents qui sont amenés dans la cour. Les rafles en effet ont continué. Il arrive des prisonniers de partout. Le chef des travaux[1] de minéralogie Weill, de la Faculté de Strasbourg, arrive traîné par deux soldats. Il a une balle dans la cuisse. On saura plus tard qu'un gamin[2] de 13 ans, qui passant devant l'Université vers 2 h. en allant au lycée, avait paru se moquer d'un soldat qui lui donnait l'ordre de descendre du trottoir, a été abattu. On trouve dans son corps 6 balles de mitraillette. On trouvera également sur un banc près de la Faculté de Droit un jeune homme qui, passant en courant vers midi dans l'avenue, avait été blessé par une balle et était venu s'y étendre. Les Allemands l'auraient achevé.[3]

Il fait de plus en plus froid dans la cour. Quelques vieux professeurs manquent de perdre connaissance. A 19 h. enfin un portail s'ouvre et l'on conduit tout le monde dans un grand réfectoire.[4] On fait sortir les femmes.

Côté allemand, l'atmosphère se détend.[5] Plus de Gestapo. Une sentinelle désapprouve l'opération et le déclare ouvertement. Un sous-officier parlant français, très aimable, réconforte ceux auxquels il parle. On annonce aussi qu'on va apporter de la nourriture. Effectivement on distribue une tasse de soi-disant café. Vers 21 h. la porte des salles s'ouvre. C'est la commission de la Gestapo en civil. Un des hommes demande: « Où sont les femmes? » La porte se referme. Vers 10 h. on vient chercher les hommes par groupes de 10. On les emmène devant une grande table où siègent[6] le soi-disant Mathieu et l'Allemande. Sur la table un dossier. La couverture porte en grosses lettres: « Dossier de l'Université de Strasbourg » et en haut à droite: Georges M. A gauche de la porte des policiers français.

1. laboratory assistant. **2.** youngster. **3.** *Les Allemands . . . achevé:* It is believed that the Germans finished him off. **4.** dining hall. **5.** *Côté . . . détend:* On the German side, the atmosphere clears up. **6.** preside.

Chacun à l'arrivée présente sa carte aux policiers français qui en prennent copie. Puis Mathieu et sa collaboratrice font placer les personnes interrogées tantôt à gauche tantôt à droite. A gauche sont ceux qui doivent rester, à droite ceux qui vont
5 pouvoir partir. Le tri[1] est fait, semble-t-il, au petit bonheur.[2] Il est 4 h. du matin. Les libérés sont autorisés à s'en aller. Au total ont été arrêtées quatre ou cinq cents personnes sur lesquelles 30 pour cent ont été retenues.

Dans le hall, vers midi, un agent de la Gestapo disait en se
10 frottant les mains: « Cette fois je crois que l'Université de Strasbourg est cuite ».[3]

L'Université libre
15 janvier 1944

APRÈS LE DRAME DE CLERMONT

15 LES VICTIMES. Le 25 novembre, M. Collomp, professeur de grec et de papyrologie[4] à la Faculté des Lettres de Strasbourg, était assassiné à 11 heures du matin par un policier allemand en civil, dans le couloir du secrétariat.[5] C'est à son domicile que M. Eppel, professeur à la Faculté de Théologie protestante,
20 fut atteint par une rafale de coups de feu tirés par les policiers qui venaient l'arrêter; il fut grièvement blessé au ventre, avec quatre perforations intestinales. Il a été opéré de la laparatomie.[6] Un ex-chef de travaux, R. Weill, découvert dans une cave de la Faculté, fut blessé à la cuisse. Un jeune homme de
25 16 ans fut tué dans l'après-midi du 25, avenue Vercingétorix, près d'un barrage tenu par les Allemands.

LES PRISONNIERS. A la fin de décembre, 85 personnes étaient retenues prisonnières, parmi lesquelles 38 Alsaciens et Lorrains (23 hommes et 15 femmes). Parmi les prisonniers, les profes-
30 seurs Kirrmann, Sadron, Yvon, Unbegaun, les chefs de travaux[7] Hering et Weill, Mlle Will, professeur au lycée de Clermont, Mlles Kuder et Colas, secrétaires de la Faculté, les bibliothécaires, le comptable,[8] etc.

LE TRAÎTRE. Les 1.500 personnes arrêtées au matin du 25

1. sorting. **2.** *au petit bonheur:* haphazardly. **3.** cooked. **4.** papyrology (study of papyri). **5.** office of the secretary. **6.** laparectomy (excision of a portion of the abdominal wall). **7.** laboratory assistants. **8.** accountant.

novembre furent triées[1] rapidement; environ 350 furent retenues et passèrent devant une commission dans la nuit du 25 au 26. Cette commission était composée de policiers allemands, de quatre inspecteurs français et du traître Georges Mathieu; né à Clermont le 20 avril 1923, fils d'un colonel, étudiant en droit en 1940–41, étudiant d'histoire depuis octobre 1941. Mathieu avait participé à la résistance dans le Puy-de-Dôme; arrêté et détenu par les Allemands pendant six semaines, il avait été relâché après s'être mis au service de la Gestapo. Ses camarades de la Faculté avaient eu l'imprudence de garder confiance en lui. Mathieu leur fournit pendant des mois de fausses cartes d'identité et, le 25 novembre, il les livra aux Boches. Terrible leçon pour les patriotes trop confiants!

1. sorted, "screened."

MARC BLOCH, professor of Economic History at the Sorbonne, was the true pattern of a French scholar. His father had been professor of ancient history at the University of Lyon. Bloch after graduate studies at Leipzig and Berlin as well as in France had begun his teaching career in the Lycée at Amiens, then served as professor of mediaeval history at the same Strasbourg University that has had such strange adventures since. He had published in 1924, when he was 38 years old, a monograph upon the mediaeval practice of touching for the King's evil,[1] "with a luxury of details and precisions," according to a learned colleague. After he had produced books upon the invention of the water-mill and its generalization in mediaeval Europe, upon the mediaeval wine trade, upon the concept of liberty in feudal Europe, he finally produced his principal work, *La Société féodale*. This progress from meticulous, objective studies of detail to one of ensemble typifies the French method in history. Historians like Spengler or Hitler prefer to start with a big theory and then twist details to fit, omitting those that cannot be twisted. Each of Bloch's monographs had traced an important thread in the mediaeval fabric:

1. People suffering from scrofula were supposed to be cured if touched by the king.

the divine character of the king; the rise in the value of human labor (in the old slave days of the Roman Empire, the water-mill had not been worth inventing because men were so cheap); the commerce that linked the mediaeval world together; the complex relations between masters and men (nobody, however, was his own master). He believed that: "The historian is not one who knows. He is one who seeks, in order to try to understand." Not an exciting type. In the Resistance he was known as Narbonne. This is his story, from the pages of *Les Cahiers politiques*, a magazine of the social sciences, originally clandestine but now obtainable on any news-stand.

NOTRE «NARBONNE» DE LA RÉSISTANCE[1]

PAR GEORGES ALTMAN (CHABOT)

Longtemps, nous n'avons pas voulu croire que les brutes avaient éteint cette lumière.

C'était déjà trop de savoir qu'on l'avait battu, torturé, que ce corps d'homme mince d'une si naturelle distinction, que cet
5 intellectuel si fin,[2] si mesuré,[3] si fier avait été plongé dans l'eau de glace d'une baignoire, tremblant et suffocant, giflé,[4] cravaché[5] — et toujours farouchement muet.

Nous ne pouvions pas, non, nous ne pouvions supporter cette image: Marc Bloch, notre *Narbonne* de la vie clandestine, livré
10 aux bêtes nazies, ce type si parfait de dignité française, d'humanisme exquis et profond,[6] cet *esprit* devenu une proie de chair[7] aux mains des plus vils . . . Nous étions là quelques-uns à Lyon, ses amis, ses camarades de lutte clandestine, quand nous apprîmes l'arrestation, quand on nous dit tout de suite:
15 « Ils l'ont torturé ». Un détenu[8] l'avait vu dans les locaux[9] de la Gestapo, saignant de la bouche (ce sillage[10] sanglant à la place du dernier sourire de malice[11] qu'il m'avait légué au coin d'une rue avant d'être happé[12] par l'horreur!). Je me

1. From *Les Cahiers politiques, mars 1945*. **2.** subtle and discriminating. **3.** restrained. **4.** slapped. **5.** slashed with a riding crop. **6.** sensitive and deep humanitarianism. **7.** *proie de chair:* prey of the flesh. **8.** prisoner. **9.** premises. **10.** (*lit.*, wake): wound, welt. **11.** mischievous, roguish. **12.** seized.

souviens; à ces paroles: « Il saignait », les larmes de rage jaillirent de nos yeux à tous. Et les plus endurcis baissèrent la tête avec accablement, comme on fait quand, tout de même, c'est trop injuste.

Nous avons, des mois, attendu, espéré. Déporté? Toujours 5 à Montluc?[1] Transféré dans une autre ville? On ne savait rien jusqu'au jour récent où l'on nous dit: « Plus d'espoir. Il a été fusillé à Trévoux[2] le 16 juin 1944. On a reconnu ses vêtements, ses papiers ». Ils l'ont tué, aux côtés de quelques autres qu'il animait de son courage. 10

Car on sait comment il est mort; un gosse de seize ans tremblait près de lui: « Ça va faire mal ». Marc Bloch lui prit affectueusement le bras et dit seulement: « Mais non, petit, cela ne fait pas mal », et tomba en criant, le premier: « Vive la France! ». 15

Dans le tour[3] à la fois sublime et familier de ces derniers mots, dans cette simplicité antique,[4] je vois la preuve admirable de l'unité sereine d'une vie où la découverte puissante et neuve du passé ne fit qu'appuyer la foi dans les valeurs éternelles de l'homme — une foi active pour laquelle il a su mourir. 20

Jusqu'à la Résistance, je ne le connaissais que par ses livres, sa réputation européenne de grand historien; je savais par ses pairs[5] ce que son œuvre apporte en vues profondes, originales, en découvertes à cette branche nouvelle de l'histoire que Marc Bloch illustre, l'Histoire économique. 25

L'un de nos plus chers camarades, un jeune étudiant en philosophie, qui fut longtemps en pleine[6] lutte, la cheville ouvrière[7] de notre mouvement et de notre journal clandestin *Franc-Tireur* dans la région lyonnaise, me parla un jour de Marc Bloch.

— Il veut absolument prendre contact avec la Résistance. 30 Vous verrez quel chic type![8]

Je revois encore cette minute charmante où le petit Maurice, son visage de vingt ans rouge de joie, me présenta sa « nouvelle recrue », un monsieur de cinquante ans, décoré,[9] le visage fin[10] sous les cheveux gris argent, le regard aigu derrière ses lunettes, 35

1. prison in Lyon. **2.** A town in the department of Ain. **3.** phrasing. **4.** classic. **5.** peers, equals. **6.** in the thick of. **7.** *cheville ouvrière* (*lit.*, kingbolt): mainspring. **8.** swell guy. **9.** wearing the decoration of the Legion of Honor. **10.** delicate.

sa serviette[1] d'une main, une canne de l'autre; un peu cérémonieux d'abord, mon visiteur bientôt sourit en me tendant la main et dit avec gentillesse:

— Oui, c'est moi le « poulain »[2] de Maurice . . .

5 C'est ainsi, en souriant, que le professeur Marc Bloch entra dans la Résistance, c'est sur ce même sourire que je le quittai pour la dernière fois.

Tout de suite, dans notre vie haletante, traquée, forcément bohème,[3] j'admirai le souci de méthode et d'ordre qu'apportait 10 notre « cher maître ».[4] (Ce terme académique nous faisait rire, lui et nous, comme un vestige d'un passé réel mais si lointain déjà, si inactuel dans nos soucis, comme un chapeau haut-de-forme[5] avec des mitraillettes.)[6] Le cher maître, pour l'heure, apprenait avec zèle les rudiments de l'action illégale et de l'in- 15 surrection. Et l'on vit bientôt le professeur en Sorbonne[7] partager avec un flegme étonnant cette épuisante vie de « chiens de rues »[8] que fut la Résistance clandestine dans nos villes.

Je sais que ce n'est pas aller contre son cœur que[9] de dire qu'il aimait le danger et qu'il avait, comme parle Bossuet,[10] 20 « une âme guerrière maîtresse du corps qu'elle anime ». Il avait refusé l'armistice et Pétain, il continua la guerre au poste où le destin l'avais mis. Mais dans notre travail clandestin, dans nos rendez-vous, nos réunions, nos courses,[11] nos imprudences, nos périls, il apportait un goût de précision, d'exactitude, de 25 logique qui donnait à son calme courage — je n'hésite pas à le dire — une sorte de charme saugrenu[12] qui, pour ma part, m'enchantait.

— Voyons, voyons, ne nous emballons pas,[13] il faut limiter le problème . . .

30 Le problème, c'était de faire tenir des consignes[14] aux chefs régionaux des Mouvements Unis de Résistance (les M.U.R.),

1. brief-case. **2.** (*lit.*, colt): The sense here implies that Maurice will help break in the Professor. *Poulain* is a term particularly used in the French sporting world for a young boxer or cyclist under the wing of a veteran. American sports writers would say protégé. L. **3.** bohemian. **4.** title of respect used when addressing a prominent professional man. **5.** *chapeau haut-de-forme:* top-hat. **6.** tommy-guns. **7.** the Faculty of Science and Letters of the University of Paris. **8.** *chiens de rues:* stray dogs. **9.** Omit in translation. **10.** Jacques Bossuet (1627–1704), French historian and bishop of Meaux, famed for his eloquence. **11.** errands. **12.** preposterous. **13.** *ne . . . pas:* let's not get excited. **14.** *faire . . . consignes:* transmit orders.

d'organiser un transport d'armes, de tirer[1] un tract clandestin, de mettre en place, pour le jour J,[2] des autorités clandestines . . .

Quand, au coin d'une rue, dans nos rendez-vous secrets, je voyais Marc Bloch avec son pardessus au col frileusement re- 5 levé,[3] sa canne à la main, échanger de mystérieux et compromettants bouts de papier avec nos jeunes gars en chandails,[4] du même air placide dont il aurait rendu des copies[5] à des étudiants d'agrégation,[6] je me disais, et je me dis toujours que nul ne peut imaginer, sauf ceux qui l'ont vécue, les aspects 10 exaltants de la Résistance civile et clandestine en France.

Bientôt toute la Résistance le connut. Trop. Car il voyait, il voulait voir trop de monde. Il avait gardé de la vie légale et universitaire cette idée que dans le travail on n'était jamais mieux servi que par soi-même. Et il voulait faire le plus, par 15 lui-même. Passionné d'organisation, il était légitimement hanté par le souci de mettre au point tous les rouages[7] complexes de cette vaste administration souterraine par laquelle les M.U.R. (Mouvements Unis de Résistance) commandaient aux maquis, aux groupes-francs, à la propagande, à la presse, aux sabotages, 20 aux attentats contre l'occupant, à la lutte contre la déportation. Ame guerrière mais non point militaire au sens professionnel du terme; il plaisantait souvent: « *Dans la guerre de 14, je n'ai jamais pu monter en grade. Savez-vous que je suis le plus vieux capitaine de l'armée française?* »[8] 25

Il avait dû, comme nous tous, abandonner sa véritable identité pour un double, triple ou quadruple nom; un sur la fausse carte,[9] un pour les camarades, un autre pour la correspondance. Pourquoi avait-il d'abord voulu choisir le pseudonyme insolite d'*Arpajon?* Cela l'amusait d'évoquer cette petite cité de la ban- 30 lieue[10] sud de Paris. Quand le nom d'*Arpajon* fut « brûlé »,[11] comme nous disions, il décida de « rester sur la ligne » et se nomma *Chevreuse.*[12] *Chevreuse* « brûlé » à son tour, nous jugeâmes

1. run off. **2.** *jour J:* D-Day. **3.** snugly turned up. **4.** sweaters. **5.** examination papers. **6.** competitive examination among graduates, taking their *Licence* (M.A.) and *Diplôme* (vaguely equivalent to Ph.D.) in order to select college professors. **7.** cogs. **8.** It wasn't true. He went to war a sergeant and came back a captain. He had the Croix de Guerre with four citations and the Legion of Honor, *à titre militaire,* for bravery. L. **9.** *carte d'identité.* **10.** suburb. **11.** "hot." **12.** Chevreuse is on the same railroad line as Arpajon.

alors plus raisonnable de lui faire « quitter » l'Ile-de-France, et il s'appela *Narbonne* . . .[1]

C'est Narbonne qui devint bientôt le délégué de *Franc-Tireur*[2] au directoire régional des M.U.R. à Lyon, c'est Narbonne qui, 5 avec les délégués de *Combat*[2] et *Libération*,[2] devait diriger la Résistance lyonnaise, jusqu'au tragique coup de filet[3] qui le mena au supplice . . .

Narbonne, pour la Résistance, il était, pour ses logeurs, *M. Blanchard;* c'est sous ce nom qu'il voyageait clandestinement, 10 pour se rendre par exemple à Paris aux réunions du C.N.E.[4] Il avait accepté cette vie de risque et d'illégalité avec un entrain[5] quasi sportif, gardant d'ailleurs une jeunesse, une santé physique que j'admirais en le voyant prendre à la course[6] ce tramway qui le ramenait dans son logis lyonnais, derrière la 15 Croix-Rousse,[7] logis de fortune[8] dont le meuble principal était constitué par une « cuisinière »[9] qui lui servait périodiquement à brûler de trop nombreux papiers.

Je venais souvent le chercher; il était convenu que je ne montais pas et que, pour le faire descendre, je devais siffler de 20 l'extérieur quelques notes d'une musique de Beethoven ou de Wagner; en général, c'était les premières notes de la *Chevauchée des Walkyries*.[10] Il descendait avec un sourire amusé et chaque fois ne manquait pas de me dire:

— Pas mal, Chabot, mais toujours un peu faux,[11] vous 25 savez.

Dans ses courses clandestines, il avait toujours un livre à la main, non point seulement pour lire mais pour y marquer ses rendez-vous dans une mystérieuse cryptographie, un système à lui dont il tirait gloire[12]; mais il choisissait ses auteurs, pour 30 ne pas perdre son temps; le dernier livre que je lui vis en main était un Ronsard.[13]

Ainsi imaginez cet homme fait pour le silence créateur,[14] pour la douceur studieuse d'un cabinet plein de livres, courant de

1. town in southern France. **2.** Resistance newspapers. **3.** *coup de filet:* police-raid, dragnet. **4.** C.N.E.: Comité National des Ecrivains. *See page* 135. **5.** spirit, zest. **6.** *prendre . . . course:* catch on the run. **7.** a district of Lyon. **8.** makeshift. **9.** kitchen range. **10.** *Ride of the Walkyries.* **11.** off key. **12.** *dont . . . gloire:* of which he was proud. **13.** book by Pierre de Ronsard (1524–1585), French poet. **14.** quiet of creative work.

rue en rue, déchiffrant avec nous dans une mansard[1] lyonnaise le courrier clandestin de la Résistance . . .

Et puis la catastrophe arriva. Après un an d'effort, la Gestapo réussit à mettre la main sur une partie du directoire des M.U.R. Marc Bloch est arrêté, torturé, emprisonné. Et cette fin admirable que nous avons dite . . . 5

L'autre matin dans le grand amphithéâtre de la Sorbonne, l'Université française recevait solennellement le général de Gaulle. *La Marseillaise* éclatait,[2] professeurs en robe, étudiants enthousiastes acclamaient le symbole de nos libertés reconquises. Marc Bloch m'avait souvent parlé de ce jour-là, qu'il espérait bien voir. Car il aimait son métier autant que les siens,[3] autant que la France. 10

— Et puis après, murmurait-il, je reprendrai mes cours.

Sa place est vide dans ces salles où toute une génération l'écouta, avec respect. Que le nom de grand professeur Marc Bloch, de Narbonne, martyr de la Résistance vive à jamais sous les galeries[4] de cette Sorbonne qu'il a tant aimée. Et que vite, pour les siens, pour tous ses amis, pour la France, on honore solennellement son cœur[5] et son combat. 15 20

1. attic. **2.** burst forth. **3.** his loved ones. **4.** arcades. **5.** courage, spirit.

LES AVOCATS DANS LA LUTTE

THE LAWYERS too had their front, and their organ, *Le Palais libre*. In this sense *palais* means *palais de justice* or "courthouse." Vichy made constant efforts to infiltrate collaborationists into judicial posts, and to force the courts to yield to a German conception of law. The bar resisted this pressure by the threat of a general strike of magistrates and lawyers, which would have thrown the country into literal anarchy. Most magistrates took the oath of allegiance to Marshal Pétain to avoid being replaced by collaborationists who would have railroaded patriots to execution. They could not, of course, prevent the Germans from executing patriots, *but they could refuse French legal sanctions to the executions*. The murderers would not be able to say, after the war, "These were no war crimes — Frenchmen sentenced Frenchmen." These magistrates could also, especially in the first two years of occupation, set up protecting delays and thwart in many ways the will of the occupying power in civil cases. Vichy eventually had to set up a special tribunal — a court outside the court system — to convict "offenders against the State," which meant resistants. The members of this unconstitutional court delivered the goods — to the executioners. The editorial on Nazi law, from *Le Palais libre* sets forth the divergence in viewpoints. The news items that follow indicate that in the legal profession dissidence was not without risks.

Le Palais libre
Mai 1943

LE DROIT[1] NAZI

Toute l'évolution du droit romain et du droit français a
5 tendu à formuler le juste et l'injuste[2] suivant une règle objective et plus humaine. L'évolution du droit hitlérien tend à retirer toute protection à la personne humaine et à faire d'un chef barbare l'arbitre du bien et du mal.

Le Professeur Karl Schmitt, jurisconsulte[3] officiel du régime
10 donne cette double définition: « Le droit est ce qui est utile au peuple allemand. Le droit est ce que dit le Fuehrer ».

Parlant devant un congrès de juristes réuni à Düsseldorf, le 20 mai 1942, le Sous-Secrétaire d'Etat à la Justice Freisler va plus loin: « Est seul correct, dit-il, ce qui répond aux exi-
15 gences de la vie de la communauté nationale-socialiste. Tout le reste n'est pas convenable, *et par conséquent punissable* ».

Tel est le sens de « l'idée européenne » exprimée en langage juridique, ou plus exactement pénitentiaire.[4] La race des seigneurs dispose non seulement du travail et du sang, mais de
20 la vie privée, de la pensée, des intentions supposées de chacun. Tout acte, toute abstention, toute intention non agréables aux « maîtres » sont sujets à répression pénale.

Et quels maîtres! Freisler, chef de l'administration judiciaire hitlérienne, est un ancien avocat de Cassel suspendu par

1. laws. **2.** right and wrong. **3.** legal expert. **4.** penitentiary.

son conseil de l'ordre[1] pour indélicatesses.[2] Il est de ceux qui apprécient ce qui est convenable et répond aux « exigences de vie de la communauté nationale-socialiste ».

Notre formation de juristes, l'héritage de principes élaborés par des esprits clairs et répondant à des exigences de notre raison, tout ce qui, dans la diversité de nos conceptions, fait de nous des hommes et des femmes d'une même discipline, se révoltent contre un tel retour à l'informulé, à l'arbitraire, au chaos d'une humanité sans lois.

Le droit, pour nous, n'est pas défini par l'intérêt de quelque communauté nationale-socialiste, race de maîtres ou clan de chefs de bandes. Il a pour fin[3] la protection de l'homme sous son double aspect social et individuel. Nous sommes les gardiens d'une conquête non achevée, mais infiniment précieuse de la civilisation.

Juristes français, fiers de la part que nos aînés ont prise à cette conquête, nous saurons la préserver des assauts de la barbarie nazie.

ARRESTATION D'AVOCATES[4]

Après l'arrestation par la Gestapo de Me[5] PYTHON, membre du Conseil de l'Ordre, relâché par la suite, de Mes Georges IZARD et GOVARE, avocats à la Cour de Paris, la police française a arrêté Mlle Odette MOREAU et Mme MIRANDE-THOMAS.

Il s'est trouvé un juge d'instruction,[6] M. GRENIER, pour décerner mandat[7] contre des Françaises au grand cœur, contre des avocates, contre des femmes. Puis il les a livrées aux boches.

Mme MIRANDE-THOMAS est mère de deux enfants de 4 et 10 ans. Son mari est prisonnier de guerre en Allemagne. Le Barreau[8] de Paris tout entier témoigne à ces jeunes femmes courageuses son affection et son admiration.

NOS MARTYRS

René PARODI. Substitut du Procureur de la République,[9] petit-fils du dramaturge[10] Alexandre PARODI, fils de Dominique

1. *conseil de l'ordre:* bar association. 2. malpractice. 3. aim. 4. women lawyers. 5. *Maître,* courtesy title given to lawyers. 6. examining magistrate. 7. sign a writ. 8. bar. 9. *Substitut . . . République:* Assistant Prosecuting Attorney. *Cf.* district attorney. 10. playwright.

PARODI, inspecteur honoraire de l'Education Nationale,[1] René PARODI avait 57 ans.

Ce magistrat incorruptible et courageux, à l'âme généreuse, à la sensibilité vive et frémissante,[2] aux convictions sincères, 5 avait été arrêté par les Allemands en février 1942. Lorsque les policiers de la Gestapo étaient venus le chercher à son domicile, ils ne l'avaient pas trouvé. Prévenu, René PARODI était spontanément allé se constituer prisonnier.[3] Se conformant aux conseils que lui avait donné le chef de son Parquet,[4] il 10 croyait en sa candeur d'honnête homme[5] n'avoir plus rien à craindre. Il resta pendant plus de 2 mois au secret[6] absolu à Fresnes,[7] sans aucun interrogatoire. Après quoi, un beau matin, sa famille est avertie qu'elle ait à prendre livraison de son cadavre, car, affirment les Allemands, il s'est pendu dans 15 sa cellule.

René PARODI était en parfaite santé. Il ne laissait pas un mot d'adieu aux siens auxquels il était tendrement attaché. Son caractère, son passé, le montrent incapable d'une faiblesse, que pourraient seules expliquer les plus abominables tortures. 20 René PARODI est mort assassiné par les boches.

Victime innocente de la barbarie hitlérienne, nous écrit un haut magistrat. René PARODI est un martyr de la résistance patriotique à l'oppression, un de ces bons Français, morts au service de la France qui seront vengés un jour prochain.

1. *inspecteur . . . Nationale:* inspector appointed by the Minister of National Education (to supervise teaching in *lycées* and *collèges*). **2.** vibrant. **3.** *se . . . prisonnier:* to give himself up. **4.** Prosecuting attorney and his assistants. **5.** *en . . . homme:* with the candor of an innocent man. **6.** solitary confinement. **7.** Paris prison.

LA GRÈVE HÉROÏQUE

ON all the silent fronts the war went on without benefit of firearms. Vichy had substituted tame unions for those it had suppressed. The laborers, to Vichy's gratification at first, joined these unions in mass. They retained their membership in the old illegal unions at the same time. Soon the men voted themselves into control of the new unions and began using them to formulate embarrassing wage demands. They constantly called public attention to the rising cost of living, a consequence of German exactions, and to the unsafe material conditions in mines and factories, a consequence of the stripping of French industry. They demanded protection against Allied bombing, since men at work constructing shelters could produce no war goods for the enemy. Also, it embarrassed the Germans to be reminded of their impotence against the Allied air offensive. While they were making these public moves the sabotage and the evasion of labor service went on.

The peasants, by methods which they developed progressively, obstructed the delivery of foodstuffs to the Reich. They constantly exchanged ideas on how *not* to have products available for requisition. It was considered patriotic to withhold stocks from the Germans and sell them to other Frenchmen, even at high prices. This was, unfortunately, a painless form of patriotism, and after the liberation the peasants in many cases continued to think it their right to hold out for high prices. They could not understand that the black market had lost its moral sanction. This has been the source of some ill will between country and city.

Throughout the occupation the farmers lived better than other Frenchmen. Many of them fought with great valor in the Resistance, but a peasant capable of risking his life or resisting torture is not always capable of selling eggs at a reasonable price or of resisting a chance to make a double profit on a pig. Connoisseurs of slyness will appreciate the directions to the wine-growers for concealing the true extent of their production. In France wine and wheat rank as almost equal necessities; much of the wine requisitioned by the Germans was destined to be turned into industrial alcohol, to the French mind a sacrilege. A great deal of the rest of the requisitioned wine was to be resold to Frenchmen in the cities at super-black market prices, for the German officials were venal to an extent unparalleled in the worst American political machine. From the private soldier to the Gauleiter, every German in France was a dealer in goods and privileges. Graft was Hitler's payoff to the German people — everybody from Goering down had the right to lick his fingers. But if a little Nazi reached too far he got his fingers stepped on. Much of the butter requisitioned in Normandy was used as a lubricant for machines in war factories — at a time when millions of French children were developing rickets because of inadequate diet.

La Vie ouvrière
6 mars 1944

LES LUTTES OUVRIÈRES

UNE GRÈVE[1] D'UNE HEURE CHEZ LES MÉTALLURGISTES[2] DU
5 NORD. Les Comités d'unité syndicale et d'action de la métallurgie du Nord avaient invité les métallos[3] à cesser le travail pendant une heure le 17 janvier. Cette manifestation avait pour but d'exiger l'augmentation des salaires et l'amélioration du ravitaillement. 15.000 ouvriers ont participé à cette grève
10 et ont envoyé des délégations aux directions d'entreprises.

UNE NOUVELLE ET IMPORTANTE DÉMONSTRATION DES MINEURS DE ST.-ÉTIENNE.[4] La Vie Ouvrière a relaté la magnifique grève de 8 jours de 11.000 mineurs de St.-Etienne qui eut lieu en novembre 1943. Ces mêmes mineurs viennent de donner un
15 nouvel exemple de leur combattivité.

Le bureau illégal de la fédération[5] régionale, en accord avec les bureaux illégaux des syndicats, avait décidé d'appeler les mineurs stéphanois[6] à marquer le 2e anniversaire de la catastrophe du puits de la Chana[7] par des arrêts du travail. On
20 se souvient que de nombreux mineurs trouvèrent la mort dans cette catastrophe due à l'absence de mesures de sécurité. Une grande campagne d'agitation fut entreprise et les mots d'ordre suivants lancés.

1) aux mineurs du puits de la Chana, grève de 24 h. et se
25 rendre en cortège au cimetière.

2) aux mineurs des autres puits, débrayage[8] 1 h. avant la fin de la journée.

Enfin une délégation fut chargée de déposer le cahier de

1. strike. **2.** metal-workers. **3.** *slang for above.* **4.** industrial city near Lyon. **5.** trade union. **6.** of St.-Etienne. **7.** *puits de la Chana:* mine situated at Enchana (near St.-Etienne). **8.** stoppage of work.

revendications.[1] En tête du cahier figurait: le respect de la réglementation sur la sécurité, le versement[2] immédiat aux familles des victimes des sommes leur revenant[3] et induement retenues par les compagnies, la fourniture gratuite aux veuves et aux orphelins de charbon de bonne qualité. Suivaient les autres revendications sur les salaires, retraites,[4] amendes,[5] etc. . . .

Les mots d'ordre des directions illégales furent suivis intégralement. Le 21 janvier, aucun mineur ne descendit au puits de la Chana et dans tous les autres puits, le travail cessa une heure plus tôt. Tout cela malgré des affiches menaçantes indiquant qu'aucune cessation du travail ne serait tolérée.

A Gardane, la compagnie avait décidé de faire récupérer par avance la journée de Noël en faisant travailler le dimanche 19 décembre. A l'appel du comité populaire, aucun mineur ne descendit ce jour-là.

DANS LA SEINE-INFÉRIEURE. A Rouen, chez Lozon,[6] à la suite d'une action pour l'augmentation des salaires, les ouvriers obtiennent 20% d'augmentation. Au Havre, à la CEM, l'unanimité des ouvriers refuse de travailler le dimanche. Chez Mazeline, on enlève une prime[7] payée jusqu'alors, les ouvriers exigent et obtiennent le paiement de cette prime. Chez Briguet, refus de travailler. A Sotteville, l'assemblée générale des cheminots réclame 1.000 francs d'augmentation par mois. Le cahier de revendications établi par la direction illégale se couvre de signatures.

DANS LA RÉGION PARISIENNE. Lavalette,[8] arrêt du travail pour exiger le chauffage. Gnome et Rhône, délégation à la mairie du 13e pour obtenir des matières grasses.[9] Chausson, Chenard, délégations contre les méthodes de déclassement[10] du personnel. Métro,[11] devant la menace de cessation de travail, la direction donne des acomptes[12] sur future augmentation des salaires. 800 francs le 1er novembre, deux acomptes de 1.000

1. *cahier de revendications:* list of demands. **2.** payment. **3.** *leur revenant:* due to them. **4.** pensions. **5.** fines. **6.** *Lozon, CEM, Mazeline, Briguet* are the names of factories. **7.** premium. **8.** The first four names are big factories in the suburbs of Paris. **9.** *matières grasses:* fats. **10.** transfer. **11.** abbreviation for *Métropolitain,* the name of the principal subway line in Paris. **12.** advances.

francs pour décembre et janvier. Dans l'habillement,[1] plusieurs manifestations et arrêts du travail.

Combat du Languedoc et du Roussillon
15 octobre 1943

5 *CONSIGNES AUX VITICULTEURS*[2]

Vichy vient d'avancer au 15 novembre la date limite[3] pour le dépôt des déclarations de la récolte de vin[4] afin de connaître plus tôt les disponibilités[5] et les mettre à la disposition des Allemands. Faute de soufre[6] et de produits cupricains[7] et en
10 raison de la pénurie de main-d'œuvre[8] envoyée en Allemagne, la viticulture a éprouvé des difficultés. Mais les Français savent que, s'ils sont réduits à la ration d'un litre de vin par semaine,[9] c'est parce que des quantités énormes sont exportées en Allemagne, ce qui prive les Français d'une boisson dont ils n'ont
15 jamais manqué, même au temps de la crise phylloxérique.[10]

Les viticulteurs se sont vus contrôlés par les agents de la régie[11] avec un zèle qui va être accentué pour la campagne en cours.[12] Nous rappelons les moyens propres à mettre en échec le zèle de certains employés de la régie dont les noms seront
20 révélés.

1° Viticulteurs, vous ne pouvez vous opposer aux vérifications, mais il vous appartient[13] de laisser le soin aux employés de déterminer le volume de vos tonneaux,[14] lorsque vos déclarations seront suspectes.[15]

25 2° Ne laissez toucher à vos tonneaux qu'en formulant des ré-

1. *habillement:* garment industry. **2.** wine-growers. **3.** *date limite:* deadline. **4.** *le dépôt . . . vin:* handing in (submitting) of statements concerning the vintaging of crops. **5.** available amounts. **6.** For lack of sulphur. **7.** *produits cupricains:* cupricides (used to kill bugs). **8.** *pénurie de main-d'œuvre:* dearth of manpower. **9.** A very small ration for the average Frenchman. In France, ordinary table-wines have a small alcoholic content and can be safely consumed in comparatively large quantities. **10.** the phylloxera epidemic (which threatened to destroy all the French vines in the latter part of 19th century). **11.** *agents de la régie:* revenue agents. **12.** *qui . . . cours:* which kept increasing as the campaign progressed. **13.** *il vous appartient:* it rests with you. **14.** vats. **15.** This is quite a chore. The great vats contain varying quantities of wine in different states of fermentation. Measuring the level of wine in each vat is a messy job and the measuring must be followed by complicated calculations in cubic centilitres. Also there is a risk of spoiling wine if you mess with it at the wrong time. L.

serves[1] sur les conséquences que la manipulation des employés pourra avoir sur la bonne conservation du vin.

3° Si l'on trouve un déficit comparativement à votre déclaration ne dites pas que vous l'avez consommé, on vous en ferait grief.[2] Soutenez qu'il est imputable[3] à un accident matériel, car vous n'êtes pas tenus[4] de déclarer à la régie les pertes accidentelles pouvant survenir dans votre cave.

4° Si, au contraire (cas plus fréquent), on trouve que vous n'avez pas déclaré la totalité de votre récolte, contestez les résultats en faisant toutes les réserves indiquées sur les conséquences des manipulations par les employés.

5° Enfin si un procès-verbal[5] vous est dressé,[6] gagnez du temps en refusant de payer les amendes,[7] en vous laissant traduire devant le Tribunal[8] et condamner par défaut,[9] en faisant alors opposition,[10] et, sur confirmation du jugement, en allant en appel et en cassation.[11] Pendant ce temps les forces alliées seront venues vous délivrer.

Les Lettres françaises
Septembre 1943

AUTOUR D'UNE BATTEUSE[12]

C'était par une belle journée d'août toute chargée de senteurs.[13] On entendait la lente modulation de la batteuse qui lançait à travers la campagne son appel mélancolique et traînant.[14] Comme la guerre semble loin !

Autour de la batteuse, dans la cour de la ferme, la bonne poussière imprègne l'air. Jambes écartées, mains derrière le dos, le fermier CHAPUIS surveille le travail. Son front est barré de sa ride des mauvais jours. Il balance longuement s'il se soumettra ou non à l'ordre qui lui a été secrètement donné.

— De quel droit me commande-t-on? Ne suis-je pas seul maître de ma récolte?[15]

1. *en . . . réserves:* while entering protests. **2.** *on . . . grief:* they would hold it against you. **3.** to be attributed to. **4.** bound. **5.** police report. **6.** drawn up. **7.** fines. **8.** *traduire . . . Tribunal:* be prosecuted in court. **9.** be sentenced by default. **10.** *en faisant . . . opposition:* by then entering an appeal (against the decision). **11.** *allant . . . cassation:* appealing to the Court of Appeals (*Cours d'appel*) and (if necessary) to the Supreme Court of Appeals (*Cour de Cassation*). **12.** threshing-machine. **13.** *chargée de senteurs:* scent-laden. **14.** long-drawn out. **15.** crop.

CHAPUIS a été mystérieusement averti, comme tous les cultivateurs du village, qu'il ne devra « battre »[1] qu'une demi-journée en tout. « Les Allemands exigent que le blé soit livré avant quinze jours. Nous ne devons rien donner à la réquisition. Chacun ne battra que pour ses besoins . . . » Quand il a reçu l'avis, CHAPUIS s'est violemment emporté.[2] « Je ferai ce que je veux, rien d'autre ! » a-t-il dit. Mais maintenant, la batteuse fonctionne pour lui. La demi-journée s'achève. Va-t-il congédier[3] les ouvriers? Son obstination première a fait place à une pénible réflexion.

— J'ai le droit pour moi, répète-t-il.

Il n'était nullement collaborateur, mais il ne parvenait pas à admettre qu'en accomplissant son simple labeur de paysan il ferait le jeu de[4] l'ennemi. On n'allait pas l'empêcher tout de même de récolter ce qu'il avait semé et de tirer un juste bénéfice de son travail ! Son père le faisait avant lui et le père de son père !

Mais un autre courant d'idées lui vient à l'esprit et se heurte au précédent.

— Si c'étaient des galvaudeux[5] qui me commandaient, ou des gens d'un parti, pas d'erreur, je ne les suivrais pas ! Mais *leur* Comité comprend les hommes de tous les partis, il représente le village entier . . .

Et CHAPUIS s'avisa que c'était le village lui-même qui lui enjoignait de ne pas livrer sa récolte. Et cette solidarité nouvelle l'enchaînait malgré lui. ARDOUIN, BLONDEL et Auguste JOUARE n'ont bien battu que leur demi-journée ! Et il pense aussi à Emile VILLEBOIS qui a passé outre[6] et qui a vu la batteuse brûler dans sa cour. Lentement, il se décide. Son pénible débat se résoud. Il appelle les ouvriers pour les payer: il fera comme les autres.

C'était par une belle journée d'août toute chargée de senteurs. Comme la guerre semble loin ! Et cependant elle est là, elle s'insinue partout. Car parfois elle se livre en des chocs sanglants de puissantes armées et d'autres fois silencieusement, en un pénible débat intérieur, autour d'une simple batteuse.

1. thresh. **2.** *s'est . . . emporté:* became violently angry. **3.** dismiss. **4.** *ferait le jeu de:* would play into the hands of. **5.** ne'er-do-wells. **6.** *a passé outre:* ignored it.

Le Franc-Tireur
25 août 1943

LE PILLAGE

En 1942, la France a versé aux autorités d'occupation 156 milliards[1] de francs. Au rhythme actuel,[2] les sommes versées pour 1943 s'élèveront à 264 milliards. 5

Le plan de ravitaillement[3] du mois d'août prévoit la fourniture par le département du Cantal de 700 bœufs pour la population française, de 200 bœufs, 200 veaux, 280 moutons, 70 porcs pour les troupes d'occupation, de 900 bœufs à destination de l'Allemagne. 10

Dans tous les départements producteurs de bétail,[4] la situation est analogue. De toute la zone sud, 31 trains de 450 têtes de bétail chacun partiront pour l'Allemagne dans le seul mois d'août. 15

2.000 tonnes de beurre par mois

Les autorités allemandes viennent de faire connaître de nouvelles exigences dans le domaine du ravitaillement. Elles réclament en effet, environ 2.000 tonnes de beurre par mois. Jusqu'ici, les seules quantités de beurre livrées par la France à l'Allemagne étaient destinées à l'alimentation des troupes d'occupation. Les nouvelles exigences posent un très grave problème pour le ravitaillement français. Si les 2.000 tonnes de beurre devaient être livrées mensuellement, il deviendrait impossible à la population française de recevoir du beurre même pour les quantités accordés par les cartes d'alimentation.[5] 20 25

1. *milliard* = billion. At exchange rates of 1945, $3,120,000,000. To get a better idea of the amount paid, we should bear in mind both the exchange value of the French franc and its actual purchasing power in France. At the outbreak of World War II, the dollar was worth about 38 francs. However the purchasing value of 38f. in France was far above that of a dollar in America. For instance, one could get board and lodging in a fairly good hotel on the Riviera for 40f. a day. L. **2.** At the present rate. (Two hundred sixty-four milliards would be $5,280,000,000). L. **3.** The program of food supplies. **4.** cattle. **5.** *cartes d'alimentation:* food cards.

IN June and July of 1944 I lived in a war correspondents' camp near the hamlet of Vouilly in Normandy. The camp was on the property of Madame Hamel, a rich proprietress who knew every one of her fifty dairy cows by name, and who looked like a marquise in a portrait by Mme Vigée-Lebrun. The camp included, besides fifty war correspondents, a dozen public relations officers and about a hundred enlisted men who served as drivers and cooks. It was fixed at Vouilly for so long a time because the American First Army was temporarily stalled, first by lack of means for a major offensive, then by rain and mud and finally by a desperate German resistance on the approaches to St.-Lô.

The camp was about fifteen miles from St.-Lô. We used to drive out to the battle every day, getting a little closer to the city each time, and then return to camp to write our stories. So I became well acquainted with Madame Hamel. In the evening, when I had finished my work, I would visit with the family in the kitchen of the farmhouse which was so big it was locally called a chateau. Madame Hamel was an open-handed woman; every evening she would send her son out to the correspondents with as many pitchers of milk as they could drink. Cider was piped from the cellar directly into her kitchen, and any soldier who wanted some could turn the spigot. But she was a good business woman.

Americans have never been taught by dire necessity to eat all the food on their mess tins, and the swill from our chow tent was of a bulk and quality unprecedented in Normandy. So Madame Hamel asked if she could have it for her pigs. There was so much that all her neighbors, too, had enough for their pigs and some even bought young pigs to fatten upon our swill.

Madame Hamel had a radio set which she had concealed all through the occupation, although she had had German soldiers billeted in her house. While the Germans played cards among themselves on the other side of the kitchen wall, Madame and her family would be listening to the BBC broadcasts from London. The German soldiers had *not* had a standing invitation to enter the kitchen at will and help themselves to cider. After the liberation of Vouilly, Madame's neighbors used to gather openly in the kitchen to listen to this now licit radio.

On July 18, the Twenty-Ninth Division took St.-Lô and I

got frightened nearly to death watching them. I came into the kitchen that evening to tell Madame Hamel and her neighbors about it.

"Now we should be able to advance rapidly," I said. "We won't be with you long. On to Paris!"

"That's fine," one man said, "but what about our pigs?"

CE QUE PENSE LE PETIT PEUPLE

At times during the second half of the occupation great waves of hope surged over the country. Sometimes leaders had hard work to restrain their men, sure for subjective reasons that deliverance was at hand. At others the chiefs had to remind their men sharply that the war wasn't won yet, the hardest pull still lay ahead. Sometimes these waves had their origin in events outside France, the surrender of the Germans at Stalingrad, for example, or the landings in Sicily. Often they were followed by disillusion. Here are two expressions of this intoxicating joy that came to Frenchmen even while they lived under the menace of the Gestapo. They triumphed over their conquerors; sometimes, in anticipation, they almost pitied them. The "pauvres Allemands" of *Le Rire d'Europe* is not entirely ironic. If you watch even a rat long enough you will begin to identify yourself with him — and — the Nazis had been in France so long!

La Voix du Nord et du Pas-de-Calais
3 février 1943

LA GRANDE FIÈVRE

C'en est fait![1] c'est le délire! Non plus de l'agonie comme en 1940, mais de la joie, de la joie mâle, austère, née du malheur. La France depuis quelques semaines frémit d'allégresse, se sent renaître. Les Français sont à l'affût[2] de nouvelles; ils sont optimistes, ils pressentent[3] le grand événement, ils s'y pré- 5

1. This is *it!* 2. on the look-out. 3. have a premonition of.

21 Novembre 1943 N° 62

La VOIX du NORD
et du PAS-de-CALAIS
LIBERTÉ
ÉGALITÉ
FRATERNITÉ
Organe de la Résistance de la Flandre Française

GLOIRE aux MINEURS

Mineurs du Nord et du Pas de Calais nous avons su votre admirable attitude devant l'ennemi. La crainte des dangers et des représailles n'a pas brisé votre volonté de réclamer justice et d'exiger de ceux qui profitent de votre travail un peu plus d'humanité.

Nous connaissons vos souffrances et vos privations, nous savons combien il vous est pénible de travailler pour l'ennemi, nous savons aussi la valeur et le prix de la lutte ouverte contre l'allemand maudit et c'est pourquoi nous vous témoignons ici notre profonde admiration.

Vous n'avez pas imploré l'occupant. Les fils de France ne demandent pas les faveurs de l'ennemi. Ce sont les armes à la main qu'ils arrachent et défendent les droits imprescriptibles de la personne humaine. Sûrs de votre droit, vous avez réclamé ce qui vous était dû.

Nous avons su votre fière attitude, lorsque devant le général qui vous enjoignait de reprendre le travail, vous êtes restés impassibles, les bras croisés. Nous avons pu apprécier votre geste de solidarité envers vos camarades arrachés à leur foyer.

Mineurs du Nord et du Pas-de-Calais, vous avez montré au monde les véritables sentiments de la France.

Vous avez montré à l'envahisseur que vous faisiez fi de sa force et de ses menaces. Bientôt, vos souffrances auront leur récompense. Bientôt, vous pourrez laisser éclater librement vos rancœurs, dire à l'ennemi que vous n'avez jamais accepté d'être ses esclaves, lui dire que, travailleurs libres d'un pays libre, vous savez le prix de la liberté et, pour elle, vous êtes prêts à consentir aux plus durs sacrifices.

Que les 380 mineurs incarcérés et leurs familles éprouvées reçoivent ici le témoignage de sympathie de tous les patriotes du Nord. Qu'ils sachent qu'ils seront vengés par tous les Français et plus particulièrement par vous, mineurs de chez nous.

Car nous savons que, demain, quand l'insurrection nationale soulèvera tous les patriotes pour chasser l'envahisseur, vous serez les combattants d'avant garde dans la grande bataille de libération.

Par votre résistance à l'oppresseur, vous avez tracé la voie qui conduit à la lutte ultime, vous avez prouvé que la solidarité nationale, la fraternité d'armes suffisaient à faire céder la force.

Gloire à vous «Gueules noires» de chez nous ! La Patrie libérée vous sera reconnaissante car vous aurez bien mérité de la Nation

LA VOIX DU NORD

Dernière étape de la Guerre avec la

grande victoire de Moscou

Evènement sans précédent dans l'histoire du monde, évènement capital dans l'histoire de cette guerre, la conférence de Moscou après 12 jours de pourparlers, de discussions et d'études vient de clore ses travaux et d'annoncer au monde l'important accord réalisé entre les 3 grandes puissances alliées pour la poursuite de la guerre et la reconstruction du monde de demain.

La rencontre des ministres des Affaires Étrangères MM. Cordell Hull, Eden et Molotov constitue un fait unique, une grande victoire diplomatique comparable par ses effets aux plus grandes victoires de cette guerre. Non seulement une coopération militaire étroite à été scellée, mais les Alliés en manifestant leur inébranlable volonté de poursuivre la lutte jusqu'à la reddition sans condition de l'Allemagne ont juré solennellement et ont pris l'engagement d'édifier d'un commun accord, le monde de la paix. Il est certain qu'un tel évènement assènera au moral allemand un véritable coup de massue et étouffera l'illusion chèrement caressée de l'Allemagne d'une paix séparée avec la Russie.

On ne dégagera jamais assez l'importance des accords de Moscou, car si dans le domaine des opérations militaires futures d'importantes décisions ont été prises, dont les réalisations sont déja en cours, ce n'est pas assez que de considérer cette rencontre comme une simple mise au point des États-Majors pour la poursuite de la guerre, la Conférence de Moscou a dépassé le cadre du présent pour jeter les bases de l'avenir si tant est qu'il est possible de dissocier le sens et le but de cette guerre de la reconstruction du monde de demain.

Il fallait cet évènement avant que la dernière étape de la guerre ne soit franchie. Il était nécessaire que la coordination des efforts de guerre soit opérée pour hâter la défaite de l'Allemagne mais il était aussi indispensable que des accords de fait et de principe soient passés entre les Nations-Unies avant la victoire afin que la paix ne viennent point surprendre les peuples libres sans que les bases de la régénération mondiale n'aient été jetées. C'est parce qu'une telle rencontre n'avait pas été ménagée en 1918 que le traité de Versailles loin d'être un traité de paix, contenait déja en germe une autre guerre mondiale, c'est parce qu'aucun accord préalable n'avait été réalisé que les Alliés en 1918 se sont cantonnés obstinément sur leurs positions, défendant âprement des points de vue égoïstes. Le déchaînement d'un second conflit à 25 ans d'intervalle, les épreuves et les tribulations que tous les pays ont fait comprendre aux Nations-Unies que la paix n'était pas seulement l'acte de ratifications de cessations des hostilités, qu'elle devait être aussi une œuvre posthume, l'œuvre de réorganisation du monde dans les domaines géographique, politique, économique et social afin d'extirper les germes de conflit, de détruire les régimes de force

....

RESISTANCE PAPER FROM NORTHERN FRANCE. This newspaper drew its readers chiefly from the miners and textile workers of the industrial north and is one of the few Resistance papers to boast an illustrated masthead.

parent silencieusement. La certitude leur rend du courage, la France entière est plongée dans une atmosphère de veille[1] de fête, de cette grande fête que sera la libération. Oh! certes, sa joie n'est ni tapageuse,[2] ni vulgaire. Ce n'est pas la joie brutale, grossière et sadique de l'Allemagne de 1940, ni celle mièvre,[3] vaniteuse de l'Italie après son coup de poignard.[4] Non! la France sait trop quels sacrifices ont été et sont encore consentis pour le résultat qui lui permet aujourd'hui d'envisager l'avenir avec confiance. Sa joie est virile, sans faste,[5] sans pompe, profonde, car il s'y mêle la fierté de sa mission légendaire, le souvenir des sacrifices, le regret de l'impuissance où elle s'est trouvée vouée,[6] par la faute des capitulards.[7] Elle est virilisante,[8] il y a en elle la satisfaction d'avoir continué la lutte et le désir de la poursuivre sans réserves.

C'est la joie qui envahit[9] l'âme après la souffrance quand on sent que tout renaît, quand on se sent prodigue[10] de soi, généreux de ses forces.[11] C'est la joie sûre que l'on savoure modestement devant la tâche utile à accomplir.

Joie sûre! Oui! car il n'y a désormais plus rien qui la trouble. La victoire est là, elle s'avance, avec notre libération. La réalisation de notre vœu du 1er Janvier[12] en est à ses débuts. Tout est en branle[13] dans le monde. Ce sont les événements qui ont communiqué aux plus tièdes et aux moins convaincus cette fièvre ardente qui galvanise les patriotes depuis 1940. Les Français sont maintenant sûrs de l'imminence du bouleversement[14] attendu, les faits sont là qui contiennent toute la certitude, toutes les raisons impérieuses de croire: les victoires de Russie et d'Afrique, les décisions de Casablanca,[15] la défaite de la propagande ennemie.

Radio-Paris[16] et l'*Echo du Nord*[17] peuvent continuer à propager leurs mensonges, ricaner et plaisanter: speakers[18] et journalistes savent qu'ils prèchent dans le désert. L'insuccès de la cause à laquelle ils s'étaient attachés a fait éclater leur rancœur et leur

1. eve. **2.** noisy. **3.** affected. **4.** a reference to President Roosevelt's speech characterizing Italy's declaration of war upon France as a "stab in the back". **5.** ceremony. **6.** doomed. **7.** those favoring capitulation. **8.** becoming virile. **9.** floods. **10.** lavish with oneself. **11.** *généreux . . . forces:* eager to offer his energies. **12.** *vœu . . . Janvier:* New Year's resolution. **13.** *en branle:* in motion. **14.** upheaval. **15.** Casablanca conference of 1943. **16.** Vichy-controlled radio station. **17.** collaborationist paper. **18.** radio announcers.

dépit: leurs insanités[1] s'accommodent[2] maintenant de ce cynisme gouailleur[3] de la crapule[4] qui pour ne pas perdre contenance et se gausser[5] encore, fait étalage[6] de son sadisme.

Forces Unis de la Jeunesse
5 *Août 1943*

LE RIRE DE L'EUROPE

Pauvres Allemands! . . . Ils ont incendié Varsovie[7] à coups de bombes, massacré 20.000 personnes à Rotterdam, brûlé d'immenses quartiers de Londres, rasé Coventry, et maintenant 10 Goering, sur une terre calcinée,[8] recherche les ruines d'une ville qui s'appelait Hambourg.

Il y a des hommes qui rient à Londres, à Varsovie, à Rotterdam, à Tours[9] et à Abbeville[10]; il y a des hommes qui rient — et ce ne sont pas les derniers — dans les geôles et les usines 15 d'Allemagne; il y a des hommes qui rient parce qu'on les venge.

Pauvres Allemands! . . . Ils ont dévoré l'Autriche,[11] la Tchéco-Slovaquie, Memel; ils ont occupé presque toute l'Europe, massacré des millions d'hommes et pillé partout. Maintenant, à Orel,[12] à Catane,[13] sur tous les fronts ils reculent, les défen-20 seurs de l'Europe. Et l'Europe rigole.[14]

Pauvres Allemands! . . . Les Hollandais, les Belges, les Français avaient dû fuir devant eux, lamentable cohue[15] qui cherchait sa route vers le Sud; et maintenant, sur les routes qui partent de Berlin et de Hambourg, ils fuient, ils fuient, les 25 seigneurs de l'Europe. Et l'Europe rigole.

Pauvre Hitler! . . . Il avait promis cent fois qu'il respecterait l'Autriche, la Pologne et, bien entendu, la neutralité des Belges et des Hollandais. Il avait menti cent fois.

Pauvre Hitler! . . . Il avait ri cent fois, ri de Bénès,[16] ri des

1. inanities. **2.** are adapted to. **3.** *cynisme gouailleur:* mocking cynicism. **4.** scum, dissolute mob. **5.** *se gausser:* be gibed at. **6.** *fait étalage:* make a display. **7.** Warsaw, capital of Poland. **8.** scorched. **9.** French city on the Loire, furthest German advance in the Battle of France. **10.** French city near the English Channel, by reaching which the Germans cut off the British armies from the French in 1940. **11.** Austria, first country to be annexed by Hitler. **12.** city in Russia, scene of a battle against the Germans. **13.** Catania, port in Sicily, scene of an Allied landing. **14.** laughs derisively. **15.** woeful mob. **16.** President of Czechoslovakia, which was overrun by Hitler in 1939.

Polonais; il avait ri de nous, il avait ri de Churchill, qu'il qualifiait d'ivrogne parce que Churchill voulait se défendre, et le rire d'Hitler secouait l'Allemagne d'un immense rire.

Pauvres Allemands! . . . Pauvre Hitler! . . . Les Allemands ne rient plus, Hitler ne rit plus. L'Allemagne pleure du sang et du fiel,[1] mais l'Europe sent le rire s'enfler dans son sein et bientôt le rire de l'Europe éclatera comme une fanfare. 5

1. bile, bitterness.

AFTER the elation of the two previous pieces, the gloom of this portrait of Paris under the Nazis in 1943, written by Georges Altman, recalls the paintings of Maurice Utrillo, those rows of meaningless houses giving on empty streets, that somehow make us cry. The illegal journalist's mood suddenly changes to one of rage — against the fat cats of treason, the "legitimate" press. In the selection by Claude Morgan, the writer is again elated. He has his fun with M. Cousteau, a proto-Nazi tough guy who is beginning to welch.

CES MISÉRABLES[1] QUI ONT SOUILLÉ PARIS![2]

PAR GEORGES ALTMAN

Quelle splendeur funèbre baigne Paris, peuplé par l'Allemand, et vide! Ces grands espaces monumentaux, la noblesse de ce décor, ces longues et pâles avenues qui s'étirent[3] sans bruit, sans voitures, sous les derniers rayons d'un quatrième automne.[4] 10

Ville décantée,[5] fantôme de ville. Passez un dimanche par

1. wretches. 2. From *Le Père Duchesne, Septembre 1943*, one of the first papers published by the Resistance movement. Its title was chosen to revive a paper of the same name which had been published during the French Revolution in 1789. The original *Père Duchesne* of the first revolution was published by Jacques-René Hébert, noted ideological leader of the French Revolution. In every period of French revolt since then, in 1848, 1871, 1941, a paper of this name has been published by republicans. 3. extend. 4. reference to the fourth autumn since the German invasion of Poland and the start of World War II in September, 1939. 5. drained to the dregs.

les rues qui vont aux Champs-Elysées . . . Frôlant le vert de nos feuillages,[1] d'insolites drapeaux à croix gammée[2] noire dans leur disque[3] blanc, pendent lourdement aux façades de luxe. Personne . . . Des Allemands. Personne . . . Encore des Alle-
5 mands. Personne . . . Personne d'autre que la gradaille[4] nazie, à tunique blanche d'été qui va comme dans le parc[5] de la plus belle des garnisons; une voiture à cheval, un « équipage », passe: deux « junkers » à jumelles,[6] béats.[7] Pas de bruit distinct, nulle part, vraiment que les leurs, bottes ou moteurs; au
10 loin, vers le soir un son de fifres[8] et de tambours[9]; Paris dort, rêve sous leur poids, à côté d'eux, en marge,[10] déchirant de grâce éternelle dans le halo doré de ses couchants.[11]

Qui n'a pas entendu, un après-midi, dans une avenue parisienne, oublié d'avant guerre, un orgue de barbarie[12] geindre
15 son antienne crève-cœur[13] devant l'hôtel Plaza-Athénée où riaient des marins allemands, ne sait l'affreuse tristesse qui monte des bords de Seine. Qui n'a pas dans un boulevard aux grands arbres, jadis plein des rumeurs[14] de la journée finie, été oppressé par le silence total où l'on entendait même le faible
20 remuement des feuilles, ne sent point ce qu'est Paris occupé, Paris muet, Paris flétri.[15]

Ce n'était pas assez d'avoir livré aux nazis, aux S.S., aux pelotons d'exécution[16] la capitale du Monde. Ce n'était pas assez de voir collées[17] sur les murs les affiches[18] des fusillades[19]
25 d'otages.

Ce n'était pas assez d'avoir vu à Paris le Vélodrome d'Hiver[20] comblé,[21] durant trois nuits, de femmes et d'enfants juifs.

Il fallait qu'il y eût des hommes, des Français, qui chaque jour avec zèle, avec joie, avec jouissance, acceptent d'appliquer

1. *Frôlant . . . feuillages:* Brushing lightly against the green foliage of our trees. **2.** swastika. **3.** circle. **4.** contemptuous reference to Nazi officers (formed from *gradés*, officers and *canaille*, scum). **5.** parade ground. **6.** *à jumelles:* binoculars slung on shoulders. **7.** gaping. **8.** fifes. **9.** drums. **10.** (*lit.*, on the margin): on the sidelines. **11.** *déchirant . . . couchants:* offering a heart-rending spectacle of eternal grace in the golden halo of its sunsets. **12.** *orgue de barbarie:* street hand-organ. **13.** *geindre . . . crève-cœur:* grind out its heartbreaking melody. **14.** (the vast mixed) murmurs (of a city). **15.** defiled. **16.** firing squads. **17.** (*lit.*, glued): pasted. **18.** posters. **19.** shootings, executions. **20.** *Vélodrome d'Hiver:* The Madison Square Garden of Paris, used for bike races, boxing bouts, all types of sports, mass meetings, etc. Used by the Germans as a concentration point for people picked up in mass arrests. **21.** packed, crowded.

et de dépasser les consignes[1] de honte, de flagorner[2] les bourreaux,[3] de remercier les assassins.

En écrivant, en signant, en proclamant leur infamie, tant ils étaient sûrs qu'elle durerait autant qu'eux!

Cette presse de haine importée, cette pestilence écrite qui pavois[4] les kiosques[5] parisiens, et qui, chaque aube, offre — en vain d'ailleurs — sa morne frénésie, elle n'a jamais pu s'accorder[6] à cet air de Paris, où souffle l'esprit,[7] la gaîté voltairienne,[8] la grave douceur de la pensée, la passion de justice, de noblesse et de liberté. Comme les sections d'allemands bottés et chantant « jurent »[9] atrocement avec le paysage de la ville, la presse vendue « jure » avec l'âme de Paris.

Ce *Matin*, ce *Parisien*, cette *Œuvre*, ce *Paris-Soir*, ces *Nouveaux Temps*, cet *Appel*, cet *Aujourd'hui*, cette *France Socialiste*, et les hebdomadaires[10] *La Gerbe*, *Je suis Partout*, *Révolution Nationale*, *Au Pilori*,[11] qui se pressent au kiosque, qui les lit, qui les croit? Personne. Mais ils sont là, ils portent témoignage d'une des plus abjectes tentatives d'empoisonnement qui soit: celle de l'âme d'un peuple au bénéfice de l'étranger, de l'ennemi qui l'écrase. Appels en fanfare à la servitude,[12] sonneries de buccin[13] pour toutes les tyrannies, hallali[14] contre les victimes. A qui sera le plus féroce,[15] le plus vil pour faire plaisir à l'occupant.

Ah! certes elle n'était point belle la presse d'avant-guerre; on sait ses tares[16]; sa tare congénitale qui la faisait vassale de l'argent et du pouvoir. Mais aurait-on jamais songé que les plus grands journaux d'hier flanqués de quelques feuilles nouvelles composeraient aussi complaisamment un si abject « concert »? Qu'elle passerait ainsi, sans vergogne,[17] des « *fonds secrets* »[18] de jadis aux « *fonds ouverts* »[19] de l'ennemi! C'est ainsi.[20]

1. *dépasser les consignes:* exceed the orders or instructions. **2.** fawn upon. **3.** executioners. **4.** bedecks. **5.** kiosks (circular news stands which are typical of Paris). **6.** harmonize itself. **7.** wit. **8.** satirical; *cf.* from Voltaire, the greatest French satirist of all time. **9.** clash with. **10.** weeklies. **11.** Pre-war and occupation-created newspapers which became mouthpieces of German propaganda. **12.** *Appels . . . servitude:* Trumpet calls to servitude. **13.** *sonneries de buccin:* flourishes of a ram's horn. **14.** Hunting call to announce the game is at bay. *Cf.* tallyho. **15.** *A qui . . . féroce:* They outdo each other in vying to be the most cruel. **16.** faults, sins, corrupt influences. **17.** shame. **18.** *fonds secrets:* secret slush funds. **19.** *fonds ouverts:* open graft. **20.** But so it was!

Paroles françaises
Novembre 1943

L'AUTRE DANGER: LES NAUFRAGEURS[1] *DE LA PENSÉE FRANÇAISE*

La retraite générale de la Wehrmacht, sur tous les fronts, constitue, on le sait, une éclatante[2] victoire. C'est ce que nous expliquent gravement les journaux ou, si l'on préfère, les feuilles obéissant aux ordres de Vichy-Etat-Grande-Grille.[3]

Car, que l'on ne s'y trompe pas, à part les journaux de la résistance, il n'y a plus de Presse française. Elle est morte, moralement; le dégoût populaire l'a tuée et si, demain, on lui supprimait la rubrique du ravitaillement,[4] elle ne compterait plus un seul lecteur.

N'empêche que tous ces organes profiteurs de la défaite gagnent actuellement des millions grâce aux subventions gouvernementales.

Il y a là quelque chose de profondément immoral. Aussi, nous invitons tous les Français qui grincent des dents à la lecture des journaux, à saboter[5] à leur tour les propagateurs de fausses nouvelles que sont actuellement les organes paraissant aux ordres de la Censure.[6]

Voici quelques moyens de sabotage:

1° S'entendre entre voisins pour n'acheter qu'un journal qu'on se repasserait. D'où économie pour tous et manque à gagner[7] pour l'éditeur.

2° Tous les journaux étant rédigés par Vichy, ne jamais acheter le même journal, ce qui « affolera » le tirage.[8]

3° Rendre les journaux aux vendeurs après lecture des renseignements officiels. Ils les rendront comme invendus[9] aux . . . vendus ![10]

1. wreckers (*lit.*, those who attempt to drown free thought). **2.** brilliant. **3.** *Vichy-Etat-Grande-Grille:* a pun combining the well advertised names of two brands of gaseous mineral water produced by the French state from nationalized wells located near Vichy. To Frenchmen this reference to the Vichy government implied it was as powerful as the dry effervescence of mineral water. When the gas is gone the product is flat. **4.** *rubrique du ravitaillement:* special column, announcing the current and new food ration tickets valid for that day. **5.** sabotage. **6.** censorship organization, generic name used in France. **7.** *manque à gagner:* loss of profit. **8.** "ball up" the run, *i.e.*, the number of copies to be printed. **9.** unsold. **10.** traitors (*i.e.*, those who have "sold out" to the enemy).

4° Ne pas hésiter à écrire au directeur d'un journal pour lui faire part de votre dégoût.

Enfin, et cela est très important, ne faire aucun achat chez les commerçants donnant de la publicité à la presse prostituée et en informer les dits commerçants. 5

Que chacun se persuade qu'en agissant ainsi, en jetant le désarroi [1] dans le clan des prostitués de la Presse, on contribuera grandement à la libération.

Les directeurs des journaux qui paraissent actuellement ont montré qu'ils ne sont que des marchands de papier. Frappez- 10 les au seul endroit sensible: le portefeuille!

Souvenez-vous que si, imitant les marins héroïques de Toulon, [2] les journaux français s'étaient sabordés [3] comme quelques-uns, trop rares, hélas! l'ont fait, il eut été impossible aux négriers [4] de Vichy de continuer leur œuvre néfaste. 15

Demain les journaux vendus auront à répondre de leur traîtrise. Ne les enrichissez pas avant leur exécution!

1. *jetant le désarroi:* spreading confusion. 2. *marins . . . Toulon:* reference to the sailors of the Grand Fleet who at Toulon on the morning of Nov. 27, 1942, sank all their own ships to prevent them from falling into the hands of the enemy. L. *See page 172.* 3. *s'étaient sabordés:* had scuttled themselves. 4. slave traders.

CLAUDE MORGAN is a merry little man with an ingratiating Celtic face that matches his name. Physiognomy however is as usual misleading because Morgan is a nom de plume and his real name is triple-distilled French. It is a nom de plume, that dates from before the war. He was educated as a civil engineer but turned to journalism and in 1939 was on the staff of the Leftist evening newspaper *Ce Soir*. He served at the front, was taken prisoner, escaped and returned to Paris.

There he was employed, under his real name, in the Louvre as some vague kind of assistant curator — "an intellectual loafer," according to him. The services of the Louvre were full of such vague employes during the German Occupation. Monsieur Jaujard, the Director of National Museums, and Monsieur Billiet, the Director of the Louvre, retained their posts even under Vichy since museums were non-political. But Jaujard and Billiet were anything but non-political, and the

Museums were regular forcing beds of Resistance movements. They were particularly valuable for meetings of intellectuals, since the comings and goings of painters, sculptors and writers in such cultural purlieus could hardly be considered subversive or worthy of special notice. Among its other activities, the Louvre group kept the R.A.F. and later the A.A.F. informed of all movements of art treasures to provincial chateaus for safekeeping, so the flyers might avoid bombing the chateaus.

Morgan, before and during the war, was a hard-hitting controversialist, and as editor-in-chief of the liberated *Lettres françaises* he still is.

LA GRANDE COLÈRE DE M. COUSTEAU[1]

PAR CLAUDE MORGAN

Un écho[2] des *Lettres françaises*[3] a mis M. Cousteau en fureur. C'est lui-même qui nous le conte dans un article de *Je suis Partout*[4] de 18 février, tout entier consacré à se justifier.

Le traître avait eu l'impudence de déclarer: « l'idéal serait 5 de refaire la France avec les durs[5] de la Résistance et les durs de la collaboration ». Nous avions répliqué: « pas de commune mesure entre les assassins et leurs victimes ». Et nous ajoutions: « La peur du châtiment éveille curieusement la sentimentalité de Cousteau. A quand sa démission de *Je suis Partout* »? Et 10 cela l'a tellement mis en colère qu'il nous à traités de juifs ce qui est évidemment un argument suprême! C'est un dur, un vrai dur. Du moins, il le dit. On verra plus tard si c'est vrai. Car maintenant comment le savoir? Jusqu'à présent les intellectuels de la collaboration se sont fort bien portés.[6] Per- 15 sonne ne leur a arraché le moindre cheveu. On n'est pas un « dur » parce qu'on a osé l'affirmer en public — sous la protection d'immenses forces policières.

C'est facile d'écrire des articles pour *Je suis Partout:* on peut

1. From *Les Lettres françaises, Mars 1944*. 2. small news item. 3. clandestine literary newspaper of French writers. 4. pro-fascist newspaper of prewar days which became one of the most virulent Nazi papers of occupied France. 5. tough guys, hard-boiled eggs. 6. *se . . . portés:* have got along very well.

travailler à domicile comme un honnête artisan. Pas besoin de lâcher sa copie[1] au moindre coup de sonnette. Les durs de la collaboration, s'il y en a, nous les verrons à l'œuvre, plus tard.

Si Cousteau n'a pas rendu cet hommage aux durs de la Résistance par sentimentalité, quel fut son véritable motif? Par souci de rester gentleman, répond-il. Singulier gentleman qui applaudit à l'assassinat et aux tortures de ses compatriotes. Stupéfiant gentleman qui n'hésita pas, chaque fois qu'il le put, à dénoncer, dans les colonnes de son journal, des écrivains français, aux ennemis de la France! M. Cousteau est peut-être un dur, mais nous pouvons affirmer à coup sûr qu'il n'est pas un gentleman. A moins que ce mot, lui aussi, comme tant d'autres, ait changé de sens depuis juin 40!

Aussi bien là n'était pas sa vraie raison, puisqu'il nous la donne à la fin de son article. « Nous savons bien, écrit-il, que dans la collaboration il y a beaucoup d'opportunistes nauséabonds. »[2] Si M. Cousteau a reconnu le courage des durs de la résistance, c'était tout simplement pour faire honte à ses petits amis.

1. *lâcher sa copie:* drop your copy, stop writing. (Reference to the constant tension under which clandestine press writers were forced to work.) 2. stinking, nauseating.

HUMOUR DE LA RÉSISTANCE

THE HUMOR of the Resistance is a little painful. It would be constructive to compare the files of *Le Gaullois* with those of *Punch*, or of the "Topics of the Times" column in the New York *Times* during the same period. The twenty-odd miles of Channel that separated France from England made more difference in the point of view than the thirty-odd hundred miles of ocean that separated England from the United States. You are really in a war only when you are in direct contact with the enemy. Even *Punch* was only on the edge. As for the "Topics of the Times", although the dates correspond, it seems to have been written in some previous period of history. The proper attitude toward German soldiers one meets in the streets is hardly a hilarious topic. The cowardice of collaborationists, the spectacle of the satellite rats quitting the sinking ship of the German state are subjects for laughter, but the laugher is savage. Finally, the jokesmith always had to fall back on Laval.

Le Gaullois
Octobre 1943

CONSEILS A L'OCCUPÉ[1]

1. Ils sont là, l'œil placide, l'air bon enfant.[2] Ne te fais pourtant aucune illusion. Ce ne sont pas des touristes.

2. Ils sont vainqueurs. Sois correct[3] avec eux. Mais ne va pas, pour te faire bien voir, au devant de[4] leurs désirs. Pas de précipitation.

Ils ne t'en sauraient, au surplus, aucun gré.[5]

3. Tu ne sais pas leur langue, ou tu l'as oubliée. Si l'un d'eux t'adresse la parole en allemand, fais un signe d'ignorance et, sans remords, poursuis ton chemin.

4. S'il te questionne en français, ne te crois pas tenu[6] de le mettre toi-même sur la voie en lui faisant un brin de conduite.[7] Ce n'est pas un compagnon de route.

5. Si au café ou au restaurant, il tente d'engager la conversation, fais-lui comprendre poliment que ce qu'il va te dire ne t'intéresse pas du tout.

6. S'il te demande du feu, tends-lui la cigarette. Jamais depuis les temps les plus reculés, on n'a refusé du feu, pas même à son ennemi mortel.

7. S'ils croient habiles de verser le défaitisme au cœur des citadins[8] en offrant des concerts sur nos places publiques, tu n'es pas obligé d'y assister. Reste chez toi ou va à la campagne écouter les oiseaux.

8. Depuis que tu es occupé, ils paradent en ton déshonneur.

1. citizen under occupation. **2.** good-natured. **3.** on your good behavior. **4.** *va au devant de:* anticipate. **5.** *Ils . . . gré* from *en savoir gré:* to be grateful. **6.** obliged. **7.** *en . . . conduite* (*fam.*): to walk a little ways with him. **8.** *verser . . . citadins:* instil defeatism in the hearts of citizens.

Resteras-tu à les contempler? Intéresse-toi plutôt aux étalages.[1] C'est bien plus émouvant car au train où[2] s'emplissent leurs camions, tu ne trouveras bientôt plus rien à acheter.

Libération
29 février 1944 5

DES FROUSSARDS[3] ET DES MUFLES[4]

Il y a quelque temps, un quotidien[5] à l'affût[6] d'enquêtes[7] pittoresques avait demandé à un de ses rédacteurs[8] de faire un reportage[9] sur les mesures prises par les Ecoles de la Ville de Paris pour mettre à l'abri les élèves en cas de bombardement. 10 L'auteur de l'article faisait une place à part à l'école de la rue des Feuillantines où se trouve actuellement repliée[10] une partie du Lycée Buffon. L'abri réservé aux enfants dans l'enceinte même de l'école[11] était déclaré le meilleur de Paris, car il rejoignait . . . les catacombes. Un abri à l'épreuve des 15 bombes de 5.000 kilos![12]

Le lendemain du jour où paraissait l'article, une voiture automobile à cocarde[13] s'arrêtait rue des Feuillantines. Deux messieurs en descendaient et demandaient à visiter les caves de l'école, au nom de la Présidence du Conseil[14] installée à 20 l'Hôtel Matignon.

Satisfaits de leur inspection, les deux messieurs se retirèrent en faisant savoir que les services de la présidence s'installeraient vraisemblablement rue des Feuillantines. En effet, un ordre fut donné dès le lendemain à la Ville de Paris d'avoir à faire 25 évacuer l'école sans délai.

Ces messieurs, qui redoutent tant d'être écrabouillés,[15] ne se sont naturellement pas inquiétés de ce qu'allaient devenir les enfants.

Ce ne sont pas seulement des foireux.[16] Ce sont des mufles. 30

1. shop-windows. **2.** *au train où:* at the rate with which. **3.** cowards. **4.** cads. **5.** daily. **6.** *à l'affût de:* on the look-out for. **7.** human-interest stories. **8.** members of editorial staff. **9.** feature story. **10.** evacuated. **11.** *dans . . . l'école:* within the school ground. **12.** *à l'épreuve . . . kilos:* able to withstand 5-ton bombs. **13.** (*lit.*, with a cockade): with an official badge. **14.** *Présidence du Conseil:* offices of the Prime Minister. **15.** squashed to a pulp. **16.** (*lit.*, weak-boweled): yellow.

Libération, Edition Zone Nord
16 novembre 1943

HISTOIRE TERRORISTE

Sur la route de Vichy à Paris, deux voitures se suivent à
5 quelques minutes d'intervalle, celle de tête conduit M. Cathala.[1] L'autre, Son Excellence M. de Brinon.[2] Deux pneus de la voiture du ministre des Finances crèvent[3] ensemble. C'est la panne,[4] car on ne possède qu'une seule roue de secours.[5] On décide donc d'attendre l'obligeante voiture de M.
10 l'ambassadeur, et M. Cathala, en compagnie de son chauffeur, se place au milieu de la route pour guetter son arrivée. Dès qu'elle apparaît, les bras s'agitent pour la faire arrêter. Mais M. le ministre des Finances et son chauffeur n'ont que le temps de se jeter à plat ventre dans le fossé.[6] La voiture blindée[7]
15 de M. l'ambassadeur, fonçant[8] sur eux, fait feu de toutes ses mitraillettes et, bientôt, disparaît toute glorieuse d'avoir échappé à l'embuscade terroriste de M. le ministre des Finances.

Le Populaire
Septembre 1943

20 *LES « ALLIÉS » SE SAUVENT*

Après l'ITALIE, à bout de souffle,[9] la FINLANDE tente à son tour de tirer son épingle du jeu.[10] Elle a supprimé ses émissions radiophoniques de propagande à l'usage de l'étranger et renouvelle son attachement à l'amitié américaine. Comme en Italie,
25 le peuple réclame la paix.

La HONGRIE[11] ne veut plus envoyer de troupes sur le front oriental.

La ROUMANIE ne sait comment se tirer du guêpier[12] dans lequel des chefs traîtres l'ont fourrée.[13] Elle demande à la
30 Turquie de servir de médiatrice entre les Alliés et elle.

1. Vichy Minister of Finance. **2.** Vichy ambassador to German Military Government in Paris. **3.** blow out. **4.** breakdown. **5.** spare tire. **6.** ditch. **7.** armored car. **8.** bearing down. **9.** *à bout de souffle:* exhausted. **10.** *tirer . . . jeu* (*lit.*, withdraw her stake from the game): get out with a whole skin. **11.** Hungary. **12.** (*lit.*, wasps' nest): hornets' nest. **13.** shoved.

Le mécontentement à l'égard de l'Axe (ou plutôt de ce qui en reste) règne en BULGARIE.

Bref, l'édifice hitlérien craque de partout.

Bientôt, nous assisterons à l'assaut final.

LES ASSERVIS[1] *SE RÉVOLTENT*

— Les troubles les plus graves ont éclaté en NORVÈGE[2] où de nombreux policiers sont arrêtés et déportés tandis que les anciens officiers sont recherchés par la Gestapo et que l'état de siège est proclamé.

— De nombreux actes de sabotage, notamment contre les voies ferrées, ont lieu au DANEMARK.

— En YOUGOSLAVIE, les guérillas ont pris l'allure[3] de batailles régulières.

— En GRÈCE, une grève[4] générale a eu lieu à Salonique.[5]

— En BELGIQUE,[6] les attentats contre les Allemands et les Kollaborateurs[7] se multiplient.

LES NEUTRES[8] *VONT VERS LA VICTOIRE*

On apprend que:

— Pour la première fois depuis trois ans, l'ESPAGNE[9] a repris la présentation, dans les cinémas, des actualités[10] anglaises.

— La SUÈDE[11] interdit aux troupes allemandes le transit par son territoire, transit accordé après la défaite française.

Le Gaullois
Novembre 1943

LES BONNES HISTOIRES

Hitler, inquiet, demande à Laval de le faire naturaliser français. Laval conduit Adolphe chez le Maréchal, lui donne un mot de recommandation et attend à la porte le résultat de la démarche.[12]

1. *Les asservis:* The enslaved people. **2.** Norway. **3.** tempo. **4.** strike. **5.** Salonika. **6.** Belgium. **7.** Initial *C* in French words is often replaced in German by a *K*. Hence this is an intentional mistake of spelling. **8.** neutrals. **9.** Spain. **10.** newsreels. **11.** Sweden. **12.** maneuver.

Hitler sort au bout d'une heure.

— Qu'a dit le vieux? demande Laval.

Adolphe toise dédaigneusement[1] Laval et ne répond pas. Ce dernier insiste. Alors d'un ton sec le führer répond avec
5 mépris:

— Je n'ai rien à te dire! Je ne parle pas aux boches!

* * *

Une définition pour les miliciens grassement[2] payés, on le sait: les z'héros de la Dépense massive![3]

1. scornfully eyes. **2.** handsomely. **3.** A pun, the phrasing of which suggests: *les héros de la Défense Passive* (the heroes of Civilian Defense). The actual text means "the non-entities of massive expense," an allusion to the fat salary paid to Darnand's militia.

MUCH of Resistance writing echoes the theme "It wasn't enough to see the Germans in Paris — there had to be Frenchmen to thank them." In the next selection the editor of *Combat du Languedoc* takes it up with southern passion. This thought, that there were Frenchmen to sell their brothers' flesh, even though they were a small minority (perhaps a quarter of one per cent) is the wound that remains in the French mind. Every Frenchman feels in some degree guilty for the debacle of 1940 — if only because he had let himself be bamboozled into a sense of security before it happened. But the traitors personify the guilt of all, which makes the honest men all the more bitter against them. In punishing the traitors, Frenchmen were punishing a part of themselves. During the occupation there was not a hamlet that did not have its traitor. Traitors are curious animals. Some are willing to die if people will only be persuaded that they did not profit by their treason: take the thirty pieces of silver out of the story, they seem to think, and Judas would be a decent fellow. The pathology of treason would be a curious study.

I once met an avowed collaborationist in Antrain-sur-Couesnon, a small town in Brittany. It was early in August of 1944, just after the American break-through. Sometimes, in the confused fighting that followed that event, the F.F.I. of a locality captured their own town, and the Germans near it, before the American soldiers got there. That had happened at Antrain. The collaborationist was locked in a cell of the Gendarmerie, which would correspond to an American State Police barracks, except that the Gendarmerie are national police. He was a pot-bellied little man of fifty-six, with a face puffed from a beating some women had given him. "They were widows of men he betrayed to the militia," a resistance man who had brought me to see him said. The collaborationist lay on a concrete dais, which was the nearest thing to a bed the cell contained, his grotesque, nearly feminine figure covered by blood-stained pajamas and a dressing gown. Some resistance men had gone to his house and dragged him from his bed at night. His head was swathed in a turban of bandages. "No, no, I didn't betray them!" he cried to me. "I never betrayed them. It's a lie!" He added, "I'm willing to be shot as a collaborator, but not for having betrayed those men. Somebody told the women I had betrayed their husbands, but it isn't so." In the cell besides me, the collaborator, and my guide, were a young gendarme in a tan uniform and black leather leggings and a great, heavy-set farmer armed with a captured German rifle, who was serving as the prisoner's special guard. All three Frenchmen began to argue with the prisoner at once. My guide was a small, nervous fellow in civilian clothes, but with three slanting gold chevrons on the lapel of his jacket to show he was a sergeant.

"You know that you talked to the militia the day before they jumped those fellows!" cried the sergeant. "And then, animal, the night after they murdered our men, you had the officers of the militia to dinner at your house!"

"Shut up, thing of filth!" the gendarme shouted at the prisoner, from professional habit, although the prisoner was not speaking.

"It wasn't you who always had a good word to say for the Boche, *hein?*" the farmer rumbled.

"Yes," the man on the concrete dais said, "I was pro-German. I acknowledge it. I worked for them. I took money from them. But my prices weren't exorbitant. It is finished for me. I want to be shot."

"Let me get this straight." I said. "You want to be shot?"

"Yes," he said.

"He is not hard to please, you see," the gendarme said to me. "A curious mentality."

The sergeant said, "He's an architect. He built barracks and blockhouses for the Germans. Aren't you ashamed of yourself, miserable object, — you, an educated man?" he howled at the prisoner.

The pot-bellied man looked fixedly at the wall without replying.

"Why did you work for the Germans?" I asked, "Did you think they could win?"

"Not after the Allied landing," he said, "but then it would have been disgusting to change. I could have run away, but I stayed. I am willing to be shot."

"We had a maquis of about eighty men near here," the sergeant told me. "Here in northern Brittany, there isn't cover for large groups of resistants, as there is in the wilder regions. But these were men of quality, most of them non-commissioned officers in the old army. On the night of June seventh, one day after the first American landing, the men of the maquis were going to attack a German road convoy moving north toward Normandy. The man you have just seen betrayed the maquis. He knew that everybody in the countryside hated him. Children made fun of him. Women spat at him. People called him 'Auntie.' He hated us all.

"That evening two hundred militiamen and Gestapo Germans attacked our fellows. They had machine guns, mortars and grenades. We had a German machine pistol, perhaps twenty rifles and one revolver. We had founded our group with only the revolver and we had captured the other weapons one by one. We killed twenty-one of them. They took eight prisoners, put them in a truck, and drove to a quarry near here. Seven of the prisoners were French and one was American. The American was a parachutist who had landed here on June sixth. The maquis had fitted him out in civilian clothes so he would not be spotted. The militia refused to admit that he was a soldier, although he had his identity discs.

They were found on his body later. They stripped him and the other fellows and tortured them — tore out their fingernails, crushed their most sensitive parts, that sort of thing, so that they would give information about the maquis. Then they took them to the edge of the quarry and shot them, so that their bodies fell over the cliff. Then some of the militiamen climbed down and finished off one or two survivors with pistols. They told nobody. A farmer who saw the shootings informed the gendarmes, and they climbed down next day and got the bodies. Now you understand why this man will not admit he gave them the information and why he wants to be shot. He does not want to be released from jail. It would be the worst thing that could happen to him."

TRAHISON

Combat du Languedoc[1]
Juillet 1943

POUR LA PATRIE — CONTRE LES TRAÎTRES

Depuis 8 mois, les boches occupent l'ex-zone libre et, depuis 8 mois, la Gestapo perquisitionne,[2] fouille, arrête, torture et tue des centaines de patriotes de notre région. 5

Derrière les murs renforcés de la prison militaire de Toulouse, puis dans les geôles[3] de Paris et de Compiègne, des hommes, des femmes de toute classe sociale, de tout parti politique, de toute religion souffrent et meurent pour la Patrie. Plus de deux mille personnes sont passées par cette PRISON DE TRIAGE[4] et y ont subi les pires tortures, qui vont des coups de matraque à la flagellation,[5] en passant par[6] les piqûres d'aiguilles,[7] les injections savantes[8] et l'écartèlement.[9] 10 15

1. one of the former southern provinces of France, along the Mediterranean coast, west of the Rhône delta. 2. makes house raids. 3. jails. 4. *prison de triage:* center where prisoners were put through a preliminary process of sifting; hence, a "processing" prison. 5. *qui . . . flagellation:* from clubbing to whipping. 6. *en passant par:* including. 7. *piqûres d'aiguilles:* needle stabs. 8. scientifically administered. 9. quartering.

AUX MOUCHARDS[1]

Mais le plus écœurant[2] pour nous n'est pas que les boches se livrent à ces massacres et à ces barbaries. Ils font leur métier de boches. Un tigre reste tigre jusqu'à sa mort. C'est 5 sa vocation, son goût, son plaisir. Et s'il en est, parmi eux, qui répugnent à ces cruautés, ils les exécutent quand même[3] par ordre du Führer. Un Allemand n'est pas un homme, c'est un instrument aux mains de ses chefs.

Il est des hommes plus répugnants encore que les bourreaux[4] 10 ... ce sont les pourvoyeurs des bourreaux, ces Français qui livrent aux tortionnaires[5] d'autres Français.

Les dénonciateurs les plus marquants[6] ont été avertis et dénoncés par la radio de Londres. Mais la liste de cette vermine est trop longue pour qu'on puisse la lire au micro. 15 Aussi[7] avons-nous décidé de citer à l'ordre du jour,[8] dans ce modeste journal clandestin, ceux qui collaborent avec la Gestapo.

Notre acte a un double but:

D'abord, d'informer les patriotes du danger qu'ils courent en fréquentant ces mouchards. Certains de ces tristes individus 20 se camouflent,[9] font parler ... et dénoncent. Donc attention!

Notre deuxième but est d'avertir les coupables qu'ils ne seront pas oubliés au règlement de compte[10]; quand ils n'auront plus les mitrailleuses boches pour les protéger, la justice républicaine et populaire sévira.[11] Tous les crimes connus seront 25 expiés. Certains croient que « ça se passera »[12] comme après la victoire de 1918. Ils font erreur. Dans la joie d'une victoire, on peut oublier. Après une défaite, il faudra connaître et punir ceux sans lesquels l'ennemi n'aurait pu ni vaincre la nation, ni persécuter les patriotes.

30 En 1918, seule la Patrie avait été trahie. En 1943, en plus de la Patrie, ce sont des personnes qui ont été livrées aux boches. Ces victimes, connaissant les noms de ceux qui les ont livrées, exigeront la justice et le châtiment.

1. *Aux Mouchards:* To Stool-pigeons. **2.** *le plus écœurant:* the most sickening thing. **3.** *quand même:* nevertheless. **4.** executioners. **5.** torturers. **6.** noted, marked. **7.** therefore. **8.** *citer ... jour* (*lit.*, cite in the dispatch): publish a list. **9.** (*lit.*, camouflage themselves): dissemble. **10.** settling of accounts. **11.** shall prevail. **12.** things will work out.

Ces châtiments d'ailleurs ont déjà commencé. Il ne nous est pas possible, on le comprend, de citer des noms et de révéler des faits. Mais il importe que les délateurs [1] le sachent: Déjà certains d'entre eux ont expié.

AUX PATRIOTES

Les Patriotes — dans les prisons — effacent aussi avec leur sang les crimes des lâches et des traîtres.

Grâce aux soldats, grâce aux résistants, la France sortira vivante de l'épreuve [2] et pourra dire au monde: voilà comment mes véritables fils ont racheté des fautes qu'ils n'ont pas commises. Et le monde étonné apprendra — une fois de plus — que rien ne peut étrangler la France . . . la France immortelle.

QU'UN BOCHE TORTURE ET MASSACRE, C'EST SON MÉTIER DE BOCHE ET DE NAZI.

MAIS QU'UN FRANÇAIS VENDE À L'ENNEMI D'AUTRES FRANÇAIS, C'EST CELA LE COMBLE DE L'ABJECTION.

AU JOUR DE LA LIBÉRATION, LES PATRIOTES, LE PEUPLE FRANÇAIS TOUT ENTIER QUI SAIT LUI, CE QUE C'EST ENCORE QUE L'HONNEUR, BALAIERONT L'IMMONDE RACAILLE [3] DES POURVOYEURS DE LA GESTAPO. IL NE FAUT PAS QUE DANS LA FRANCE LIBRE ET RÉNOVÉE, IL RESTE SEULEMENT LE SOUVENIR DE PAREILS FORFAITS. [4]

(A list of traitors followed the above text.)

Le Franc-Tireur
1er juin 1943

RIEN NE SERT DE TRAHIR

AVIS AUX TRAÎTRES. Le docteur Michel Guérin, secrétaire général du P.P.F. [5] pour le département de la Vienne, a été assassiné le 13 mai à coups de couteau à Poitiers par quatre individus qui ont réussi à prendre la fuite.

Le docteur Guérin était l'éditorialiste de l'*Avenir de la Vienne*, [6] il signait ses articles du nom de Pierre Chavagny.

1. informers. **2.** ordeal. **3.** rabble. **4.** heinous crimes. **5.** *Parti Populaire Français.* **6.** PPF newspaper.

Le 14 mai au matin, M. Din, maire de Pierrefitte, ayant naguère appartenu au Parti communiste, a été abattu dans la rue à coups de revolver par deux jeunes gens qui ont réussi à prendre la fuite. M. Din a succombé à ses blessures.

5 Deux juges français dont le Président d'une cour de la Seine-et-Marne,[1] ont été abattus pour avoir condamné des Français à mort, pour sabotage. Un troisième juge a été blessé. Ils avaient tous reçu des lettres les informant qu'ils avaient été condamnés eux-mêmes à mort par une organisation patriotique.

10 LES SUCCÈS DE PHILIPPE HENRIOT. La conférence que fit Philippe Henriot au Cinéma Impérial à Tarbes,[2] à laquelle assistaient plusieurs milliers d'auditeurs, a été interrompue par trois explosions de bombes.

La Voix du Nord
15 *8 avril 1943*

A L'INDEX

L'adjudant de gendarmerie[3] d'Honschoote Victor MILLESCAMPS abuse de ses pouvoirs et se montre trop zélé dans l'accomplissement des ordres des autorités allemandes. Il inflige 20 des procès-verbaux à des personnes transportant 4 ou 5 kilos de blé, de pommes de terre ou de haricots. Nous déplorerions seulement la mesquinerie[4] et le manque de conscience de ce valet de l'ordre nouveau si nous ne savions que Victor MILLESCAMPS n'oublie pas de soigner ses intérêts personnels et exige 25 d'une cultivatrice qu'elle lui apporte une livre de beurre chaque semaine.

Combattants de la région, surveillez étroitement Victor MILLESCAMPS. Continuez à signaler de tels scandales, vous nous permettrez de compléter la liste des profiteurs de l'occu-30 pation.

1. department near Paris. **2.** French town near the Spanish border. **3.** police sergeant. **4.** nastiness, meanness.

LES PATRIOTES A LA RESCOUSSE

L'Espoir
Septembre 1943

FIASCO LÉGIONNAIRE

Les temps ont bien changés depuis 1941, date de la première manifestation de la légion.[1] 5

Les Marseillais[2] ont encore présent à la mémoire le monument dressé face à la Canebière,[3] sur le vieux port. Pendant plusieurs jours, tous les personnages officiels y étaient venus haranguer la foule légionnaire et M. l'évêque bénir tout ce beau monde. 10

Les hordes allemandes, partout victorieuses, venaient de conquérir les Balkans, dans les steppes russes c'étaient de retentissantes[4] victoires . . .

Mais, depuis, quels changements!

Après le cran d'arrêt[5] devant Moscou, c'est l'entrée en 15 guerre de l'Amérique, le débarquement en Afrique du Nord et l'entrée dans la guerre de tout l'Empire,[6] les victoires de Stalingrad, de Tunisie et de Sicile, la fuite de Mussolini et la disparition du fascisme. Les plus endurcis[7] ont compris que l'Allemagne avait perdu la guerre, que les Alliés, poursuivant 20 leur marche triomphale, allaient bientôt venir nous libérer, et qu'il y aura quelques comptes à rendre.

C'est pour cela que le 29 août 1943, anniversaire de la Légion, a été une manifestation . . . sans légionnairc.

A la place d'Aix et au Lycée Périer, quelques personnages 25 officiels, très gênés, se regardaient en silence.

La cérémonie qui a duré quelques minutes a pris fin, au soulagement[8] général, car tous avaient visiblement hâte de partir.

Pas de défilé[9] à travers la ville. 30

Rien, moins que rien . . .

Les temps sont changés!

1. *Légion des Volontaires Français.* **2.** inhabitants of Marseille. **3.** principal street in Marseille. **4.** resounding. **5.** *cran d'arrêt* (*lit.*, check-rein): The reference is to the check of the German armies before Moscow. **6.** *i.e.*, the French Colonial Empire. **7.** hardened, hard-boiled. **8.** relief. **9.** parade.

Libération, Edition Zone Nord
16 novembre 1943

DES BRUTES

Il y a quelque temps, une brigade de policiers, commandée par le commissaire Dumontel, de la police spéciale de Laval, arrêtait, dans la Nièvre,[1] une vingtaine de patriotes et les incarcérait à l'Ecole Normale de Jeunes Filles, boulevard Victor-Hugo, à Nevers, transformée pour la circonstance, en prison.

Là, les patriotes subirent les interrogatoires spéciaux qui sont la moderne réplique de l'ancienne *question.*[2] L'un d'eux demeura vingt-six heures attaché à une table, entièrement dévêtu, cependant que les inspecteurs se relayaient pour le frapper à coups de nerfs de bœuf[3] et de matraques,[4] confectionnées avec des fils[5] électriques. Six autres furent conduits, inanimés, à l'hôpital, les uns ayant la vessie[6] perforée, d'autres le nez écrasé à coups de pieds. A l'hôpital, malgré leur état, ils furent soumis à une surveillance spéciale et enchaînés[7] par le pied.

Nos amis de la région, ayant décidé de faire cesser ce supplice, le 5 novembre, à 19 h. 45, une équipe de secours pénétrait dans les locaux de l'hôpital. Après avoir chloroformé les policiers de garde, elle emmenait les six détenus.

L'opération n'avait duré que treize minutes.

Les Forces Unies de la Jeunesse
1er juillet 1943

BRAVO LES GENDARMES

Il vient de se produire dans notre région deux faits qui méritent d'être signalés et donnés en exemple.

Les gendarmes de X, ayant reçu l'ordre de mettre la main sur des réfractaires, se rendirent avant l'aube là où ils savaient les trouver, et les avertirent. Quelques heures plus tard, ils se présentèrent très officiellement pour les arrêter. Inutile de dire qu'ils ne trouvèrent plus personne.

1. department in central France. **2.** *i.e.,* The rack (an old form of judicial torture). **3.** *nerfs de bœuf:* lashes. **4.** clubs. **5.** cords. **6.** bladder. **7.** chained.

En un autre endroit, les gendarmes avaient pour mission de mettre la main sur un réfractaire qui était resté chez lui. Au lieu d'aller droit à son domicile, ils mirent deux bonnes heures à faire le tour des maisons voisines, pour s'y renseigner, dirent-ils, — juste le temps nécessaire au jeune homme pour filer.[1] 5

De tels faits doivent se multiplier. Le gouvernement français fait effectuer à la vieille gendarmerie française des besognes dont elle rougit; qu'elle les sabote aussi souvent qu'elle le peut.

Nous nous en souviendrons. 10

1. (*colloq.*): beat it.

AVIS ET CONSIGNES

L'Humanité
1er février 1944

AVIS AUX JUGES

Les magistrats qui accepteront la misérable besogne de composer les tribunaux d'assassins que sont les Cours Martiales,[1] 15 doivent savoir que, non seulement ils relèveront[2] demain de la justice du peuple, mais les patriotes en abattront, autant qu'ils pourront, sans attendre l'heure de la libération du territoire.

LE DEVOIR DES POLICIERS PATRIOTES 20

Les policiers qui, maintenant, sont tous placés sous les ordres du chef d'assassins Darnand, doivent comprendre que la situation exige d'eux des décisions catégoriques.

L'heure est venue pour les policiers patriotes de passer de la résistance passive à la lutte active contre Darnand qu'ils de- 25 vraient abattre eux-mêmes comme une bête malfaisante. L'heure est venue pour les policiers patriotes de se servir de leurs armes contre les terroristes de Darnand-Pétain-Laval-Henriot et de se joindre, avec leurs armes, aux réfractaires des maquis pour intensifier le combat contre les ennemis de la 30 Patrie.

1. Military Courts. 2. *ils relèveront de:* they will be answerable to.

Le Franc-Tireur
1er décembre 1943

AVERTISSEMENT DU CONSEIL NATIONAL DE LA RÉSISTANCE AUX PARLEMENTAIRES QUI N'AURAIENT PAS COMPRIS

Le Conseil National de la Résistance, informé que Philippe Pétain et le gouvernement de Vichy, reprenant la suggestion de certains publicistes au service de l'ennemi, songeant à réunir l'Assemblée Nationale[1] qui s'est dispersée il y a plus de trois ans, après avoir abdiqué ses pouvoirs,

adresse à tous les parlementaires qui seraient sollicités soit de donner leur signature en vue d'obtenir la convocation, soit de se rendre[2] à cette convocation, un avertissement solennel.

Considérant que[3] la convocation d'une Assemblée Nationale par le pouvoir usurpateur qui siège à Vichy ne peut être qu'illégitime,

considérant qu'aucune assemblée souveraine ne peut se tenir en France sous la servitude étrangère,

considérant qu'en conséquence une Assemblée Nationale tenue sur la convocation de Vichy et sous la botte allemande ne peut être qu'une nouvelle occasion de fournir aux ennemis extérieurs et intérieurs de la Nation des moyens supplémentaires d'aggraver le joug[4] qui pèse sur la France et sur la liberté des citoyens,

agissant comme seule autorité authentiquement française constituée sur le territoire métropolitain,[5] comme seul interprète de la volonté nationale, exprimée valablement sous la terreur par les Mouvements de Résistance et par les représentants accrédités des partis et tendances politiques restés fidèles à la Nation,

signifie[6] à tous les parlementaires qu'ils ont le devoir de refuser leur signature à toute demande de convocation si elle se produit, quels que soient les inconvénients ou menaces qu'ils auraient à subir de ce fait,[7]

1. Under the Third Republic, the National Assembly consisted of the Chamber of Deputies and the Senate meeting in joint session in order to elect a president or to write an amendment to the 1878 Constitution. **2.** proceed. **3.** *Considérant que:* Whereas. **4.** yoke. **5.** home. **6.** gives notice. **7.** *de ce fait:* on this account.

prévient les parlementaires qui passeraient outre,[1] qu'ils auront à en répondre devant la Nation libérée.

AVIS AUX ASSASSINS DE LA MILICE ET DU P.P.F.,[2] MERCENAIRES DE L'ENNEMI

Nous sommes le nombre, la force et l'avenir. Il n'est pas un Français raisonnable qui ne le sache: dans toutes les formes de sa lutte, la Résistance a la complicité de toute la Nation. 5

Quant à vous, mercenaires de l'ennemi, Miliciens,[3] P.P.F. et autres, vous n'êtes même pas minorité, mais bande sans influence, sinon sans moyens. Vous ne représentez rien, mais, armés par l'ennemi, vous êtes capables parfois de faire du mal aux Français. Pas à nous, militants des organisations clandestines que vous n'arrivez pas à atteindre, mais à de braves gens innocents et désarmés contre lesquels vous vous vengez sans risque, de votre rage et de votre impuissance. Dans plusieurs villes les Miliciens et le P.P.F. ont abattu des hommes qui ne luttaient pas dans nos rangs, mais qui, connus comme républicains et patriotes, offraient une cible[4] facile. 10 15

Mais c'en est assez. Quand un traître tombe, quand un pourvoyeur français de la Gestapo est exécuté, la France applaudit. Nous ne laisserons pas les traîtres riposter[5] en abattant les braves gens[6] sans défense. A chaque meurtre nouveau qu'ils commettront, les Miliciens et les P.P.F. doivent s'attendre à des représailles immédiates et sans merci. La Milice et le P.P.F. sont incapables d'entraver[7] notre lutte victorieuse. Nous savons, nous, où les prendre. Ils ne seront pas les plus forts. Et la Résistance a montré déjà comment elle sait venger tous ceux qui tombent pour elle. 20 25

A toute cette bande de misérables, la Résistance française adresse un avertissement qui, d'ores et déjà,[8] n'est pas sans frais[9]: 30

« *Pour un œil, les deux yeux; pour une dent, toute la gueule!*»[10]

1. *passeraient outre* (*lit.*, go beyond): ignore, disregard. **2.** *Parti Populaire Français.* **3.** members of the Vichy militia. **4.** target. **5.** reply, *i.e.*, to give as good as they will get. **6.** good people. **7.** shackle. **8.** *d'ores et déjà:* now and henceforth. **9.** *sans frais:* free of charge. (The allusion is to the custom of the French tax-collectors to give notice of arrears in taxes. The first and second notice carry no penalty. If a third notice is required a fine is imposed *avertissement avec frais.*) **10.** (*colloq.*): mug, otherwise refers only to the muzzle of an animal.

ATTEMPTS AT REPRESSION

THE ANNALS of the Resistance carry so many stories about decent people of so many sorts who were done to death that I have dug into the heap and grabbed up a few samples haphazard. Besides the Georges Mandels, the Decours, the Péris, the Blochs and their like, France had thousands of men and women who paid exactly the same price for the right not to blush. Gloriod, the broadcaster from an illegal radio station, is a man I never heard of before, but I note he was condemned by a council of war in the Hotel Crillon. In the summer of 1944 the president of the National Association of Manufacturers came to Paris and on his return home told the press that the rigors of the German occupation had been exaggerated — he had found the Hotel Crillon very comfortable.

Henri Fertet, the 16-year-old boy who wrote his last letter at Besançon, had never learned the art of crisp understatement à la Noel Coward. But then Coward was never in the danger of being shot. So we may forgive Henri for being a bit prolix. And if his handwriting did tremble, we may accept his excuse that he had only a stub of a pencil. He wrote one line worth remembering, anyway: « C'est dur quand même de mourir.» Fertet, incidentally, belonged to an F.F.I. detachment named for Guy Moquet, a 17-year-old boy shot by the Germans at Nantes in October, 1941. Max Jacob was a strange little man whom some critics held to be a great poet and others a great painter. The Germans killed him because he had been born a Jew. The Municipal Councillor of Ivry, Pierre Moulie, was a curious type for a poet. He evidently carried his poems in manuscript on his person. What good could they have been to his murderer?

« C'EST DUR QUAND MÊME DE MOURIR »

Défense de la France
5 juillet 1943

MARTYR DE FRANCE

GLORIOD, engagé dans l'aviation à la déclaration de guerre, a été arrêté le 23 mars 1942 en banlieue de Paris pour participation a des émissions de T.S.F. clandestines. 5

A été gardé 9 mois au secret[1]; a subi de telles privations qu'il avait atteint un état de misère physiologique épouvantable. Jugé par le Conseil de Guerre[2] de l'hôtel Crillon, a été condamné à mort le 6 avril 1942. 10

A été exécuté, à l'âge de 23 ans, le 13 mai 1943 vers 15 heures, en même temps que onze autres condamnés. *Français! Ceci se passe en France et vous l'ignorez.*

Libération, Edition Zone Nord
19 octobre 1943 15

LES FUSILLÉS[3] DE BESANÇON[4]

Le 18 septembre dernier, le tribunal de la Feldkommandantur[5] 560 de Besançon, condamnait à mort quatorze jeunes Français et deux Espagnols, accusés de « menées[6] terroristes ». Le 26 septembre au matin, ces seize victimes de la fureur 20 allemande étaient exécutées à Besançon.

Donnons la lettre qu'écrivit, avant de mourir, le plus jeune de ces braves, le petit Henri FERTET, âgé de 16 ans, né à Senoncourt (Doubs), baptisé le 15 août 1927, en l'église de Saint-Victor, arrêté le 7 juillet 1943, à Besançon-Velotte, con- 25 damné à mort le 18 septembre, fusillé le 26 septembre avec quinze de ses camarades, et enterré le même jour (fosses[7] communes par huit), au cimetière de Saint-Ferjoux:

Chers Parents,

Ma lettre va vous causer une grande peine, mais je vous ai 30 vus si pleins de courage que, je n'en doute pas, vous voudrez bien encore le garder, ne serait-ce que par amour de moi.

1. solitary confinement. **2.** *Conseil de Guerre:* Court-Martial. **3.** The executed men. **4.** town near Switzerland, Department of Doubs. **5.** Military Government Headquarters. **6.** activities. **7.** graves.

Vous ne pouvez savoir ce que, moralement, j'ai souffert de ne plus vous voir, de ne plus sentir peser sur moi votre tendre sollicitude que de loin. Pendant ces 87 jours de cellule, votre amour m'a manqué, plus que vos colis et, souvent, je vous ai demandé de me pardonner le mal que je vous ai fait, tout le mal que je vous ai fait. Vous ne pouvez douter de ce que je vous aime aujourd'hui, car avant, je vous aimais plutôt par routine. Mais, maintenant, je comprends tout ce que vous avez fait pour moi. Je crois être arrivé à l'amour filial véritable, au vrai amour filial. Peut-être, après la guerre, un camarade vous parlera-t-il de moi, de cet amour que je lui ai communiqué. J'espère qu'il ne faillira point à cette mission désormais sacrée.

Remerciez toutes les personnes qui se sont intéressées à moi et, particulièrement, nos plus proches parents et amis. Dites-leur ma confiance en la France éternelle. Embrassez très fort mes grands-parents, mes oncles, tantes et cousins.

Je remercie Monseigneur[1] du grand honneur qu'il m'a fait, honneur dont, je crois, je me suis montré digne. Je salue aussi en tombant, mes camarades du lycée. A ce propos, A . . . me doit un paquet de cigarettes, J . . . mon livre sur les hommes préhistoriques, rendez le *Comte de Monte-Cristo* à E . . ., donnez à Maurice A . . ., 40 grammes de tabac que je lui dois . . .

Je meurs pour ma Patrie. Je veux une France libre et des Français heureux. Non pas une France orgueilleuse et première nation du monde, mais une France travailleuse, laborieuse et honnête. Que les Français soient heureux, voilà l'essentiel. Dans la vie, il faut savoir cueillir le bonheur.

Pour moi, ne vous faites pas de souci. Je garde mon courage et ma bonne humeur jusqu'au bout et je chanterai "Sambre et Meuse",[2] parce que c'est toi, ma chère petite maman, qui me l'a apprise.

Les soldats viennent me chercher. Je hâte le pas. Mon écriture est peut-être tremblée, mais c'est parce que j'ai un

1. *Monseigneur l'évêque:* His Grace, the Bishop. 2. song of the French Revolution originally written for the regiment of *Sambre et Meuse* (two rivers in northeastern France).

petit crayon. Je n'ai pas peur de la mort. J'ai la conscience tellement tranquille.

Papa, je t'en supplie, prie, songe que si je meurs, c'est pour mon bien. Quelle mort sera plus honorable pour moi? Je meurs volontairement pour ma Patrie. Nous nous retrou- 5 verons bientôt tous les quatre, au ciel.

Adieu, la mort m'appelle. Je ne veux ni bandeau,[1] ni être attaché. Je vous embrasse tous. C'est dur quand même de mourir. Mille baisers.

« Vive la France! » 10

HENRI FERTET

Un condamné à mort de 16 ans!

Libération

7 avril 1944

LA MORT DE MAX JACOB[2] 15

Nous avions annoncé en son temps, l'arrestation par la Gestapo de l'écrivain Max Jacob.

Max — comme l'appelaient familièrement ses amis jeunes et vieux — juif d'origine, s'était depuis de longues années converti avec éclat au catholicisme pratiquant. A tel point que 20 le père[3] des *Pénitents en maillots roses*[4] s'était à peu près retiré du monde et faisait de longues retraites à l'ancien presbytère de Saint-Benoît-sur-Loire. Ses amis avaient eu du mal à prendre au sérieux la conversion de ce fantaisiste[5] et grand mystificateur,[6] inventeur du cubisme[7] littéraire et cabaliste[8] 25 professionnel. Max, en souriant, les laissait plaisanter, mais s'arrangeait pour fort bien accorder ses devoirs envers Dieu et son goût énorme pour la plaisanterie. Vieux et malade, il n'écrivait plus.

Ses amis, apprenant son arrestation et son envoi à Drancy,[9] 30 s'émurent. Jean Cocteau[10] et André Salmon[11] qui ont des

1. blindfold. **2.** born 1876; French dadaist poet, dramatist and novelist; author of *Le Phanérogame, Vision Infernale*, etc. **3.** creator. **4.** *en . . . roses:* in pink jerseys. **5.** freakish artist. **6.** humbug. **7.** originally a modernistic school of painting. **8.** person conversant in the mysterious interpretations of the Bible known as Cabala and in the art of conjuring of spirits; an occultist. **9.** a notorious prison camp outside Paris. **10.** French poet, born in 1891, in turn futurist, cubist and dadaist. He has also written novels, plays and art criticism. **11.** French poet and critic, born in 1881, and disciple of Max Jacob.

relations avec ces Messieurs aux casques verts[1] s'entremirent. On dit même que Jean-le-Piétiné,[2] assoiffé de martyre,[3] alla jusqu'à offrir sa frêle personne pour prendre la place du prisonnier. N'ayant pas réussi à attendrir les autorités occu-
5 pantes, les deux poètes allèrent à Drancy pour tenter de voir Max.

Il leur fut brutalement répondu que le juif Jacob était mort depuis huit jours!

L'Humanité
10 *1er mars 1944*

DES BRAVES TOMBÉS AU CHAMP D'HONNEUR

Le 15 octobre 1943 est mort héroïquement le camarade Pierre Moulie à l'âge de 52 ans, assassiné par les Allemands. Ce camarade, un de nos plus anciens militants du Parti, était
15 conseiller municipal d'Ivry et secrétaire de l'A.R.A.C.[4]

Il dut partir dans la Corrèze pour éviter d'être arrêté et là, travaillait à la cause commune, préparant les jeunes à la tâche ardue de demain, leur prodiguant les conseils et l'amitié d'un combattant de 14–18[5] où il avait gagné par son courage,
20 la croix de guerre, la médaille militaire et 4 citations. Il était leur chef, il était leur père. 70 jeunes gens refusant de servir pour Hitler, étaient avec lui dans le maquis. 2 maisons, fermes isolées, et abandonnées, leur servaient de refuge. Nos camarades furent dénoncés, le 14 novembre, le village fut
25 cerné.[6] Le 15, à 5 h. du matin, l'attaque eut lieu. Nos camarades étaient armés et retranchés dans l'une des maisons, le combat fit rage pendant 1 h. C'est alors que les Allemands incendièrent la maison et que nos camarades, ayant épuisé leurs munitions, s'enfuirent.
30 Notre camarade Moulie, blessé à l'épaule, cherchant à échapper aux Allemands, fut suivi par l'un d'eux et tué d'une balle dans la tête et d'un coup de baïonnette dans le ventre.

1. *ces . . . verts:* those green-helmeted messieurs (German occupation troops, the Darnand henchmen.) **2.** *i.e.*, Jean Cocteau (*lit.*, John the-trodden-on). **3.** *assoiffé de martyre:* athirst for martyrdom. **4.** *Association Républicaine des Anciens Combattants.* **5.** 1914–1918, World War I. **6.** surrounded.

17 de nos camarades sont tombés à ses côtés en combattant. Les blessés furent honteusement achevés à coups de baïonnettes, à coup de bottes, à coups de crosses.[1]

La ville de Donzenac a enterré nos 18 camarades avec amour et reconnaissance pour ces vaillants combattants tombés en héros pour ne pas avoir voulu de la barbarie hitlérienne pour leur pays! Et la foule, émue et recueillie, se pressait pour les accompagner. 2.000 personnes les ont suivis jusqu'au cimetière de Donzenac où repose notre camarade Moulie, regretté de tous ceux qui l'ont connu.

Donzenac! Petite ville de la Corrèze où il était né et dont il avait chanté dans des poésies, volées par celui qui l'a tué, l'amour et la beauté.

80 allemands sur 200 ont été tués dans cette lutte inégale par nos camarades qui ont droit à notre reconnaissance et à notre souvenir.

Nous avons le devoir de les venger!

Tels sont les nobles et purs héros que les traîtres de Vichy essaient de salir, mais le peuple de France est avec ceux qui luttent pour la libération de la Patrie, contre les vendus aux boches.

1. rifle butts.

LES PENDUS DE NÎMES[1]

PAR JEAN PAULHAN

Cinquante garçons du maquis cévenol[2] se rendent en camion à l'Aigoual, où ils voudraient établir un camp. Ils repèrent dans la matinée le terrain, font leurs plans, et vers deux heures de l'après-midi se disposent à repartir. Mais quinze d'entre eux, qui sont de Saint-Hippolyte du Fort, projettent d'aller, au passage,[3] embrasser leurs parents. On téléphone donc à la poste[4] de Saint-Hippolyte: « Il n'y a pas d'occupants dans les environs? » — « Pas un » répond le postier. Mais un autre

1. From *Les Lettres françaises*. 2. of the Cévennes in south central France. 3. on the way. 4. *poste = bureau de poste.* In France the *Postes, Télégraphes, Téléphones* (abbreviated as PTT) are under government control.

postier qui a tout entendu, avertit le poste[1] allemand de Sauve. Quand les camions du maquis arrivent, une heure et demie plus tard, ils tombent dans une embuscade, tendue à l'entrée du village. Les maquisards se défendent, tuent deux ennemis, 5 perdent cinq des leurs, puis s'égaillent[2] dans les maisons de la ville basse. C'est alors que commence la chasse à l'homme. Plus de deux cents Allemands, arrivés entre temps, visitent Saint-Hippolyte, maison par maison. Vingt et un garçons du maquis sont faits prisonniers. Tous devaient être pendus à 10 Nîmes, trois jours plus tard.

Un ami des *Lettres françaises* assistait aux exécutions du pont de la route de Lassalle: à l'un des condamnés, gravement blessé, l'on avait dû faire, pour qu'il pût marcher, deux piqûres[3] de morphine. Une corde cassa, et le pendu alla 15 s'écraser sur le lit à sec de la rivière. Un sous-officier l'acheva d'une balle dans la nuque, puis on le remonta sur le pont et on le rependit.

La Préfecture de Nîmes annonça, deux jours plus tard, que le commandant allemand responsable de l'exécution, avait été 20 cassé[4] et fusillé. Personne n'en crut rien.

1. *poste = poste de commandement.* **2.** scatter. **3.** hypodermics, "shots." **4.** degraded.

SANGLANTES REPRÉSAILLES

THE RISE in resistance could not fail to provoke a reaction proportioned to the brutality of the Nazis and the terror of the collaborationists. The Germans abandoned the last pretense of conciliation or legality. The Vichy "Government," which at its best had been a subsidiary of the German Foreign Office, now became simply an adjunct to the Gestapo. The old Marshal had long since been relegated to the background; now Laval himself fell from the favor of the occupant. The Germans even suspected him, quite correctly, of planning to turn his coat and make a deal with the Allies. Neither he nor they could understand that this was now impossible. After all Sir Samuel Hoare, who had compacted with him in

1935 to abandon Ethiopia to Fascist Italy, was still a great man in the Foreign Office. And the American publishers and bankers who got their views of France through René de Chambrun, Laval's son-in-law, were still influential in America. But these erstwhile friends were having none of him. The time was not auspicious.

The power, which was simply Hitler's commission to kill and torture, had fallen into the hands of Joseph Darnand, Jacques Doriot and the sinister mouthpiece Henriot, pathological traitors all. Darnand, chief of the militia, was a prewar *Cagoulard*, a member of a Fascist conspiracy to seize power by violence. Doriot, beginning his career as a Communist, like some of our own Red-baiters, had swung half-circle and founded a party of repression, the Parti Populaire Français or P.P.F. In the summer of 1936 Miss Janet Flanner, the European Correspondent of the *New Yorker*, had predicted with her usual perspicacity that Doriot would be dictator of France in the Fall. That was the autumn when the French people elected the Popular Front Government of Léon Blum. The rest of Doriot's life was to be devoted to revenge on the public that had rejected him. The pieces that follow might be grouped under the heading of "Repression" or more exactly "Attempted Repression."

Les Étoiles
Février 1944

NOUVELLES À RÉPÉTER

NANTUA-OYONNAX. Le 6 décembre 43, deux collaborateurs avérés,[1] un hôtelier et sa femme, avaient été promenés dans les rues de Nantua et d'Oyonnax par les gars du maquis qui les avaient affublés de croix gammées.[2] Le 13, en représailles,[3] des sections de SS envoyées de Paris cernèrent[4] Nantua et arrêtèrent 160 hommes de 18 à 60 ans, parmi lesquel 3 professeurs du collège,[5] 2 répétiteurs,[6] 2 maîtres d'internat,[7]

1. proved, authenticated. 2. *affublés . . . gammées:* bedecked them with swastikas. 3. *en représailles:* in reprisal. 4. surrounded. 5. municipal high school. 6. instructors in charge of home-work periods. 7. *maîtres d'internat:* assistant teachers in charge of discipline among the boarding students.

10 élèves de la classe de philosophie. Ceux-ci furent sur-le-champ emmené dans un camp. Le docteur Mercier, père de 4 enfants, fut fusillé sur le bord de la route. A Oyonnax, Nicod, ex-député maire, le Président de la Légion[1] et un in-
5 dustriel furent également fusillés.

ST.-ÉTIENNE. Les 5 lycéens arrêtés en novembre par la Gestapo et abominablement torturés ont été traduits[2] devant le tribunal allemand. L'un d'eux a été condamné à 3 ans de travaux forcés,[3] deux autres à 2 ans et les autres à 1 an de
10 prison. Ils ont été transférés en Allemagne. Ils sont en grand danger. Le Proviseur[4] qui reçut les agents de la Gestapo, et ne daigna pas prévenir les familles, porte la responsabilité de ce qui pourrait leur advenir.

CLERMONT-FERRAND. Le 9 janvier, 130 étudiants alsaciens
15 de l'Université de Strasbourg, qui étaient détenus dans les locaux militaires, ont été transférés en Allemagne.

Il n'est pas inopportun de rappeler qu'à l'origine de l'opération nazie contre la Faculté de Strasbourg, on a pu établir que de façon certaine se trouve un provocateur,[5] l'étudiant
20 Mathieu. Celui-ci, après avoir établi de nombreuses fausses cartes d'identité pour ses condisciples,[6] servit à désigner ses victimes à la Gestapo. Le jour de l'intrusion allemande dans la Faculté de Strasbourg, Mathieu se trouvait aux côtés des agents de la Gestapo et leur donnait des renseignements sur
25 les étudiants et les maîtres. Mathieu ne circule plus dans les rues de Clermont que sous escorte.

NICE. Trois patriotes qui ont dû au préalable[7] creuser leur tombe ont été exécutés en décembre. Six autres ont été retrouvés dans des carrières[8] les yeux arrachés.

30 En décembre les patriotes Grandperret, opticien et Stuerga, fusillés par la Gestapo ont eu des funérailles dignes de leur héroïsme. Toute la population de Vence se pressait derrière les cercueils.

A la même époque Courbet, imprimeur-libraire,[9] Joseph
35 Ross, avocat âgé de 40 ans, Spolianzki, professeur de lettres,

1. *La Légion des Anciens Combattants.* French counterpart of the American Legion. **2.** indicted. **3.** hard labor. **4.** principal (of a lycée). **5.** trouble-maker. **6.** classmates. **7.** *au préalable:* first of all. **8.** quarries. **9.** printer-bookseller.

Fresco 19 ans, de l'Ecole ouvrière, ont été également fusillés par la Gestapo ou sont morts des suites de tortures.

Le juge d'instruction[1] Leprost, ennemi des patriotes, qui manifestait un zêle ardent dans les poursuites engagées[2] contre ces derniers a été grièvement blessé. 5

AIX. Verdun, Président du Tribunal Spécial d'Aix, hitlérien bien connu qui poursuivait d'une haine toute spéciale les patriotes a eu un sort mérité.

TOULOUSE. Début janvier, le professeur d'Education physique, Nakache,[3] champion du monde de natation, a été arrêté 10 par la Gestapo, de même que le professeur de phtisiologie[4] de renommée mondiale Kindberg. On est sans nouvelles d'eux.

Les Étoiles
Février 1944

LE MASSACRE DE GRENOBLE 15

Les Docteurs Valois, Sauvage, Buttorlin, Audinos et Girard, de Grenoble et des environs, ont été assassinés par des groupes de miliciens. Le Dr. Valois a été tué dans son lit, devant sa femme et son enfant, de 52 balles de mitraillette; le Dr. Sauvage a été torturé dans un bois, puis achevé, et son cadavre, 20 ficelé[5] dans un sac, a été jeté par les bandits dans la cour du Palais de Justice.[6]

Parmi ces médecins, deux seulement étaient des dirigeants de mouvement de résistance. Les autres, comme des millions de Français, n'étaient que des sympathisants qui n'avaient 25 jamais caché leur foi en la victoire des Alliés. Plusieurs étaient âgés, dont le Dr. Girard, chirurgien[7] honoraire de l'hôpital de Grenoble.

Les miliciens, à Lyon, ont réuni des journalistes pour se vanter de leur crime et en annoncer de nouveaux. La presse 30 de Laval a annoncé ces meurtres, mais, par ordre, elle a eu

1. examining judge (magistrate). **2.** *poursuites engagées:* actions taken. **3.** Nakache's special offense was that he was not only a Jew, but a consistent winner over "Aryan" swimmers, and he refused to retire from competition. **4.** phthisiology (the science dealing with lung disorders). **5.** tied up. **6.** *Palais de Justice:* court house, here specifically a beautiful building of medieval architecture in the city of Grenoble. **7.** surgeon.

l'infâmie de les attribuer aux communistes pour alimenter sa campagne « anti-terroriste.»

Tels sont les faits, dignes de la Sainte-Vehme.[1] Nos confrères seront vengés, mais, en attendant, que les médecins de la Résistance n'oublient pas que la guerre clandestine a ses règles impérieuses: « 1. Ils doivent cacher leur activité pour rester ignorés des tueurs[2] de la Milice. 2. S'ils sont repérés[3] ils ne doivent pas attendre que les assassins viennent les tuer chez eux. Qu'ils s'arment et se mettent dans l'illégalité. 3. Enfin, qu'ils exigent des Mouvements de Résistance que les armes stockées soient distribuées au plus tôt. »

Nous avons signalé ici-même les assassinats par les Miliciens à Grenoble du journaliste Pain, du Doyen[4] Gosse et de son fils, avocat. Il faut y joindre l'assassinat de M. Bistely, professeur de chimie à la Faculté,[5] tué en chaire; l'exécution d'un couple d'instituteurs, et fin décembre, en pleine rue, trois personnes fauchées[6] par une rafale de mitraillette.

Le massacre de Grenoble préfigure le sort de l'intelligence française dans toute la France, maintenant que Darnand, chef des tueurs, est ministre de Vichy. Des listes d'intellectuels sont dressées par ses soins. Par l'institution monstrueuse des tribunaux d'exception[7] à trois membres, jugeant sur place avec exécution instantanée, l'expédition punitive des tueurs reçoit pour répondre à des consciences inquiètes une apparence de légalité. Darnand a inauguré son règne en faisant exécuter ainsi à Paris son ex-complice le cagoulard[8] Deloncle, qui devait en savoir trop long sur son compte.[9] Querelle du milieu.[10]

Mais presqu'au même moment ses hommes de main[11] commettaient contre la France de l'esprit un des crimes qui retentiront le plus douloureusement dans le monde entier: Darnand faisait assassiner Victor Basch.[12]

1. powerful secret society that terrorized XVth-century Germany. **2.** *ignorés des tueurs:* unknown to the killers. **3.** found out. **4.** Dean (of one of the University faculties). **5.** *used alone means the* Faculty of Medicine. **6.** mowed down. **7.** *tribunaux d'exception:* "special courts." **8.** member of the *Cagoule*, a pro-Fascist secret society, discovered by the police around 1937–38. Deloncle was one of its chief founders. **9.** *qui . . . compte:* who must have known too much about him. **10.** *Querelle du milieu:* A falling-out among thieves. **11.** *hommes de main:* henchmen. **12.** An eminent philosopher at the University of Paris and active President of the International League of the Rights of Man.

Libération
14 mars 1944

LA PRISON POUR TOUS

Le 31 janvier dernier, 1.200 femmes internées au camp de Royallieu, près de Compiègne, ont été emmenées en Allemagne. Elles ont traversé la ville aux chants de la *Marseillaise*, l'*Alsace et la Lorraine*, la *Madelon*, aux cris de « Vive la France! » « A bas les Boches! » « Vive de Gaulle! » Entassées[1] dans des camions, elles composèrent avec trois écharpes[2] le drapeau tricolore qui flottait à la dernière voiture. A la gare, elles se battirent même avec des soldats allemands. Parmi ces femmes de toutes conditions, ouvrières, bourgeoises, intellectuelles, se trouvaient également des dames de l'aristocratie, telles que la comtesse de Monlaud et la duchesse de Tels.

Les femmes internées au camp de Royallieu ont été dirigées vers le camp de Ravensbruck, dans le sud de l'Allemagne. Les derniers convois d'hommes, parmi lesquels se trouvaient le député de Rouen, André Marie, et aussi les généraux Challes, Mancel, et d'autres officiers supérieurs,[3] ainsi qu'une grande partie des dignitaires de l'église orthodoxe de France se trouvent au camp de Buchenwald, près de Weimar.

Les Américains du camp de Royallieu ont été transférés à Clermont-sur-Oise.[4] Royallieu devient un camp de triage.[5] Les internés y feront un séjour de quelques jours avant d'être dirigés sur l'Allemagne ou ailleurs. Les Anglais seront envoyés à Saint-Denis.[6]

Le rythme des arrestations s'accentue partout et la collaboration étroite entre Darnand et la Gestapo s'affirme[7] de plus en plus. On sait que le Vélodrome d'Hiver[8] est actuellement réquisitionné en vue des rafles effectuées sur la voie[9] publique. Déjà, certaines rames de métro,[10] certains cinémas, certains cafés, ont fait l'objet de rafles collectives sous prétexte de vérification des papiers d'identité. Ces vérifications brutales

1. Piled. **2.** scarfs. **3.** *i.e.*, majors and colonels. **4.** town not far from Compiègne. **5.** "staging" camp (where prisoners were sorted and classified before being shipped elsewhere). **6.** prison near Paris. **7.** stands out. **8.** the "Madison Square Garden" of Paris. *See note 20, page 328.* **9.** street. **10.** *rames de métro:* subway branch lines.

sont effectuées tantôt par la police française, tantôt par la Gestapo. A peine des prisons comme Fresnes sont-elles vidées par les départs effectués sur Compiègne, qu'elles se remplissent immédiatement. On arrête des Français par paquets.[1] Il n'y
5 aura bientôt plus une seule famille française qui n'ait quelqu'un des siens en cellule ou dans un camp de concentration.

7 avril 1944

MASSACRES EN SÉRIE[2]

Le mois dernier, les S.S. d'Angoulême[3] avaient décidé une
10 « action punitive » contre les « maquis » qui, à plusieurs reprises,[4] avaient réussi[5] des expéditions funestes contre les troupes d'occupation, s'étant emparé de tanks et ayant fait des prisonniers. Fous de rage, les Nazis cernèrent les bois, bombardèrent au canon les villages, mirent le feu aux bois, espérant que les
15 troupes de la résistance y succomberaient. Prévenus à temps, heureusement, la plupart de nos amis purent se replier en d'autres lieux. Cependant, une centaine d'hommes tombèrent entre leurs mains, dont plus de cinquante furent fusillés.

Mais là ne devait pas se borner la furie allemande. Les
20 Boches se vengèrent encore sur la population de la région. A Brantôme, vingt otages furent arrêtés et fusillés, séance tenante.[6] Dans d'autres localités, les mêmes forfaits[7] se perpétrèrent.

A Ribérac, le dimanche 26 mars, les arrestations furent nom-
25 breuses. Cinq garagistes,[8] pour avoir livré de l'essence aux « maquis » furent emmenés dans un champ voisin de la ville. Pieds nus, sous les rayons d'un soleil brûlant, de neuf heures du matin à six heures du soir, ils durent marcher en rond sous la surveillance de sentinelles. A plusieurs reprises, des camions
30 amenèrent d'autres prisonniers. A chaque arrivée, les malheureux durent se coucher sur le sol, face contre terre, bras en croix pour impressionner les nouveaux venus en figurant la mort. Sinistre comédie qui devait s'achever en tragédie, car, au soir, tous ces hommes furent fusillés.

1. in groups. **2.** *en série:* mass. **3.** city in the department of Charente. **4.** *à . . . reprises:* repeatedly. **5.** successfully carried out. **6.** *séance tenante:* on the spot. **7.** crimes. **8.** garage-owners.

Un fermier ayant employé, durant quelques mois, un réfractaire, fut arrêté, sommé de donner le nom de son propriétaire qui fut aussitôt arrêté à Ribérac et amené à la ferme. Enfermé dans la maison avec son métayer,[1] les femmes et les enfants chassés de la ferme, les Allemands y mirent le feu, et 5 les deux malheureux agonisants,[2] criblés de[3] balles auparavant, périrent dans les flammes, brûlés vifs. Un autre habitant de Ribérac fut fusillé et sa tête fut tranchée,[4] avec interdiction aux siens d'enterrer le cadavre avant plusieurs jours.

Combat 10
Mai 1944

PENDANT TROIS HEURES ILS ONT FUSILLÉ DES FRANÇAIS

Il faut dire les choses comme elles sont: nous sommes vaccinés contre l'horreur. Tous ces visages défigurés par les balles 15 ou les talons,[5] ces hommes broyés,[6] ces innocents assassinés, nous donnaient au début la révolte et le dégoût qu'il fallait pour entrer consciemment dans la lutte. Maintenant la lutte de tous les jours a tout recouvert et si nous n'en oublions jamais les raisons, il peut nous arriver de les perdre de vue. Mais 20 l'ennemi est là, et comme s'il veillait à ne laisser personne se détourner, il augmente ses efforts, il se dépasse lui-même, il renchérit chaque fois un peu plus sur[7] la lâcheté et sur la crise. Aujourd'hui, en tout cas, il est allé plus loin qu'on ne pouvait l'imaginer et la tragédie d'Ascq[8] rappelle à tous les Français 25 qu'ils sont engagés dans une lutte générale et implacable contre un ennemi déshonoré.

Quels sont les faits?

Le 1er avril 1944, dans la nuit, deux explosions se produisent, occasionnant la rupture d'un rail et le déraillement de deux 30 wagons d'un train de troupes allemandes. La voie fut obstruée. Aucune victime dans le train.

1. *métayer* (*i.e.*, a farmer holding land on condition that half of the produce be given as rent to the landlord who usually supplies the stock, machinery and seed). *Cf.* share-cropper. **2.** dying persons. **3.** riddled with. **4.** cut off. **5.** heels. **6.** mangled. **7.** *renchérir un peu plus sur:* to go a little better in. **8.** village in northern France between Lille and Tournai.

Vers 23 heures, alors que M. Carré, chef de gare[1] à Ascq, alerté à son logement par les agents du service de nuit, prenait au téléphone les dispositions utiles,[2] un officier allemand faisant partie du transport[3] pénètre en hurlant dans son bureau
5 suivi de plusieurs soldats qui, à coups de crosse,[4] abattent MM. Carré, chef de gare, Peloquin, et Derache, employés, qui s'y trouvaient. S'étant ensuite retirés à la porte du bureau, ils tirèrent une salve de mitraillette sur les trois agents abattus. MM. Carré et Peloquin sont grièvement blessés au ventre et
10 aux cuisses. Puis l'officier amène un important contingent de troupes dans la localité, fouille les maisons après en avoir défoncé les portes et rassemble environ 60 hommes qui sont amenés dans une pâture[5] en face de la gare. Là on les fusille. Vingt-six autres hommes sont également fusillés dans leur
15 domicile ou à leurs abords.[6] En plus de ces 86 fusillés, il y a un certain nombre de blessés.

L'employé Derache parvient à alerter la Préfecture du Nord: celle-ci fait intervenir l'Oberfeldkommandantur.[7]

Ce n'est qu'à l'arrivée d'officiers d'Etat-Major sur les lieux
20 que les exécutions cessent, elles ont duré plus de trois heures.

Je ne sais pas si l'on imagine suffisamment ce qu'il y a derrière ce compte rendu[8] brutal. Mais est-il possible de lire sans une révolte et un dégoût de tout l'être ces simples chiffres: 86 hommes et 3 heures?

25 Quatre-vingt-six hommes comme vous qui lisez ce journal ont passé devant les fusils allemands, 86 hommes qui pourraient remplir trois ou quatre pièces comme celle où vous vous tenez, 86 visages hagards[9] ou farouches, bouleversés[10] par l'horreur ou par la haine.

30 Et la tuerie[11] a duré trois heures, un peu plus de deux minutes pour chacun d'entre eux. Trois heures, le temps que certains ont passé ce jour-là à dîner et à converser paisiblement avec des amis, le temps d'une représentation cinématographiquc[12] où d'autres riaient au même moment au spectacle d'aventures

1. station master. **2.** the necessary arrangements. **3.** *faisant . . . transport:* belonging to the transportation service. **4.** *à coups de crosse:* with blows of a rifle-butt. **5.** pasture. **6.** surroundings. **7.** General Headquarters (of Military Government). **8.** report. **9.** wild-looking. **10.** contorted. **11.** killing. **12.** moving-picture show.

imaginaires. Pendant trois heures, minute après minute, sans un arrêt, sans une pause, dans un seul village de France, les détonations se sont succédées et les corps se sont tordus[1] par terre.

Voilà l'image qu'il faut garder devant les yeux pour que rien ne soit oublié, celle qu'il faut proposer à tous les Français qui restent encore à l'écart.[2] Car sur ces 86 innocents beaucoup pensaient que, n'ayant rien fait contre la force allemande, il ne leur serait rien fait. Mais la France est solidaire,[3] il n'y a qu'une seule colère, qu'un seul martyre.[4] Et quand M. de Brinon[5] écrit aux autorités allemandes non pour se plaindre du massacre de tant de Français, mais pour gémir qu'on entrave ainsi son propre travail de policier mondain[6]; il est responsable de ce martyre et justiciable de cette colère. Car il ne s'agit pas de savoir si ces crimes seront pardonnés, il s'agit de savoir s'ils seront payés. Et si nous avions tendance à en douter, l'image de ce village couvert de sang et maintenant seulement peuplé de veuves et d'orphelins suffirait à nous assurer que le crime sera payé puisque cela désormais dépend de tous les Français et puisque devant ce nouveau massacre, nous nous découvrons la solidarité du martyre et les forces de la vengeance.

* * * * *

« L'effort de la France doit atteindre son maximum. Nous ferons plus tard le compte de nos morts. Jusqu'au jour où nous aurons vaincu, il ne s'agit que de vaincre. Le reste est vanité, gaspillage[7] et force perdue. »

— De Gaulle, 4 avril 1944. Alger.

LA DERNIÈRE INFAMIE DE LA MILICE

Abjects imitateurs de leurs maîtres nazis, les miliciens du Waffen S.S. Darnand[8] ont été lâchés par Vichy sur la France. Ces hommes que l'attrait de l'argent ou de la force a placés

1. *se sont tordus:* writhed. 2. *à l écart:* aloof. 3. united. 4. martyrdom. 5. Fernand de Brinon, Vichy Ambassador to the German Military Government in Paris. 6. "Society policeman." 7. wastefulness. 8. *Waffen S.S. Darnand:* mock "German" title given to men of Darnand, the Pro-Nazi head of the Vichy French militia.

au service de l'ennemi ont, par leur trahison, coupé derrière eux tous les ponts.

Aucune cruauté, aucune bassesse ne les arrêtera. Dans tous les domaines ils s'ingénient[1] à égaler ou à surpasser les pires 5 excès des nazis. La France entière les exècre et les méprise. Les Allemands eux-mêmes n'ont pour eux que du dégoût. Mais cela ne suffit pas encore.

Il restait un pas à faire pour que l'ignominie fût complète: les Hitlériens avaient inventé l'atroce et déshonorante institu- 10 tion des otages. La Milice se devait[2] de faire davantage.

Dans les premiers jours d'avril on apprenait l'arrestation par la Milice de M. Jacob, syndic des agents de change[3] de Paris, de M. de Menthon, âgé de 80 ans, de MM. d'Aligny, Touchard et de bien d'autres. Qu'auraient fait ces hommes? 15 Etaient-ce des patriotes capables de « menées[4] antinationales »? Non, il s'agit du beau-frère de Catroux,[5] du père de de Menthon[6] et de son cousin, du fils du député communiste Touchard, des membres des familles Le Troquer,[7] de Larminat, etc. Ce que la Milice appellerait sans doute de « bons 20 otages ».

Car plus un homme est respectable, plus il est éloigné de toute action politique, plus il est désigné pour servir d'otage.

Dans les territoires libérés de l'oppression ennemie, la justice a repris son cours. Devant les tribunaux reconstitués, les 25 traîtres ont dû répondre de leur trahison. Leurs complices s'inquiètent: le précédent serait trop redoutable. Ils voudraient faire jouer la solidarité du « milieu ».[8]

Pour un coupable condamné à mort ils menacent d'exécuter un, dix ou cent innocents choisis parmi ceux que des liens 30 d'affection et de famille attachent aux hommes chargés des destinées de la France délivrée.

Ceux-ci auront-ils le terrible courage de faire exécuter la sentence, sachant que pour un criminel châtié des dizaines d'innocents seront assassinés? Voilà le calcul[9] de la Milice.

1. strain their wits. **2.** *se devait:* owed it to itself. **3.** *syndic . . . change:* chairman elected by the stockbrokers. **4.** plots. **5.** Catroux and de Larminat were generals who served with De Gaulle. **6.** A Gaullist Minister; first Minister of Justice after Liberation. **7.** André Le Troquer, Minister of War in Provisional Government of De Gaulle at Algiers. **8.** "gang." **9.** plan, scheme.

Comme elle ne pouvait l'exposer au public dans sa froide horreur, il lui fallait un appui pour le camoufler. A qui le demander, sinon au sinistre vieillard qui, en guise de livrée,[1] porte l'uniforme de Maréchal de France?

Et Pétain, toujours docile, a osé proclamer qu'il était contraire à l'honneur de faire juger un soldat par d'autres que par ceux dont il avait reçu les ordres.

Ce que le Père-la-Défaite[2] appelle « l'honneur », la France l'a appris cruellement depuis quatre ans.

Mais cette fois la mesure est comble.

Ce n'est pas le procès des soldats de l'armée d'armistice[3] qui s'est instruit à Alger. Ceux-là purent croire qu'ils étaient vraiment appelés à servir la France. Et lorsque Vichy les envoya le 9 novembre se faire tuer pour empêcher les Alliés de débarquer et pour permettre à la clique de Pétain de rester en place, ils obéirent aux ordres de leurs chefs.

Les phalangistes,[4] eux ne s'engagèrent aux côtés des Allemands qu'après la violation par l'ennemi des dernières clauses de l'armistice, l'invasion de la partie de la France où le gouvernement avait gardé jusqu'alors une apparence de souveraineté et la démobilisation de l'armée d'armistice à coups de bottes. Ils furent des volontaires de la trahison. Ils répondent aujourd'hui de leur crime. Ils devront en subir le juste châtiment.

Le message d'approbation qu'ils reçurent de Pétain ne diminue en rien leur responsabilité. Personne ne pouvait considérer comme chef d'un gouvernement légitime celui qui acceptait sans murmure de n'être plus qu'un prisonnier, sans le moindre pouvoir, et couvrait de son nom toutes les mesures d'oppression décidées par Hitler.

1. *en . . . livrée:* by way of a livery (as a German servant). **2.** Old Man Defeat, *i.e.*, Pétain. Clemenceau, born in 1841, the war premier who led France to victory in 1918, had been known as Père-la-Victoire, Old Man Victory, or Pop Victory. Père-la-Défaite was a title pinned on Pétain in mocking allusion to the difference between the two old men. L. **3.** Certain officers of the armistice army were sent to North Africa by the Vichy Government to insure continued loyalty of the native troops. After the Allied invasion of North Africa, certain of these officers were tried for their cruelty in the administration of concentration camps. **4.** Members of the French militia which, as is explained below, was formed after the Germans had invaded the so-called unoccupied zone. *Phalangistes* is used as a synonym for Fascists; properly, the *Phalange* is Franco's Spanish organization.

Les ordres de Pétain et du gouvernement de l'anti-France font simplement de leurs auteurs les principaux complices de la trahison.

Cela les miliciens le savent mieux que quiconque.

5 La roue tourne, la libération approche. Il ne reste plus que les moyens désespérés. L'arrestation des otages est sans doute le plus ignoble qu'ils aient pu trouver. En l'ordonnant, ils ont montré aux Français jusqu'où ils pouvaient aller dans l'infâmie. Ils se sont mis hors de toute légalité et de toute 10 justice. Ils se sont relégués au rang des chiens enragés qu'il faut abattre.

Pour eux, et pour eux seuls, il n'est plus besoin maintenant de juges, ni de tribunaux. Ils ont signé eux-mêmes leur arrêt de mort.[1] Aux patriotes de l'exécuter.

AFTER the foregoing pieces the one that follows needs no explanation. « *Ainsi la réflexion fait de nous des lâches,* » however, is not an accurate translation of "Thus conscience does make cowards of us all." It isn't right to tailor quotations, or facts, to make them fit, even in a good cause.

15 *Défense de la France*
25 février 1944

LE DEVOIR DE TUER

Ainsi la réflexion fait de nous des lâches. — HAMLET

Français !

20 Certains d'entre vous ont pu croire jusqu'à présent qu'ils pouvaient, au mépris de[2] tout sens de l'honneur, éluder le terrible devoir de la guerre. Se croyant protégés par la « finesse » d'un Pétain ou l'« habileté » d'un Laval, ils appelaient vertueusement terrorisme tout ce qui ressemblait à la 25 guerre.

Maintenant les voiles tombent. C'est par la force que vous rentrerez dans la guerre ou bien alors vous périrez. Vous ferez

1. *arrêt de mort:* death warrant. 2. *au mépris de:* in defiance of.

la guerre ou vous serez emmenés en esclavage. Pour rester libres, pour sauver votre vie, pour protéger vos enfants, votre femme, vos parents, votre sol, il vous faut désormais faire parler la force. Et si vous refusez encore, si vous attendez que le hasard ou le temps vous délivre, alors vous valez moins que la louve[1] qui défend ses petits, vous êtes plus méprisable que le dernier des êtres de la création qui préfère mourir plutôt que d'abandonner les siens. 5

Et cette lâcheté même ne vous sauvera pas. Vous essayez de reculer encore mais maintenant la lâcheté ne paye plus. Même en vous roulant dans la trahison, vous ne pourrez plus conserver l'illusion de la liberté. Les voiles sont tombés, la vérité apparaît qu'avait espéré escamoter[2] Pétain; le combat apporte la liberté, la lâcheté l'esclavage. 10

N'ESSAYEZ pas de raisonner! IL Y A DES PROBLÈMES QUE L'ON N'A MÊME PAS LE DROIT DE POSER. C'est en voulant tout comprendre que l'on glisse à la capitulation. Les barrières intérieures, les mâles[3] résolutions, le sens du devoir, la VÉRITÉ, s'évanouissant sous l'analyse excessive. Pesez la chose une bonne fois, et puis décidez: Voulez-vous vivre ou mourir? 15 20

L'Allemand exige de la France un total esclavage. Pour éviter la menace sur ses arrières,[4] il emmène les meilleurs des Français en otage. Les prisons ne servent plus que de lieu de passage avant le massacre ou la déportation. On les vide constamment pour les remplir aussitôt à nouveau. Pour réaliser ces plans, l'ennemi fait appel à la lie[5] de notre population, aux dévoyés,[6] aux sadiques, aux souteneurs,[7] aux cerveaux brûlés,[8] et permet que l'on décore cette bande du nom de milice. Et Laval, l'hypocrite directeur des mauvaises consciences, la présente comme le soutien de l'ordre; en réalité soutien des fortunes mal acquises, garde des traîtres, rempart des bourgeois apeurés[9] par la juste colère du peuple. Darnand la commande, héros déchu, soldat devenu policier, ambitieux dont l'idéal est d'égaler Himmler.[10] 25 30

1. she-wolf. **2.** juggle away. **3.** manly, virile. **4.** *sur ses arrières:* in his rear. **5.** dregs. **6.** black sheep. **7.** pimps. **8.** *cerveaux brûlés:* hot-heads. **9.** frightened. **10.** dreaded head of the Nazi Gestapo who committed suicide shortly after he fell into the hands of British troops near Hamburg on May 21, 1945.

Que répondre à ces exigences, à ces méthodes? Une seule attitude est possible: *tuer*.

Nous ne sommes pas des passionnés du meurtre. Nous sommes bien plutôt des passionnés de vie sereine et heureuse, 5 de vie où l'on puisse créer, construire et aimer. Mais périssent ceux qui veulent nous empêcher de vivre! Ne détruit-on pas une bête malfaisante serpent ou fauve,[1] quand elle nous menace? Là aussi la seule défense est de tuer.

Qu'on ne vienne pas objecter que c'est contraire à toute 10 morale, et qu'il faut tendre la joue gauche quand on vous a frappé la joue droite. Accepter en silence le mal que l'on vous fait peut être un signe de grandeur d'âme ou de sainteté . . . Laisser faire le mal autour de soi, ne pas défendre sa Patrie sous prétexte de charité chrétienne ou d'humanité, est 15 une immonde et hypocrite lâcheté.

Le devoir est clair: il faut tuer.

Tuer l'Allemand pour purifier notre territoire, le tuer parce qu'il tue les nôtres, le tuer pour être libre.

Tuer les traîtres, tuer celui qui a dénoncé, celui qui a aidé 20 l'ennemi. Tuer le policier qui a contribué de manière quelconque à l'arrestation de patriotes.

Tuer les miliciens, les exterminer, parce qu'ils ont délibérément choisi de livrer des Français, parce qu'ils se sont rués vers la trahison. Les abattre comme des chiens enragés au 25 coin des rues. Les pendre aux réverbères[2] comme les Dauphinois[3] en ont donné l'exemple à Grenoble. Les détruire comme on détruit la vermine.

Tuer sans passion et sans haine. Ne jamais s'abaisser à torturer, à faire souffrir. Nous ne sommes pas des bourreaux, 30 nous sommes des soldats.

Tuer sans pitié ni remords parce que c'est le Devoir, un douloureux devoir: *le devoir de justice.*

Français, l'heure est venue. Voici le grand combat. Il n'y a plus à fuir: « vous êtes embarqués ».

35 Venez rejoindre nos rangs. Faites le don total de vous-même. Apportez-nous votre aide, votre argent, votre maison, votre

1. wild beast. **2.** street-lamps. **3.** inhabitants of the old province of Dauphiné, in the French Alps, around Grenoble.

vie. Dans cette lutte nous sommes tous solidaires. La désertion est impossible.

Français, voici que vient la lutte à mort! Ne cherchez pas à protéger votre existence par d'autres moyens que la force et le courage. *Si vous n'osez pas la risquer, votre vie perd toute valeur,* 5 et nous ne ferons rien pour la défendre. Mais si vous accomplissez le devoir de la guerre, alors nous serons frères d'armes.

Français, pesez bien ceci dans votre cœur!

Voulez-vous vivre ou mourir?[1]

INDOMITUS 10

1. Vercors, considering this same moral problem, wrote in an essay not included in this book:

« Par ses actes abominables, il (l'ennemi) a fait de cette haine-là presque un devoir, » — and then, addressing himself to the enemy, « D'entre toutes les raisons de vous haïr, ô vous que je ne veux pas appeler mes semblables, celle-là seule suffirait bien: je vous abhorre pour ce que vous avez fait de moi. Pour avoir semé, entretenu et cultivé en moi, avec cette constance diabolique qui est la vôtre, des sentiments pour lesquels je n'éprouve que le dégoût et le mépris. »

Reluctantly, Vercors had come a long way since Werner Von Ebrennac. L.

THE VICTORY

LIBERATION BEGINS

IN THE fairly early days of the moving pictures, when I used to like them — I was about seven years old then — there was a formula for a successful two-reeler that never failed to thrill us. The Indians, sometimes in league with a villainous white man (a kind of Laval) would get the hero and heroine into a cabin and set fire to it and ride around it shooting from the backs of their ponies. The films were silent then but I could hear those Indian yells much more distinctly than I have ever heard anything on a sound track. Just when it seemed that the Indians were going to inflict great pain and anguish upon the hero and heroine, there would be a flash to a plain with the United States Cavalry riding across it. The first trooper carried a big American flag like the one in the Assembly Hall at P.S. 9, Manhattan, and it billowed in the wind. The soldiers wore floppy black hats and the colonel rode a white horse and waved a sword. I had never been told then that a man on a white horse was a symbol of militarism (unless he was in a Soviet film), so it was all right with me. The picture would flash back to the Indians, and by this time the hero had a bandage on his head and a particularly villainous Indian was sneaking up behind the heroine with intentions I was not qualified to surmise. It went back and forth that way for what seemed a long while, and then the cavalry arrived and everything was all right. At the end of the picture, after the fadeout kiss, the flag filled the whole screen. It is probable that after such a traumatic experience the hero and heroine were left with a severe neurosis, but I never worried about it.

Now we are coming to the happy part of our story of France, the arrival of the Allies, the insurrection of Paris and the discomfiture of the Germans. But since we are more than seven years old we must remember that the liberation was not a happy ending. It left the French with their dead to bury, their wounds to heal, their burned cabins to rebuild and a lot of phobias about foreigners of all kinds. The first reaction of a rescued man is gratitude. The second is "What the hell kept you so long?" The third, quite possibly, is "Why didn't you prevent this?" On June sixth, 1944, at any rate, when the BBC made the first announcement that the Allies had landed in Normandy, all France was full of joy.

L'Homme libre
Vendredi 9 juin 1944

LES FORCES FRANÇAISES PARTICIPENT À TOUS LES COMBATS

5 Le 6 juin, à 7 h. 30, les premiers chalands de débarquement[1] ont abordé la côte normande.

Le moment que 40 millions de Français attendaient depuis 4 ans était arrivé. L'heure de la libération avait sonné.

La mer était houleuse,[2] plus agitée[3] qu'il n'eût fallu. Le 10 débarquement, en raison du mauvais temps, avait été retardé de 24 heures.

L'opération, réglée avec une précision extraordinaire, fut exécutée avec un déploiement de forces et une perfection d'organisation inimaginables.

15 Quatre mille bateaux de tous les types avaient traversé la Manche[4] dans la nuit.

Toutes les dix minutes, les canons lourds de la « Navy » expédiaient sur les fortifications allemandes, des bordées[5] de 4.000 tonnes.

20 Le bombardement naval avait été précédé par un bombardement aérien d'une intensité sans précédent.

Entre minuit et sept heures du matin, les bombardiers lourds[6] déversèrent[7] sur les objectifs militaires 8.000 tonnes de bombes.

PREMIERS RÉSULTATS, ON SE BAT PRÈS DE CAEN

25 Le débarquement s'effectua sur une largeur de côtes de 80 kilomètres au sud du Havre,[8] sur une région dont le centre est

1. *chalands de débarquement:* landing barges. **2.** rather rough. **3.** choppy. **4.** The Channel. **5.** broadsides. **6.** heavy bombers. **7.** poured down. **8.** Le Havre is the county seat of the department of Seine Inférieure, and principal French trans-Atlantic port on the English Channel. *See map, page 386.*

Caen.[1] A la fin de la première journée, plusieurs têtes de pont[2] étaient solidement poussées sur la terre française. Les avant-gardes[3] alliées se battaient aux abords de Caen.

Combinée avec l'opération du débarquement, une avalanche aérienne s'abattait sur les arrières immédiats de l'ennemi. 5

Des forces aéro-portées[4] étaient débarqueés en arrière des côtes, sur des points marqués par Bayeux et Avranches.[5] On sait maintenant que ces îlots[6] de parachutistes ont fait leur jonction avec les forces jetées sur la côte. 10

L'aviation engagée compte plus de 11.000 appareils[7] de première ligne. Les parachutistes étaient transportés par une flottille d'avions de transports qui, volant à 300 mètres d'altitude, s'étendaient sur une longueur de 400 kilomètres.

11.000 AVIONS DE PREMIÈRE LIGNE CONDUISENT L'ASSAUT 15

Pour protéger l'atterrissage[8] des parachutistes, un rideau de nuages artificiels était tendu sur une hauteur de 1.700 mètres.

L'assaut initial a été marqué par une faiblesse étonnante de la défense.

Churchill a déclaré aux Communes[9] que les défenses allemandes disposées dans la mer étaient bien inférieures à ce que l'on attendait. 20

Une flottille d'innombrables dragueurs de mines,[10] dont les équipages se chiffraient par plusieurs dizaines de milliers d'hommes, avaient « purifié » les abords des côtes. Ce travail, particulièrement dangereux, a été exécuté avec un brio[11] remarquable, et presque sans opposition allemande. Les vedettes[12] rapides de la marine du Reich, du type E. Boat, qui tentèrent d'intervenir, furent si sévèrement repoussées qu'elles restèrent plus de 24 heures sans renouveler leurs tentatives. Ce n'est que le troisième jour que l'Amiral Doenitz,[13] poussé par une nécessité désespérée, lança à nouveau ses 25 30

1. Capital of Calvados department near the English Channel. The British did not take it until mid-July. **2.** bridgeheads. **3.** vanguards, advance patrols. **4.** air-borne troops. **5.** towns near the English Channel which were the centers of decisive battles in the Allied invasion of France. We didn't reach Avranches until about August 1. L. **6.** islands. **7.** planes. **8.** landing. **9.** House of Commons. **10.** mine-sweepers. **11.** enthusiasm. **12.** speed-boats. **13.** Chief of the German Navy.

flottilles contre les unités navales alliées. Elles furent à nouveau repoussées.

Un expert naval de la B.B.C. a pu dire que l'opération, d'une ampleur sans précédent dans l'histoire des guerres mondiales, 5 n'a pu être réalisée que grâce à la maîtrise absolue des mers, dont disposent les alliées.

Fait remarquable: aucun sous-marin allemand n'a tenté d'intervenir.

DÉBARQUEMENT ININTERROMPU DE TROUPES ET DE MATÉRIEL

10 Depuis mardi, le débarquement des troupes et du matériel se poursuit sur les plages[1] françaises à un rythme accéléré.

Les premiers blessés sont arrivés en Angleterre. Si l'on considère les effectifs engagés, les pertes sont étonnament faibles.

Avec les blessés, on a débarqué dans les ports britanniques, 15 les premiers prisonniers allemands.

La supériorité aérienne des alliés est écrasante. La Luftwaffe, d'abord complètement prise de court,[2] n'est pas intervenue le premier jour. Les rares appareils à croix gammée[3] qui se sont montrés, ont été abattus.

20 Le second jour, des combats aériens ont eu lieu. Mais les chiffres de pertes donnés par les communiqués alliés, prouvent que les engagements restèrent relativement modestes. L'aviation de Goering, non seulement a perdu la maîtrise du ciel, mais est surclassée[4] par le nombre, la qualité du matériel et 25 personnel volant des Alliés.

TROISIÈME JOUR DU DÉBARQUEMENT

Les premiers communiqués du Q. G.[5] du général Eisenhower expriment tous une satisfaction visible. On relève que les opérations se déroulent selon les plans prévus. La résistance 30 allemande s'affermit. Il est certain qu'il ne faut pas se laisser aller à un optimisme prématuré. Les combats seront durs, mais la France triomphera avec l'aide de ses alliés.

Sur la côte, des batteries allemandes sont toujours en action.

1. beaches. **2.** caught by surprise, caught short. **3.** *croix gammée:* swastika. **4.** outclassed. **5.** *Quartier-Général:* Headquarters.

Elles sont canonnées par la marine et bombardées par l'aviation.

L'aviation a pour mission d'interrompre tout le trafic à l'arrière des lignes ennemies. Elle bombarde d'une façon intensive les points de passage obligés,[1] les nœuds ferroviaires,[2] 5 de manière à bloquer les renforts allemands. Limités d'abord aux arrières immédiats, ces bombardements s'étendent vers l'intérieur. C'est ainsi qu'aux environs de Paris, les gares d'Achères, de Versailles, de Massy-Palaiseau, ont été écrasées sous des tonnes d'explosifs. 10

Une autre opération de bombardement tactique, dont on ne peut dire encore si elle a pour mission de préparer un deuxième débarquement ou d'isoler les troupes allemandes du sud-ouest, s'efforce de couper toutes les communications dans une vaste zone qui va depuis Lorient[3] jusqu'au Golfe de Gascogne. 15

UNE INSPECTION DU GÉNÉRAL EISENHOWER

Le commandant en chef des troupes alliées, le général Eisenhower, a inspecté jeudi matin, les principales têtes de pont alliées. Il a rencontré le général Montgomery, le général britannique le plus populaire, et qu'on appelle familièrement 20 Monty, qui commande la « pointe d'assaut »[4] du débarquement.

Actuellement, dans la zone de débarquement, toutes les plages sont occupées. La route de Bayeux à Caen est coupée. Bayeux est prise. Partout des renforts affluent par planeurs[5] et par bateaux. Devant Caen, les Alliés ont repoussé des contre- 25 attaques allemandes. Le *Warspite* a écrasé sous trois obus de 380[6] un parc de 50 chars. De nombreux avions de transport et des planeurs atterrissent dans la presqu'île du Cotentin.[7]

1. *points . . . obligés:* needed shore points. **2.** railroad junctions. **3.** fort on the Western Coast of Brittany, principal submarine base operated by the German navy on the Atlantic coast during the war. **4.** spearhead. **5.** gliders. **6.** 380 mm. shell, *i.e.*, a 15 in. shell. **7.** Cotentin peninsula — northwestern part of Normandy, jutting out into the Channel. The transatlantic port of Cherbourg, chief objective of the initial phase of the invasion, lies at its tip.

THE COMAC, or *Comité d'Action Militaire*, which makes its first appearance in the next exhibit, was a triumvirate. Each of three large Resistance organizations, *Front*

National, *Mouvement de la Libération Nationale*, and *Ceux de la Libération* was represented by one member. Resistants of smaller movements were under their command, for it had been decided that it was impractical to have a high command comprising some dozens of equal members. The trend toward larger Resistance groups had been constant. In December, 1943, MUR, itself an amalgam of three large movements, had been expanded and re-christened MLN—*Mouvement de la Libération Nationale*. *Front National* included the *Franc-Tireur-Partisans* along with many middle-class and conservative elements. *Ceux de la Libération* was a predominantly northern movement that included all shades of pre-war political opinion.

Only in February, 1944, were the three great organisms brought together and plans for COMAC first set up. The three members were known as the three V's from their names—Valrimont, who represented MLN, Villon, of *Front National*, and Vaillant of CDLN. All three were resistance names. Vaillant was the former naval officer who had refused to stay in England after Mers-el-Kebir and had returned to France almost an Anglophobe. Jointly they commanded the FFI, *Forces Françaises de l'Intérieur*, subject to the orders of General De Gaulle who was outside France. The intermediary between De Gaulle and COMAC was General Pierre Koenig, also outside France, but nevertheless titular commander of the forces of the interior. The intermediary between Koenig and the COMAC was an intelligence system under a French officer named Colonel Passy whom the COMAC cordially distrusted.

The setup was complex and the liaison imperfect, and the divergencies of Fighting French of the exterior and interior have been carried over into peacetime and still affect French politics. In 1944 however they had to present a united front against: 1. The Germans, whom they all detested, and 2. The State Department and Foreign Office, whom they all distrusted. All factions of the Resistance suspected Anglo-American diplomacy. The patriots remembered that the British had turned against France after the last war and helped to build a strong Germany. They believed that the Americans wanted a conservative, capitalist setup in France and would try to make a deal with "moderate" elements — which meant collaborationists. That at least was the French conviction. Every time General De Gaulle spoke up sharply to remind Mr. Roosevelt or Mr. Churchill that France was no poor relation he entrenched himself deeper in the hearts of Frenchmen.

APRÈS LE JOUR J

Libération, Edition Zone Sud
14 juillet 1944

NOUVELLES CONSIGNES AUX PATRIOTES

A tous les officiers, sous-officiers et soldats des Forces Françaises de l'Intérieur, Combattants des Groupes Francs, Corps-francs de la Libération, Hommes des maquis et des Milices Patriotiques. 5

Le COMITÉ D'ACTION MILITAIRE (COMAC) du Conseil National de la Résistance, organe suprême du commandement des FFI, vous félicite des actions accomplies depuis le débarquement des armées alliées: 10

Vous avez gêné les transports ennemis en coupant les communications.

Vous avez coupé les rayons de transmission.[1]

Vous avez harcelé l'ennemi dans l'arrière de la zone de bataille. Dans un communiqué du Quartier Général Interallié, l'efficacité de votre action a été hautement appréciée. 15

Le COMAC vous ordonne: — de poursuivre toute action militaire qui vous sera demandée par l'Etat major interallié par l'intermédiaire du Général KOENIG, 20

— d'entretenir les coupures des voies de communications,

— d'aider les troupes alliées partout où vous le pourrez,

— de saboter plus que jamais toute production au service de l'ennemi. 25

L'action des FFI a, dès à present, libéré des portions du territoire national. Des soldats de la Résistance ont atteint

1. power lines.

l'objectif qui leur était fixé: la Libération du territoire. Des Gendarmes et des Gardes, des Soldats du 1er régiment de France[1] ont rejoint vos formations. De nombreux Français se sont joints à vous pour se battre, La Nation a les yeux fixés
5 sur vous.

L'ennemi tentera d'écraser nos forces victorieuses et les assassins SS ont déjà exercé des représailles sanglantes sur des populations de civils désarmés.

Pour maintenir les forces engagées dans la bataille de la
10 Libération, pour chasser l'envahisseur, pour empêcher les représailles sanglantes, le COMAC vous ordonne:

1) d'intensifier partout la guérilla mobile,
2) de vous emparer[2] des dépôts d'armes de l'ennemi, d'attaquer et de désarmer ses forces isolées, de faire des prisonniers qui subiront le même sort que les soldats des FFI tombés entre les mains de l'ennemi,
3) d'appuyer les forces menacées par les boches qui pourraient être attaquées, par la coupure des communications et des embuscades sur les voies d'accès,
4) en cas d'attaque par les forces ennemies supérieures, de ne pas vous accrocher au terrain,
5) partout ou votre armement vous le permet, de réaliser immédiatement la libération de portions de territoire, en accord avec le Comité de Libération, avec l'appui des popu-
25 lations, en tenant compte des possibilités de retours offensifs[3] de l'ennemi et des possibilités de défense. Mobiliser sur le territoire libéré les hommes valides[4] et les forces économiques en vue de la libération des territoires voisins et de la Victoire de la France et des alliés.

30 Mort à l'envahisseur!

VIVE LA FRANCE!

SACHONS VAINCRE

Les armées alliées ont débarqué sur le sol de France. Le « mur de l'Atlantique »[5] s'est effondré.[6]

1. ***1er régiment de France:*** Pétain's guard. **2.** seize. **3.** ***retours offensifs:*** counter offensives. **4.** able-bodied. **5.** The "Atlantic Wall" was the succession of pillboxes and gun emplacements lining the French coast. **6.** collapsed.

Dans la bataille en cours, les Forces Françaises de l'Intérieur, qui unissent toutes les formations armées de la Résistance, ont apporté aux armées alliées un appui, qui, dans un communiqué de l'Etat-Major Interallié a été hautement apprécié.

Les Forces de la Résistance ont, en d'autres points du territoire, libéré des régions entières. 5

Les journaux de la Radio de Vichy ne vous disent pas que dès maintenant, les forces françaises contrôlent, dans le centre et le Sud-Est, de nombreuses régions.

L'ennemi n'a plus le contrôle de territoires dont la superficie dépasse celle où les armées alliées sont installées, les représailles sanglantes qu'il exerce contre les populations civiles désarmées ne changent rien à son impuissance de battre les Forces Françaises de l'Intérieur. Ses tentatives d'attaquer les points dès maintenant libérés doivent se heurter à l'action de toutes les régions voisines, à l'action de tous les Français. 10 15

La bataille de la FRANCE est engagée, il faut la gagner.

Le Gouvernement Provisoire de la République Française appelle la France à se battre. Avec lui nous regrettons que les Alliés n'aient pas donné à la Résistance française un soutien plus efficace qui lui permettrait de prendre immédiatement une part considérable à la guerre. Nous espérons que, partout, nos forces seront appuyées par l'envoi immédiat d'armes, de matériel et de ravitaillement. 20

Le Général de GAULLE, dans un tout récent appel, a dit aux Français: « qu'en aucun cas, il ne fallait se laisser mettre hors de combat, sans combattre. » 25

L'organe suprême de commandement des Forces Françaises de l'Intérieur: le Comité d'Action Militaire (COMAC) du Conseil National de la Résistance, a donné à tous les combattants, les ordres qu'il fallait. 30

Nous reproduisons par ailleurs ses nouvelles consignes.

Nous soulignerons simplement, tels qu'ils se dégagent de ces ordres, trois aspects de la lutte actuelle.

En premier lieu, la bataille engagée doit être la lutte du peuple entier. Pour cela, à l'appel du C.N.R., les Français doivent s'organiser partout en milices patriotiques, qui, dans chaque quartier, dans chaque entreprise, dans chaque village, 35 permettront la mobilisation effective de tous les Français qui veulent chasser l'occupant.

En second lieu, il faut garantir à la fois la liberté d'action des forces françaises, ne pas se laisser mettre hors de combat sans
5 combattre et faire l'économie de nos forces, en tenant compte de l'armement dont nous disposons et des possibilités de retours offensifs[1] de l'ennemi.

La guérilla mobile, l'interruption des communications, l'interdiction des voies d'accès des régions libérées, la prise de
10 dépôts d'armes, les prisonniers allemands, tels sont les objectifs immédiats.

Partout où cela est possible il faut libérer le territoire et préparer l'insurrection.

Il faut chasser les hommes de Vichy et châtier[2] les traî-
15 tres.

Il s'agit en un mot de se battre pour vaincre, avec le peuple français pour la grandeur de la France.

1. counter offensives. 2. punish.

THE JUBILATION grew with each Allied victory. The Germans had blustered, on the day of the landing, that they would throw the Allies back into the Channel. Then they had said they were trying to draw more Allied soldiers into Normandy so they could bag them all at once. But the successive excuses irresistibly reminded the French of the 1940 alibis for not taking England, and the 1941–42 "explanations" of why Moscow and Stalingrad had not fallen. When the Americans punched through at St.-Lô and then cut south through Avranches and into Brittany, the rapture could not be stilled. Even the "white but stiff" moustache of Monsieur Henry Stimson became of news interest to Frenchmen. Everything American was glorious. André Rabache, the French correspondent mentioned in the story, lived in such a roseate dream that he inadvertently got ahead of the army and was captured. But he escaped again. "*C'était du sport.*" Rennes was wonderful. So were the omelettes.

L'Homme libre
Samedi 5 août 1944

RENNES LIBÉRÉE

LES BLINDÉS[1] AMÉRICAINS FONT 100 KILOMÈTRES EN VINGT-QUATRE HEURES. Rennes a été libérée dans l'après-midi de jeudi, mais c'est jeudi matin que la presse américaine en a informé ses lecteurs. Ce n'est pas un « miracle »[2] journalistique, c'est la conséquence du décalage[3] entre l'horaire européen et l'horaire américain.

Paul Farish, un journaliste de Washington, a raconté comment M. Stimson, le sous-secrétaire d'Etat à la guerre, avait annoncé la nouvelle. L'affluence dans le bureau de Stimson était grande parce qu'on savait qu'il dresserait[4] à l'occasion d'une conférence de presse le premier bilan[5] de la percée[6] américaine.

M. Stimson n'est ni très grand ni très corpulent. Il a un petit visage maigre, avec une moustache blanche mais drue[7] sur la lèvre:

—J'ai à vous rendre compte, dit-il, de la période la plus satisfaisante depuis le début des opérations en Normandie. Puis, au milieu de l'enthousiasme général, il annonça que Rennes venait d'être libérée par les blindés américains. « Nous avons dégagé 2.500 kilomètres carrés de territoire français, précisa-t-il, détruit environ sept divisions et capturé 20.000 prisonniers dans les huit derniers jours. Mais surtout nous avons fait sauter[8] la croûte[9] défensive allemande, ce qui va nous permettre de déployer nos énormes masses de chars pour manœuvrer. »

PLUS IMPORTANT QUE CHERBOURG. Après Avranches, les Américains n'ont pratiquement plus rencontré de résistance organisée. Tandis qu'une colonne poussait au sud, vers Rennes, une autre avançait vers l'ouest, en direction de Saint-Malo.

La chute de Saint-Malo est imminente. Le port d'ailleurs

1. armored troops. **2.** "scoop." **3.** lack of synchronism, difference. **4.** would present. **5.** balance sheet. **6.** break-through. **7.** thick, close cropped. **8.** burst through. **9.** (*lit.*, crust): outer shell.

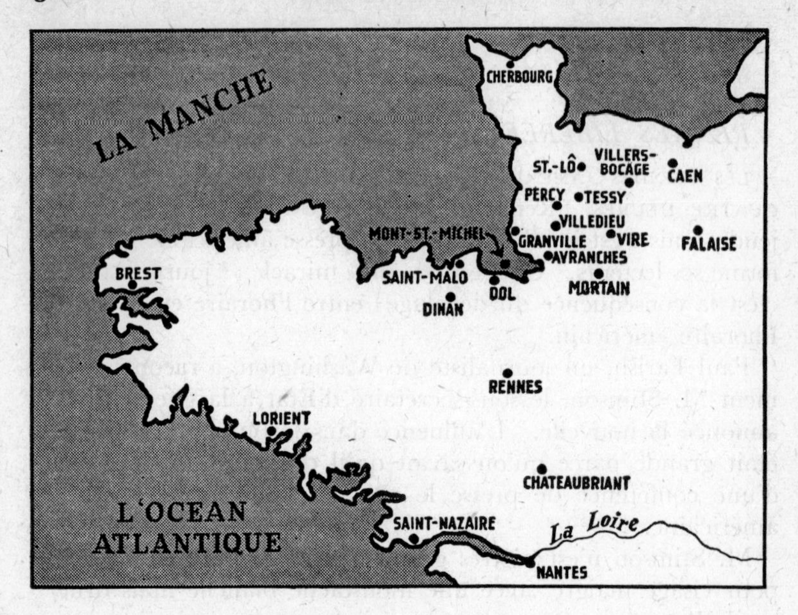

D-DAY LANDING AREA. This map shows the location of the towns and cities liberated in the Normandy break-through.

est largement dépassé puisqu'après avoir pris Dol, les blindés de Bradley[1] sont arrivés à Dinan.

« Les garnisons de Brest et de St.-Nazaire sont menacées » constate,[2] dans le *New York Times*, l'expert Daniel Moore.

5 Une colonne de blindés a largement dépassé Rennes. Elle a couvert 100 kilomètres en 24 heures, ce qui est un record, et ne se trouvait plus vendredi matin qu'à 100 kilomètres de Nantes.

« La prise de Rennes dépasse en importance la prise de Cherbourg » a constaté Stimson.

10 Rennes est le plus grand centre ferroviaire de Bretagne. Cinq routes nationales s'y croisent. C'est aussi une grande base aérienne.

LE RÊVE D'UN CAVALIER. Un correspondant allié décrit la bataille comme la réalisation du rêve d'un cavalier. Les

1. General Omar Bradley, then Commander of the American First Army, later Commander of the Twelfth Army Group. 2. notes, sums up.

colonnes blindées se déploient dans toutes les directions et se lancent en avant sans se préoccuper de leurs liaisons avec l'arrière.

Les Allemands ne disposeraient plus que de quatre divisions pour s'opposer à l'avance américaine. Ils sont submergés. 5

« Je revis des heures semblables à celle de la bataille de France, mais, de poursuivi, je suis devenu poursuivant, »[1] a dit André Rabache.

Rabache appartient à l'Agence Française Indépendante. Les dépêches qu'il lit dans le micro de la B.B.C. quelque part 10 en Normandie ou en Bretagne, et qui sont radiodiffusées[2] aussitôt, animent la bataille et nous permettent d'en suivre les progrès heure par heure. Partout où ils passent, les cars radio[3] sont entourés par une foule enthousiaste.

LE MONT-SAINT-MICHEL ÉPARGNÉ. Ces derniers jours, 15 Rabache a eu du mal à garder le contact avec les éléments de tête. Grâce à la rapidité de la progression, les villes libérées souffrent moins de la bataille. Si Avranches a été éprouvée douloureusement par les bombardements, Granville est intacte:

— Toutes les maisons ont leur toit, dit Rabache. Les 20 habitants sont dans les rues avec des brassées[4] de fleurs blanches et rouges. Les filles ont des rubans tricolores dans les cheveux. Des hommes armés de fourches[5] poussent devant eux des troupeaux de prisonniers.

La célèbre abbaye du Mont-Saint-Michel est intacte. On 25 pourra manger à nouveau les fameuses omelettes de la Mère Poulard.[6] Des centaines de conducteurs américains n'ont pu s'empêcher d'arrêter leurs véhicules pour jeter un regard chargé d'admiration sur la plus merveilleuse des baies de la Bretagne. 30

LES ANGLAIS À LEUR TOUR . . . Au Sud-Ouest d'Avranches, les Américains ont libéré Mortain. Ils sont, dans ce secteur, sur le point de faire leur jonction avec les Britanniques qui

1. *mais . . . poursuivant:* from being pursued (in 1940), I have become a pursuer (in 1944). **2.** rebroadcast by radiophone. **3.** *cars radio:* trucks equipped with radio and loud speakers. **4.** armfuls. **5.** pitchforks. **6.** Mont-Saint-Michel, besides being one of the great historic monuments of the world, is famous for the omelettes prepared there. L'Hotel de la Mère Poulard is the most comfortable on the Mount. L.

encerclent Vire. On avait annoncé la prise de Vire et il semblait que les deux divisions blindées allemandes accrochées[1] dans la région de Villedieu, Percy et Tessy, fussent perdues. Elles ont réussi à se dégager. La chute de Vire n'en est pas 5 moins imminente.

Montgomery[2] fait également un gros effort dans la région de Villers-Bocage-Aunay, où les Allemands contre-attaquent furieusement.

Une troisième opération, pour laquelle les précisions[3] man-10 quent, est conduite au sud de Caen. Les efforts anglo-canadiens vont bientôt porter leur fruit et on peut prévoir que là aussi la bataille va devenir mobile.

1. making a stand. **2.** Marshal Montgomery, Commander of the British Army. **3.** precise details.

THE LIBERATION OF PARIS

THE CROWNING demonstration of France's will and power to live was the insurrection at Paris. The insurrection permitted the French to say that Paris had liberated itself. This was a part-truth which was and will be of incalculable advantage in the psychological recovery of France.

We prefer to remember the American Revolution as an American victory. We do not like to estimate in cold percentages or historical probabilities how much of that victory was due to the French army and fleet. Between 1783 and 1939 wc were content to be vaguely grateful once in a while, as long as the French did not annoy us by reminding us too sharply of what they had done. The French attitude toward World War II, in the future, will increasingly resemble this post-Revolutionary American state of mind. I think that the American colonies might have gotten free from the British crown without French aid, eventually. Probably not in that American Revolution, but in one of the series of American revolutions that would have been bound to follow. I think that France would have gotten rid of the Germans, eventually, too, but God knows when. France won the Hundred Years' War without American aid — but it took a hundred years. In any case people appropriate the credit for their own good fortune. The insurrection gave France a point of historical splendor on which to focus these emotions. In a military way, the insurrection had not the slightest effect on the outcome of the campaign or the war. Spiritually it was the most important event of the summer of 1944.

On the evening of Monday, August 21, 1944, all the war correspondents attached to the Twelfth Army Group, which comprised the American First and Third Armies, were summoned to a press conference at the headquarters of General Omar Bradley, the Group commander. General Bradley is the most honest, least pretentious soldier who ever lived, and one of the best. He had a custom of telling the press exactly what he was going to do, when he was ready to do it. He had begun this practice in northern Tunisia, and he may have thought it brought him luck, because that campaign worked out exactly as he had said it would, with the capture of Bizerte in eleven days from the time the General unrolled the maps. Afterward, in France, he had made a couple of wrong predictions on time. At the next conference after such an error, he would not try to hedge, but would say, "I guess my face should be red, but I'll stick out my neck again." Then he would diagram the next play. On this particular evening he knew the correspondents were all wondering about when they would get into Paris. Group headquarters were then at Laval, in Mayenne, the department sandwiched in between Normandy and Brittany. We wouldn't have to think about Paris for eight or ten days, General Bradley said, because the Americans would by-pass it on the south and come around behind it, in an effort to trap as many Germans as possible of the great army that was in full flight across France. The German garrison left in Paris, mostly base troops and headquarters types, would pull out and join the general retreat, it was hoped. The city was a minor military objective, but if the Germans got out without fighting it would save historic monuments from damage.

On the very next night there was a change in plans. A messenger from the Resistance forces in Paris reached the American lines with the news that a general insurrection had been proclaimed there on August 19, and that the F.F.I. were disputing possession of the city with the Germans. The leaders of the insurrection asked immediate aid. So Bradley diverted the Fifth Corps from the looping movement and pushed it straight toward Paris. The American Army, with one of its occasional exhibitions of tact, wanted French troops to be the first into Paris. So the only French division with the Allies in the north, General Leclerc's Second French Armored, was placed at the tip of the corps. Getting in was not a complicated operation, although for various reasons Leclerc's people did not penetrate the city until Thursday evening, August 24. Friday, the twenty-fifth, was clean-up day, the happy denouement when all the villains got theirs. Only this time the "United States Cavalry" were Frenchmen in American tanks. By that time, as in the old movies, the real drama was over. That had been going on during the glorious week of insurrection, when the F.F.I. went out into the streets and fought German tanks with champagne bottles filled with incendiary fluid. The F.F.I. could have remained safe by waiting a few more days. The Germans, if undisturbed, might have wrecked the city before they pulled out. They were caught sitting on their own mines.

The F.F.I. saved something even more important than a thousand years in stone. They saved the self-respect of a nation. This is the story of their battle, as it appeared in *Les Lettres françaises*, no longer clandestine, in the weeks immediately following the liberation. Claude Roy, the author, is a young reporter with a very pretty wife. He is on the staff of *Les Lettres françaises*, which is a weekly, and of the daily *Front National*, which is edited by Jacques Debû-Bridel, whom you may remember standing on the curb in the bewildered Paris of May, 1940, trying to imagine what had happened to the brains of the French censorship. The editor of *Les Lettres françaises* is Claude Morgan, the Communist writer who had the great row with Debû-Bridel in 1936, before the Germans forced unity upon decent men.

LES YEUX OUVERTS DANS PARIS INSURGÉ[1]

PAR CLAUDE ROY

Plus tard, beaucoup plus tard, quand décroîtra[2] aux horizons de la mémoire l'ouragan[3] de colère et de joie qui vient de nous emporter, un écrivain pourra parler de ce que nous venons

1. From *Les Lettres françaises, 9 septembre 1944*. *Les yeux ouverts:* Wide awake.
2. shall fade. 3. storm, hurricane.

de vivre et dignement l'exprimer. Mais il est difficile aujourd'hui d'écrire autrement que sous la dictée haletante[1] de l'histoire, à chaque minute jaillissante.[2] Essayons de transcrire aussi exactement, aussi fidèlement que possible, ce qu'il
5 nous a été donné de voir, et d'entendre, et de vivre, depuis huit jours. Ce sera déjà beaucoup. L'écrivain, aujourd'hui, ne peut être que le sténographe du destin.

SAMEDI. Paris a dormi cette nuit d'un sommeil fiévreux, haletant, entrecoupé.[3] La nuit est tombée sur une ville sans
10 police. On se presse aux portes des commissariats fermés pour lire l'appel du *Comité de libération de la police.*[4] Rue des Saussaies et rue Laurent-Pichat, au Bois, devant les bureaux de la Gestapo, une petite neige noire de papier brûlé. « *Ils* » brûlent leurs archives. Des camions de la Wehrmacht sillon-
15 nent[5] Paris. On a donné un coup de pied dans la fourmilière.[6] Les hommes s'agitent. Place de la Concorde passe un camion rempli de lavabos.[7] Un autre avec des caisses et un soldat assis dessus, qui tient dans ses bras une machine à coudre. Où sont les alliés? A Versailles, à Rambouillet, à Marly? Per-
20 sonne n'en sait rien. Les cendres de papier voltigent[8] dans le soleil. Un petit flocon[9] noir se perd dans les cheveux blonds de ma compagne. Hier soir, en tournant le coin de la rue de Buci, pour s'engager dans la rue de Seine, en remontant vers le

1. breathless. **2.** gushing forth. **3.** broken, interrupted, restless. **4.** The police of Paris had gone on strike August 15. The metamorphosis of the Paris police, from the hated symbol of authority to the beloved champion of the populace, was one of the bizarre aspects of the insurrection. When I lived in the Rue de l'Ecole de Médecine in the Latin Quarter in 1926–27, « *A bas les flics!* » was the traditional street cry. It means "Down with the cops!" When I came into Paris on August 25, 1944, I saw a bus filled with policemen armed with rifles on the Rue Denfert-Rochereau, and the crowds were shouting, « *La Police à l'honneur!* » A traffic cop yelled at me, « *Vive l'Amérique!* » I shouted back « *Vive la Police!* » and he burst into astonished tears. He just wasn't used to kind words.

A week later I was in an all-night bar on the Rue Pigalle with Peter Lawless. a good fellow now dead, and two French couples who had adopted us, when an old derelict staggered in, very dirty and very drunk, and began a long rambling speech to the company at large. There was a stern-looking policeman at the bar, in uniform. In 1926, or even in 1939, I should have expected him to throw the old bum out on the sidewalk. But instead, the policeman said, almost affectionately, « *Silence, pépère,* » — "Be quiet, pop." Then turning to us, the policeman made a speech. "You see this unfortunate," he said. "He is a stowaway of social life" (*un resquilleur de la vie sociale*). "It is not his fault." And then he discoursed for twenty minutes on Marxian economics. The trend has not yet affected the New York City Police Force. L. **5.** are crossing, plowing through. **6.** ant-hill. **7.** washbasins. **8.** flutter. **9.** flake.

Sénat, elle a crié: « Un feu d'artifice! » Mais comme les fusées rouges et bleues venaient vers nous en faisant *dzing bzz* à nos oreilles, nous avons vu que c'étaient des rafales de mitrailleuses avec des balles traçantes.[1] Nous sommes rentrés à toute allure nous garer[2] dans un bistro, où le patron attendait que l'électricité vienne. Il paraît que les alliés sont à Versailles. Boulevard Saint-Michel, les Allemands tirent sur la foule qui les regarde, goguenarde,[3] faire leurs paquets. Ces messieurs miliciens ont déjà déménagé. Ils avaient de beaux uniformes et de jolies mitraillettes. Pour maintenir l'ordre qu'ils disaient. Bon voyage. Les Allemands tirent. Des tués. Ces vaches-là deviennent mauvais. *Le Drapeau!*

On criait dans la rue. J'ai ouvert la fenêtre. Devant le petit café, à toutes les fenêtres, les gens montraient quelque chose que je ne pouvais pas voir. Ma concierge m'a hurlé: « Le drapeau est sur la Préfecture! » Je descends dans la rue. C'est vrai. Sur le toit de la Préfecture, il y a un tout petit point noir qui bouge, un bonhomme qui vient de hisser[4] le drapeau. Le drapeau flotte dans le vent. Un drapeau, deux drapeaux. Le drapeau sur les tours de Notre-Dame. Le drapeau sur un balcon.

Le parvis[5] Notre-Dame est noir de monde. Partout des brassards tricolores. Les chefs du *Comité de libération de la police* haranguent leurs hommes en civils. Le grand portail s'ouvre. En quelques minutes la Préfecture de police est occupée. Les standardistes[6] sont sur les dents.[7] Les ordres partent. En civils, les milliers d'agents de Paris vont réoccuper les commissariats abandonnés pendant la grève.

En face de l'Hôtel de Ville, où flotte le drapeau, on hisse les couleurs sur l'Assistance publique.[8] Première *Marseillaise*, *Marseillaise* de l'insurrection. *Marseillaise* enrouée,[9] maladroite, atrocement fausse.[10] Un homme me fait voir ses papiers: un prisonnier politique libéré ce matin d'un camp allemand de la région parisienne par les F.F.I. Il semble hagard, perdu. La liberté lui coupe le souffle comme au nageur la première

1. tracer bullets. **2.** take shelter. **3.** jeering. **4.** hoist. **5.** square (in front of the Cathedral of Notre-Dame de Paris). **6.** switchboard operators. **7.** *sur les dents:* "up to their ears," swamped with work. **8.** Department of Public Welfare. **9.** hoarse. **10.** off-key.

eau vive.[1] Je rentre dans la cour de la Préfecture. Cour Jean-Chiappe. Drôle de nom.[2] Le préfet de police du Gouvernement provisoire entre en fonctions.[3] On amène les couleurs au grand mât.[4] Seconde *Marseillaise*, millier de voix d'hommes, un tonnerre dans cette cour carrée qui la répercute comme un puits[5] sonore.

Un chauffeur de la police, Titin, se fait photographier avec un copain, en posture avantageuse devant trois voitures, une Hotchkiss noire, une Delahaye, une 11[6] légère Citroën. Cocardes[7] tricolores. Ce sont les trois voitures d'Abel Bonnard,[8] ses valises, ses documents, « colmatés »[9] par les policiers patriotes alors qu'il tentait de s'enfuir. Tout le monde rit.

On arrête quelques traîtres. Ils passent, les mains en l'air, sous les huées,[10] blêmes.

Je croise une grosse voiture. Des hommes en brassard, armés. Le fanion[11] tricolore des F.F.I. Je reconnais deux camarades, opérateurs de cinéma. Je les voyais tous les jours. J'ignorais tout de leur activité, ils ignoraient tout de la mienne. Ils viennent de l'Hôtel de Ville, que leurs hommes ont occupé avec le *Comité parisien de libération.* (Julien et Allard me racontent l'arrestation du préfet de la Seine de Laval, Bouffet). Mitraillettes au poing, ils pénètrent dans le bureau de l'ex-préfet. Celui-ci les accueille, encore arrogant.

—Je proteste, s'écrie-t-il. Je veux savoir au nom de qui vous êtes ici?

— Au nom du général de Gaulle et du Gouvernement provisoire de la République.

— Pour quoi faire?

— Vous destituer,[12] vous arrêter, vous remplacer.

— Avez-vous des papiers faisant foi de votre mission?

Les patriotes montrent leurs mitraillettes.

—Vous avez cinq minutes pour réunir vos affaires personnelles et nous suivre.

1. icy water. **2.** Because Chiappe, Prefect of Police of Paris before the war, had plotted against the Republic and then after the occupation worked closely with the Germans. He was killed in an airplane while running one of the enemy's errands in Syria. Vichy claimed that Chiappe's plane had been shot down by an R.A.F. fighter, but this is not certain. **3.** takes up his job. **4.** flagpole. **5.** well. **6.** eleven horsepower model. **7.** badges. **8.** *See page 296, note 5.* **9.** (*slang*): nabbed. **10.** boos. **11.** pennant. **12.** strip you of your post.

La jactance[1] du personnage cesse aussitôt. L'ex-préfet de la Seine est incarcéré dans les locaux disciplinaires de la Préfecture de police, où M. Pierre Taittinger[2] vient le rejoindre un peu plus tard.

TRAÎNÉE[3] DE POUDRE. Le drapeau français est amené sur la Sorbonne, libérée des traîtres de l'intelligence et des intellectuels nazis. Un étudiant embrasse son amie. Le plus beau jour de notre vie. Un vieux professeur a mis son lorgnon[4] pour mieux voir. Le plus beau jour de notre vie. La foule chante *La Marseillaise*. Le plus beau jour de notre vie. Une jeune fille jette les bras en l'air, rit, danse. Le plus beau jour de notre vie.

Des camions allemands passent dans les rues, tiraillant.[5] Mais sur l'hôpital Saint-Vincent-de-Paul, sur l'Ecole des Mines, sur tous les commissariats flotte notre drapeau. Des groupes dans les rues lisent les affiches blanches du *Conseil national de la Résistance* et des députés communistes. Appel à l'insurrection nationale. Dans les rues, vers les points stratégiques, montent des garçons dont le brassard tricolore dépasse déjà à la poche du veston. Des boîtes à violon, des housses,[6] des paquets dissimulent encore les armes.

Une grosse voiture noire remplie d'armes: la voiture du général Bridoux, ministre de Vichy, « colmatée » par les insurgés. Une autre voiture, celle du cardinal archevêque de Paris, Mgr Suhard, « empruntée », celle-là.

— Evidemment, on a dû casser les vitres pour pouvoir tirer par les portières, mais on rendra sa voiture au cardinal plus « nickel »[7] encore qu'avant.

Les nazis passent en trombe, visage traqué, stupéfaits. Ils tirent au hasard. Des passants sont tués. Peu à peu, les rues se vident. Ne circulent plus que les F.F.I., brassard au bras, les agents de liaison patriotes, les responsables. Les chefs organisent la défense, les plans de feu, la résistance des bâtiments officiels occupés par les nôtres. A la devanture des cafés, on empile les chaises et les guéridons.[8] Les rideaux de

1. arrogance. **2.** President of the Municipal Council of Paris. Not renowned for courage or patriotism, and arrested after the liberation. **3.** trail. **4.** pince-nez glasses. **5.** shooting aimlessly. **6.** slip covers. **7.** shiny, polished. **8.** small round iron tables (with a single central splayed leg stand).

fer se referment. Le bruit court que les Allemands affolés tenteraient d'édicter le couvre-feu[1] à 14 heures. Toute l'équipe des *Lettres françaises* clandestine se retrouve à *Paris-Soir.*[2] Des F.F.I., mitraillette sous le bras, gardent l'entrée.
5 Ils occupent l'immense building depuis cette nuit. Des papiers gisent dans un coin, des dépêches et des titres de journaux vieux d'hier: ESSAYANT DE PERCER LE FRONT DANS UN NOUVEAU SECTEUR, LES TROUPES SOVIÉTIQUES SUBISSENT UN GRAVE ÉCHEC À L'OUEST DE TCHERNIGOV. Les F.F.I. piétinent[3] les
10 papiers froissés.[4] JE QUITTE L'ALLEMAGNE AVEC UNE IMPRESSION DE RÉCONFORT, DÉCLARE À BERLIN M. BRUNETON. LES CRIMES TERRORISTES. Dans un coin, un tableau: Les petites annonces[5] reçues aujourd'hui seront insérées à partir du 18 août. AFFAIRE JUIVE À VENDRE, petit outillage[6] et aciers,
15 Bales, 32, rue de Lancry. JEUNES FRANÇAIS, ENGAGEZ-VOUS DANS LA KRIEGSMARINE. Alertés par la *Fédération du Livre*, linotypistes, rotativistes, ouvriers sont à leur poste.[7] Les munitions s'entassent dans le poste de garde.

LE SIÈGE DE LA PRÉFECTURE. 13 h. 30. On téléphone de la
20 Préfecture de police. Les Allemands donnent l'assaut.

Rue du Louvre, rue de Rivoli. Un drapeau de la Croix-Rouge: les postes de secours[8] F.F.I. sont déjà en place. Des balles perdues[9] sifflent place du Châtelet. Pas un chat. Sur le boulevard du Palais, fusillade. Un camion allemand est
25 pris à partie[10] par les défenseurs. La fusillade se calme. Le camion semble abandonné, ses passagers neutralisés. Je démarre, la fusillade reprend. Je fuis dans la Préfecture dont la porte s'ouvre devant moi, une arrivée au sprint, tête baissée.

Dans la cour de la Préfecture, va-et-vient d'hommes en

1. curfew. **2.** *Paris-Soir:* leading daily afternoon newspaper before the war, taken over and published by collaborators during the occupation. **3.** trample. **4.** crumpled. **5.** *petites annonces:* "ads". **6.** small tools. **7.** The staffs of the clandestine newspapers had arranged to seize the plants of the collaborationist journals as soon as the insurrection broke out. The printers were already enlisted in the Resistance. The seizures took place on schedule, and while bullets made unpleasant noises around them the ex-clandestine staffs got out regular editions with news of the street-fighting. Boys were peddling them in the streets when we got in, just as if there had never been an occupation. But the German soldiers trapped in several strongpoints were still shooting. The headlines and notices quoted by Roy were of course in the last collaborationist editions of *Paris-Soir*, printed before the insurgents seized the plant. L. **8.** *postes de secours:* first-aid stations. **9.** stray. **10.** *pris à partie:* attacked.

armes. Il y a déjà des camions allemands, des voitures de munitions, des camionnettes prises à l'ennemi. Les services de l'approvisionnement ont du mal à trouver les munitions nécessaires aux combattants. Un tel a une mitraillette française, tel autre une arme anglaise, celui-ci un F.M.,[1] cet autre des armes allemandes. La fusillade qui pétarade[2] retentit de façon extraordinaire dans les cours, les corridors, les escaliers. Pendant les rares accalmies, les grandes portes s'ouvrent pour laisser entrer et sortir les ambulances automobiles, les brancardiers[3] qui agitent des drapeaux blancs croisés de rouge.

Le feu nourri des défenseurs, policiers patriotes, et F.F.I. du Quartier latin accourus à la Préfecture, balaie le parvis Notre-Dame, le boulevard du Palais, les quais et les ponts. Dès les premiers assauts des S.S. on téléphone aux commissariats. Des agents alertés prennent les assaillants à revers[4] en arrivant dans leur dos par la rue Saint-Jacques, le boulevard Saint-Michel, avec une extraordinaire audace. Les assiégés effectuent des contre-attaques et des sorties. Des prisonniers, du butin. Sur le parvis, un F.F.I. tente seul une sortie par surprise. Il attaque une voiture, une 401 Peugeot[5] camouflée par la Wehrmacht, tue ses occupants et, sous un feu violent de l'infanterie allemande, remet en marche le moteur et rentre en trombe dans la grande cour.

Au cabinet du préfet, où je vais téléphoner, une des trois secrétaires rentrées le matin dans la citadelle, garde son sourire. La petite robe d'albène[6] impeccablement blanche, le bouquet de roses (un peu fanées les roses) à côté du téléphone. Les agents de liaison en chemise kaki, mitraillette sous le bras, vont et viennent. Elle sourit. On apporte des caisses d'explosifs saisies, des chargeurs et des détonateurs destinés par les Allemands à faire sauter les ponts de Paris. Elle sourit. Le canon fait trembler les vitres. Elle sourit.

—Je n'irai pas me baigner à Deligny[7] aujourd'hui, dit-elle gentiment, entre deux coups de téléphone.

—Je ne crois pas, Mademoiselle.

1. *fusil-mitrailleur:* automatic rifle. **2.** crackles. **3.** stretcher bearers. **4.** from behind. **5.** 401 here is a model number. **6.** synthetic silk. **7.** *Les Bains Deligny* are floating baths moored in the Seine, just about opposite the Louvre. The water isn't too clean, but the girls get a wonderful tan sunning themselves on the planks, and when you walk over the bridges you can look down at them. L.

Elle passera la nuit à son poste. Le lendemain matin, la petite robe d'albène est toujours insolemment, merveilleusement, glorieusement blanche.

Des hommes viennent téléphoner chez eux.

5 — T'en fais pas, Nini, j'ai déjà cinq Frisés[1] à mon actif[2] . . . On les aura, on les a eus !

— Surtout, ne sors pas . . . Fais attention au petit . . . Mais non, je ne risque rien . . . As-tu du pain et de quoi manger? Surtout, ne sors pas.

10 Un grand malabar[3] velu[4] décroche le téléphone et appelle ses copains de l'extérieur.

— Pensez à donner à becqueter[5] aux prisonniers . . . Faut leur montrer qu'on n'est pas des vaches comme eux.

« Les prisonniers », c'est la municipalité de collaborateurs de 15 Clamart, dont le groupe de combat du malabar s'est emparé le matin.

— On les a « colmatés » en moins de deux . . . Y z'étaient[6] pas fiers ! On avait eu pourtant du boulot.[7] Les Frisés avaient dynamité tout un quartier de Clamart. Il a fallu aller désa-20 morcer[8] leurs galeries de mines, en pleine nuit, avec des automitrailleuses au cul.[9] Qu'est-ce que tu veux, y faut c'qu'y faut ![10]

ATTAQUE DE CHARS. A 16 heures, les chars allemands entrent en action. Leurs canons trouent[11] l'entrée de la Préfecture sur le parvis, causent des dégâts et des morts. Une barricade 25 de sacs de sable et de camions est immédiatement mise en place. Des jeunes hommes remplissent calmement des bouteilles d'essence,[12] au cas où les chars réussiraient à pénétrer. Mais le feu des défenseurs interdit à l'infanterie S.S. d'exploiter ce demi-succès des chars. Ils se replient.

30 On apporte deux morts allemands sur la même civière,[13] tête-bêche.[14] Couverts de sang, tous les visages se ressemblent. On prend leurs armes, leurs munitions. D'une poche, des photos tombent, piétinées par les combattants. Un F.F.I.

1. Germans. Another slang term for them. **2.** *à mon actif:* to my credit. **3.** (*slang*): plug-ugly, muscle-man. **4.** hairy. **5.** (*lit.*, give 'em something to pick at): some grub. **6.** (*slang*): *Ils n'étaient.* **7.** work. **8.** remove the detonating caps. **9.** right on top of them. **10.** *Il faut ce qu'il faut:* It had to be done. **11.** punch through. **12.** bottles of gasoline, *i.e.*, Molotov cocktails. **13.** stretcher. **14.** head to feet.

offre une cigarette à un prisonnier. Il tremble, persuadé qu'on va le fusiller. Un des nôtres, encore noir de sueur et de poussière, offre un peu d'alcool de menthe à un jeune S.S. épuisé, le masque tiré.[1] Je songe aux milliers de F.F.I. prisonniers des Allemands et fusillés aussitôt, aux garçons de vingt ans, aux maquisards assassinés par l'ennemi. Je songe aux combattants prisonniers des F.F.I. de l'Est et du Centre, qu'à la même heure les nazis sont peut-être en train de coller à[2] un mur et de tuer à coups de mitraillette. Sur les murs de Paris on peut lire encore les affiches rouges en deux langues proclamant que les nazis traiteront tous les combattants F.F.I. comme des francs-tireurs. « Pauvres gars », me dit un des défenseurs. Il parle des prisonniers. Mais la petite phrase quotidienne du communiqué allemand, je ne peux en ce moment l'oublier: « *En France, cinquante terroristes ont été abattus . . .* ».

17 heures 30. Les Allemands tentent maintenant d'arroser[3] la cour avec des mines. Vite réduits au silence, d'ailleurs. Puis, c'est par les toits que les assaillants tentent de pénétrer dans la Préfecture. Ils sont entrés par un café dans l'immeuble qui fait le coin de la place du Palais et du boulevard Saint-Michel. Ceux des nôtres qui tiennent la rue et les défenseurs des cours intérieures arrosent les toits. Je vois un uniforme *feldgrau*[4] qui bat des bras, lâche ses armes et s'écroule dans le vide.

A 18 heures, je me trouve en train de tirer avec un groupe d'agents à la fenêtre d'un bureau sur le quai du Marché-neuf, face au quai Saint-Michel. Les vitres ont volé en éclats. Une poussière de verre, des chargeurs, des munitions, des armes recouvrent le banal bureau administratif, le buvard,[5] l'encrier, le fauteuil de moleskine.[6] Les saccades des sanders[7] répercutées[8] dans les bureaux et les couloirs font un tintamarre assourdissant.[9] Cinq camions ennemis sont déjà anéantis sur le quai Saint-Michel. Un camion d'essence brûle au coin de *Notre-Dame Hôtel*, à l'angle de la rue Saint-Jacques. Ce bureau d'où nous tirons est celui du commissaire divisionnaire David, chef de la brigade spéciale. Dans cette pièce, il y a quelques

1. his face drawn. **2.** stand up against. **3.** sprinkle, pepper. **4.** (*Ger.*): field grey (*i.e.*, the grey-green color of German uniforms). **5.** blotter. **6.** imitation leather. **7.** *saccades des sanders:* staccato ratatat of the sandblasters; *i.e.*, machine guns. **8.** reechoing. **9.** deafening din.

jours encore, David torturait des patriotes. David-les-mains-rouges, comme on le nomme ici.

Le camion brûle toujours. Les flammes s'emparent du store[1] de la terrasse du café, lèchent les murs de *Notre-Dame Hôtel*. 5 De toutes les fenêtres de la Préfecture, on cesse le feu, tandis qu'au péril de leur vie les F.F.I. et les combattants de la police, qui tiennent maintenant le quai Saint-Michel, tentent de déplacer le camion en feu pour sauver l'immeuble déjà noirci par les flammes fumeuses. Les pompiers[2] arrivent.

10 Dans la soirée, le bruit court[3] que les Allemands demandent une trêve. L'ordre est donné de cesser le feu. Un extraordinaire et bouleversant[4] silence s'établit dans l'immense édifice où, toute la journée, les cours intérieures, les longs couloirs, les escaliers métalliques ont répercuté les grondements du canon, 15 le crépitement[5] serré des armes automatiques, le claquement sec des fusées[6] et des mousquetons.[7]

Les cuisines roulantes[8] sont en batterie[9] dans la cour. On distribue aux combattants exténués un casse-croûte,[10] du café chaud, deux paquets de cigarettes par homme.

20 Dans les tenues les plus hétéroclites,[11] bardés[12] de chargeurs, de grenades allemandes, d'armes de toutes provenances, ils savourent un moment le sentiment d'une précaire mais déjà réconfortante victoire. L'un d'eux a orné son feutre[13] du brassard tricolore. Il a une mitraillette, deux grenades à 25 manche passées dans la ceinture, les bas de pantalon rentrés[14] dans les chaussettes de laine rouge, de gros souliers, une chemise à carreaux[15] aux manches retroussées.[16] Il sort d'un film américain. C'est le héros de *Viva Villa* lui-même.

La trêve n'est qu'une fiction. Toute la nuit et pendant des 30 jours encore on va se battre autour de la Préfecture, citadelle parisienne de l'insurrection nationale.

DIMANCHE — BARRICADES — LUNDI. Je réussis à sortir de la Préfecture dimanche, vers midi. Sur ordre de l'état-major des F.F.I., Paris se hérisse[17] de barricades, tandis que les combats

1. awning. **2.** firemen. **3.** *le bruit court:* it is rumored. **4.** staggering. **5.** crackling. **6.** rockets. **7.** carbines. **8.** field kitchens. **9.** in operation. **10.** snack. **11.** varied. **12.** loaded down. **13.** felt hat. **14.** *bas . . . rentrés:* trouser cuffs tucked in. **15.** checkered shirt. **16.** rolled up. **17.** bristles.

continuent. Les plus violents engagements ont lieu de l'Hôtel de Ville au Quartier latin, aux alentours de la mairie des Batignolles. Le drapeau allemand domine toujours le Sénat, le Ministère de la Marine, l'Hôtel Meurice.[1] Les Allemands se retranchent fortement dans certains secteurs. Sur le pas des portes et aux fenêtres, les commères[2] suivent les combats. Mais les voici mobilisées, elles aussi. L'arrière doit tenir, l'arrière doit servir. « L'arrière », c'est par exemple la petite place de la Montagne Sainte-Geneviève, où toute la population de trois à douze ans et de soixante-dix à quatre-vingt-dix ans scie du bois pour la boulangerie, collecte des vivres pour les F.F.I., nettoie les armes, dépave les rues pour les barricades.

Ces barricades, il faudrait en décrire la géographie. On a descendu d'abord des étages[3] les sacs de sable de la Défense passive.[4] On a dépavé les chaussées de pierre ou de bois, réquisitionné les matériaux des chantiers,[5] descellé les grilles des arbres,[6] scié ceux-ci. Un char allemand renversé et calciné[7] étaie[8] des sommiers[9] métalliques, un fauteuil recouvert de cretonne. Aux Halles,[10] on a empilé les wagonnets de légumes, les chariots des commissionnaires. Rue Mazarine, un camion S.I.T.A.[11] obstrue la chaussée. Des trognons de choux[12] achèvent de pourrir au soleil d'août. Rue de Rivoli, les lettres dorées de l'enseigne d'un tailleur décorent du mot *Fashion* une redoutable barricade. Des gamins transportent sur une brouette[13] de lourds moellons.[14] A Saint-Germain-des-Prés, à l'angle de la rue Saint-Jacques, les portraits d'Hitler et des chefs nazis décorent le sommet des remparts improvisés. Des pancartes[15] de guingois[16] sur les sacs de sable, les matelas: *Achtung, Minen,*[17] *Loterie Nationale, tirage ce soir.* Un vicaire de la paroisse, officier du génie, a fait un plan coté[18] des barricades. Le crayon bleu à la main, la soutane[19] retroussée, il « passe en revue » son dispositif.[20] Quand tout est

1. Fashionable hotel used as a German headquarters. **2.** gossips. **3.** upper floors. **4.** Civilian Defense. **5.** lumber yards. **6.** *descellé . . . arbres:* forced off the tree-guards. **7.** charred. **8.** supports, props up. **9.** box springs. **10.** central market. **11.** *Société Interurbaine de Transport Automobile.* The *camion S.I.T.A.* is a large metal garbage truck. **12.** *trognons de choux:* cabbage bottoms. **13.** wheelbarrow. **14.** building stones. **15.** posters. **16.** set askew. **17.** (*Ger.*): Attention, mines. **18.** *plan coté:* diagram. **19.** cassock. **20.** disposition (of troops).

terminé, les fusils-mitrailleurs et les mitrailleuses en place, tout le quartier vient admirer sa barricade. La plus belle, la plus solide, la plus redoutable de toutes les barricades.

D'heure en heure, les barricades referment sur des Allemands leur piège méthodique, la toile d'araignée de la patience, de l'ingéniosité et de la grande colère victorieuse de Paris insurgé.

MARDI. La bataille fait rage dans tout Paris. Pour circuler, il suffit de ralentir aux carrefours, d'éviter les chars allemands, d'avoir un laissez-passer F.F.I., de se baisser en franchissant les ponts, de ne pas craindre les débris de verre, les balles perdues,[1] les tireurs isolés allemands ou miliciens, les rues dépavées, les incendies qui fument encore. Moyennant quoi,[2] on peut arriver par exemple à la mairie du XVIIe[3] au cœur des Batignolles insurgées.

MAIRIE D'INSURRECTION. Un monsieur parlemente pour franchir les barrages. Il est l'heureux papa d'une petite fille née depuis trois jours. Il vient enfin de se décider à sortir pour aller déclarer sa fillette à l'état civil[4] de la mairie du XVIIe. Quelle aventure !

Des voitures passent, hérissées[5] de canons, de fusils et de mitraillettes. Sur le camouflage allemand on a peint en grandes lettres blanches les initiales F.F.I. Un fanion[6] français claque au vent.

Les F.F.I. et les Milices Patriotiques[7] de l'arrondissement ont occupé la mairie il y a trois jours avec six revolvers et quelques f.-m.[8] Grâce aux armes « colmatées » à l'ennemi, on a pu armer aujourd'hui plus de 450 combattants.

La nouvelle municipalité siège en permanence.[9] Des hommes posés,[10] méthodiques, l'esprit clair, le regard droit. L'ordre règne dans l'enceinte des barricades fortement gardées. La bataille est une chose, l'administration une autre. Il faut que le quartier vive, mange, se défende. Le maire pense à

1. stray. **2.** In consequence. **3.** seventeenth (arrondissement), an administrative subdivision of Paris. **4.** civil registry of vital statistics. **5.** bristling. **6.** pennant. **7.** secret para-military mass organization of the Resistance, organized for the insurrection. **8.** *fusils-mitrailleurs*. **9.** *en permanence:* for the duration, *i.e.*, until liberation. **10.** sober.

tout: le bois de boulange,[1] le lait des enfants, la répression du pillage, le ravitaillement. Pendant que je suis dans son bureau, à la porte duquel veille un homme en armes, le téléphone sonne. Les Allemands attaquent par la rue Boursault et le boulevard des Batignolles. Je sors aussitôt avec un détachement de F.F.I., 5 en colonne par un[2] qui, le long des murs, va prendre son poste de combat et renforcer les avant-postes F.F.I.

Un char nous précède. C'est un char Somua qui porte encore le numéro minéralogique[3] de la Wehrmacht. Les ouvriers des usines Somua, qui travaillaient pour les Allemands, 10 ont achevé en hâte le montage[4] de ce char, que les F.F.I. des Batignolles ont été prendre à l'usine, malgré une vive résistance des Allemands. Le char, conduit par des F.F.I., a traversé Paris, de Saint-Ouen aux Batignolles, pour venir appuyer la défense de la mairie du XVIIe. 15

Un grenadier[5] F.F.I., un noir[6] se déplace le long des chenilles du char. Il est blessé. Les Allemands tirent toujours, que les brancardiers[7] déjà l'évacuent. Le sang coule, rouge vif au soleil sur la chemise blanche et la peau noire.

La résistance allemande faiblit. De la rue de Rome, un 20 interprète, les mains en porte-voix,[8] leur vocifère quelque chose. Ils répondent en allemand. Une serviette-éponge[9] blanche s'agite à une fenêtre. Un immense hourrah! Les Allemands se rendent. On emmène leurs blessés et les prisonniers, qui iront rejoindre les autres captifs dans les salles de classe de 25 l'école communale.

Pendant ce temps, dans Paris, les Allemands ont lâché des

1. *bois de boulange:* wood for heating the oven of a bakery. **2.** *colonne par un:* single file. **3.** *numéro minéralogique:* serial number. **4.** assembly. **5.** member of a grenade squad. **6.** A number of Senegalese, having hidden their uniforms after the debacle, lived among civilians all through the occupation. They were most loyal to France (having heard about the Nazi race doctrines) and fought bravely in the F.F.I. One became a popular hero during the insurrection by climbing on a German tank and decapitating all the members of the crew. He first beheaded one man who was directing the progress of the tank. With obliging stupidity, the others stuck their heads out of the turret one by one to see what was happening, and he cut their chumps off too. The Senegalese, however, were sometimes embarrassing colleagues in the underground. A new Senegalese in a village was so conspicuous that even a German would know he was not a local boy. American or British aviators could get by pretending to be deaf and dumb, but that was not enough of a trick to protect a Negro. L. **7.** stretcher bearers. **8.** *les mains en porte-voix:* his hands cupped for a megaphone. **9.** bath towel.

chars Tigre, des auto-mitrailleuses, et se jettent furieusement à l'assaut de l'Hôtel de Ville, de la Préfecture de police. Mais les centres vitaux de l'insurrection tiennent. Les armées alliées referment sur Paris leur étreinte.

5 MERCREDI.[1] Je sors du 92, Champs-Elysées, bureaux du *Comité de libération du cinéma.* En compagnie de Jean Painlevé,[2] de Pierre Blanchar,[3] de Louis Daquin et de leurs collaborateurs, j'ai vu les premières actualités de la guerre dans Paris, tournées[4] par des cameramen volontaires, opérateurs patriotes partis dès 10 le premier jour à la chasse aux images dans les rues où les mitrailleuses tac-taquent.

Au rond-point[5] des Champs-Elysées, de nouveau la fusillade. Je cours vers l'avenue Victor-Emmanuel III. Devant le bar américain — l'« Escargot », — je n'ai que le temps de me 15 coucher à plat ventre. Deux chars Tigre, deux chars Goliath[6] et une auto-mitrailleuse se promènent dans les bosquets[7] des Champs-Elysées. Canons et mitrailleuses crachent. L'asphalte est déchiré par les lourdes chenilles. Des gens courent, se réfugient sous les portes cochères qui s'entr'ouvrent pour 20 les happer.[8]

Les Allemands donnent l'assaut au commissariat de police du Grand Palais.[9] Les F.F.I. retranchés dans le poste sont très inférieurs en nombre. Ils se défendent avec acharnement.[10] Les chars vont et viennent, les deux petits Goliath tournent et 25 virevoltent[11] sur les pelouses,[12] devant le Grand Palais. Une voiture des Glacières[13] de la Seine est arrêtée à quelques mètres de nous. Le cheval piaffe,[14] attelé. Une balle l'abat, il s'écroule entre les brancards,[15] comme un jouet de son[16] tout à coup désarticulé.[17]

1. From *Les Lettres françaises, 16 septembre, 1944.* **2.** moving picture director. **3.** distinguished French actor of stage and screen. **4.** (*lit.*, turned): filmed. **5.** circle between the Place de la Concorde and the Place de l'Etoile, junction of seven streets. *See map.* **6.** German tank smaller than the Tiger. **7.** clumps of trees. **8.** (*lit.*, snatch): receive. **9.** large exposition hall on the Champs-Elysées and Avenue Victor-Emanuel III (*cf. map*) originally built for the Paris World's Fair of 1900. The interior houses a riding rink and several semi-permanent exhibitions. The interior was severely damaged during the events described in the following paragraphs, and the ornate exterior was badly chipped by bullets. On August 26, 1944, it became the first American Army mess in Paris. **10.** ferocity. **11.** wheel about. **12.** grass plots. **13.** ice-works. **14.** paws the ground. **15.** shafts. **16.** sawdust. **17.** dismembered.

Une grande fumée s'élève du Grand Palais. Pin-pon, pin-pon! Ce sont les pompiers qui arrivent. Je les vois parlementer avec les Allemands. Ceux-ci s'opposent à ce que l'on tente d'éteindre l'incendie allumé par les obus incendiaires. Les pompiers essayent de passer outre.[1] Les Allemands ou- 5 vrent le feu sur eux. Des balles percent les tuyaux[2] qu'ils ont déroulés fiévreusement. Dans l'avenue Victor-Emmanuel III, dix petits jets d'eau dansent, les balles sifflent. Une idée absurde traverse mon esprit. Je pense aux jets d'eau, dans les tirs forains,[3] aux œufs qu'on abat avec une carabine. 10

Aveuglés par la fumée, les assiégés se réfugient dans les caves. Pendant ce temps-là, des voitures allemandes abattent les passants sur les Champs-Elysées. Les Allemands réduisent à coups de grenades la défense désespérée des F.F.I. Certains s'échappent. D'autres sont capturés. Les Allemands em- 15 mènent pêle-mêle en colonne par trois[4] des combattants et des civils surpris par le combat et qui s'étaient réfugiés dans le Grand Palais.

L'incendie gagne. Les pompiers mettent leurs lances[5] en batterie.[6] On tiraille toujours dans la fumée, les gerbes d'eau, 20 le ronflement des flammes sous l'immense verrière.[7] Dans le brouhaha,[8] les brancardiers filent, emmènent les blessés. Des Allemands, qui ne perdent pas la tête, font la chaîne pour sortir les bouteilles de champagne qui se trouvaient au buffet[9] du Cirque Houcke.[10] Des hennissements[11] furieux: la croupe[12] 25 luisante de sueur, piaffants,[13] pétaradant[14] de tous leurs fers,[15] on entraîne les chevaux des écuries du cirque, rendus fous par la fumée, les flammes, les lances d'extinction.[16] Des volontaires font la chaîne pour évacuer les stands[17] de l'exposition l'*Ame des Prisonniers*, les objets exposés au *Palais de la Découverte*.[18] Il 30 y a un prodigieux coudoiement[19] de pompiers, d'Allemands, de sauveteurs,[20] de prisonniers. Les Allemands se demandent s'il faut arrêter les sauveteurs ou les aider. Nous pataugeons[21]

1. *passer outre:* to disregard. **2.** hose-lines. **3.** shooting galleries at a fair. **4.** *colonne par trois:* three abreast. **5.** hose nozzles. **6.** into operation. **7.** glass roof. **8.** noise and confusion. **9.** refreshment room. **10.** the equestrian establishment in the Grand Palais. **11.** whinnying. **12.** flanks. **13.** pawing. **14.** stamping. **15.** (*lit.*, irons): hoofs. **16.** fire-hoses. **17.** exhibition stalls. **18.** Museum of Science, housed in the Grand Palais. **19.** crowding together. **20.** rescuers. **21.** wade.

dans une boue de papiers, de gravats,[1] de bois calciné,[2] d'eau, de douilles,[3] de cartouches. Des bicyclettes enchevêtrées[4] ont brûlé. Les chevaux hennissent et se cabrent. La charpente[5] en bois est entièrement consumée, ainsi que les gradins
5 de bois du cirque, les barrières, la paille des écuries. On se bat toujours dans les caves. Une jeune fille sort précautionneusement une nappe de dentelle en papier, œuvre des prisonniers de je ne sais quel Stalag.[6] Une photo de Pétain est par terre, dans l'herbe. Au-dessus de la porte du cirque, les
10 câbles, les trapèzes volants démantelés se balancent dans la fumée. Les chevaux reniflent[7] et renâclent[8] en passant devant le cadavre du cheval tué. Les gens aux fenêtres regardent ce spectacle de folie, en surveillant le déjeuner qui cuit sur un poêle à papier. Il est midi. Les pompiers sont maîtres de
15 l'incendie.

JEUDI — AVEC LES SANITAIRES.[9] J'ai voulu passer la matinée à l'Hôtel-Dieu,[10] avec ces garçons et ces filles que j'ai vus depuis cinq jours courir dans les coups durs, pour ramener les blessés français et allemands, en agitant pour détourner les balles les
20 petits fanions[11] blancs à croix rouge. Ils parlent de leur tâche comme d'une chose si simple, qu'on ne les prendrait pas pour des héros, ces civils qui ont quitté le guichet[12] de leur banque, leur bureau, leur atelier, leur magasin, leurs cahiers de cours,[13] pour vivre jour et nuit dans l'orage de l'insurrection, l'odeur
25 de pharmacie[14] et de sang des postes de secours ou des hôpitaux.

Personne ici, professeurs, chirurgiens, médecins, internes, infirmières,[15] brancardiers, donneurs de sang, personne ici n'a dormi depuis cinq jours.

Mais rien ne compte, que les vies sauvées, les douleurs épar-
30 gnées ou apaisées.

Il m'est arrivé parfois de douter de mes camarades, de douter de la jeunesse de France. Je l'avoue. Mais je sais aujourd'hui que j'ai eu tort. Celui qui a croisé ces regards joyeux et las sait désormais quel visage a l'espérance: celui

1. fallen plaster. 2. charred. 3. empty shells. 4. piled together. 5. framework. 6. (*Ger.*): prison camp. 7. sniff. 8. snort. 9. hospital units. 10. public hospital opposite the Cathedral of Notre-Dame. 11. pennants. 12. cashier's window. 13. school notebooks. 14. dispensary. 15. nurses.

des combattants, des brancardiers, de l'insurrection parisienne, héros en brassard et héros en blouses blanches, fraternels, et que nous n'oublierons plus.

UN COMBATTANT SALUE DES COMBATTANTS. Deux voitures, à midi, entrent en trombe dans l'Hôtel-Dieu. Le président du C.N.R.[1] et le préfet de la Seine viennent saluer les blessés. 5

Des yeux brûlants, noirs et fermes: le président du C.N.R., M. Georges Bidault.[2] Ce n'est pas un visage anonyme et officiel, ce n'est pas un masque solennel et fermé que vont rencontrer les regards fiévreux de nos combattants blessés. 10 Maigre et grisonnant,[3] attentif, silencieux, le préfet de la Seine, M. Flouret, accompagne M. Bidault.

Celui-ci est accueilli par les brancardiers. Il leur parle. Peu de mots, mais un cœur vrai.

— Avec un héroïsme de chaque minute, vous avez secouru 15 aussi bien nos soldats que ceux de l'adversaire. Une vie allemande intacte est une vie ennemie. Une vie allemande atteinte est une vie humaine. Au nom de la nation déjà libérée, déjà victorieuse, merci.

Sur chaque lit, maintenant, celui qui fut dans l'ombre de 20 quatre années de lutte un des chefs de combat quotidien, se penche.

— Combattants, vous êtes déjà des vainqueurs.

Sur un lit, un blessé. C'est le petit Maurice N . . ., des Equipes nationales, motocycliste du 4e S.O.S. (Service mo- 25 torisé de secours), blessé d'abord d'une balle de milicien, quai des Tournelles, puis d'une balle allemande, avenue Daumesnil. Maurice esquisse un geste[4] pour se lever.

— Soyez sage, mon petit, et laissez-moi vous embrasser.

1. *Conseil National de la Résistance.* Supreme authority (in France) of the Resistance. 2. A professor of history at the Lycée Louis-le-Grand before the war, Georges Bidault was active in a small political group, the Christian Democrats, which combined Catholicism with a fairly advanced social and economic doctrine. He resigned from the CNR after the liberation to become Minister for Foreign Affairs in General De Gaulle's government. The *Mouvement Républicain Populaire,* which has become since the liberation one of the three major political parties of France, is the spiritual descendant of Bidault's little Christian Democratic party. Bidault, as leader of the MRP, has been one of the first "new" men to make an impression on French post-war politics. His reputation as a fighter in the Resistance was well-earned. L. 3. growing grey. 4. *esquisse un geste:* makes a vague attempt.

La salle des blessés allemands, maintenant. Un des leurs parle français.

— Traduisez à vos camarades ce que je vais dire.

Et Georges Bidault commence:

5 — Soldats allemands, je suis le chef de la Résistance française . . .

L'Allemand traduit.

— . . . et je viens vous souhaiter bonne santé . . .

L'Allemand traduit.

10 — . . . Puissiez-vous demain vous retrouver dans une Allemagne et une Europe également libérées.

L'Allemand traduit. Georges Bidault salue de la main, se retire.

Un combattant salue des combattants. *Alerte!*

15 A peine remontons-nous, qu'une fusillade intense, des coups de canon font résonner les couloirs, les salles, vibrer les vitres. On se bat sur le parvis Notre-Dame.

Grâce au docteur D . . ., j'ai pu recevoir un brassard de la Croix-Rouge. Je quitte le petit groupe officiel. Je rejoins 20 Odette D . . ., étudiante en philo,[1] et son équipe de brancardiers volontaires que je vais accompagner dans leur service.

Ignorant, par suite de l'absence totale de liaisons et de transmissions,[2] que Paris était en état d'insurrection (les prisonniers nous l'apprendront plus tard) un convoi allemand, 25 six camions, un poids lourd et sa remorque,[3] s'est engagé, sur les quais, pour venir se faire prendre au piège des barricades, entre la préfecture et Notre-Dame. Un des camions brûle déjà. Les Allemands se défendent avec acharnement. Le combat est dur. On tire encore tout près du pont Notre-Dame, 30 que déjà nous filons,[4] Odette D . . . et moi, avec un brancard[5] monté sur roues caoutchoutées.[6] Auprès du camion poids lourd, des blessés. Un F.F.I., dans la fièvre du combat, ne veut absolument pas lâcher son prisonnier — qui est blessé. Il faut presque que nous le lui arrachions de force. Odette 35 déploie toute son énergie. Il y avait de l'essence dans le camion. Des bidons ont été percés par les balles. Il y a par

1. philosophy, *i.e.*, liberal arts. 2. means of communications. 3. heavy truck and its trailer. 4. are crossing. 5. stretcher. 6. rubberized.

terre un drôle de mélange d'essence, de sang et de pluie sale. Nous chargeons notre blessé, dont le ventre et l'épaule saignent abondamment. J'ai les mains pleines[1] de sang. Nous courons avec notre brancard roulant. Dans la cour de l'hôpital, le blessé est transféré sur un brancard à main, descendu au poste 5 de secours. Ici, médecins et infirmières s'affairent. Français et Allemands sont déshabillés. Un blessé qu'on panse gémit. Cela sent la sueur, le désinfectant, le sang. Il ne faut pas dix minutes pourtant pour que ces hommes nus et couverts de sang soient déjà propres, pansés, recouverts, évacués les uns 10 sur la salle d'opération, les autres sur la salle des choqués,[2] les derniers enfin dans la salle des blessés légers.

Dans la salle des choqués, on tente sur un Allemand et un Français l'impossible pour sauver deux vies: sérums intraveineux, transfusions de sang. Des cercles chauffants[3] élec- 15 triques sont branchés[4] et réchauffent les corps d'où la vie voudrait s'enfuir. Là, des hommes luttent contre la mort, seconde par seconde.

En attendant son tour d'entrer dans la salle d'opération, un Allemand gémit sur un brancard. Un secrétaire prend son nom 20 et son grade. C'est un jeune garçon de la Luftwaffe. Il porte un nom français, le nom d'un de ces protestants que la Révocation de l'Edit de Nantes chassa en Allemagne. Une petite infirmière mouille sa main avec une carafe d'eau et la lui passe, inlassablement, sur le front. Les yeux du blessé interrogent. On 25 lui explique dans sa langue qu'il n'y en a pas pour longtemps.[5]

Le téléphone sonne. Alerte à l'Odéon. Déjà les brancardiers repartent.

LES PREMIERS FRANÇAIS À L'HÔTEL DE VILLE. Les membres du C.N.R. ne tiennent pas en place. C'est dans ce bureau que 30 va prendre fin l'interminable, la pesante, la douloureuse attente. Nous savons que tout à l'heure la porte s'ouvrira et qu'il y aura cette minute bouleversante,[6] cette minute pour laquelle des Français ont vécu et sont morts, ont été torturés, fusillés,

1. covered. **2.** shock cases. **3.** reflecting heaters. **4.** plugged in. **5.** *il ... longtemps:* it wouldn't be much longer (before he was taken into the operating room). **6.** overwhelming.

emprisonnés, déportés. Cette minute, quel visage aura-t-elle? Au cœur de Paris en armes, dans la nuit où la mitraillade crépite[1] comme une machine à écrire, la machine-à-écrire-l'histoire, nous attendons que s'ouvrent les portes de la liberté.
5 Mes amis morts, mes amis en exil, mes amis en prison, je ne suis ici qu'en votre nom. Je ne suis ici que pour ouvrir les yeux, voir par cette porte jaillir un homme, et vous dire ce que j'ai vu — pour vous, qui l'espériez, pour vous qui l'espérez. Le messager des tragédies d'Eschyle[2] va entrer. Mes ca-
10 marades, je ne veux que vous répéter ces paroles, écouter — pour vous — entendre — pour vous — pleurer de joie — pour vous.

Les avant-gardes de la division Leclerc ont pris tout à l'heure le lycée Lakanal.[3] Les blindés français foncent sur la Porte
15 d'Italie.[4] Dans le grand bureau du préfet, le téléphone vibre. Les hommes de la longue patience, les chefs de la Résistance, tapotent[5] nerveusement le bras des fauteuils, marchent, vont aux fenêtres. La nuit tombe. Sur un guéridon, le buste de la République. Sur la haute cheminée, une mauvaise photo-
20 graphie du général de Gaulle, cravatée de tricolore.[6] Les balles ont étoilé le miroir qui la domine. Sur l'appui des grandes fenêtres ouvertes, des sacs de sable, des mitraillettes. Les F.F.I. veillent, mal rasés, poussiéreux, noirs.

Dans la cour, parmi les camions ennemis, les batteries de
25 D.C.A. allemandes capturées, les chenillettes[7] allemandes et les voitures F.F.I., on prépare les drapeaux alliés. Ils sont à Sceaux,[8] à Bagneux,[9] à la Porte d'Italie.

Dans les couloirs et les escaliers, des militantes du P.P.F.[10] et des Miliciennes, le crâne tondu,[11] balaient, aux ordres des
30 F.F.I. L'une d'elles a gardé aux oreilles ses boucles, deux

1. machine-gun fire crackles. **2.** Aeschylus (525–456 B.C.), a Greek tragic poet and dramatist, originator of dramatic dialogue and considered by the Greeks to be the father of tragedy. **3.** Leading Parisian lycée named after Joseph Lakanal, one of the founders of the French system of education during the French Revolution. **4.** An entrance to Paris from the south. The main Allied entrances into Paris were made through the Porte d'Orléans and the Porte d'Italie. **5.** tap. **6.** *cravatée de tricolore:* in a tricolor necktie. **7.** small vehicles with caterpillar treads. **8.** suburb four miles south of Paris. **9.** suburb halfway between Sceaux and Paris. **10.** *Parti Populaire Français,* a French fascist party. **11.** shorn.

perles d'un admirable orient.[1] Etrange, ces bijoux somptueux près d'un crâne rasé de près.

A vingt heures, tout le monde va au réfectoire, sauf les hommes de garde. Le préfet, le C.N.R. mangent des nouilles[2] et du pain sur des tréteaux de bois.[3] Tout d'un coup, Georges 5 Bidault s'est levé. Un silence haletant. Il crie, il hurle, sa voix s'étrangle: « Les premiers chars de l'armée française franchissent la Seine au cœur de Paris ». Un tonnerre de cris. Debout sur les tables, mille hommes unis, du préfet au F.F.I., chantent la *Marseillaise* de la délivrance. 10

Et puis, c'est la ruée au dehors. Au coin du quai de l'Hôtel-de-Ville et de la place, le char *Romilly* stoppe. Il est 21 h. 22.

Portés par une foule d'hommes en armes qui pleurent, qui rient, qui hurlent, deux hommes entrent dans le bureau du 15 préfet.

— Capitaine Dronne, soldat[4] Pirlian, du régiment de marche du Tchad.[5]

Le président du C.N.R. est dans les bras du capitaine barbu.

— Mon capitaine, au nom des soldats sans uniforme de 20 France, j'embrasse en vous le premier soldat français en uniforme pénétrant dans Paris.

J'embrasse aussi le capitaine, avec son collier de barbe, la sueur sur son visage, son képi[6] crasseux et cassé. Il dit seulement: 25

— Mais je suis très sale, très dégoûtant . . ., une si longue route!

Le capitaine Dronne arrive du Cameroun à Paris, via Marsa-Matrouk, Tobrouk, Benghazi, Bir-Hakeim,[7] le Tchad, Londres, Cherbourg. Il a mis quarante-huit mois. Sa barbe pique. 30

Le soldat Pirlian a l'accent de Nice et un drôle de petit

1. luster. **2.** noodles. **3.** *tréteaux de bois:* wooden trestle tables. **4.** private. **5.** Lake Chad, in Central Africa. The Free French Forces, organized in French Equatorial Africa, marched from there to Tripoli to join the Allied North African Campaign. The tank, *Romilly*, was named after a small city in the department of Aube. Leclerc's people had a whole regiment of tanks named after towns and regions. L. **6.** overseas cap. **7.** The Cameroon is a district of French Equatorial Africa. The succeeding place names, Marsa-Matruk, Tobruk, Benghazi, Bir-Hakeim, are milestones in the North African campaign, which drove the Germans from Africa, opened the way for the Italian landings, and restored the Mediterranean Sea to the Allies.

casque rond, si surprenant sur un visage français: le casque américain.[1]

Des fusées zèbrent la nuit. Une pétarade.[2] On crie:

— Les salves d'honneur, les salves d'honneur!

Mais les carreaux se brisent. Les girandoles[3] du lustre éclatent sous les rafales de mitrailleuse. Le plâtre du plafond tombe: les Allemands attaquent l'Hôtel de Ville. On éteint les lumières. Les F.F.I., aux fenêtres, ripostent.

— Tous les hommes sans armes à plat ventre, crie le commandant Stéphane, chef des F.F.I. de l'Hôtel de Ville.

A plat ventre, dans la fusillade qui fait rage, les membres du C.N.R., les officiels, le préfet, vivent la première minute de liberté française, dans le tumulte du combat qui continue.

J'essaye de sortir de l'Hôtel de Ville. C'est impossible par les portes où on se bat dur. Une seule issue: le métro. Accompagnant une patrouille F.F.I. qui va relever des hommes de garde à la station Châtelet, je chemine, dans un silence soudain, le long des couloirs[4] éclairés en veilleuse,[5] sur les voies où ne circulent plus les rames[6] grondantes de notre métro quotidien. Au coin des couloirs de correspondance,[7] on s'arrête, on épie les pas des survenants.[8] Est-ce l'ennemi qui aurait réussi à s'infiltrer? On crie:

— Le mot de passe?

— Verdun!

Nous cheminons lentement, dans le dédale[9] des voies, des galeries, des corridors où nos pas résonnent.

Une grille s'entr'ouvre. J'émerge tout d'un coup dans l'opacité de Paris. Un immense incendie rougeoie[10] au bout de la rue de Rivoli. Les cloches des églises sonnent dans le noir. Un accordéon, des voix au carrefour. Paris chante sa délivrance et sa victoire:

Allons, enfants de la Patrie,
Le jour de gloire est arrivé.

1. *casque américain:* The French Second Armored Division had American uniforms and equipment. To the American uniform the French added their own insignia of rank and distinctive headgear, but kept the American helmet. **2.** loud discharge. **3.** bulbs. **4.** tunnels. **5.** *en veilleuse:* with dimmed night lamps. **6.** trains. **7.** *couloirs de correspondance:* communicating tunnels. **8.** chance-comers. **9.** labyrinth. **10.** emits a lurid glow.

VENDREDI. Vendredi matin, 8 heures. Un flot de blindés, de voiturettes Jeep, de voitures d'assaut dévale la rue Saint-Jacques. Les chars portent des noms merveilleux à lire sur une plaque de blindage,[1] après quatre ans de défilés nazis: *Valmy, D'Artagnan, Porte de la Chapelle, Le Mort-Homme.* 5

La foule crie, jette des fleurs, ses baisers aux hommes poudreux, bronzés et hirsutes. La matinée sera un extraordinaire mélange de défilés triomphaux et de combats de rues.

Des toits de la Sorbonne, des miliciens mitraillent la foule qui acclame la division Leclerc.[2] Dans la rue des Ecoles, des 10 femmes, des enfants tombent. Il y a du sang sur l'asphalte.

Les barricades se sont entre-bâillées, puis grandes ouvertes, comme par miracle.

Toute la journée, les chars français vont appuyer les F.F.I. dans le nettoyage de Paris. A la République,[3] au Sénat, à la 15 Kommandantur,[4] rue de Rivoli, les derniers îlots de résistance ennemis sont cernés,[5] pilonnés,[6] contraints bientôt de se rendre. Au fur et à mesure de[7] l'avance de nos blindés dans les retranchements[8] allemands, la joie derrière eux jaillit des pavés. On distribue les bas de soie, le tabac, le pain trouvés dans les 20 camions ennemis, les stocks[9] amassés par le pillage et les rapines des nazis. Les jeunes filles sont aux bras des soldats. Les gamins jouent avec les engins mystérieux des autos-mitrailleuses et des voitures Half-Track. Les hommes racontent aux gens qui se pressent pour les entendre, les récits extra- 25 ordinaires de leur épopée, l'évasion de France, les geôles des fascistes espagnols,[10] la remontée[11] du Tchad avec la colonne Leclerc, Tobrouk, Marsa-Matrouk, Benghazi, Bir-Hakeim, les combats de Tunisie, le débarquement, la bataille de Normandie, la guerre en France. Les Parisiens écoutent, tout oreilles. 30

Des Français parlent aux Français.

1. plate of armor. **2.** popular name of the French Second Armored Division, from its commander, General Jacques Leclerc. **3.** *Place de la République,* a large square on the Right Bank (*cf. map*). **4.** The headquarters of the German military government of an occupied area, corresponding roughly to American Civil Affairs or Allied Military Government. In Paris it was located on the Place de l'Opéra. **5.** surrounded. **6.** pounded by shell-fire. **7.** *Au fur . . . de:* Progressing with. **8.** defenses. **9.** stocks of goods. **10.** All persons escaping from France under the German occupation across the Pyrenees were arrested by the Spanish fascist government and imprisoned for an average of six months on the excuse that their papers were not in order. **11.** road back.

VICTOIRE DE LA VOLONTÉ[1]

PAR CLAUDE ROY

Paris n'oubliera plus ces affiches blanches qu'il déchiffrait sur ses murs à l'aube du 19 août, ces affiches encore humides d'encre grasse[2] et de colle et que déjà surmontaient les mots « République française »,[3] la devise qui les accompagne. 5 L'ordre de mobilisation général révéla, aux Français qui l'ignoraient, le nom de celui qui allait conduire le suprême combat de Paris: « Le commissaire délégué par le Gouvernement provisoire de la République française,[4] en accord avec le Comité parisien de la libération, rappelle que toutes les 10 formations organisées des mouvements de résistance font partie intégrante des F.F.I., ainsi que toutes les forces de police, de gendarmerie,[5] etc. . . ., et sont placées, pour les départements de Seine, Seine-et-Oise, Seine-et-Marne et Oise,[6] sous les ordres du colonel chef régional[7] Rol. »

15 Rol? Qui est ce Rol?

Le 12 juin 1906, à Morlaix (Finistère)[8] naissait Henri-Georges-René Tanguy. Le père du nouveau-né était un officier marinier.[9] Sa mère tenait une petite blanchisserie. Les Tanguy étaient pauvres, très pauvres. L'enfance du petit 20 Breton fut vagabonde, au gré des amarrages[10] changeants de son marin de père: Brest, Cherbourg, Toulon, Nantes. A treize ans, parce qu'il faut vivre, le petit garçon quitte l'école pour l'usine. Son destin est joué,[11] semble-t-il. Il sera toute sa vie ouvrier.

25 Le vendredi 25 août 1944, à midi, trois hommes apposent

1. From *Les Lettres françaises, 30 septembre, 1944.* **2.** heavy. **3.** Official name of the French Republic from 1875 until 1940, for which the Vichy regime substituted "Etat Français". **4.** *Gouvernement . . . française:* name of the de Gaulle government, called provisional because its members had not been elected under the terms of the French constitution. L. **5.** *de gendarmerie:* local police services. **6.** *Seine . . . Oise:* four departments surrounding Paris administratively composing greater Paris (*cf. map*). **7.** Colonel commanding the region (the Resistance forces were organized on the basis of a *région* which included two or more departments). **8.** department of western Brittany (*cf. map*). **9.** merchant marine officer. **10.** stations, berths. **11.** *Son . . . joué:* His future was laid out; His fate was settled.

leur signature en bas de l'acte de reddition de la garnison allemande de Paris. Le vaincu: général von Choltitz. Les vainqueurs: général Leclerc,[1] colonel Rol.

Le colonel Rol, c'est Henri-Georges-René Tanguy. Il a trente-huit ans. Malgré les jours d'insomnie, de combats, de labeur, vous ne donneriez pas en ce moment plus de trente ans à ce jeune colonel, ce Breton blond aux yeux bleus. Il pose le porte-plume. Et peut-être sourit-il en lui-même, Rol-Tanguy, ce colonel des ex-« terroristes » qui vient d'inscrire son nom dans l'histoire entre celui du général de Hauteclocque, dit Leclerc, et du général comte von Choltitz, — ce colonel qui, il n'y a pas si longtemps, était encore un métallo[2] parmi des milliers de métallos. Chaudronnier-tôlier,[3] très exactement.

Un ouvrier, certes. Mais, je vous en prie, pas de romantisme. Pas de « pittoresque ». Rol ne parle pas argot.[4] Rol n'a pas les mains noires. Rol ne jure ni ne sacre.[5] Il s'exprime d'une voix claire, posée, avec une grande exactitude de termes. Je parlerais d'élégance, si le mot n'impliquait je ne sais quoi de précieux et de recherché.[6] Rol n'est pas précieux. Il est pré-

1. Many of De Gaulle's officers, although outside France, took *noms de guerre* so that the Gestapo would not harm their families at home. Among these was the Marquis de Hauteclocque. Twice taken prisoner by the Germans during the campaign of 1940, he twice escaped, and joined General de Gaulle. Sent to French Equatorial Africa he organized the famous column which in the winter of 1942–43 came up from Lake Tchad in Central Africa, crossed the Sahara, fought its way through Italian territory and joined the British Eighth Army in Libya. That column, by the way, consisted of 3800 Negroes and 175 white men. The whites were officers and non-coms. Even the nurses in the field hospital were big elaborately scarified black men with pointed teeth. The doctors denied that they were cannibals. After the junction Leclerc's men were incorporated in the Fourth Indian Division, which had lost one of its brigades at Tobruk. A British brigade is roughly equivalent to an American combat team, and three of them make a division. "Four Ind Div," at that juncture, looked like an anthropological exhibit at a world's fair, with Sikhs, Gurkhas, Rajputs, Frenchmen, Englishmen from the Home Counties, Punjabi Moslems and the tribes of Central Africa. Leclerc finished that campaign as a 40-year-old brigadier general. He was promoted subsequently to General of Division. By the time he reached Paris he was so well known as Leclerc that the soldiers would have been confused by the interjection of a General de Hauteclocque. He is a cocky little man with a brick-red face and a notion that a general should command a division from a post in advance of his own reconnaissance. This used to embarrass some of the American and British officers sent to him with messages. Their first instinct, when informed at Divisional headquarters that the general was up ahead, was to say that they would wait until he came back. But they were told that he probably wouldn't be back until the end of the war. L. **2.** metal worker. **3.** sheet-metal worker. **4.** slang. **5.** *jure . . . sacre:* neither swears nor curses. **6.** *je . . . recherché:* something affected and dandified.

cis. C'est un esprit clair, ferme, nourri de la double expérience d'une culture lentement acquise, par lui-même, et d'une vie bien remplie. Rol a connu toutes les aventures, même celle de ces « aventuriers du monde moderne, les pères de famille », 5 comme dit Péguy.[1] Il y a quelque part dans Paris un petit garçon de dix mois et une petite fille de trois ans qui ont les yeux bleus et les cheveux blonds de leur père. Rol dit simplement:

— C'est un grand souci, les enfants, quand on vit dans 10 l'illégalité, recherché par la police et la Gestapo . . .

Rol est arrivé à Paris à quinze ans, en 1923. Il travaillait dans des garages, puis en usine. Il lisait:

— J'avais toutes les audaces, jusqu'à celle d'aller me casser les dents[2] sur la *Critique de la raison pure*, de Kant.[3] Je pré-15 férais les poètes: Baudelaire,[4] les symbolistes.

Le petit métallo a même écrit des vers. Cela, ce n'est pas lui qui me l'apprend, c'est Pierre Villon.[5] Rol proteste:

— Ils étaient très mauvais. N'en parlons pas. Tout le monde, à dix-huit ans, fait sa crise de croissance poétique.[6]

20 Rol travaille à l'usine, et travaille chez lui. Il lit les philosophes, les économistes, les théoriciens sociaux. A dix-sept ans, lentement, patiemment, il cherche la clef de cet univers confus et cruel dans lequel le voilà lancé.[7] Il croit l'avoir trouvée, il l'a trouvée. La vie d'un syndicaliste[8] de 1933 à 25 1939, ce n'est pas une vie facile et simple. Ce jeune Breton courtois, fin, cultivé, qui parle un langage fort et simple, eh bien! c'est un « homme-au-couteau-entre-les-dents ».[9] On le chasse des usines, on lui interdit le travail. Renault, Citroën,[10] Bréguet,[11] Rol change souvent de patron. C'est un individu 30 dangereux. A surveiller.[12]

1. Charles Pierre Péguy (1873–1914). Promising French writer and poet killed early in World War I, whose works won special attention throughout France during the German occupation. **2.** *casser . . . dents* (*lit.*, to break the teeth): cudgel my brains. **3.** Immanuel Kant (1724–1804), German philosopher. **4.** Charles Baudelaire (1821–1867), French poet, forerunner of the Symbolist poets. **5.** young French writer and poet, general secretary of the *Front National*. **6.** *fait . . . poétique:* has his poetic growing pains. **7.** *le . . . lancé:* he is thrust. **8.** trade unionist. **9.** (*lit.*, man with a knife in his teeth) vulgar conception of a radical. **10.** *Renault*, *Citroën:* important French automobile manufacturers; Renault's properties were confiscated by the French government because of his collaboration with the Germans. **11.** manufacturer of aeroplane motors. **12.** (A man)

—Je pense, dit Rol, que pour un certain nombre de Français mal informés, nous sommes toujours les démagogues, les agitateurs, les hommes de désordre, responsables par exemple de la déficience[1] de notre armement en 1940. Il faudra tout de même un jour mettre les points sur les i,[2] rappeler en 1936 l'utilisation par les trusts de la semaine de quarante heures comme couverture à leur sabotage. Pour torpiller[3] les expériences sociales d'alors, les trusts miniers du Nord et du Pas-de-Calais[4] ont mis en exploitation les veines improductives afin de réduire la production charbonnière. Les usines de guerre ont préféré fermer, plutôt que d'assurer les congés payés par roulement.[5] On freinait[6] nos constructions aéronautiques, en prétextant le manque d'aluminium, mais en coulisse[7] on vendait à crédit notre bauxite à l'Allemagne. Si Pucheu[8] a cru faire disparaître des témoins gênants en désignant, parmi les otages de Châteaubriant,[9] Timbault, secrétaire de l'Union syndicale des métaux, et Poulmarch, secrétaire des Produits chimiques, il a eu tort. Il en reste, des témoins. J'en suis.

Rol s'anime en parlant. Je le ramène à notre sujet (dont nous ne nous sommes pas tellement éloignés qu'on pourrait le croire): la libération de Paris.

—Qu'est-ce qui a fait de vous un soldat?

—J'ai fait mon service,[10] comme tout le monde. Individu

---

to be watched. (A notation in a man's police dossier meaning "to be watched as a dangerous agitator.") Rol once told me that he was launched on his revolutionary career when he got fired from the Renault factory in 1925 after an unsuccessful strike. The men had struck for an increase of one cent an hour. "We were getting five francs" (at that time 20 cents) "and we wanted 5.25," he said. "Five francs was all right for me, but the married men couldn't live on it." L.

1. shortcomings. **2.** *mettre . . . i:* dot your i's (and cross your t's), *i.e.*, be accurate. **3.** undermine. **4.** *Nord . . . Calais:* departments in northeast France which are the centers of the coal-mining industry. **5.** *congés . . . roulement:* paid rotation leaves. **6.** slowed down. **7.** behind the scenes. **8.** Pierre Pucheu, the first prominent Vichy official to pay for his treason with his life, was tried and executed in North Africa in 1943. He had gone there after our landing in 1942, apparently with some idea of making a deal with us. Pucheu had been Minister of the Interior under Pétain in 1941 and had selected the hostages to be handed over to the Germans for execution, mentioned just below. Timbault was Rol's old idol, his philosopher and guide. L. **9.** *otages de Châteaubriant:* pre-war political prisoners detained by the French government in Châteaubriant who were turned over to the Germans who shot them in Nantes in reprisal for the killing of a German colonel. (*See page 153.*) **10.** compulsory military service.

dangereux, disent les fiches[1]; tireur d'élite,[2] précise mon livret militaire. En 1937, l'individu dangereux s'est souvenu qu'il était un tireur d'élite. Notre frontière, a dit M. Churchill en 1939, est sur le Rhin. En 1937 il y a des Français qui ont pensé que nos frontières étaient sur l'Ebre[3] et que les grandes manœuvres germano-italiennes en Espagne annonçaient, si l'on n'y mettait bon ordre,[4] une grande invasion en France.

— Ce n'était pas si mal vu.[5]

— Je ne crois pas, en effet. En février 1937 j'étais à la 14ᵉ brigade internationale,[6] brigade « La Marseillaise ». L'Ebre, la Sierra Caballos.[7] C'est là que j'ai reçu une balle allemande. Elle est entrée par le bras et a été se loger entre l'omoplate[8] et la troisième côte. Elle y est toujours. Elle se déplace.[9] Bientôt on pourra me l'inciser et l'extraire.

Une balle allemande dans le corps de 1937 à 1944, c'est mieux qu'un nœud à son mouchoir. On n'oublie pas. Rol n'a pas oublié.

— A la dissolution des brigades internationales, en novembre 1938, je reprends ma place au Syndicat des métaux, aux côtés de Timbault, fusillé à Châteaubriant. Puis c'est la guerre, que je fis dans un régiment de Sénégalais.[10] Citation, croix de guerre. Démobilisé, c'est d'abord dans les syndicats illégaux que je reprends la lutte. Mais bientôt un autre combat nous appelle.

» A l'armée, qui occupe notre patrie, la saigne,[11] la dépouille,[12] il faut opposer une autre armée, l'armée de la liberté. J'ai fait déjà deux guerres, j'en commence une troisième: c'est la même guerre. Mais les conditions de celle-ci sont bien différentes. Des trois, ce n'est pas la moins dure. Sûrement pas. »

Les historiens de l'avenir, pour lesquels nous ne pouvons que prendre des notes, raconteront l'épopée de ces formations

1. police records. **2.** sharpshooter, crack shot. **3.** Ebro, river in Spain, site of a decisive battle in the Spanish civil war. **4.** *si . . . ordre:* if one didn't exercise good care. **5.** *Ce . . . vu:* That wasn't such a bad guess. **6.** The *brigade internationale* was a volunteer corps fighting on the side of the Spanish Republic and was disbanded by Negrin, Spanish premier, in 1938, so that the Spanish Government could not be accused of receiving foreign armed support. This left Franco's Moors, Germans and Italians as the only armed foreigners fighting in Spain. **7.** site of a battle in the Spanish civil war. **8.** shoulder-blade. **9.** is shifting. **10.** natives of Senegal, French West Africa. **11.** is bleeding it dry. **12.** is looting.

clandestines qui bientôt couvrirent la France d'un réseau serré[1] d'héroïsme et de défis. « Corps francs de la libération »,[2] groupes militaires des mouvements, comme « Ceux de la libération », « Ceux de la Résistance », « Organisation civile et militaire », « Libération-Nord », F.T.P. . . . 5

F.T.P.F., Francs-tireurs et partisans de France. C'est d'eux que me parle Rol. A la pointe extrême[3] du peuple qui déjà se cabre,[4] refuse, résiste, c'est leur combat que me raconte Rol, parce que c'est leur combat qu'il a vécu, animé, soutenu, avant de devenir le chef parisien de tous les mouvements 10 fondus dans une armée unique: les F.F.I.

— Nos francs-tireurs venaient de partout, de tous les milieux, de tous les âges: des ouvriers, des étudiants, des instituteurs, des artisans, des ingénieurs, des commerçants. Une idée commune: ne pas accepter la défaite, ne pas laisser l'ennemi 15 s'installer chez nous en sécurité, tranquillement, paisiblement. Dès 1940, le harceler,[5] l'inquiéter, le gêner. En 1941, 42, 43: le chasser. Nous en sommes venus à bout.[6]

Tout en parlant, Rol me montre des archives, des documents, des lettres, des communiqués de guerre qui s'échelonnent sur[7] 20 quatre années. Quatre années! Comme c'est vite dit. Comme c'est long pourtant un jour, et puis un autre jour, quand il faut se battre dans le silence, dans la solitude, dans la nuit. Et demain, peut-être, être torturé, mourir dans le silence, dans l'ombre, seul, si terriblement seul . . . 25

— Ce n'est pas une guerre comme les autres, notre guerre . . . Après chaque opération, nos combattants regagnaient leur foyer, leur métier, se dispersaient dans la ville. Ils étaient rendus[8] à toutes les sollicitations, à toutes les influences, à tous les découragements. On sait ce qu'est le moral d'une troupe, 30 ce coude à coude[9] devant la mort et le péril, cette force qui se multiplie par toutes les forces qui l'entourent. Nos hommes n'avaient pas à compter sur ce secours, une fois l'action terminée. Il fallait sans relâche tendre son énergie, serrer les dents, refuser l'abandon et les tentations du bonheur . . . 35

1. tight network. **2.** *Corps . . . libération:* Free corps for liberation. **3.** spearhead. **4.** rears up. **5.** wear down (by frequent attacks). **6.** *Nous . . . bout:* We succeeded. **7.** *s'échelonnent sur:* stretch out over. **8.** exposed. **9.** *ce . . . coude:* standing shoulder to shoulder.

Il y a un tournant de l'action des F.T.P. dont Rol parle avec une admirable sobriété. C'est l'instant où, devant les attentats qui gênaient leurs mouvements, leurs approvisionnements, leurs préparatifs, les Allemands recourent à leur atroce 5 et traditionnelle mesure: l'assassinat des otages. Dans la conscience de ces garçons qui se savaient pourtant le bras armé de la nation, l'avant-garde d'un peuple bâillonné,[1] un drame se joue. Il est déjà dur d'avoir à tuer et à risquer d'être tué, hors du mouvement, de l'élan[2] et de l'excitation du 10 combat. Il est dur d'avoir à tuer de sang-froid, même un ennemi, même un nazi.

— Quand furent affichées sur les murs de Paris les premières listes d'otages exécutés, dit Rol, j'ai vu pâlir et défaillir[3] bien des nôtres. Nous avons vécu des heures atroces. Nous avons 15 été labourés[4] par les scrupules, les interrogations intérieures, l'angoisse. Imaginer l'aube qui allait se lever pour les nôtres emprisonnés, le petit jour du Mont-Valérien,[5] les cercueils de bois blanc . . . Mais il fallait pousser plus loin son imagination, chasser ces images par d'autres plus terribles encore. Il 20 fallait *imaginer* une France calme, consentante, proie facile, sans ressort,[6] sans réaction, sans résistance. Il fallait imaginer ce à quoi nous avons échappé, ce que nous avons frôlé[7] de si près: l'Allemagne mobilisant les Français, des millions des nôtres jetés en pâture[8] aux adversaires du Reich, les cadavres 25 des Français sur les champs d'une bataille qui n'était pas *leur* bataille. Cela était possible. Il fallait, fût-ce au prix d'un sang irremplaçable, celui de nos meilleurs compagnons — et le nôtre — il fallait montrer à l'Allemagne que ni la ruse, ni la terreur ne pourraient venir à bout de la France. Nous 30 avons continué.

Pas d'armes? Il faut les prendre à qui les a, à l'ennemi. Pas de matériel? Avec l'aide des ouvriers des carrières de Paris on fait de l'excellente poudre, charbon de bois,[9] salpêtre et soufre mélangés.[10] Des allumettes, un peu d'amadou[11]: 35 voilà une machine infernale qui incendie très proprement les

1. gagged. **2.** thrill, ardor. **3.** grow faint, falter. **4.** (*lit.*, plowed): tortured. **5.** fortress on outskirts of Paris where hostages were shot at dawn. **6.** energy, resilience. **7.** brushed against. **8.** cannon fodder. **9.** *charbon de bois:* charcoal. **10.** They had done the same thing in the Revolution of 1789. **11.** punk.

wagons de fourrage[1] ennemis. Un cocon en cellulo,[2] de l'acide sulfurique, du chlorate de potasse: on jette cela dans le réservoir d'une voiture allemande. Quelques instants plus tard elle brûle. Dans les laboratoires de chimie, dans les grandes écoles de Paris, on travaille pour les F.T.P. et les F.T.P. travaillent.

L'étudiant en chimie apporte les acides. Le carrier apporte le salpêtre. L'étudiant en lettres apporte un texte. Il est de Victor Hugo. Il n'a pas perdu son actualité[3] en 1940: « *Organisons l'effrayante bataille de la patrie*, dit Hugo. *O francs-tireurs, allez, traversez les torrents, profitez de l'ombre et du crépuscule, serpentez dans*[4] *les ravins, glissez-vous, rampez, ajustez, tirez, exterminez l'invasion.* »[5]

Il y a des maquis F.T.P. Mais c'est de Paris qu'il s'agit dans ces pages. Pour les F.T.P. de Paris, l'ombre, c'est celle des rues, le crépuscule, celui de la ville. On en sort pour une marche, un exercice en campagne.

Ce territoire, il n'est pas un point où les F.T.P. ne mènent la lutte, « avec honneur et fidélité », comme le dit leur serment. Mais à Paris et dans la région parisienne, le seul bilan de leur activité est déjà saisissant.[6] Dans la seule période du 15 avril au 31 juillet 1943, les F.T.P. ont tué deux généraux allemands et six colonels. Parmi eux, le général von Schaumborg, assassin d'otages. Les balles et les grenades des F.T.P. ont encore abattu 430 officiers, sous-officiers, soldats allemands ou fascistes italiens. Mais il faut recopier dans sa brutalité ce bilan, qui ne représente que le combat de quatre mois, et pour la seule région parisienne:

BLESSÉS. 570 officiers, sous-officiers, soldats boches et fascistes italiens.

CHÂTIÉS.[7] 2 commissaires de police antifrançais, tortionnaires[8] des F.T.P., 7 flics,[9] 1 gendarme pourchasseurs de F.T.P., 10 traîtres collaborateurs et dénonciateurs de patriotes.

DÉRAILLÉS. 10 trains boches: Paris-Cherbourg, Paris-le

1. fodder. **2.** *cocon en cellulo:* capsule. **3.** timeliness. **4.** *serpentez dans:* twist through, "snake" through. **5.** quotation from a poem by Victor Hugo (1802–1885) urging resistance to the German invaders in 1870. **6.** impressive. **7.** executed. **8.** torturers. **9.** "cops."

Mans-Orléans, Château-Thierry-Beauvais, Brest, Dieppe, Versailles-Orly, etc....

ATTAQUÉS. A la grenade et à la mitrailleuse: plusieurs trains de troupes boches et wagons-plateaux de D.C.A.,[1] de
5 nombreux *Soldatenheim*[2] et *Speiselokal*,[3] hôtels et locaux boches.[4]

DÉTRUITS. 4 avions, 2 prototypes[5] lourds et 2 avions de chasse,[6] 2 vedettes de combat,[7] 5 pièces D.C.A., 5 millions de litres d'essence, 12 millions de litres d'alcool, des installations fixes et sur camions de T.S.F., 5 usines de guerre, plusieurs
10 garages avec des dizaines de camions et stocks de rechange,[8] plusieurs centaines de wagons chargés de marchandises et de matériel de guerre, 20 locos,[9] 2 ballons d'observation, des moissonneuses-batteuses[10] et leurs tracteurs, importés d'Allemagne pour rafler la moisson,[11] etc....

15 RÉCUPÉRÉS.[12] Plusieurs mitrailleuses et pistolets sur les Boches, des vélos et des pistolets sur des policiers.

— Des « coups durs »,[13] oui, dit Rol. Mais le plus usant,[14] le plus difficile, ce ne fut peut-être pas le combat lui-même, ce fut la discussion avec les patriotes qui croyaient l'action
20 inutile ou prématurée. Beaucoup d'esprits jugeaient la disproportion des forces écrasante, et se laissaient paralyser par des calculs théoriques, qui n'embrassaient pas toute l'étendue du problème, technique, militaire et moral. Il régnait chez certains, qui cependant ont plus tard montré du courage et de
25 l'initiative, une sorte de superstition de jour J,[15] de fétichisme

1. *wagons . . . D.C.A.:* flat cars mounted with anti-aircraft guns. **2.** (*Ger.*): soldiers' recreation halls. **3.** (*Ger.*): soldiers' canteens. **4.** One afternoon in March 1943, for example, a long line of German soldiers was standing in front of the *Soldatenheim*, the German Army social centre, on the Champs-Elysées, waiting for admission to a free moving picture. There was a line at the same place and time every evening. A few lads came along the Champs-Elysées on bicycles and as they passed threw hand grenades among the movie fans. They inflicted fifty casualties. It was probably a terrible picture anyway. Some of the Germans ran after the cyclists, and three men with tommyguns stepped out of a doorway and shot them down. The three men ran down a side street, followed by some German M.P.'s. Three more tommygunners got the M.P.'s. A minute later the streets were empty of Frenchmen. The German casualties totaled 70. The FFI suffered just one. That was a man shot at the tip of the little finger of his left hand, probably by one of his own comrades. This sort of thing required planning, rehearsals and timed "dry runs." L. **5.** models. **6.** pursuit planes. **7.** fighters (planes). **8.** *stocks . . . rechange:* replacement parts. **9.** locomotives. **10.** harvesting machines. **11.** *rafler . . . moisson:* to steal the harvest. **12.** seized intact. **13.** tough jobs. **14.** tiring. **15.** D-Day.

du débarquement, de l'aide alliée. Mais compter sur celle-ci ne signifiait pas nous croiser les bras.[1] Pour préparer la guerre, il fallait intensifier la guérilla, qui mettait à l'épreuve[2] nos plans et nos techniques, aguerrissait[3] nos hommes, troublait et ralentissait la machine de guerre ennemie, sapait le moral des soldats nazis.[4] Le Comité d'action militaire (C.O.M.A.C.), organe suprême militaire de la Résistance, appuya ce point de vue et nous aida à faire triompher auprès de nos camarades encore retenus par de fausses conceptions des choses, le point de vue de l'action immédiate. Dans ces discussions, il fallait aussi déployer[5] de l'énergie, de la volonté, de la ténacité. Cette conception aboutit à l'ordre du jour du COMAC lancé au lendemain du débarquement, et dont les directives se sont réalisées à Paris et dans toute la France, point par point. Cette note distinguait trois zones: zone de l'avant, zone des armées alliées, zone de l'intérieur, et précisait, pour cette dernière:

1. exécuter les destructions demandées par le Q.G.[6] allié;

» 2. gêner au maximum par des actions de guérilla la vie matérielle de l'ennemi;

» 3. dans les régions où, au cours des opérations, la densité des occupants deviendrait suffisamment faible, occuper avec des formations de réserve et des milices patriotiques des zones de territoire offrant des possibilités de vie et de résistance.

— Mais ceci, reprend Rol, c'est la fin. En 42, 43, nous n'en étions encore pas là. Nos détachements, *Bir Hakeim*,[7] *Marseillaise*, *Stalingrad*, *Victor-Hugo*, *France-Action*, *Jeanne d'Arc*, *Guy Moquet*, *Galliéni*, *1918*, *etc*. . . ., menaient sans trêve le combat. Contre l'ennemi, à visage découvert. Contre la Gestapo, dans les ténèbres de la vie clandestine.

1. *croiser . . . bras:* stand by and do nothing. **2.** *mettait . . . épreuve:* tested. **3.** toughened (for war). **4.** An F.T.P. once said to me, à propos of a similar incident, "We just did it to give them a workout. We didn't want them to think this was a health farm." L. **5.** show, make use of. **6.** *Quartier Général.* **7.** Bir Hakeim was the scene of an heroic stand by the Free French in North Africa. The succeeding names are landmarks in the struggle against oppression. France-Action is a Resistance group and newspaper. Guy Moquet was the youngest (17 years old) of the Châteaubriant hostages shot by the Germans. General Joseph Galliéni (1849–1916) was the commander of the Paris garrison who in September 1914 suggested to Joffre the successful counterattack on the right flank of the German army that won the First Battle of the Marne.

Ce que Rol ne dit pas, c'est que ce double combat, outre les écrasantes responsabilités du commandement, il en a eu sa part. Mais il est là, solide, souriant: il a échappé aux balles de l'ennemi et à l'arrivée nocturne des visiteurs à l'accent
5 étranger, qui vous conduisaient aux lieux d'où l'on ne revient plus.

Les pertes des F.T.P. sont incroyablement plus réduites que celles de l'ennemi. Dans la tactique de l'embuscade, du combat de rues, de l'attaque à la grenade, une minutieuse prépara-
10 tion a économisé au maximum les vies françaises. Les F.T.P. ont pourtant, eux aussi, leurs morts, leurs héros, leurs martyrs.

Le 12 juin 1943,[1] quelques F.T.P. du détachement Jeanne d'Arc, appuyés par une équipe de réserve, sont en train de couper une voie[2] de la région parisienne. Il s'agit de faire
15 dérailler un train de marchandises allemand. Pendant l'opération, un poste de garde-voies[3] surgit, commandé par un de ceux que les F.T.P. nommaient les « Flics-Pétain ».[4] En un clin d'œil le flic-Pétain est désarmé et ses hommes capturés. L'opération se poursuit. Pendant ce temps, le détachement
20 de réserve s'empare également d'un second groupe de garde-voies, ce qui porte à 24 hommes les prisonniers. On les rassemble dans un bois voisin et un chef de groupe les harangue, leur expliquant le sens de l'action entreprise. Le train de marchandises de la Wehrmacht arrive en pleine vitesse. Vingt
25 wagons s'écrasent. Les F.T.P., au garde-à-vous,[5] saluent leur succès au cri de: Vive la France! Les garde-voies reprennent ce cri et sont libérés. Le flic-Pétain est relâché. Sans armes, sans risque, sans uniforme. La voie a été coupée pendant 72 heures.

30 — Terroristes? me dit le chef F.T.P. qui me rapporte cette anecdote. Terroriste, c'est celui qui agit seul, coupé de l'humanité, dans la solitude du désespoir et de la stérilité.[6] Nous, nous sentions derrière nous tout le peuple de France,

1. This begins the second instalment from *Les Lettres françaises, 7 octobre, 1944.* **2.** *couper une voie:* tear up a track. **3.** rail guards. (A service performed by Frenchmen under compulsion from Vichy in an effort to protect the railroads from the frequent acts of sabotage against German transport.) **4.** Pétainist cops. **5.** *au . . . vous:* at attention. **6.** ineffectiveness.

dont nous exprimions la colère et la révolte, que nous entraînions, jour après jour, à se lever, à nous suivre, à nous imiter. Quand les Allemands nous traitaient de[1] « terroristes », ce n'était pas seulement pour nous salir,[2] nous insulter, c'était pour se rassurer eux-mêmes. Ils appliquaient rageusement la 5 méthode du docteur Coué.[3] Il leur a fallu se réveiller un jour, pris à la gorge non seulement par les armées alliées, mais par quarante millions de « terroristes ».

Le 6 octobre 1943. Midi. C'est un matin d'automne doré et tiède, place de l'Odéon.[4] Sous les galeries,[5] des flâneurs,[6] qui 10 feuillettent les livres. Devant le restaurant Voltaire, un client incertain consulte le menu. Au coin des rues, rue Corneille, rue de l'Odéon, rue Monsieur le Prince, rue de Condé, il y a les éternels amateurs de vieux livres, d'autographes, de timbres, qui baguenaudent aux devantures.[7] Sur le Sénat[8] voisin 15 flotte le drapeau à croix gammée. C'est le Paris de l'occupation. Vous voyez bien que nous ne sommes pas des barbares puisque nous sommes si à l'aise dans la ville, si confortables, si paisibles. Nous ne gênons personne. Il y a autant de livres aux devantures des libraires qu'autrefois. De très beaux livres, 20 tenez: Chardonne, Châteaubriant, Céline — et Monsieur Hérold-Paquis.[9] Les menus des restaurants sont un peu courts mais, que voulez-vous: c'est la guerre . . . A propos de guerre, les Français sont très compréhensifs. Il y a déjà la L.V.F.,[10] le travail obligatoire en Allemagne. Nous ne déses- 25 pérons pas d'obtenir mieux encore. Il vaut mieux s'entendre ensemble, n'est-ce pas? Nous aurons encore quelques bonnes années à passer chez vous. Ne vaut-il pas mieux accepter cela gentiment? . . .

1. called us. **2.** smirch. **3.** French psychologist, teacher of auto-suggestion, who had a considerable vogue in the U.S. in the 1920's. His slogan: "Everyday, in every way, I'm getting better and better." **4.** square in Paris in front of the Odéon national theatre and opposite the Luxembourg Gardens. (*Cf. map.*) **5.** arcades. **6.** strollers. **7.** *baguenaudent . . . devantures:* window-shopped. **8.** Senate building (the French Senate met in the Luxembourg Palace). **9.** Jacques Chardonne, Châteaubriant, Louis-Ferdinand Céline were collaborationist authors. Jean Hérold-Paquis was the collaborationist propagandist of Radio-Paris, shot as a traitor in September 1945. He wrote, besides talking on the radio. **10.** *Légion des Volontaires Français:* a corps of Frenchmen recruited by the Germans and Vichy to fight against the Russians. Many of them later worked for the Germans against the American forces.

Le détachement remonte la rue de l'Odéon. On a beau être chez soi, on prend tout de même ses précautions: une avant-garde, une arrière-garde, deux flanc-gardes, bien armées de mitraillettes.

5 Cela s'est passé si vite, les grenades, les rafales de mitraillettes, que personne n'a compris ce qui s'était passé. Il y a dix Allemands morts sur la place de l'Odéon. Il y a quelques lecteurs de moins aux étalages des libraires. Le client qui hésitait devant le menu du Voltaire a disparu (il a dû entrer).

10 Décidément, il est plus prudent de sortir avec ses armes. Mais c'est bien gênant d'aller aux Folies-Bergère[1] avec un fusil qu'on ne peut laisser au vestiaire.[2] Et, dans les rues, la nuit, encore plus désagréable, les pas des promeneurs attardés dans votre dos. Ah ! quand serons-nous de retour à la maison ! 15 Damnée guerre !

Rue Maspéro, pont de Saint-Ouen, rue Mirabeau, boulevard Pasteur, rue de Rivoli, boulevard Malesherbes, caserne d'Argenteuil, cours de Vincennes, rue Caumartin, rue de Strasbourg, rue Lafayette, rue de Clichy, porte d'Orléans, rue 20 de Buci, rue Daguerre, sur toutes les rues de Paris se lève déjà le matin de la liberté.

La rouge aurore y terrorise
Un vainqueur désorienté
Pour lui toute nuit soit mortelle !
25 Que toute fenêtre ait du plomb,
Toute main vivante un boulon[3] !
Que l'épouvante l'écartèle,[4]
Que le sol brûle à ses talons !

Et dans le monde de la guerre, déjà, implacablement, 30 l'étreinte[5] se resserre autour de l'Allemagne. Il y a eu Stalingrad et l'Afrique du Nord, les victoires à l'Est, les victoires sur mer, les victoires dans les airs. « *L'insurrection nationale est inséparable de la libération nationale* », a solennellement déclaré le général de Gaulle. La structure des cadres et des troupes 35 de cette insurrection s'édifie jour après jour, malgré les arres-

1. well-known Paris theatre, home of revues. **2.** checkroom. **3.** rivet. **4.** (*lit.*, draw and quarter): tear him apart. **5.** noose.

tations, les pertes, les fusillades. L'entraînement des soldats se poursuit fébrilement.[1] « J'ai appelé ces soldats des hommes, écrit notre confrère anglais Alastair Forbes, dans le *Daily Mail*, et j'ai vraiment du mal à me rappeler que la grande majorité d'entre eux étaient encore des écoliers lorsque l'armis- 5 tice de 1940 fut signé. Ils n'ont pas de service militaire derrière eux. Leur entraînement a dû être poursuivi au nez et à la barbe[2] des Boches. Pourtant, ils forment aujourd'hui une armée de ‹ durs ›[3] et une armée disciplinée. Il faut être un soldat rudement[4] bien entraîné pour pouvoir se battre sans 10 autre arme qu'un fusil à petite portée[5] et avec si peu de munitions qu'il ne faut jamais rater[6] un seul coup. »

J'ai encore sous les yeux un des manuels édités par les F.T.P. La couverture n'attire pas l'attention. Il ne s'agit pas d'un de ces gros livres de chez Lavauzelle,[7] le *Manuel du gradé d'in-* 15 *fanterie*[8] *ou le Règlement des grandes unités*.[9] Sur cette brochure,[10] intitulée *Scout*, si anodine[11] d'apparence, un petit gars brandit son chapeau de feutre, un paysan laboure derrière ses bœufs au-dessus du label imaginaire[12]: « *Editions de la Nouvelle France* ». Tournez la page: *Chapitre premier. — Matériel alle-* 20 *mand. A*) *Pistolet allemand. B*) *Mitraillette.*[13] *C*) *Mitrailleuse.*

Des armes, où trouver des armes!
Il faut les prendre à l'ennemi,
Assez d'attendre l'accalmie[14]!
Assez manger le pain des larmes! 25
Chaque jour peut être Valmy.[15]

L'écolier d'hier, le vainqueur de demain, le soir, penché sur la table où hier encore il faisait des problèmes, étudie sagement les nomenclatures et les schémas[16]: « Prendre la mitraillette de la main droite au centre de gravité. A l'aide de l'index gauche, 30 amener en arrière[17] la poignée de la colonne mobile[18] et l'accrochage[19] au cran de sûreté.[20] Introduire de la main gauche le

1. feverishly. **2.** *au . . . barbe:* under the very noses. **3.** tough men. **4.** very well, "awfully" well. **5.** short range. **6.** miss. **7.** large Paris bookseller specializing in military books. **8.** Infantry Officer's Manual. **9.** Handbook of Field Manœuvres. **10.** booklet. **11.** harmless. **12.** fictitious imprint. **13.** tommy-gun. **14.** lull. **15.** village in Marne department where the French defeated the Prussians September 20, 1792. **16.** diagrams. **17.** *amener en arrière:* pull back. **18.** *colonne mobile:* bolt. **19.** fastener. **20.** *cran de sûreté:* safety-catch.

chargeur dans le porte-chargeur[1] et pousser jusqu'à accrochage du déclic[2] . . . »

Le 13 mai 1944 le Conseil national de la Résistance a délégué trois hommes au Comité d'action militaire, le fameux
5 COMAC: Vaillant, qui représente les organisations de résistance de la zone Nord; Valrimont, du Mouvement de libération nationale; Villon, du Front national. Sous l'égide[3] du COMAC, les états-majors F.F.I. se constituent: état-major national, états-majors régionaux et départementaux, chacun
10 comprenant les quatre bureaux traditionnels: effectifs, opérations, matériel, renseignements.[4] Au jour J,[5] tout est en place. Et c'est Rol qui est chargé de l'écrasant commandement de la région parisienne.

Dès lors, la lutte, qui n'a pour ainsi dire pas cessé depuis
15 quatre ans, va s'intensifier de façon saisissante. Dans toute la France. Et d'abord à Paris.

A dix heures, après un entretien entre le colonel Rol et Boucher, du Comité de libération de la police, les forces de police de Paris, en grève depuis trois jours, reçoivent des ordres:
20 tous les gardiens de la paix[6] resteront en civil[7] avec le brassard[8] et se répartiront en multiples patrouilles pour le combat qui va commencer. La garde républicaine[9] assurera la protection des ponts de Paris.

A onze heures, le colonel Rol reçoit M. Luizet, préfet de
25 police nommé par le Gouvernement provisoire. La mobilisation générale est décrétée. Le colonel et le préfet reçoivent à ce moment la visite de M. Nordling, consul général de Suède, qui a pris contact depuis plusieurs jours avec les autorités allemandes et intervient pour que le mouvement de libération
30 garde une allure[10] pacifique. Le colonel et le préfet prennent bonne note[11] de cette intervention. Exit M. Nordling.

1. clip-holder. **2.** *jusqu'à . . . déclic:* until it catches with a click. **3.** leadership. **4.** *effectifs . . . renseignements:* the four French military general staff sections. The corresponding staff sections in the American Army are: *effectifs:* G-1 Personnel; *opérations:* G-3 Plans and Operations; *matériel:* G-4 Supply and Evacuation; *renseignements:* G-2 Intelligence. **5.** D-Day. The French use the first letter of *jour;* hence *jour J*, not to be confused with our V-J Day. **6.** policemen. **7.** civilian clothes. **8.** armband. **9.** The Republican Guard originally was the guard of honor of the President of the Republic. It was developed to guard all public buildings in the capital. **10.** aspect. **11.** *prennent . . . note:* made careful note.

Le manque d'armes automatiques fait déjà défaut.[1] Les demandes affluent à l'état-major régional, qui ne peut les satisfaire. Réponse: armez-vous sur[2] l'ennemi.

Mais déjà les F.F.I. sont au combat. Il y aura ce soir des armes dans Paris. 5

A treize heures, le président du COMAC, Villon, et le commissaire Valrimont se rendent à la préfecture. Dès ce moment, la doctrine du COMAC est nette: occuper les locaux officiels, c'est bien. Mais il ne s'agit pas de s'y entasser[3] pour attendre, les mains nues,[4] l'attaque de l'ennemi. Il faut passer à 10 l'offensive, récupérer armes et munitions, harceler l'adversaire, entraver[5] au maximum la retraite des troupes qui fuient devant l'avance alliée. « *L'insurrection nationale est inséparable de la libération nationale* », a dit de Gaulle. Et Churchill, Roosevelt, Staline: *capitulation sans conditions.* L'état-major F.F.I. de la 15 région parisienne restera fidèle à ces consignes.

Villon et Valrimont demandent à Rol de ne pas garder son P.C.[6] à la préfecture et de le transférer, comme il avait été prévu, au Lion de Belfort.[7]

La réalité a toujours plus d'imagination que l'imagination. 20 Qu'une insurrection soit commandée d'un souterrain,[8] bon: c'est Walter Scott, Eugène Sue,[9] Jules Verne.[10] Mais, aujourd'hui, le romancier qui aurait à décrire une insurrection moderne dans une grande ville n'oserait pas situer le poste de commandement des insurgés dans un souterrain, auprès des 25 catacombes, à vingt-six mètres sous terre.

Le destin a moins de pudeur et moins de fausse honte.[11] Deux voitures stoppent à quatorze heures, le 19 août, devant la station de métro Denfert-Rochereau. Le chef d'un des bureaux importants du service des eaux et des égouts[12] de la Ville de 30 Paris, M. Tavès, attend le colonel Rol et ses officiers d'état-

1. *fait . . . défaut:* was already making itself felt. **2.** from. **3.** to crowd together. **4.** empty. **5.** hinder. **6.** *Poste de Commandement.* **7.** Heroic statue of a lion in the Place Denfert-Rochereau, Paris, reproduction of a statue in the fortress town of Belfort which symbolically guards the pass between the Vosges and Jura mountains. Belfort was the only important border fortress that did not surrender during the Franco-Prussian war of 1870–71. **8.** underground (passage). **9.** French novelist (1804–1857) whose works were characterized by great imagination. **10.** French pseudo-scientific novelist (1828–1905), author of *Twenty Thousand Leagues Under the Sea, Around the World in 80 Days.* **11.** false modesty. **12.** *service . . . égouts:* department of water supply and sewers.

major. Il y a cent dix-huit marches à descendre, un escalier creusé dans le roc: un banc de pierre de Paris[1] d'une épaisseur de 18 mètres protège l'abri. Celui-ci, construit dès 1939 par le ministère de la Guerre, est une véritable forteresse sou-
5 terraine, à vingt-six mètres au-dessous du niveau du sol. Des portes blindées à l'épreuve de[2] toutes les attaques, imperméables aux gaz,[3] en défendent l'accès. Une machinerie prodigieuse assure l'aération du blockhaus[4] invisible. Paris est sans électricité: l'ascenseur ne marche pas.
10 — Tant pis,[5] dit Rol, nous monterons à pied. C'est un détail.

Un détail qui pendant une semaine se reproduira vingt fois par jour. Rol essoufflera[6] tout un état-major, y compris son aide de camp, le lieutenant Rollin, ancien coureur à pied.[7] Il monte l'escalier quatre à quatre. Sa grosse voiture noire
15 fonce en trombe,[8] au milieu des rues zébrées[9] de rafales.[10]

Des postes de garde défendent l'accès des escaliers des portes blindées.

— Le mot de passe?[11]

— Duroc.

20 Les fonctionnaires s'écartent. La lourde porte blindée s'entre-bâille.[12]

Les moteurs Diesel et 18 batteries d'accus[13] donneront de la lumière au P.C. Le standard[14] téléphonique, modèle ligne Maginot, relie le souterrain du Lion de Belfort à tous les
25 quartiers de Paris. 250 agents des égouts et des eaux[15] sont depuis longtemps dans les F.F.I. Au bout du fil,[16] il y a des hommes sûrs.

— Allô! Batignolles.[17] Ça tient?[18]

— On signale des chars allemands qui attaquent la rue
30 Boursault.

— Tenez-nous au courant . . . Allô! cinquième arrondissement?

1. Paris limestone. **2.** *à l'épreuve de:* (able) to withstand. **3.** *imperméables aux gaz:* gastight. **4.** pillbox. **5.** (*lit.*, So much the worse): tough luck. **6.** will wind, wear out. **7.** *coureur à pied:* trackman, runner. **8.** *fonce en trombe:* whirls like a cyclone. **9.** zebra-striped (of tracer bullets here, or the zebra-stripes wouldn't be visible). **10.** volleys. **11.** password. **12.** swings open. **13.** storage batteries (short for *accumulateurs*). **14.** switchboard. **15.** *agents . . . eaux:* Sewer Department employees. **16.** *Au . . . fil:* At the other end of the line. **17.** name of a telephone central. **18.** Are you holding out?

— Une auto-mitrailleuse[1] allemande anéantie[2] boulevard Saint-Michel. Nous manquons de munitions.

— Nous en envoyons . . . Allô! préfecture . . .

Le P.C. est au centre de l'immense réseau souterrain qui serpente au-dessous de Paris: carrières, catacombes, égouts,[3] métropolitain,[4] plus de cinq cents kilomètres de labyrinthes où seuls des spécialistes peuvent s'engager.[5] On peut déboucher[6] à volonté[7] dans le cinquième, le sixième, le quatorzième arrondissement, en banlieue,[8] en grande banlieue,[9] à Bourg-la-Reine.[10] Les estafettes[11] et les officiers de liaison entrent par la place Denfert-Rochereau et remontent par la rue Schoelcher. La première fois, ils débouchent à la lumière du jour, terriblement désorientés, incapables de retrouver immédiatement leur chemin. Ils ont cheminé avec les guides dans les boyaux.[12] Une lourde humidité tombe comme un manteau sur les épaules dès qu'on quitte le P.C. bétonné.[13] Des flèches indiquent la direction des catacombes, du cimetière Montparnasse. Aux carrefours, des plaques indicatrices[14] correspondent aux rues de la sortie: rue Boulard, rue Froidevaux, rue Schoelcher. (Des puits, dans la paroi,[15] correspondent à un réseau de souterrains plus profonds encore.) Dans les salles voûtées du P.C. le téléphone sonne, les machines à écrire cliquettent. Les chars allemands rôdent[16] à la surface. La Gestapo donnerait cher pour mettre la main sur le mystérieux colonel Rol.

Dans la soirée de samedi, M. Nordling fait une brillante rentrée. Il téléphone du consulat général de Suède au cabinet[17] du préfet de police: les Allemands proposent une trêve, pour ramener leurs blessés, jusqu'à six heures du matin. Et ils demandent que des pourparlers soient engagés pour prolonger cette trêve.

Les pourparlers s'engagent le dimanche. Dans Paris en armes, les membres du C.N.R.[18] se recherchent à tâtons.[19] La

1. armored car. **2.** (was) wiped out. **3.** sewers. **4.** subway. **5.** find their way about. **6.** get out. **7.** wherever you wish. **8.** Greater Paris (districts lying immediately outside the Paris city limits). **9.** suburbs. **10.** suburb a few miles south of Paris. **11.** couriers. **12.** (*lit.*, intestines): narrow passages. **13.** made of concrete. **14.** street signs. **15.** wall. **16.** prowl. **17.** office. **18.** *Conseil National de la Résistance.* **19.** (*lit.*, like a blind man who feels his way by touch): blindly.

trêve a des partisans, qui attaquent. Ils ont un moment l'avantage, les liaisons étant encore incertaines, les chefs de la Résistance se trouvant en mission et ne pouvant rejoindre encore les réunions où va se débattre[1] le sort de Paris et celui 5 de l'insurrection. Mais bientôt, tout le monde est là. La discussion s'engage, au cours de séances historiques.

M. Nordling est un homme pacifique. Il a horreur du sang. Les Allemands aussi (paraît-il). Il explique sa petite histoire: huit jours plus tôt il est entré en relations avec le général alle- 10 mand von Choltitz, commandant la place de Paris.[2] Aujourd'hui, le général allemand demande un armistice. S'il est refusé, il menace Paris de représailles terribles: aviation, lance-flammes.[3]

M. Parodi, délégué général du Gouvernement provisoire, 15 est parti pour sonder[4] directement les Allemands. Une patrouille allemande l'arrête dans Paris et met au bloc[5] le délégué général. Il sera relâché plus tard. Pour l'instant, la lutte met aux prises,[6] d'une part ceux qui croient que l'armistice est une solution sage et, d'autre part, le COMAC, le 20 colonel Rol et la majorité du C.N.R., qui demandent que la lutte soit menée à son terme,[7] jusqu'à la victoire. Presque seuls au début, Villon, Valrimont et Vaillant tiennent tête[8] aux « pacifiques »:

— Nous manquons d'armes et de munitions, disent ceux-ci. 25 La situation des bâtiments officiels que nous tenons encore, comme la préfecture, risque de devenir critique.

— Des armes, répondent leurs adversaires, ce n'est pas une trêve qui nous en donnera, mais l'offensive. Quant à la situation des bâtiments officiels, elle peut être renversée si l'on ne 30 réédite[9] pas dans Paris la tactique du maquis des Glières, où tous les effectifs avaient été massés en carré[10] et ont été encerclés et massacrés. Il faut faire la guérilla, organiser nos troupes en détachements légers, défendre les bâtiments publics, certes, mais aussi les protéger par des barricades, des fortins[11]

1. be decided. **2.** Military governor of Paris. **3.** flame-throwers. **4.** sound out. **5.** *met au bloc:* puts in jail. **6.** *met aux prises:* brings to grips. **7.** *menée . . . terme:* continued to the end. **8.** *tiennent tête à:* hold their own against. **9.** repeat. **10.** square (military formation of closely formed men having as much depth as breadth). **11.** strongpoints.

improvisés. Au demeurant,[1] la possession d'un immeuble n'a qu'une valeur de symbole.

Les événements prouvent le bien-fondé[2] de ce point de vue. Mais les « pacifistes » reprennent:

— Prenez garde aux représailles allemandes: ils vont saccager[3] Paris, sa population, ses trésors d'art. 5

A quoi les « durs » rétorquent[4]:

— La guerre est la guerre. Nous ne souhaitons pas à Paris le sort de Londres, de Varsovie, de Berlin. Mais nous faisons la guerre. Le monde entier et la France ont les yeux fixés 10 sur Paris. Il faut que Paris donne l'exemple du soulèvement[5] victorieux. D'ailleurs, les Allemands, dans leur retraite précipitée, n'ont ni le temps, ni les moyens de s'engager dans des actions de représailles sur une agglomération aussi importante que Paris. 15

— Et l'aviation?

— Il n'est pas vraisemblable que l'ennemi utilise les bombardements aériens. Leur premier résultat serait d'obstruer les voies de passage. Ce n'est pas ce qu'ils cherchent. (En fait, les Allemands bombarderont Paris.[6] Mais une fois[7] 20 qu'ils auront définitivement perdu l'espoir de s'y accrocher.[8])

Les pacifistes invoquent les prisonniers F.F.I., otages désignés[9] entre les mains des Allemands. On leur répond:

— Nous avons à Paris plusieurs milliers d'Allemands prisonniers ou hospitalisés. Nous aussi nous pourrions exercer des 25 représailles.

Les pacifistes ne se tiennent pas pour battus:

— Ne pourrait-on envoyer les F.F.I. se battre hors de Paris?

— Pour que les faubourgs[10] et les banlieues essuient[11] le choc que Paris refuserait de subir? 30

— Après tout, laisse entendre M. Nordling, ce que les Allemands demandent, c'est d'évacuer sans casse[12] leurs colonnes en retraite.

1. after all. **2.** soundness. **3.** pillage. **4.** retort. **5.** uprising. **6.** The night of Saturday, August 27, after the famous procession to Notre-Dame when snipers tried to kill De Gaulle. The German planes came over before we had had time to set up proper anti-aircraft defenses for a city as large as Paris. They cramped the style of the celebration. But it picked up again next morning. L. **7.** *une fois que:* only when. **8.** hanging on there. **9.** known to be. **10.** outlying districts. **11.** receive, suffer. **12.** damage, loss.

— Qui iront saccager le reste de la France, auquel Paris aura donné l'exemple de la lâcheté et de l'abandon? Aucune ville, entre Paris et la frontière de l'Allemagne, ne pourrait ensuite être blâmée d'essayer de se soustraire[1] au combat! Et
5 cette démission[2] ne pourrait pas éviter le retour de massacres sauvages comme à Oradour et Ascq.[3] Non: il faut appeler toute la population à participer effectivement à la lutte, l'inviter à établir des obstacles qui gêneront l'ennemi, établir des barricades et des barrages pour isoler les points d'appui[4]
10 allemands.

Pendant que ces débats se poursuivent, des personnalités (non mandatées)[5] ont donné l'ordre de signifier aux Parisiens la signature d'une trêve, que des voitures munies de haut-parleurs[6] annoncent dans les rues. Le désarroi[7] s'empare des
15 combattants: ceux qui déjà sont tombés, sont-ils morts pour rien?

La campagne de France est à un de ses tournants décisifs. Paris déposerait-il les armes avant d'avoir triomphé?

Le débat se poursuit pendant toute la journée. M. Nordling
20 intervient.

— Y a-t-il des communistes dans la Résistance?

— Oui.

M. Nordling se tourne vers ses interlocuteurs:

— Vous comprenez pourquoi il faut éviter à tout prix l'in-
25 surrection.

Etrange argument. Le COMAC, les états-majors F.F.I., la majorité du C.N.R. ne suivent[8] pas.

— Ce serait trahir les ordres du commandement interallié et du général Koenig. Le harcèlement[9] des colonnes allemandes
30 désorganisées, la guérilla mobile, la récupération des armes, même lourdes, même motorisées, doit retarder la marche de l'ennemi et contribuer à son anéantissement.[10] Ce qui est le but du commandement suprême interallié: à Paris, comme partout, l'ennemi doit capituler *sans conditions*.

1. keep out. **2.** resignation, withdrawal (from responsibility). **3.** Oradour and Ascq are two villages that were completely destroyed after their inhabitants were massacred by the Germans. *See page 363*. **4.** strong points. **5.** unauthorized. **6.** loud speakers. **7.** confusion. **8.** agree. **9.** harassing. **10.** annihilation.

A l'unanimité la poursuite de la lutte est décidée.

Les capitulards essaient d'un dernier argument:

— La cessation momentanée des combats n'empêche pas de reprendre le combat si nous le jugeons nécessaire.

Leurs interlocuteurs se récrient[1]: 5

— La parole d'un Français est sacrée. Et qu'est-ce que c'est que cette conception[2] de la lutte militaire, dans laquelle on manie[3] les combattants comme des marionnettes? Une manœuvre engagée doit être poursuivie, un succès exploité à fond. 10

La bataille reprend. Les combattants se servent à nouveau des armes qu'ils n'avaient jamais quittées. Exit M. Nordling.

Le lendemain matin les Allemands vont se trouver soudain pris au piège: à chaque carrefour, dans chaque rue, sur chaque place, une barricade. 15

— Jusqu'au bout, dis-je à Rol, votre victoire aura été celle de la volonté. Si près du terme,[4] pourtant . . .

— C'était si simple de voir clair.

Quand on regarde Rol, en effet, cela semble simple. Les yeux clairs, le sourire clair. Rol est la clarté même. Je songe 20 à l'admirable poème de Claudel, devant ce garçon de chez nous, dont la force tranquille affleure[5] jusque dans son repos et dans son abandon:

> Il se meut dans sa Seigneurie[6] comme dans une chose naturelle 25
> C'est lui qui est le Maître et il ne permet pas aux affaires de le dominer
> Humble et fort, et ce pli au coin de la lèvre si bon, et toujours souriant et vermeil,[7]
> Il sait en tout ce qu'il a à faire aussitôt et les choses s'ouvrent à lui comme devant le soleil. 30

— Pendant qu'on discutait au C.N.R., reprend Rol, et que les voitures de la préfecture déjà diffusaient[8] l'ordre de trêve, on nous signalait cent exemples de violation de l'accord par

1. exclaim. 2. *Et . . . conception:* And what kind of a concept . . . do you call it. 3. manipulate. 4. end. 5. is equally high. 6. sphere of authority. 7. bright red. 8. were broadcasting.

les Allemands. Le 21, 40 S.S. attaquent avec une voiture blindée et de l'artillerie la porte d'Orléans. Ils tuent, à 17 heures, un de nos hommes près de la rue de Seine. Au boulevard Victor-Hugo, les S.S. tirent sur les drapeaux alliés d'un
5 immeuble.

Place Clichy, à 10 h. 30, les S.S. mitraillent la foule sans aucune provocation. Au pont Mazagran, à Vitry, ils abattent sans sommation[1] ni combat six F.F.I., dans une camionnette du ravitaillement.

10 — Vous aviez des renseignements précis sur l'avance alliée? C'était la grande interrogation de Paris à ce moment-là: où sont-ils?

— Le premier officier de liaison envoyé prendre le contact là-bas, le capitaine Truty de Vorreux, un vieux nom de France,
15 fut tué à Dourdan le 18 août. Le commandant Gallois est parti, ensuite, le 20 août, et a réussi à joindre le G.Q. allié. Entré en contact d'abord avec le général Patton, ensuite avec le général Eisenhower lui-même, sa mission nous a été infiniment précieuse, ainsi qu'aux armées alliées. Pendant toute
20 l'insurrection, des officiers de liaison et de renseignements nous ont tenus minutieusement au courant de l'avance des armées française et américaine. Vous savez la suite.

— Quelle suite! Des journées rayonnantes[2] et pures, dont nous ne pourrons plus détacher les images farouches[3] du décor
25 de ce Paris quotidien, si paisible maintenant, avec ses rues, ses jardins, ses enfants qui jouent aux carrefours, sur l'emplacement des barricades évanouies.[4] Mais c'est la fin, le dénouement de l'aventure que j'aimerais entendre de votre bouche.

— Le vendredi 25 août, à 11 heures du matin, le général von
30 Choltitz arrive à la préfecture de police dans une voiture F.F.I. Il est reçu dans le bureau du préfet par le général Leclerc, Valrimont, du COMAC, et moi-même. Les pourparlers s'engagent et aboutissent[5] à midi à la signature de l'acte de reddition de la garnison allemande de Paris. Reddition sans con-
35 ditions. Les modalités[6] d'application prévoyaient l'envoi, dans les derniers points de résistance ennemis, de parlemen-

1. call to surrender. **2.** bright. **3.** wild, ferocious. **4.** disappeared. **5.** resulted. **6.** conditions.

taires,[1] des officiers F.F.I. Ils devaient transmettre aux chefs allemands l'ordre de reddition signé par le général commandant le Gross-Paris[2].

— Comment était von Choltitz?

— Un homme d'une cinquantaine d'années, très corpulent, très calme. Son attitude fut très digne . . . De la préfecture, il fut emmené dans une auto-mitrailleuse de la division Leclerc avec le général Leclerc et moi-même, au P.C. de ce dernier, à la gare Montparnasse. Le général allemand, malgré son embonpoint,[3] sortit de l'auto-mitrailleuse en effectuant un rétablissement[4] qui fit dire au mitrailleur: « Eh ! mais il est encore leste[5] ce gros cochon-là ! »

— C'est le mot de la fin.

— Non, le mot de la fin, le voici.

Et le colonel Rol me tend le bilan de l'insurrection, pour la seule agglomération parisienne, bilan auquel il faut ajouter le butin[6] de la banlieue et de la région parisienne tout entière. Ce bilan, le voici: plus de 4.000 prisonniers (auxquels se sont ajoutés ceux de la division Leclerc), 35 chars capturés, dont 14 chars Tigre,[7] et un plus grand nombre détruit, 7 autos-mitrailleuses, 9 canons antichars,[8] 13 canons de 75 et de 90, 32 mitrailleuses, 3 mitrailleuses de D.C.A., des milliers et des milliers de fusils, de pistolets, de mitraillettes, de caisses de grenades, d'explosifs.

— De quoi[9] incendier tout Paris, dit Rol, de quoi saccager, détruire Notre-Dame et la Sainte-Chapelle,[10] le Louvre[11] et le Palais-Royal.[12] Imaginez Paris passif, proie abandonnée à la colère d'une quelconque *Division du Reich*[13] ou *Adolf Hitler*. Imaginez Paris libre d'accès,[14] sans barricades, sans combattants, sans défense, Paris incendié comme Varsovie, comme Londres, comme Ascq, comme Oradour, comme . . .

La liste est trop longue. Rol s'arrête.

1. delegates to discuss terms, negotiators. **2.** (*Ger.*): Greater Paris. **3.** stoutness. **4.** recovery. **5.** spry. **6.** booty. **7.** Tiger tanks; one of the largest German models. **8.** anti-tank guns. **9.** *De quoi:* Enough. **10.** Chapel noted for its stained glass windows; built by St.-Louis in the 13th century. **11.** formerly a royal palace, now a museum. **12.** celebrated monument of Paris built by Cardinal Richelieu in the 17th century. **13.** *Das Reich* and *Adolf Hitler* were the names of two crack SS (Elite Guard) divisions. **14.** wide open.

Vous qui aimez Paris et ses changeants visages, les quais et les bouquinistes,[1] les antiquaires[2] de la rue Bonaparte, le marché aux fleurs, les Egyptiens du Louvre,[3] les Poussins[4] et les Cézannes,[5] les vitraux[6] de Notre-Dame et les devantures 5 de la rue Royale,[7] les jardins du Carrousel[8] et le parc Monceau,[9] les Champs-Elysées,[10] les expositions de la rue du faubourg Saint-Honoré,[11] vous qui aimez notre Paris, le bonheur retrouvé, le bonheur dont parlait si simplement avant de mourir le petit fusillé de dix-sept ans, je vous présente Henri 10 Tanguy, chaudronnier-tôlier[12] de Morlaix, le colonel Rol, chef de Paris insurgé dans les mains duquel on a remis Paris, captif, et qui nous l'a rendu vainqueur. Merci.

J'ai demandé à Rol comment il s'est choisi ce nom de guerre, qui claque[13] comme un défi, comme un appel, comme un cri. 15 Il a hésité. Et, à voix presque basse:

— C'était le nom d'un camarade des Brigades internationales. Un ami. Tué à la Sierra Caballos.

Le colonel Rol est un homme qui a bonne mémoire.

1. book sellers. **2.** antique dealers. **3.** the collection of Egyptian antiquities of the Louvre is one of the finest in the world. **4.** Nicolas Poussin (1594–1665), French master of classic painting. **5.** Paul Cézanne (1839–1906), French painter. **6.** stained glass windows. **7.** broad Paris avenue extending from the Madeleine church to the Place de la Concorde and lined with fashionable shops. **8.** public gardens lying between two wings of the Louvre and adjoining the Tuileries Gardens. **9.** small park in a residential district of Paris. **10.** broad tree-lined boulevard extending from the Place de la Concorde to the Arc de Triomphe (*cf. map*). A favorite Parisian promenade. **11.** street housing many art dealers and women's fashion houses. **12.** sheet-metal worker. **13.** cracks.

THE SUMMING UP

THE SUMMING UP

THE LAST three pieces in the book are the work of men equally illustrious in letters and in the Resistance when Resistance was dangerous. Published in the legitimized *Lettres françaises* in the first weeks after the liberation of Paris, they express their authors' first intellectual response to the attainment of what had been their goal for four years. There is in each of the essays an allusion to the writers' further and higher goals for France. They had not been complacent in the years before the war. None of the three had thought that the illness of modern Europe began with the entry of the Germans into France and would end with their departure. I have aready told of Mauriac's feeling that the years 1935–39 had been harder to endure than the occupation.

Jean-Paul Sartre, who wrote "La République du Silence," the first of these essays, is famous in France as the author of *Huis-Clos* — "Closed Session" — a play first produced in the last year of the occupation that became the event of the theatrical season. It continued to hold the stage in the first year of liberation and to be the most discussed drama of its time. The Germans found nothing political in it. Sartre's detractors even discovered implications of Fascism in what they denounced as its negative attitude toward life. Nothing happens in the play; the characters, who are dead, find they cannot escape from themselves. That is their punishment, not for what they have done (which, from their reminiscences, seems to have been plenty) but for what they are. Sartre and his literary and political ally, Albert Camus, editor of the daily *Combat*, are now identified with the doctrine of "existentialism." Being, not doing, is important to the existentialist — particularly, it would seem, being miserable. A brief and vulgar summary of the position is this: Man is lonely, everything is equally possible, you can't prove anything; but you can't escape, because your responsibility is absolute. This would seem discouraging, but both exponents of the cheerless credo were fearless and active in the underground. They continue active in French politics.

Sartre, to explain this apparent preoccupation with doing things instead of just concentrating on being somebody, wrote in 1945:

"... We assert emphatically that man is absolute. But he is absolute in his own time, in his own environment, on his own earth.... The absolute is Descartes, the man who escapes us because he is dead ...; and the relative is Cartesianism, that coster's-barrow philosophy which is trotted out century after century, in which everyone finds whatever he has put in. It is not by chasing after immortality that we will make ourselves eternal: we will not make ourselves absolute by reflecting in our works dessicated principles which are sufficiently empty and negative to pass from one century to another, but by fighting passionately in our time, by loving it passionately, and by consenting to perish with it."

This is merely to indicate that even when Frenchmen are in accord on an action, in this case resistance, each reserves the right to furnish his own justification. No two Paris taxi drivers take the same route to a given destination. But they all get there. To the German soldier it probably made little difference whether he was extinguished by a Communist, an existentialist, a mediaevalist or just a marquis operating under a fictitious name.

LA RÉPUBLIQUE DU SILENCE[1]

PAR JEAN-PAUL SARTRE

Jamais nous n'avons été plus libres que sous l'occupation allemande. Nous avions perdu tous nos droits, et d'abord celui de parler; on nous insultait en face chaque jour, et il

1. From *Les Lettres françaises, 9 septembre 1944.*

fallait nous taire; on nous déportait en masse, comme travailleurs, comme Juifs, comme prisonniers politiques; partout sur les murs, dans les journaux, sur l'écran,[1] nous retrouvions cet immonde[2] et fade[3] visage que nos oppresseurs voulaient nous donner de nous-mêmes, à cause de tout cela nous étions libres. 5
Puisque le venin nazi se glissait jusque dans notre pensée, chaque pensée juste était une conquête; puisqu'une police toute-puissante cherchait à nous contraindre au silence, chaque parole devenait précieuse comme une déclaration de principe; puisque nous étions traqués,[4] chacun de nos gestes avait le 10
poids d'un engagement. Les circonstances souvent atroces de notre combat nous mettaient enfin à même de vivre,[5] sans fard,[6] sans voile, cette situation déchirée et insoutenable qu'on appelle la condition humaine.[7] L'exil, la captivité, la mort surtout que l'on masque habituellement dans les époques 15
heureuses, nous en faisions objets perpétuels de nos soucis, nous apprenions que ce ne sont pas des accidents évitables, ni même des menaces constantes et extérieures: mais qu'il faut y voir notre *lot*, notre destin, la source profonde de notre réalité d'homme: à chaque seconde nous vivions dans sa plé- 20
nitude le sens de cette petite phrase banale: « L'homme est mortel! . . . » Et le choix que chacun faisait de sa vie et de lui-même était authentique puisqu'il se faisait en présence de la mort, puisqu'il aurait toujours pu s'exprimer sous la forme « Plutôt la mort que . . . ». Et je ne parle pas ici de cette 25
élite d'entre nous que furent les vrais Résistants, mais de tous les Français qui, à toute heure du jour et de la nuit, pendant quatre ans, ont dit *non*. Mais la cruauté même de l'ennemi nous poussait jusqu'aux extrémités de cette condition en nous contraignant à nous poser de ces questions que l'on néglige 30
dans la paix: tous ceux d'entre nous — et quel Français ne fut une fois ou l'autre dans ce cas? — qui connaissaient quelques détails intéressant la Résistance se demandaient avec angoisse: « Si on me torture, tiendrai-je le coup? »[8] Ainsi la question même de la liberté était posée et nous étions au bord 35

1. screen, in the cinemas. **2.** foul. **3.** insipid. **4.** hounded. **5.** *à . . . vivre:* capable of living. **6.** (*lit.*, without makeup): without pretense. **7.** *condition humaine:* man's fate. **8.** *tiendrai-je le coup?* shall I hold out? *i.e.*, not give away any valuable information about the Resistance.

de la connaissance la plus profonde que l'homme peut avoir de lui-même. Car le secret d'un homme, ce n'est pas son complexe d'Œdipe[1] ou d'infériorité, c'est la limite même de sa liberté, c'est son pouvoir de résistance aux supplices[2] et à la mort. A ceux qui eurent une activité clandestine, les conditions de leur lutte apportaient une expérience nouvelle: ils ne combattaient pas au grand jour, comme des soldats; en toute circonstance ils étaient seuls, ils étaient traqués dans la solitude, arrêtés dans la solitude; et c'est dans le délaissement,[3] dans le dénuement[4] le plus complet qu'ils résistaient aux tortures, seuls et nus devant des bourreaux bien rasés, bien nourris, bien vêtus qui se moquaient de leur chair misérable et à qui une conscience satisfaite, une puissance sociale démesurée[5] donnaient toutes les apparences d'avoir raison. Seuls. Sans le secours d'une main amicale ou d'un encouragement. Pourtant, au plus profond de cette solitude, c'étaient les autres, tous les autres, tous les camarades de résistance qu'ils défendaient; un seul mot suffisait pour provoquer dix, cent arrestations. Cette responsabilité totale dans la solitude totale, n'est-ce pas le dévoilement même de notre liberté? Ce dénuement, cette solitude, ce risque énorme étaient les mêmes pour tous, pour les chefs et pour les hommes, pour ceux qui portaient des messages dont ils ignoraient le contenu, comme pour ceux qui décidaient de toute la résistance, une sanction unique: l'emprisonnement, la déportation, la mort. Il n'est pas d'armée au monde où l'on trouve pareille égalité de risques pour le soldat et le généralissime. Et c'est pourquoi la Résistance fut une démocratie véritable: pour le soldat comme pour le chef, même danger, même délaissement, même responsabilité totale, même absolue liberté dans la discipline. Ainsi, dans l'ombre et dans le sang, une République s'est constituée, la plus forte des Républiques. Chacun de ses citoyens savait qu'il se devait à tous et qu'il ne pouvait compter que sur lui seul; chacun d'eux réalisait, dans le délaissement le plus total, son rôle historique et sa responsabilité. Chacun d'eux, contre les oppresseurs, entreprenait d'être lui-même, librement, ir-

1. *son complexe d'Œdipe:* his Œdipus complex. 2. tortures. 3. abandonment, neglect. 4. destitution. 5. boundless.

rémédiablement. Et en se choisissant lui-même dans sa liberté, il choisissait la liberté de tous. Cette République sans institutions, sans armée, sans police, il fallait que chaque Français la conquière et l'affirme à chaque instant contre le nazisme. Personne n'y a manqué et nous voilà à présent au bord[1] d'une autre République. Mais ne peut-on souhaiter que cette République de grand jour, qui va venir, conserve au soleil les austères vertus de la République du Silence et de la Nuit?

1. threshold.

FRANÇOIS MAURIAC, a slender, delicately-boned man with a pointy face and bright, intelligent eyes, once referred to himself as "le seul vieux monsieur" of the Resistance. *Vieux monsieur* has a connotation of respectability tinged with fussiness and caution. But Mauriac was making fun of himself. He is more properly a *vieux monsieur manqué*, a man who by virtue of his family background, his wealth, and his earned but very conventional success, which came early in life, should have developed into a *vieux monsieur* but didn't. He even *looks* like a *vieux monsieur* — except for the eyes. Mauriac was born in 1886. His voice is a hoarse whisper, which always sounds as if he had a severe sore throat. It is a consequence of a throat ailment that nearly resulted in his death in 1934; an operation saved his life but not his speaking voice. The same illness resulted in his election to the Académie Française, he professes to believe. The Académie usually chooses new members from among illustrious men so old they are near death; Mauriac says they picked him because they were sure he would die immediately.

The French attitude toward the Académie is to say the least ambivalent. All Frenchmen make fun of it, but they must consider it of great importance, or they could not become so emotional as they do when discussing its failings. I know one French writing man who changed his name — before the Resistance! — because his father happens to be a rather dull Academician. Mauriac says that he would like to get some of his young and brilliant Resistance colleagues like André Malraux and Louis Aragon into the Académie, but he is afraid that one of two bad things would happen. "Either they would lose their talent," he says, "or the Académie would explode." It is symptomatic, however, that he has not resigned. He holds to the past as well as the future, as the conclusion of this brilliant essay indicates.

Mauriac is a Catholic, by conviction as well as circumstance. Catholic intellectuals in France, while numerous, are in a minority. He chooses to speak of France as a nation with a soul and a vocation — "being fully aware that certain words irritate Frenchmen in 1944." Sartre might speak of France's "responsibility" and Aragon of her "mission," without changing the argument of the piece.

Mauriac's fine-spun mind is hypersensitive to intellectual poison. It has a quality like the cuffs we wore on our arms on D-Day, which were supposed to change color at the slightest trace of poison gas in the atmosphere. The arguments of Charles Maurras, Léon Daudet, Jacques Bainville and other editors of the newspaper *L'Action française* in the years between the wars had been more than an affront to Mauriac; they had been an affliction. *L'Action française* was not only a newspaper but a movement and more than either a state of mind. The state of mind was sustained by reading the paper. It pretended to be royalist, but had been disowned by the exiled French royal family. It pretended to be Catholic, but had been disowned by the Vatican. Its royalism was, in practice, simply anti-republicanism; its religion, anti-masonry, anti-semitism and an assertion of proprietary rights in Joan of Arc. Together they added up to nihilism, rationalized by a fake nostalgia for a past that the poison manufacturers consistently misrepresented. *L'Action française* was violently anti-labor, anti-democratic and anti-Soviet. It made its readers feel that they were members of an élite which could not secure its due of deference and power in a democracy. One became a member of this élite by subscribing to the paper. The élite was left to assume that wealth would come with power. Explicitly *L'Action française* had little to say about money. It implied that only Jews, politicians and labor leaders cared about that. Naturally it enjoyed the approval of the wealthiest men in France, who were neither Jews, politicians nor labor leaders. In both these details it resembled some of our syndicated newspaper columns. In its ensemble the doctrine presents analogies with the late Huey Long's or straight Hitlerism, but *L'Action française* made no attempt to achieve a mass base for a political movement. It concentrated on reiteration of scathing assaults on the rottenness of all existing institutions and release from any social obligation, and it offered its devotees moral justification for every anti-social attitude. Because it demanded no positive action on the reader's part it was a comfortable as well as a fashionable cult. Its converts went out from the schools to exploit every angle of a system for which they felt no responsibility. Their submission to the conquerors was a natural corollary of their *nationalisme intégral*, a pet term of theirs which might be rendered in an idiomatic equivalent of "100 per cent Americanism," in the Ku Klux Klan sense. The defeat which they had done nothing to avert brought them a gratification of the ego, because they were able to say, "I told you so."

It was the editorial skill that went into *L'Action française* that had made it so effective for evil throughout its forty years of existence. Maurras and Daudet — the latter a son of the Nannygoat man — were plausible, vitriolic, voluminous and permanently immature. Their arguments were aimed at students in their teens, and they convinced thousands of them. With many French intellectuals *L'Action française* was merely a phase associated with puberty. With others it lasted. Particularly did it last with those whose intellectual life ended at the college gate, when they went into business or the routine exercise of a profession. For young men, insecure like young men the world over, a group that assured them of their own superiority had a great appeal. They felt the attraction of a doctrine that not only defied the established order but made it the butt of daily abuse. Extremely lax laws of libel made it easy to keep the abuse varied and interesting. The thesis that the French Revolution had been a mistake had the same paradoxical attraction as American historical novels glorifying the Tories of 1777 or the Confederates of 1863. But the thesis was offered seriously, with a quack-doctor assurance and a parade of mumbo-jumbo erudition.

Jacques Bainville, who died in 1941 was the "great historian" touted by *L'Action française*. But he was a historian of synthesis rather than method. Like the old Negro cook who would say only that her sauce contained "ingredients," Bainville permitted no analysis to detract from the effect of his finished product. Léon Daudet died in 1943. In the first year of the liberation Maurras was tried in Lyon and condemned to life imprisonment for treason. During the German occupation his paper had repeatedly demanded the execution of patriot prisoners. He got a better break than he advocated for his countrymen.

LA NATION FRANÇAISE A UNE ÂME[1]

PAR FRANÇOIS MAURIAC

Nous ne pouvons nous prévaloir de[2] rien sinon de notre foi qui, durant ce cauchemar[3] de quatre années, n'aura pas défailli. Même en juin 40, le Reich eut beau hurler sa joie à tous les micros de l'Occident et, sur une France vidée par tous les
5 suçoirs,[4] par toutes les ventouses[5] de la pieuvre,[6] les maurassiens[7] de Vichy eurent beau, en tremblant de joie, essayer enfin leur système, oui, même alors nous demeurions fous d'espérance.

Ce n'est pas que nous ayons toujours ignoré[8] la tentation du désespoir — durant les derniers mois surtout, alors que la
10 griffe[9] se resserrait sur nous jusqu'à nous couper le souffle et que, le sang de la bête coulant par mille blessures, nous nous sentions pris dans l'étau[10] de sa dernière convulsion. Cela peut paraître étrange que, si près d'être délivrés, nous ayons dû parfois nous débattre contre une angoisse mortelle.

1. From *Les Lettres françaises, 9 septembre 1944.* **2.** *nous prévaloir de:* presume on, boast of. **3.** nightmare. **4.** tentacles. **5.** suckers. **6.** octopus, *i.e.*, Nazi octopus. **7.** followers of Maurras. **8.** *here*, been free from. **9.** claws. **10.** vise.

Oh! je sais bien: le monotone grondement[1] de la mort dans le soleil ou sous les étoiles, et la vieille maison qui frémissait de toutes ses vitres, et cette jeunesse de France traquée par les argousins[2] de Vichy au service du Minotaure,[3] et ces amis disparus tout à coup, et ces chambres de torture où nous savions qu'ils avaient refusé de parler, et les feux de peloton[4] qui saluaient chaque aurore de ces printemps radieux, de ces étés où il ne pleuvait jamais et, deux fois par jour, retentissant au-dessus de notre honte infinie, cet appel de Vichy à toutes les lâchetés poussé par Philippe Henriot[5]... Mais non, tant d'horreur n'aurait pas suffi à nous abattre: sous les coups de ce destin ignominieux, quelle rosse endolorie,[6] dans un dernier sursaut, ne se fût relevée sur ses jambes tremblantes?

Et nous nous relevions, en effet. Nous n'avons jamais douté, grâce à Dieu, que la France dût revivre. Mais, la tourmente passée,[7] songions-nous, quelle serait sa place? A quel rang risquait-elle de se trouver ravalée[8]? Lui resterait-il même assez de force pour s'y maintenir? Les plus fins[9] de ceux qui ont trahi pressentaient bien cette angoisse en nous: tous leurs discours, tous leurs écrits s'efforçaient de la réveiller. S'ils avaient atteint à nous persuader que la grande nation[10] de naguère ne serait plus désormais qu'une comparse[11] dans le conflit des empires, du même coup ils eussent été absous à leurs yeux et aux nôtres: là où les nations n'existent plus, le mot trahison n'a plus de sens. Quel n'eût été leur bonheur si[12] vraiment la France avait pu passer pour morte! Car on ne saurait trahir une morte. A les entendre, ils avaient embrassé les genoux du vainqueur parce qu'ils ne trouvaient plus aucune patrie à qui se vouer.[13] Nous observions de loin ces faux orphelins qui faisaient semblant de croire qu'ils n'avaient plus de mère.

1. rumbling, *i.e.*, of bombers bringing death. **2.** (*contemptuous*): cops, police. **3.** The Minotaur (legendary monster who lived in Crete and devoured the Greek youths and maidens sent to him yearly as tribute). **4.** *feux de peloton:* volleys of firing-squads. **5.** notorious French collaborator and radio commentator executed by Resistance men during the occupation. **6.** ailing old nag. **7.** *la tourmente passée:* the storm having passed. **8.** degraded. **9.** smart, subtle. **10.** The great Nation (name given to France because of her power and greater relative population in Europe at the time of the French Revolution). **11.** figurant. **12.** *Quel ... bonheur si:* How great their happiness would have been if ... **13.** *à ... vouer:* to whose service they could devote themselves.

Allons-nous encore nous interroger le cœur dévoré d'inquiétude et de doute? Nous n'étions pas si exigeants dans les premiers jours de notre esclavage. Ah! il s'agissait bien alors de la place qu'occuperait plus tard la France[1] parmi les
5 nations! Il s'agissait bien de son hégémonie perdue! Pour elle, en ces heures-là, aucun autre dilemme qu'être ou ne pas être. Qu'elle ne meure pas avant d'avoir été délivrée, qu'elle survive, qu'elle dure, cette seule angoisse nous serrait la gorge. Eh bien! voici que son existence n'est plus en jeu.[2] Couverte
10 de plaies qui saignent encore, mais vivante entre toutes les nations vivantes, elle se dresse devant l'Europe, serrant contre sa poitrine ceux de ses fils qui l'ont délivrée.

Allons-nous renoncer à la joie de cette résurrection et, avec un Drieu la Rochelle,[3] refaire sans cesse le compte des
15 habitants de chaque empire, comparer le nombre de kilomètres carrés et vouer la France, chiffres en main, à n'être plus que le satellite misérable d'un des mastodontes[4] triomphants?

Lorsque inlassablement ceux qui attendent tout de notre désespoir nous mettent de force le nez dans ces chiffres où
20 s'inscrit la puissance économique de chaque nation, je vous accorde qu'il ne servirait à rien de nous boucher les yeux. Oui, une France même restaurée se trouvera reléguée à un rang modeste et, sur ce plan-là, aucune chance ne demeure pour nous de regagner la première place. Sans doute pourrions-
25 nous, jouant les Machiavels,[5] arguer qu'aucun des empires dominateurs n'a reçu les promesses d'éternité, que chacun d'eux porte dans son sein des principes de dissociation et des germes morbides, que leurs intérêts les dressent les uns contre les autres, qu'une France redevenue la première des nations de
30 second ordre, trouverait dans ces antagonismes matière à une grande politique . . . Eh bien! non: le point de vue de Ma-

1. *il . . . France:* it was hardly a question of the place France would later occupy. 2. *n'est . . . jeu:* is no longer at stake. 3. Drieu la Rochelle, collaborationist writer — of talent — who consented to replace Jean Paulhan as editor of the *Nouvelle Revue Française*, when that periodical was made the official show window for intellectual solidarity with the New Europe. He resigned when it became apparent that the Allies would win, attempted suicide, was prevented from doing so, but after the liberation made another try and succeeded in killing himself. L. 4. (*lit.*, mastodons): juggernauts. 5. *jouant les Machiavels:* acting unscrupulously (according to the teachings of Machiavelli).

chiavel n'est pas le nôtre — nous désirons ardemment que la France reconnaissante regarde ses nobles et puissants alliés dans les yeux, sans l'ombre d'une arrière-pensée[1]: avec leur aide, nous ne désespérerons jamais d'alléger l'humaine destinée de sa fatalité la plus lourde, nous qui, en plein charnier,[2] pro- 5 clamons notre foi dans un monde où tout le pouvoir des esprits et toute la vertu des jeunes cœurs ne seront plus mis au service du meurtre collectif, de la destruction des cathédrales habitées par Dieu et des banlieues[3] habitées par les pauvres.

Nous croyons que c'est à une grandeur de cet ordre que doit 10 prétendre[4] la France ressuscitée. Ceux qui espèrent tout de notre humiliation et de notre fatigue infinie auront beau ajouter chaque jour un trait à l'image de nous-mêmes qu'ils s'efforcent de nous imposer, à cette caricature d'un vieux pays agricole, arriéré,[5] décrépit, dont les magnats des deux mondes n'atten- 15 dent plus que des fromages,[6] des vins et des modèles de robes,[7] inlassablement nous leur rappellerons ce qu'ils feignent d'oublier, ce qu'ils ont intérêt à oublier: que la nation française a une âme.

Oui, une âme. Je n'ignore pas que certains mots irritent 20 les Français de 1944.

Quand une grande nation a touché l'extrême du malheur,[8] quand foulée aux pieds[9] depuis quatre années par son vainqueur, elle a été traitée comme ces tribus[10] que les puissances esclavagistes décimaient et déportaient — quand un peuple en- 25 fin a atteint ce comble de la honte qu'il a fourni lui-même à ses maîtres des domestiques et des bourreaux, on est mal venu de lui parler de son âme[11] et d'opposer aux chiffres qui consacrent sa ruine économique des effusions et des attendrissements.[12] 30

Et pourtant, ce dont les collaborateurs s'efforçaient de dé-

1. *sans . . . arrière-pensée:* without the slightest reservation. 2. *en plein charnier:* right in the middle of the charnelhouse (when French patriots were being butchered by the Gestapo). 3. suburbs, *i.e.*, working-class quarters. 4. aspire, lay claim to. 5. backward. 6. cheeses. France is famous for many varieties, such as Camembert, Roquefort, etc. 7. *modèles de robes:* dress fashions. 8. *extrême du malheur:* the utmost depths of misery. 9. *foulée aux pieds:* trodden under foot. 10. *ces tribus:* those tribes (in Central and Western Africa at the time of the slave trade). 11. *on . . . âme:* it is ill-timed to speak to her about her soul. 12. feelings of pity.

tourner notre attention pour nous maintenir dans le désespoir, c'était d'un fait réel et tangible: la richesse spirituelle de la France demeure et elle intéresse éminemment[1] sa puissance temporelle. P.-J. Proudhon[2] écrivait en 1851: « Quant à moi,
5 l'homme le moins mystique qui soit au monde, le plus réaliste, le plus éloigné de toute fantaisie et enthousiasme, je crois être déjà en mesure d'affirmer, et je prouverai qu'une nation organisée comme la nôtre constitue un être aussi réel, aussi personnel, aussi doué de volonté et d'intelligence propre que les
10 individus dont il se compose . . . Là est surtout la grande révélation du XIXe siècle. » Ce même Proudhon proteste dans une autre lettre qu'une nation « est un être *sui generis*,[3] une personne vivante, une âme consacrée devant Dieu . . . » Une personne, une âme consacrée se manifeste par sa vocation.
15 Ici encore, je m'efforce de me tenir en garde contre un mot qui ne viserait qu'à l'éloquence. Mais enfin lorsqu'en septembre 1939, la France divisée contre elle-même, désarmée, déjà chancelante, se dressa pour défendre la Pologne et pour accomplir le geste que le viol de Prague[4] n'avait pu la résoudre à tenter,
20 chacun sait bien — et même les Français qui lui en font un crime aujourd'hui — à quelle exigence de sa vocation elle obéit. Et quand le gouvernement de Monsieur[5] Pétain souscrit aux lois raciales, livre à la Gestapo les étrangers[6] qui avaient cru en la parole de la France, quand le bourreau nazi trouve
25 dans la police de Vichy, parmi les hommes de Doriot, de Darnand, assez d'aides et de valets pour n'avoir presque plus besoin de se salir les mains lui-même, qui pourrait feindre de ne pas voir que c'est d'une trahison, ou plus précisément d'une apostasie[7] que ces misérables chargent la conscience de cette
30 personne, de cette âme vivante: la nation française?

Si vivante en dépit d'un tel opprobre, que les complices de ses bourreaux se sont d'abord acharnés contre cette âme au lendemain du désastre, et tant qu'ils ont cru en la victoire du

1. *intéresse éminemment:* has a paramount bearing on. **2.** P.-J. Proudhon (1809–1865) French Socialist and author. **3.** (*Latin*): in a class by itself. **4.** *le . . . Prague:* the rape of Prague by Hitler despite his pledged word. **5.** (*contemptuous*): *instead of* Le Maréchal. **6.** foreigners (religious and political refugees who had fled to France in large numbers between the two wars and had found there the protection and security which was denied them in their various countries). **7.** apostasy, *i.e.*, renunciation of one's own principles.

Führer. Plus tard, lorsqu'ils ne doutèrent plus de sa perte prochaine, ce fut sur notre déficience[1] économique et sur l'inévitable hégémonie bolcheviste ou anglo-saxonne qu'ils mirent l'accent.[2] Mais aux premiers jours de notre servitude, cela seul leur importait: que la France ne retrouvât pas dans son passé de gloire, dans ce qui subsistait de son antique vertu, la force de tenir le coup contre le maître germain. Il fallait lui boucher les oreilles pour que l'insistante, l'inlassable voix[3] du général de Gaulle ne l'arrachât pas à cette boue dans laquelle Vichy la maintenait agenouillée et prostrée. Nous devons rendre justice aux collaborateurs: ils attestèrent que cette vive flamme brûlait encore, par leur acharnement même à la vouloir éteindre. J'espère que M. Bernard Faÿ[4] à qui Vichy livra la Bibliothèque nationale, y a colligé[5] avec soin les journaux et les revues parus depuis juin 1940 dans la zone occupée. Que d'apitoiements[6] hypocrites! que de moqucrics à peine voilées! Et parfois que d'outrages à la France vaincue! Entre juin 1940 et 1944 une immense risée[7] s'élève de toutes les salles de rédaction vers la patrie liée au poteau et bâillonnée.[8] « *Tu n'es plus rien* », c'est le thème qu'ils orchestrent tous. Ces journalistes de deuxième et de troisième zone qui tiennent alors la vedette,[9] ah! ce n'est pas assez de dire qu'ils ont la patte lourde! Seul, un véritable écrivain, M. de Montherlant,[10] dans *Le Solstice de juin*, dispense non sans art aux « chenilles »[11] françaises le crachat[12] et l'urine.

Je vous supplic dc les croire si vous ne m'en croyez pas: ces Français au service de l'Allemagne . . . (non, ce n'est pas assez dire: au service des passions inhumaines de l'Allemagne nazie) ces Français ne s'acharnaient pas contre un fantôme, mais contre cette part de nous-même qui proteste, résiste, contre cette âme affaiblie certes, profanée, souillée, mais

1. shortcoming. **2.** *mirent l'accent:* placed stress. **3.** voice, *i.e.*, over the Allied Radio before the Free French could land in France with the armies of liberation. **4.** A French historian who became a collaborationist and was put in charge of the National Library in Paris. **5.** collected and compared. **6.** expressions of compassion. **7.** jeer. **8.** gagged. **9.** *tiennent . . . vedette:* get top billing, are in the limelight. **10.** Henri de Montherlant, a contemporary writer who made a literary fashion of virility and tough-mindedness. He proved a fake when the test came and mild-mannered men like Paulhan and Mauriac demonstrated their courage. In an article of transparent allegory he once compared the patriots to caterpillars blinded with spittle. L. **11.** caterpillars. **12.** spittle.

vivante et c'est là le tout. La martyre[1] dont le vainqueur a abusé et dont un bâillon[2] serre la bouche, regardez sa tête qui ne s'interrompt pas de bouger de droite à gauche et de faire depuis bientôt cinq années le signe du refus.

5 C'est à nourrir cette flamme que je vous convie.[3] Là encore, je me méfie d'une image, mais je vous supplie d'attacher votre esprit à la réalité qu'elle recouvre. Nous n'avons rien d'autre à faire qu'à redevenir nous-mêmes le plus vite possible, car pour assurer notre indivisibilité, peu de temps nous est dé-
10 parti dans cet univers livré aux grands empires triomphants. D'autant que ce pays, déjà déchiré par les factions avant le conflit, nous n'ignorons pas que les circonstances y ont élevé de nouvelles barrières, creusé de nouveaux abîmes à l'intérieur même des partis et des classes. Par bonheur, la Résistance a
15 réuni d'abord autour du général de Gaulle, puis confondu et amalgamé dans une passion unique des Français de tout bord[4] et de toute condition.[5] Que cet alliage[6] demeure, qu'il résiste à toutes les puissances de dissociation, il n'existe pas d'autre promesse de salut[7] que celle-là.

20 Mais un grand événement de la politique intérieure m'incline à croire que cette espérance ne sera pas vaine: l'hypothèque est levée que les émigrés éternels faisaient peser sur l'idée de nation.[8] La collusion avec l'ennemi d'un certain nombre de nationalistes — non sans doute du plus grand nom-
25 bre, grâce à Dieu ! — et singulièrement[9] de ceux qui se glorifiaient d'adhérer au nationalisme intégral, la trahison de *L'Action française*[10] en un mot, a pu remplir de stupeur ceux-là mêmes qui à son propos nourrissaient le moins d'illusions, elle

1. martyr (*f.*) *i.e.*, France. **2.** gag. **3.** invite. **4.** *de tout bord:* from all quarters. **5.** *de toute condition:* from all classes or trades. **6.** alloy (*figuratively stronger than* alliance, *since the elements of an alloy can hardly be dissociated*). **7.** salvation. **8.** *l'hypothèque . . . nation:* The mortgage that the eternal "émigrés" had placed on the concept of nation is paid off. (The reference is to the Royalists and their friends whose ancestors emigrated at the time of the French Revolution, because they opposed the new democratic concept of nation, *i.e.*, an association of free citizens, and remained faithful to the old, *i.e.*, subjects obeying some absolute king. The adjective "éternel" indicates that they never changed their minds, nor did their descendants. Even when they had come back to France they remained "émigrés" as far as their political views were concerned.) **9.** particularly. **10.** betrayal of *L'Action française*, *i.e.*, Maurras's Royalist paper which had advocated a brand of nationalism and yet became collaborationist after the defeat of 1940.

devrait surtout les combler de joie; car rien ne défend plus désormais aux Français fidèles: gaullistes de droite, syndicalistes,[1] communistes, de demeurer étroitement unis dans le culte de la nation, accaparée[2] depuis un demi-siècle par des hommes qui avaient confisqué la patrie. 5

L'événement démasque ces nationalistes par antiphrase[3] qui haïssent la nation. Quelques-uns d'entre eux en sont demeurés stupéfaits: ils ne se connaissaient pas eux-mêmes. C'était de bonne foi qu'ils avaient monopolisé la patrie au service de leur classe et qu'ils avaient atteint à se persuader qu'un citoyen a 10 le droit d'arrêter, de fixer l'histoire de son pays à un certain moment du passé et que l'on peut tout ensemble chérir la France et exécrer ce qui aux yeux du monde entier se confond avec elle.

Il faut leur rendre cette justice que jusqu'à la fin de l'autre 15 guerre, nul ne mit jamais en doute leur sincérité. Des milliers de garçons formés par Barrès,[4] par Péguy,[5] mais aussi par le Maurras[6] des premières années du siècle, donnèrent leur vie. Qu'accorderons-nous encore à Charles Maurras? Après beaucoup d'autres, mais avec une patiente, avec une quotidienne 20 furie, il a dénoncé pendant près d'un demi-siècle les déviations d'un parlementarisme dégénéré; il a su dégager, à partir de l'expérience, certaines conditions nécessaires à la vie nationale. Mais à quoi bon poursuivre? Hélas! tout ce qu'on pourrait avancer pour sa défense s'effondre devant cet aboutissement 25 effroyable de son enseignement: sans l'avoir voulu, lui et ses disciples se sont réveillées, un jour, dans le camp de l'ennemi, du même côté que le bourreau allemand et que ses valets français.

Comment le nationalisme intégral a-t-il pu aboutir à la trahison? Que se passa-t-il donc entre les deux armistices,[7] 30 celui de la gloire et celui de la honte? Simplement ceci, que les principes chers aux nationalistes français et dont ils n'avaient pu assurer le triomphe dans leur propre pays, l'emportaient au

1. trade-unionists. **2.** monopolized. **3.** *ces . . . antiphrase:* those nationalists whose name was a misnomer (*lit.*, antiphrasis is a way of explaining a thing by saying the reverse). **4.** Maurice Barrès (1862–1923), French novelist and nationalist thinker. **5.** Charles Péguy (1873–1914), French Catholic who adhered to a mystic form of socialism and inspired his followers with great patriotism. *See pp. 446–47.* Here Mauriac concedes that Maurras had been honest early in the century — which is charitable. L. **7.** Nov. 11, 1918 and June 22, 1940.

delà des Alpes et du Rhin. Leur rêve s'accomplissait, mais chez l'ennemi. L'écrasement des socialistes, des communistes et des Juifs exécrés,[1] la destruction des bourses du travail[2] et des syndicats, le primat de la force[3] proclamé et pratiqué au
5 dedans et au dehors, la classe ouvrière désarmée et humiliée, l'individu asservi grâce à la toute-puissance d'un parti incarné dans un homme, une police enfin, régnant au delà du bien et du mal,[4] sur les consciences, et sur les cœurs, par la torture et par le crime, ce beau songe qu'avaient vainement
10 caressé chez nous, depuis cinquante années, tant de bonapartistes sans César,[5] et de boulangistes sans Général,[6] ils le voyaient enfin de leurs yeux. Mussolini les avait émerveillés; l'ascension d'Hitler fut un éblouissement. Par contraste, ce qui se passait en France leur parut d'autant plus horrible.
15 Voici qu'enfin ils donnaient raison à l'adversaire: eh bien! oui, c'était sans remède: la France demeurait liée à jamais au parlementarisme et à la démocratie; la nation et les principes qu'elle servait s'effondreraient ensemble, ils en acceptaient l'augure: dans le champ clos de l'Espagne,[7] le jugement de
20 Dieu[8] avec été rendu et des milliers de cadavres abyssins[9] attestaient sous les étoiles indifférentes le triomphe de la force.

Le mot affreux d'un nommé Laubreaux, lors de la déclaration de guerre: qu'il souhaitait à son pays une guerre courte et désastreuse, tous n'eurent pas l'audace de le crier, c'était bien
25 là pourtant le cri du cœur d'un certain nationalisme français.

L'ennemi à leurs yeux détenait seul la formule de vie. Les idées de Sorel[10] et de Maurras, étouffées chez nous par l'ivraie[11]

1. hated Jews, *i.e.*, hated by the French Royalists and pro-fascists. **2.** *bourses du travail:* labor-exchanges. **3.** *le . . . force:* the primacy of force. **4.** *au delà . . . mal:* beyond good and evil, *i.e.*, Nietzche's *Beyond Good and Evil.* **5.** *bonapartistes sans César:* Bonapartists without a leader. **6.** The Boulangists were the followers of General Georges Boulanger (1837–1891) a reactionary French General who tried to overthrow the Third Republic in 1889. **7.** *dans . . . l'Espagne:* in the lists (for judicial combat) of Spain. (The reference is to the Spanish Civil War that began in 1936 and served Hitler and Mussolini as a dress rehearsal for the coming attack on the democracies.) **8.** *jugement de Dieu:* ordeal. (The reference is to the medieval custom in which God was supposed to give the victory to the right side in a judicial combat.) **9.** of Abyssinians (butchered by Mussolini's army in the conquest of Abyssinia, 1935). **10.** Albert Sorel (1842–1906), French historian and nationalist thinker. **11.** tares. (Biblical allusion to the tare destroying the good grass.) According to the French Nationalists the democratic tares or weeds prevented the growth of a healthy nationalism.

démocratique, comme elles avaient germé, comme elles avaient levé[1] en Italie et en Allemagne! Et ils suivaient de loin, ils écoutaient à la radio le piétinement de ces défilés devant l'idole, ils se prosternaient avec cette jeunesse en uniforme, athlétique, sans regard, sans pensée, obéissant au geste et à la voix. Ils saluaient comme des sauveurs ces millions de robots à qui l'empire du monde était promis.

La nuit, quand je ne dors pas, je songe avec un sombre plaisir aux survivants de ces foules qui, sur les images de *L'Illustration*[2] de 1936 dessinent à Nuremberg d'immenses figures géométriques autour de la tribune où se dresse l'homme-fétiche.[3] Ils connaissent maintenant cette vérité qu'aucune force au monde n'existe qui ne puisse être surclassée. Ils la remâchent[4] dans les décombres[5] fumants de leur grand Reich. Je ne me lasse pas non plus de contempler en esprit, durant mes insomnies, cette autre photo de *L'Illustration:* Ciano[6] rit à pleines dents au retour d'un raid où il a massacré sans risque des tribus de paysans et de bergers, mais derrière lui, sur son avion, une tête de mort est peinte et rit du même rire . . .

Rien donc n'empêchera désormais les Français de tous les partis, engagés dans la même résistance à l'envahisseur, de demeurer unis autour de cette idée de nation que quelques prétendus « nationaux » n'accaparent[7] plus. De cette classe ouvrière qui s'était crue elle-même gagnée à l'internationalisme, la nation a vu se lever d'innombrables défenseurs et qui ont tenu bon, alors que certains professionnels du nationalisme trahissaient. Paris s'est délivré lui-même et, comme tant d'autres vieilles villes françaises, a magnifiquement témoigné devant le monde que le sens de la nation s'est réveillé dans le peuple militant. L'esprit de 93[8] revit enfin! Mais j'atteste ici que nous ne laisserons plus se rétablir l'équivoque.[9] La quatrième République ne sera pas si bonne fille[10] que celle dont les misérables chefs apprenaient par cœur les articles de

1. sprung up, grown. **2.** well-known illustrated French weekly. **3.** man-fetish, *i.e.*, Hitler. **4.** chew that bitter cud, brood upon it. **5.** rubble. **6.** Count Galeazzo Ciano, Mussolini's son-in-law, foreign minister who was ultimately shot by order of The Duce in 1944. **7.** monopolize. **8.** The spirit of the French Revolution whose climax came with the establishment of the First Republic in 1793. **9.** *nous . . . l'équivoque:* we will not allow the return of this misunderstanding (as to the meaning of the word nation). **10.** (*colloq.*): good girl; *cf.* "sucker."

Bainville,[1] et recevaient sans broncher,[2] la bouche en cœur,[3] le paquet d'ordure[4] que leur déversait chaque matin sur le crâne Léon Daudet.[5] Ils avaient perdu jusqu'au réflexe que l'instinct de conservation suscite chez les animaux. L'autop-
5 sie de la République assassinée décèle[6] ce cancer profond qui la rongeait. L'impuissance, ou pour mieux dire l'inexistence de *L'Action française* sur le plan électoral[7] détourne la plupart des démocrates d'être attentifs à ce travail du termite maurrassien,[8] dans le cerveau et dans le cœur de la nation.

10 Nous savons maintenant que la liberté doit être défendue. Nous ne nous embarrasserons plus d'une contradiction qui nous paralysait naguère. Nous n'hésiterons pas à défendre la liberté par la force contre ses ennemis éternels. Nous comprenons maintenant le sens de la devise[9] révolutionnaire que
15 les timides républicains du Second Empire[10] avaient amputée de l'essentiel: Liberté, Egalité, Fraternité OU LA MORT.[11] Oui, ou la mort. Non qu'il s'agisse pour nous d'instaurer des délits d'opinion[12] ni de dresser des échafauds, mais simplement de monter autour de la République une garde farouche.

20 Au lendemain même de la paix, selon l'attitude que prendront nos chefs à l'égard des tenants[13] de *L'Action française* et de tous ceux qui directement ou indirectement relèvent de[14] son esprit, même s'ils la renient des lèvres, nous pourrons mesurer les chances de la République ressuscitée. Bien sûr, il existera
25 d'autres pierres de touche, et par exemple la réponse qu'on pourra donner à de simples questions du genre de celle-ci: « A qui appartient le journal *Le Temps* »?[15] Mais d'abord nous

1. Jacques Bainville (1879–1941), French historian, one of the founders of the royalist *L'Action française*. **2.** *sans broncher:* without wincing. **3.** *la bouche en cœur:* simpering. **4.** *paquet d'ordure* (*lit.*, package): bucketful of muck. **5.** Léon Daudet (1868–1943), French novelist and royalist thinker, co-founder with Maurras of the *L'Action française* in 1907. **6.** reveals. **7.** *sur le plan électoral:* on the electoral plane, *i.e.*, The *Action française* Royalists got next to no votes. **8.** (*lit.*, the. Maurrassian termite): *i.e.*, Maurras himself through his mouthpiece the royalist daily, *L'Action française*. **9.** motto, slogan. **10.** *timides . . . Empire:* timid would-be republicans under the Second Empire (1851–1870). **11.** Liberty, Equality, Fraternity OR DEATH. From this motto of the French Revolution, the Third Republic only preserved the first three words. **12.** *d'instaurer . . . d'opinion:* to punish people for their views. **13.** supporters. **14.** depend on. **15.** well-known conservative paper which supported Pétain and was therefore suppressed after the liberation. *Le Temps* for years was considered the semi-official spokesman of the Government. In its latter days it was said to be owned by the French members of the European Steel Cartel. L.

ne saurions apporter trop d'attention au signe que sera la survivance ou la mort de l'esprit de *L'Action française*. Nous n'avons pas besoin de prétexte: l'aboutissement du nationalisme intégral, nous n'avons cessé de le considérer chaque matin jusqu'à l'aube de la délivrance: ce numéro de *L'Action française* publié sous le contrôle allemand, cet article quotidien de Maurras approuvé par la Kommandantur. 5

De ceux qui ont eu part à cette faute le moins que la République puisse exiger, c'est la retraite et c'est le silence. Nous n'avons certes pas la folie de leur interdire de penser ce qu'ils pensent ni de croire ce qu'ils croient. Mais ils ne se retourneront plus contre la liberté, ainsi qu'ils l'ont fait impunément durant un demi-siècle, les armes que leur livrait cette Marianne avachie,[1] aux seins écroulés,[2] inventée par leurs caricaturistes,[3] reine du jeu de massacre[4] dont la presse dite nationale a fait ses longues délices. 10 15

Tous les régimes se ressemblent par les scandales, c'est le trait qui leur est commun. Le diable sait ce que furent les dessous des dictatures. Le ton de Saint-Simon[5] prête du style et une espèce de grandeur à des crimes qui font paraître bien anodines[6] les modestes friponneries de l'Etat populaire.[7] Mais seule, entre tous les gouvernements connus, la troisième République aura donnée licence[8] à ses ennemis de monter en épingle[9] la moindre affaire, d'user effrontément de la calomnie contre les hommes au pouvoir, et de persévérer dans cette patiente entreprise de salissure[10] qu'en juin 1940 ils ont enfin menée à son terme avec la collaboration de l'envahisseur. 20 25

Au vrai, cette défense de la République dépend de notre volonté et d'une bonne organisation de la justice. Mais un problème d'un tout autre ordre s'imposera d'abord à nous, et qu'au premier regard il paraît difficile à résoudre! Entre les 30

1. this sloppy weakling "Marianne" *i.e.*, the French Republic. (*Cf.* "Uncle Sam" for the U.S.A.). Royalist cartoons presented her as a slattern. **2.** with shrunk breasts. **3.** cartoonists. **4.** *jeu de massacre:* The British "Aunt Sally" (a game played at Paris in which the players try to knock down the figure with a ball). **5.** Duke Louis de Saint-Simon (1675–1755), French writer whose magnificent style has invested the worst excesses of the old royalist regime with a sort of awesome grandeur. His *mémoires* on the life of the court of Louis XIV are famous for their style and historical detail. **6.** insignificant, harmless. **7.** the Popular State, *i.e.*, democracy. **8.** given full permission. **9.** *monter en épingle* (*lit.*, set on a pin): emphasize. **10.** mudslinging.

partis politiques ressuscités à l'intérieur de la nation, comment se régleront les rapports? Le culte de la nation qui les tiendra tous embrassés ne saurait abolir ce qui les divise. Et par exemple, ce débat à la veille de la guerre, à propos de la « main
5 tendue »[1] par les communistes aux catholiques, s'ouvrira de nouveau, mais avec quelle redoutable urgence!

Peut-être le secret de notre destin est-il lié aux intentions occultes de certains hommes dont le nom est encore inconnu et qui, en ces heures-là, mèneront le jeu.[2] Au long de quatre
10 années, l'intérêt de leur idéologie s'est confondu avec la défense de la patrie. Les martyrs communistes[3] n'ont pu mourir pour le parti sans mourir en même temps pour la France et c'est à la France qu'ils appartiennent d'abord. Mais la paix revenue change les données[4] du problème français. Com-
15 munistes, socialistes, gaullistes, souvenons-nous de l'erreur affreuse de Maurras: ne rejetons pas de notre héritage national la part dont nous serions tentés de croire que notre parti n'a plus l'usage, ou dont le charme ne nous toucherait plus, nous qui savons aujourd'hui qu'aucun parti politique, fût-il in-
20 ternational, ne saurait demeurer vivant dans une patrie morte.

1. out-stretched hand. (When the Nazis became particularly threatening after 1936, the French Communists launched a campaign for the unity of all anti-fascists. Their policy included an effort to come to an understanding with the Catholics, under the slogan *La main tendue aux Catholiques,* the hand stretched out for a friendly handshake and ultimate unity of action.) **2.** *mèneront le jeu:* will carry on the battle. **3.** communist martyrs, *i.e.,* those French communists who, in very large numbers, beginning with their outstanding foreign policy expert, Gabriel Péri, died for their underground activities. **4.** data, facts.

CHARLES VILDRAC is best known in the United States as author of *Le Paquebot Tenacity*, a play produced here by the Theatre Guild in the twenties as "S.S.Tenacity." He is a poet as well as dramatist. "Il faut restaurer la personnalité" is a pendant to Mauriac's "La Nation française a une âme." The chief problem of modern man, according to Vildrac and many others, is the conflict between the demands of the state and those of the individual. It is peculiarly acute in France because the French are the most individualistic people in the world and at the same time must work closely together in order to survive. Vildrac speaks for the individual and against French imitators of alien herd customs. General Giraud, in a disastrous speech on his visit to America in 1943, said that there were "some good things" about the Nazi system. He probably meant the marching, the discipline and the mass spirit. Vildrac contends there is nothing good about it and the sooner the French forget all of it the better off they will be. As an individual, he feels, the Frenchman is inimitable. As a member of a youth organization the Frenchman is a poor imitation of a German. The thing works both ways. Only fools conform enthusiastically, and a habit of enthusiastic conformity will make an individual a fool.

IL FAUT RESTAURER LA PERSONNALITÉ [1]

PAR CHARLES VILDRAC

En des pages magistrales, que l'on a lues ici-même, François Mauriac a dénoncé *le travail du termite maurrassien*[2] *dans le cerveau et dans le cœur de la nation.* Or, Mauriac le constate implicitement, ce travail a été surtout néfaste[3] dans la mesure où[4] il ouvrait la voie, en France, à l'épidémie de fascisme qui, partie d'Italie, a gagné plus ou moins toute l'Europe, après avoir atteint sa plus grande virulence en Allemagne. 5

Car notre pays a été contaminé par cette peste, noire ou brune,[5] comme à peu près tous les autres; il l'a été moins que certains mais assez pour savoir ce qui lui en a coûté, ce qui lui en coûte encore. Il l'a été dans tous les milieux sociaux et même dans ceux où l'on n'a jamais lu Maurras. 10

Le terrain n'a donc pas été préparé uniquement par Maurras. Aussi bien,[6] il n'y avait pas de Maurras en Espagne pour susciter Franco, ni en Belgique pour susciter Degrelle[7]; et la 15

1. From *Les Lettres françaises, 30 septembre 1944.* 2. *See page 458, ll. 8–9.* 3. baneful, evil. 4. *dans la mesure où:* in the sense that, to the extent that. 5. the colors of the Fascist and Nazi shirts. 6. Moreover. 7. Léon Degrelle, Belgian leader of the Rexist movement, a fascist group which was organized in Belgium some years before the start of World War II. After the 1940 invasion of his country, Degrelle served as Hitler's gauleiter for Belgium.

fumeuse[1] idéologie des nationalistes intégraux[2] n'a pas fait école au delà de Genève, où quelques intellectuels suisses se sont donné le ridicule d'un enrôlement dans les Camelots du Roy.[3]

5 Je crois que, partout, l'apparition du phénomène fasciste a correspondu à l'état de déficience et d'anémie de la société d'entre les deux guerres. De 1920 à 1939, l'organisme est demeuré plus ou moins détraqué[4]: fatigue consécutive à la saignée; fièvre de fausse prospérité; inflation, mauvaise graisse 10 qui coupait le souffle,[5] interdisait tout élan et se refusait à fondre. Crises qui n'étaient autre que les troubles digestifs d'une ploutocratie déjà condamnée; crises pendant lesquelles le malade suait de peur devant la vision du chirurgien de cauchemar: l'homme au couteau entre les dents[6]; charlatans 15 et aventuriers de tous poils,[7] exploitant cet épouvantail,[8] que rafistolaient[9] hier encore Berlin et Vichy.

Enfin, premiers symptômes de l'universelle maladie: diminution, abdication de la personnalité, frénésie grégaire,[10] relâchement du sens critique, adoption d'un conformisme aveugle 20 et tutélaire.[11]

Tout cela ne pouvait entamer[12] sérieusement l'individualisme fécond qui participe[13] du génie de la France et dont tous les régimes ont dû et devront tenir compte. Mais, tout de même: que d'adolescents, que de jeunes hommes nous avons vus ai- 25 mant mieux marcher au pas et suivre un guide d'occasion que d'aller leur propre pas en cherchant eux-mêmes leur voie?

Le désir de beaucoup semblait de n'avoir pas à penser: qu'un chef le fît pour eux, leur imposant en bloc[14] une doctrine, des rites, des consignes,[15] des insignes et, si possible, un uni-

1. hazy, cloudy. **2.** out and out. **3.** "King's hawkers," *i.e.*, youth movement of the French Royalist movement who sold *L'Action française* on the streets of large cities and formed the nucleus of many reactionary demonstrations, and political action groups in pre-war France. **4.** out of order. **5.** *mauvaise . . . souffle:* unhealthy fat that made the body politic short-winded. **6.** *la vision . . . dents:* the vision of the nightmare surgeon; the man with the knife in his teeth. (This was the caricature of the typical communist bogy as portrayed by post-World War I conservative European papers.) **7.** of all kinds. **8.** bogy, scarecrow. **9.** were trumping up again. **10.** *frénésie grégaire:* mass hysteria. **11.** *conformisme . . . tutélaire:* blind conformity to leader-worship, *i.e.*, a way of life patterned by a leader acting as a self-appointed trustee or guardian of the group, or nation. **12.** make an impression on, break down. **13.** which is part and parcel. **14.** *en bloc:* wholesale. **15.** slogans, orders.

forme, des armes. Car une faiblesse foncière[1] s'affuble[2] volontiers des marques extérieures de la force, et la nostalgie de l'action créatrice voue[3] les esprits inconsistants[4] à n'importe quelle camelote idéologique.[5]

Rappelez-vous ces ligues singeant[6] les méthodes nazies; 5 rappelez-vous les expéditions punitives des messieurs à petits bérets,[7] à matraques[8] et à revolvers, qui opéraient en camions, à vingt contre un. Rappelez-vous ces bataillons frénétiques et disparates se mettant au service non d'une grande idée, mais d'un petit aventurier. 10

Une führeromanie,[9] heureusement localisée, se répandait en graffiti sur les panneaux publicitaires[10] et sur l'ardoise des vespasiennes[11]: « Machin au pouvoir! »[12]

D'anciens combattants écervelés aspiraient à la chemise de couleur[13] et au pas de l'oie; des nervis[14] s'exerçaient à la 15 mitraillette et, sous l'œil de gouvernants invertébrés, les agents de Mussolini contrôlaient le Midi de la France tandis qu'en plein Paris les nazis édifiaient leur Maison brune.

L'occupation allemande, y compris le régime de Vichy, tout en propageant le mal, provoque contre celui-ci une salutaire 20 et magnifique réaction de l'organisme français. La révolte fit se dresser dans l'ombre les héros que l'on sait, dont nous connaîtrons demain tous les exploits et qui, dans le cadre[15] d'une action concertée, déployèrent les plus hautes vertus individuelles. Ainsi, tandis que chez les prisonniers, les déportés, les 25 requis,[16] la personne humaine était plus humiliée, plus asservie qu'elle ne le fût jamais, elle recouvrait dans la Résistance toute sa valeur et toute sa dignité.

1. deep-seated, fundamental. **2.** masquerades under. **3.** dedicates, makes ... fall for. **4.** weak, spineless. **5.** *camelote idéologique:* cheap ideological wares. Col. Casimir de la Rocque's *Croix de Feu*, Doriot's *Parti Populaire Français*, Maurras' *Camelots du Roy*. This was the period when the French industrialists were still looking for a homebred Führer to back. But they didn't find one. L. **6.** aping. **7.** the little berets worn by members of the French pro-fascist leagues (such as the *Camelots du Roy*) before the outbreak of World War II. **8.** blackjacks, bludgeons. **9.** mania of following a leader. **10.** *se répandait . . . publicitaires:* expressed itself profusely in inscriptions scratched on commercial wall posters. **11.** *ardoise . . . vespasiennes:* slate walls of public urinals. **12.** *Machin au pouvoir!* Raise so-and-so to power! **13.** Scatter-brained war veterans (World War I) were just dying to wear a colored shirt (like the Italian Blackshirts or the Nazi Brownshirts). **14.** henchmen. **15.** framework. **16.** those who were forced into slave labor.

Mais, parmi les passifs, parmi les moins directement opprimés de tous les Français, que de[1] contaminés à tous les degrés et, le plus souvent, à leur insu!

Dans les légions, les milices, les formations de jeunesses instituées par « le Maréchal » sévissait[2] un caporalisme[3] à la manière de l'occupant, qui soulevait le cœur.[4] Un seul élément y semblait spécifiquement vichyssois[5]: la mascarade. Je pense à ces verts tyroliens d'opérette,[6] à leurs bas blancs, à leur gilet de peau constellé de colifichets,[7] barré de rubans, de galons,[8] de fourragères[9] et à leur cape d'une ampleur et d'un luxe vraiment indécents en un temps où les petits enfants manquaient de vêtements.[10]

Au cours de l'été 1942, j'ai passé quelques semaines dans une région qui hospitalisait plusieurs colonies scolaires.[11] Il y avait là de beaux sites à contempler, des arbres à connaître, des fleurs à cueillir; il y avait place à chaque pas pour l'observation, la découverte ou le rêve. Et je voyais avec stupeur des troupes de garçons parcourir landes[12] et bois sans rien voir, au pas cadencé,[13] en braillant[14] au commandement les pauvretés du répertoire légionnaire, auxquelles il ne manquait qu'un accompagnement de bottes.

Les jeunes prêtres qui conduisaient ces enfants étaient probablement de bons et candides[15] patriotes; ils ne se doutaient guère qu'ils subissaient et inoculaient le virus nazi.

Durant plus de quatre ans et selon les consignes de l'oppresseur, les pouvoirs publics, après avoir aboli nos libertés, dissous nos syndicats[16] et nos associations, se sont appliqués à

1. how many (were) . . . **2.** reigned. **3.** crude Fascist militarism. (Both Mussolini and Hitler glorified the fact that they had been only corporals in World War I, and therefore pretended to represent the viewpoint of the simple veteran.) **4.** made you sick, gave you qualms. **5.** typical of the Vichy regime. **6.** *ces . . . d'opérette:* those green-clad Tyrolean characters reminiscent of light opera. **7.** *constellé de colifichets:* bespangled with trinkets. **8.** service stripes. **9.** lanyards (worn over the left shoulder as a military distinction). **10.** When we got to North Africa, the S.O.L., the *Légion des Anciens Combattants,* the *Chantiers de la Jeunesse* (Vichy youth camps) and the *Compagnons de France* (Fascist boy scouts) seemed to be engaged in a fancy dress competition with the Arab Four Hundred. There was, as Vildrac says, something peculiarly absurd about these proto-military organizations because they were French. Dress as they would, the men looked out of character. It reminded me of a convention of the Tall Cedars of Lebanon. L. **11.** *colonies scolaires:* summer camps for school children. **12.** moors, sparsely grown areas. **13.** *pas cadencé:* rhythmic step, march. **14.** yelling (*cf. braiment:* bray of an ass). **15.** guileless. **16.** labor unions.

mettre en tutelle,[1] c'est-à-dire en étroite surveillance, toutes les catégories de Français. Rassemblements de jeunesses, formations policières, comités d'organisation professionnelle, conseils de l'Ordre[2]: autant d'inventions paralysantes et parasitaires; autant d'intolérables mouches du coche.[3] 5

Enfin, tout cela est liquidé ou en voie de liquidation. Les fenêtres sont grandes ouvertes à l'air pur et à la lumière. Il nous reste à retrouver, avec une respiration profonde, l'aisance de notre pensée comme celle de nos mouvements, et ce n'est pas en un jour que peuvent disparaître les traces de l'infection 10 et de l'ankylose.[4]

Trop de gens se sont habitués à parler bas et à mots couverts[5]; à ne pas faire un pas, à ne pas prendre une initiative[6] ou une responsabilité sans en référer aux autorités, sans solliciter l'appui des bureaux, sans exhiber des papiers vrais ou 15 faux, sans être couverts[7] par une ordonnance[8] ou par un décret. Si bien que certains, routiniers de la servitude,[9] ont fini par prendre les entraves pour des béquilles.[10] Libérons-les, donc des unes comme des autres, dussent-ils chanceler un instant![11] Qu'ils aillent leur chemin, sans matricule[12] et sans *ausweis*[13] et 20 n'acceptent plus que des disciplines d'hommes libres.

Si, comme je le crois, le mal que nous avons subi est lié plus ou moins et dès son origine à une crise de la personnalité, c'est d'abord la valeur et le caractère individuels qu'il faut restaurer, cultiver, remettre à l'honneur. En commen- 25 çant, bien entendu, par imposer le respect de la personne humaine.

1. place under tutelage. **2.** *conseils de l'Ordre:* associations of the various professions. **3.** *mouches de coche:* useless busybodies (allusion to la Fontaine's fable *Le Coche et la mouche,* in which a fly fancies he is driving the coach, while he is merely annoying the horses). **4.** ankylosis, stiffening of the joints. **5.** *à mots couverts:* with due caution (more or less cryptically). **6.** *prendre une initiative:* take action. **7.** duly authorized. **8.** order, instruction. **9.** *routiniers de la servitude:* fond of administrative red-tape. **10.** *prendre . . . béquilles* (*lit.,* mistake bonds for crutches): let themselves be crippled by rules. **11.** *dussent-ils . . . instant:* even though they might stagger for a moment. **12.** administrative number assigned to a person's record, passport, license, or other administrative document. **13.** German for *laissez-passer:* identification papers, passport. A young Frenchwoman I know, driving an automobile between Paris and Orléans a couple of weeks after the liberation, was stopped by a gendarme who asked her for her *Ausweis,* or permit from the German Kommandantur. Habit had been too strong for him. L.

IN LIEU OF EPILOGUE

THE PUBLISHERS of this book had the idea that I should round it off by an epilogue. But an epilogue is a speech at the end of a play, and history has no end. Artistically, the Liberation might seem a good place to "round off" the story of France. There have been, in the course of that same story, a dozen other aesthetically appropriate spots to write "Finis" and "Epilogue." One was the coronation of the Dauphin Charles VII at Reims in 1429 which marked the completion of Saint Joan's mission; another the coronation of Henry IV which marked the end of the Wars of Religion and in the opinion of the contemporary world the triumph of common sense. The fall of Robespierre, the battle of Waterloo, the triumph of 1918, all offered good opportunities for a narrator to draw his threads neatly together, tie a knot and then snip off the loose ends. Unfortunately, from the point of view of the amateur of certainties, history is not composed by playwrights. This is fortunate, from mine, since I do not desire any ending to the story of France. A happy ending is of course inconceivable in the case of a nation anyway. Not even Father Divine has ever promised a heaven for dead nations.

France was threatened with a death that besides being death was as squalid and humiliating as suffocation in the arms of a Yahoo. Her predicament puts me in mind of Gulliver's when the Yahoo, which "smelled very rank," "embraced him after a most fulsome manner." She resisted and escaped. And with her from the hairy and ill-smelling arms of the bleary subhuman there escaped hope for the continuity of civilization. But people in France are not "living happily ever after," any more than are people in the United States, or Norway, or the United Kingdon or Russia. I do not think this cause for disillusionment. Escape from death is a gladsome thing in itself. As a cross-grained Irish waiter in a grim restaurant once said to me: "What do you expect for two dollars? — A gold watch?"

Jean-Paul, the Armored Division soldier who wrote to me from the front on May 10, 1940, when he saw the refugees from

Luxembourg, was demobilized in the Vichy "free" zone after the Pétain Armistice. He went back to Paris, found little to do, and after a while drifted to Orléans, where he started a small trucking business. With his unfailing gift for tinkering with motors, he repaired a couple of venerable vehicles and converted them to run on charcoal. He got into the Resistance and used his trucks to retrieve and haul to safety Sten guns and other arms parachuted by the R.A.F. He found a fine, merry woman in a country town near Orléans and married her. When the Americans approached Orléans in August, 1944, Jean-Paul, who speaks American well, went out to meet them and formed the liaison between them and the F.F.I. His guidance was at least partially responsible for the capture of Orléans with a loss to us of only fourteen men. After the liberation he returned to Paris and got a place as manager of a big garage, an appointment which carried with it a fairly comfortable apartment above the garage and the right to raise chickens on the roof. But the Government requisitioned the garage for military vehicles and Jean-Paul found himself doing the same chores he had performed with the Armored Division in 1940. When I last heard from him he and his wife still had the apartment, however, and during the cold winter of 1944–45, when they could keep only one room heated, they were raising fifty small chicks in the living room. "*Des vraies poules de luxe*," he wrote. "*Poule de luxe*," literally a luxury chicken, means colloquially a luxuriously-kept woman. So *le petit soldat français* with his *débrouillardise caractéristique* continues to "make himself a little life of his own."

My friend Louis Pavageau, of whom I haven't said anything before, a big square-jawed aviator I met in Alsace in 1939, went back after the Pétain Armistice to Dombasle in Lorraine, his home, and there lived out the four-year agony of that eastern province. He was in the Resistance there, and his great day came in September, 1944, when, with the Americans approaching, the F.F.I. men could come out into the open and fight. "We had only one automatic rifle and one sporting rifle for 150 men," he wrote to me, "but what a relief it was to fight." He sent me news of other men I had known in Alsace.

One of them, a Major Bourgon, I had remembered during the dark years with mixed feelings. He was a sanguine, thick-necked, middle-aged survivor of the first World War who looked like Henry the Eighth and had similar tastes, in good cheer at least. He had commanded a battalion in a forest near the Rhine and had set the best table in Europe, having managed to snare a roast chef from one great Paris restaurant and a pastry cook from another. There had been a wartime order against hunting, but there was always plenty of venison on Major Bourgon's table. "Can we help it if the deer strangle themselves in the barbed wire?" he once asked me. "And the pheasants?" I said, with a rapturous glance at three gloriously redundant birds that soldier waiters had just carried in. "The battalion surgeon runs over them on his bicycle," he replied. At the time I had thought this magnificent, but after the debacle I had wondered if such concentration on the good life was compatible with relentless war. Pavageau wrote me that Bourgon had been killed "*sur place*," in 1940, defending his deer forest.

Pavageau thought things were slowly, very slowly, getting better. Jean-Paul thinks so too. And George Adam, the man who used to carry the *Lettres françaises* copy to the secret printer, and who was in the United States during the winter of 1945–46, is sure France will "get out of the dough trough "eventually.

Personally, I believe that France has a great future, because France is full of great people.

This is an old-fashioned, romantic point of view for which I have recently been taken to task by a young friend who has never been anywhere but who reads all the heaviest political, economic and literary magazines to be obtained in Brentano's basement. "It's interesting," he said to me the other day when I had been talking about the efforts of the individual men and women who had found each other to form the Resistance — "But in this atomic age it's dated already."

Courage, however, has no date.
It is a little white goat on the hills.
It outlasts "Thousand-Year Empires."

A. J. Liebling

VOCABULARY

Articles, pronouns, prepositions, and conjunctions are omitted except where the meanings are unusual or specialized. Cognates having the same or virtually the same spelling in both languages are also omitted provided only the one meaning common to both languages is used in the text. Where there are several meanings or where a word other than the exact cognate is desirable in translation, these meanings are given. All words footnoted in the text and not repeated without a note are likewise omitted.

The following abbreviations are used:

adj., adjective
adv., adverb
conj., conjunction
f., feminine
inf., infinitive
interj., interjection
m., masculine
p.p., past participle
phr., phrase
prep., preposition
pron., pronoun
v., verb

—, repetition of the word at the beginning of an entry

A

abaisser *v.* to lower
abandon *m.* lack of restraint, desertion
abandonné *p.p.* left, tossed away, abandoned
s'abandonner à *v.* to give oneself up to
abattre *v.* to kill, strike down, shoot down; **s'—**, to come down
abbaye *f.* abbey
abdiquer *v.* to abdicate
abeille *f.* bee
aberration *f.* deviation from truth
abîme *m.* pit, depth
abject *adj.* contemptible
abjection *f.* abasement
abolir *v.* to suppress
abominable *adj.* loathsome
abominablement *adv.* hideously, frightfully
abondamment *adv.* copiously
abord: d'—, *adv.* at first, (the) first; **tout d'—**, right away
aborder *v.* to accost, touch (land)
abords *m.pl.* neighborhood, outskirts, approaches
aboutir *v.* to come to an end, result
aboutissement *m.* outcome
aboyer *v.* to bark
abri *m.* shelter; **à l'— de**, hidden from
abriter *v.* to shelter, house
abrupt *adj.* steep
absent *adj.* vacant, absent; *m.* absent (one), missing (one)
absolu *adj.* absolute, complete
absolument *adv.* absolutely, unfailingly
absorber *v.* to absorb
s'absorber *v.* to be engrossed

absoudre *v.* to absolve
s'abstenir *v.* to refrain
abstention *f.* abstention, noncompliance
absurde *adj.* absurd, irrational
abuser *v.* to misuse, abuse
abyssin *adj.* Abyssinian
accablé *adj.* weighed down, crushed, stricken, dejected
accablement *m.* dejection
accabler *v.* to heap upon, burden
accéder *v.* to reach
accéléré *adj.* accelerated
accent *m.* accent, stress; strain (of music), tone of voice
s'accentuer *v.* to become more pronounced, increase
accepter *v.* to accept; — **de,** to agree to, consent to
accès *m.* attack; approach, access
accident *m.* accident, mishap
s'accommoder *v.* to accustom oneself
accompagnement *m.* accompaniment
accompagner *v.* to accompany, go with, be with
accomplir *v.* to carry out, perform; **s'—,** to be achieved, accomplished
accomplissement *m.* performance
accord *m.* agreement; **d'—,** agreed; **en — avec,** in harmony with; **être d'— avec,** to be in league with
accorder *v.* to grant, accord, allot; **s'—,** to fit in (with)
accourir *v.* to rush
accrochage *m.* hook, hooking, fastening
(s')accrocher (à) *v.* to hang (on to), be attached (to); fasten (on), clutch; make a stand
accroissement *m.* increase
s'accroître *v.* to increase
accueil *m.* reception
accueillir *v.* to greet, receive
accumuler *v.* to build up; **s'—,** pile up
accusation *f.* charge, accusation
accuser *v.* to charge
acharné *adj.* fierce, desperate, relentless
acharnement *m.* desperate eagerness, fierceness
s'acharner contre *v.* to be dead set against
achat *m.* purchase
acheter *v.* to buy
achever *v.* to finish (off), proceed, dispatch; **s'—,** to be completed, finished; end
acier *m.* steel
acquérir *v.* to acquire; **s'—,** to be acquired
acquiescement *m.* assent, acquiescence
acquis *p.p.* **acquérir**
acte *m.* instrument
action *f.* trial, action, act, deed
actualité *f.* up-to-dateness, reality
actuel *adj.* present
actuellement *adv.* at present
adhérer *v.* to cleave, adhere
adjoint *m.* deputy
admirable *adj.* wonderful
admiratif *adj.* admiring
admirer *v.* to admire, wonder at
adolescent *m.* youth
s'adonner à *v.* to devote oneself to
s'adosser à *v.* to lean back against
adoucir *v.* to soften, brighten
adresser *v.:* — **la parole à,** to speak to; — **une révérence,** to bow; **s'— à,** to address, speak to
adroit *adj.* clever, adroit
advenir *v.* to happen
adversaire *m.* adversary
aération *f.* ventilation
aérien *adj.* aerial
affaibli *p.p.* enfeebled, weakened
s'affaiblir *v.* to become feebler; **aller —,** to lessen, grow weaker

affaire *f.* thing, affair, job; business concern; *pl.* business, deals; **avoir — à,** to have to deal with; **ça ne fera pas l'—,** that won't do
s'affairer *v.* to bustle about
s'affaler *v.* to slump
affamé *adj.* starved
affecté *adj.* concerned, affected
affecter *v.* to pretend
affectueusement *adv.* affectionately
s'affermir *v.* to stiffen
affiche *f.* poster
afficher *v.* to post
affiner *v.* to refine; point, accentuate
affirmation *f.* statement
affirmer *v.* to state, assert, affirm
affleurer *v.* to be flush with, be level
affluence *f.* crowd
affluer *v.* to rush, flow in; **— à,** to swamp
affolé *adj.* distracted, panic-stricken, scared
s'affoler *v.* to become distracted
affreux *adj.* frightful, ghastly
afin de *adv.* in order to
afin que *conj.* in order that
agacer *v.* to annoy; **s'—,** to be annoyed, irritated
âge *m.* age, era; **avoir l'—,** to be old
agenda *m.* engagement-book
agenouillé *adj.* kneeling
agent *m.* policeman, agent; official; **— de liaison,** liaison agent
agglomération *f.* built-up area
s'agglutiner *v.* to be jammed up
aggraver *v.* to increase, aggravate
agir *v.* to act; **s'— de,** to be a matter of, question of; **De quoi s'agit-il?** What's it concerned with?
agitateur *m.* (political) agitator
agiter *v.* to shake, wave; **s'—,** to move about, splash about, stir; twitch
agréable *adj.* pleasing
s'agréger *v.* to congregate, group together

agresseur *m.* assailant
agricole *adj.* agricultural
aide *m.* helper, assistant
aide *f.* help
aider *v.* to help; **s'— de,** to use
aigu *adj.* sharp, keen, piercing
aiguille *f.* needle
aile *f.* wing, fender
ailé *adj.* winged
ailleurs *adv.* elsewhere; **d'—,** besides
aimable *adj.* kind
aimer *v.* to like, love, be fond of; **— mieux,** to prefer
aîné *m.* eldest; *m. pl.* elders
ainsi que *conj.* as well as
air *m.* look, appearance, manner, attitude; **avoir l'— (de),** to seem (to), appear (to)
aisance *f.* freedom
aise: à l'—, at ease, comfortable
aisé *adj.* easy
aisément *adv.* easily
ajouter *v.* to add; **s'—,** to be added
ajuster *v.* to aim
alcool *m.* alcohol, liquor; **— de menthe,** crême de menthe
alentour: d'—, *adv.* round about; **—s** *m. pl.* neighborhood
alerte *f.* air-raid alarm, warning
alerter *v.* to alert
aligner *v.* to line up; **s'—,** to bc lined up
alimentaire *adj.* concerning food, alimentary
alimentation *f.* feeding
alimenter *v.* to feed
allée *f.* path, walk
alléger *v.* to alleviate
allégresse *f.* happiness
aller *v.* to go; **— +** *pres. part.* **(— s'affaiblissant),** to become **+** *adj. in comparative degree* (to become weaker); **il y va de,** it is a question of; **s'en —,** to go off, leave; **va pour** (I'll) settle for

allié *adj.* allied
allô! *interj.* Hello!
s'allonger *v.* to stretch out
allumer *v.* to light
allumette *f.* match
allure *f.* pace; aspect; **à toute —**, at full speed
alors *adv.* then; *interj.* well! — **que,** *conj.* when; **d'—,** *adv.* of that time
s'alourdir *v.* to become heavy, droop
amalgamer *v.* to fuse, blend
amant *m.* lover
amasser *v.* to amass, pile up
amarrer *v.* to anchor, moor
amateur *m.* fancier, one who wants
ambassade *f.* embassy
ambitieux *adj.* ambitious, *n.* ambitious person
âme *f.* soul, spirit
amélioration *f.* improvement
améliorer *v.* to better
amener *v.* to take, bring, bring on, bring up, carry; — **en arrière,** to pull back
aménité *f.* graciousness
amer *adj.* bitter
ameuter *v.* to collect
amical *adj.* friendly
amiral *m.* admiral
amitié *f.* friendship, best wishes
amonceler *v.* to heap up, stack
amour *m.* love
amoureusement *adv.* affectionately
amoureux: être — de, to be crazy about
amoureux *m.* lover
amphibie *adj.* amphibious
amphithéâtre *m.* lecture-room
ample *adj.* large, full
ampleur *f.* size, fullness
s'amuser *v.* to have fun
analogue *adj.* similar
ancien *adj.* former (*before noun*); old (*after noun*)
anéantir *v.* to destroy, annihilate, wipe out
anéantissement *m.* destruction, annihilation, wiping out
anglais *adj.* English
angle *m.* corner
anglophile *adj.* pro-English
angoisse *f.* anguish, agony
angoissé *adj.* distressed
animé *adj.* animated, endowed with life, spirited; inspired
animer *v.* to inspire, give life to; **s'—,** to become excited, heated, animated
annoncer *v.* to announce, advertise, foretell; **s'—,** to promise to be
anonyme *adj.* anonymous, nameless
antenne *f.* antenna
antérieur *adj.* previous, former
anthropoïde *m.* ape, "nitwit"
antichar *adj.* anti-tank
antiphrase *f.* antiphrasis (*use of words in a sense opposite to their meaning*)
antique *adj.* ancient, old
anxiété *f.* concern
anxieux *adj.* uneasy
apaisé *adj.* pacified, lessened
apercevoir *v.* to perceive, view, see; **s'—,** to notice
apéritif *m.* appetizer
apostasie *f.* apostasy
appareil *m.* set; machine; plane
apparent *adj.* visible
apparition *f.* appearance; ghost
appartement *m.* apartment, rooms
appartenir (à) *v.* to belong (to)
appel *m.* call, roll call, call to arms; appeal; **faire — à,** to call on, summon, call forth
appeler *v.* to call, name; **s'—,** to be called
application *f.* studiousness, industry; implementation
appliquer *v.* to apply; **s'— (à),** to apply (to), set oneself (to)

apport *m.* added thing
apporter *v.* to supply, contribute, bring, bring to bear
apposer *v.* to affix
appréhender *v.* to arrest, apprehend
apprendre *v.* to teach, learn; inform
apprenti *adj.* apprentice
s'apprêter *v.* to prepare, make ready
approbation *f.* approval, approbation
s'approcher (de) *v.* to approach, come toward
approuver *v.* to agree, approve
approvisionnement *m.* supply
approvisionner *v.* to supply
approximativement *adv.* approximately
appui *m.* support; ledge
appuyé *p.p.* leaning, resting; **— par,** supported by
appuyer *v.* to emphasize; support; **s'—,** to lean
après *prep.* after, like; **d'—,** according to
après-midi *m.* afternoon
aptitude *f.* fitness
arbitraire *adj.* discretionary, arbitrary
arbitre *m.* judge, arbiter
arbre *m.* tree
arc *m.* arch
arcade *f.* archway
archevêque *m.* archbishop
archives *f. pl.* records
ardemment *adv.* ardently
ardent *adj.* passionate, fierce, ardent
ardu *adj.* arduous
argent *m.* money, silver
arguer *v.* to argue
aride *adj.* barren
arme *f.* weapon
armement *m.* armament
armer *v.* to provide with, fortify
armes *m. pl.* forces, weapons; **en —** armed
armoire *f.* cupboard, clothes closet
arracher *v.* to tear out (off), rip out (off), snatch; extract
arranger *v.* to settle, fix up; **s'—,** to manage
arrestation *f.* arrest
arrêt *m.* halt, stoppage
arrêter *v.* to arrest, stop; **s'—,** to stop (oneself)
arrière *m.* rear; **en —,** *adv.* backward
arrière-garde *f.* rear guard
arrivée *f.* arrival
arriver *v.* to happen, occur; reach, arrive; **— à faire qqch.,** to succeed in doing something
arrondissement *m.* section, zone
arroser *v.* to sprinkle, pepper
art *m.* artfulness, skill
artisan *m.* craftsman
artisanal *adj.* craft, relating to crafts
ascenseur *m.* elevator
ascension *f.* rise
asile *m.* refuge
aspect *m.* appearance; side
asphyxie *f.* suffocation
aspirer *v.* to suck in, inhale
assaillant *m.* attacker
assassinat *m.* murder
assassin *m.* murderer
assassiner *v.* to murder
assaut *m.* assault; **donner l'—,** to attack
assembler *v.* to group, assemble
s'asseoir *v.* to sit (down)
asservi *adj.* enslaved
assez (de) *adv.* enough, quite
assiégé *m.* besieged person
assiette *f.* plate
assis *p.p.* seated
assister à *v.* to be present at, attend, witness
s'assombrir *v.* to become sad, gloomy
s'assoupir *v.* to doze off
assuré *adj.* firm, assured
assurer *v.* to insure, make secure, underwrite

asthmatique *m.* sufferer from asthma
astreindre *v.* to bind, tie down
atelier *m.* shop, workroom
atroce *adj.* heinous, atrocious, frightful
atrocement *adv.* atrociously, frightfully
attacher *v.* to attach, tie, bind; **— un regard,** to rest *or* keep a glance
attardé *adj.* belated
s'attarder *v.* to linger
atteindre *v.* to attain, achieve, reach; hit; **— à** + *inf.*, to succeed in *or* arrive at + *part.*
atteint *p.p.* afflicted
attelage *m.* team
atteler *v.* to harness; **s'—,** to harness oneself
attendre *v.* to await, wait (for), expect; **s'— à,** to expect
attendrir *v.* to move; **s'—,** to become moved
attendrissement *m.* compassion; (feeling of) emotion
attentat *m.* attack
attente *f.* wait
attentif *adj.* attentive, heedful
atterrir *v.* to land
attester *v.* to bear testimony, attest
attirer *v.* to attract, lure, bring down upon; draw
attitude *f.* attitude, bearing
attrait *m.* attraction
attraper *v.* to seize, catch; **attrape!** take that!
aube *f.* dawn; **à l'— de,** at daybreak on
aucun *adj.* any
audace *f.* audacity, boldness; presumption
au-delà *adv.* beyond
au-dessus de *prep.* above, over
auditeur *m.* listener
augmentation *f.* increase
s'augmenter *v.* to increase, grow larger
augure *m.* omen, augury
auparavant *adv.* beforehand
auprès de *prep.* compared with, with, from
aurore *f.* dawn
aussitôt *adv.* immediately (after)
austère *adj.* austere, stern
autant (de) *adv.* so much, so many; **d'— que,** especially since
auteur *m.* author
authentique *adj.* genuine, positive
authentiquement *adv.* genuinely
auto-mitrailleuse *f.* armored car
autonome *adj.* independent
autoriser *v.* to justify, authorize
autorité *f.* authority
autour de *prep.* around
autrefois *adj.* formerly
autrement *adv.* otherwise
Autriche *f.* Austria
avaler *v.* to inhale, swallow
avance *f.* advance; **d'—,** in advance
avancer *v.* to go forward, come forward; put forward, advance; **faire —,** to bring forward; **s'—,** to advance, step forward, move forward
avant *m.* nose; **zone de l'—,** forward zone
avant *prep.* before; **d'— en arrière,** backwards and forwards; **en —,** forward; **peu —,** shortly before
avantageux *adj.* favorable
avant-bras *m.* fore-arm
avant-garde *f.* vanguard
avant-guerre *f.* pre-war period; **d'—,** pre-war
avant-hier *adv.* day before yesterday
avant-veille *f.* day before yesterday
avenir *m.* future
aventure *f.* venture, adventure
s'aventurer *v.* to venture, dare
aventurier *m.* adventurer
avertir *v.* to notify
avertissement *m.* notice
aveu *m.* confession
aveugle *adj.* blind

aveugle *m.* blindman
aviation *f.* air force
avidement *adv.* eagerly, avidly
avidité *f.* thirst, eagerness
avilir *v.* to debase
avilissement *m.* debasement
avion *m.* airplane; — **bombardier,** bomber; — **de chasse,** pursuit plane; — **de transport,** transport plane
avis *m.* opinion; **changer d'—,** to change (one's) mind
aviser *v.* to notify; **s'— de,** to take it into one's head to, bethink oneself of
avocat *m.* lawyer
avoir *v.* to have, get; — **beau** + *inf.*, however much one . . . , in vain; **y — de quoi** + *inf.* to be enough to; **il y a,** there is, there are; ago, before. *See also* **air, conscience, faim, mal, soif,** *etc.*
avouer *m.* confess
axe *m.* axis

B

baigner *v.* to bathe, soak
baignoire *f.* bath-tub
bain *m.* bath
baiser *m.* kiss
baisser *v.* to lower
balancer *v.* to weigh, consider; **se —,** to sway, rock back and forth
balayer *v.* to sweep, brush
balbutier *v.* to stammer
balle *f.* bullet
ballot *m.* bale; (*slang*) "dope"
banal *adj.* commonplace, trite
bande *f.* gang; — **de mitrailleuse,** machine-gun belt
banc *m.* bench, layer
banlieue *f.* suburbs, outskirts
baraque *f.* hut, shack
barbare *adj.* barbarous, wild
barbare *m.* barbarian, savage
barbarie *f.* barbarity, savagery
barbe *f.* beard
barbelé *adj.* barbed
barbu *adj.* bearded
barque *f.* boat
barrage *m.* barrier, road-block
barreau *m.* bar
barrer *v.* to line, bar
barricader *v.* to set up barricades
barrière *f.* gate
bas *adj.* low; **à —** + *noun*, down with; **au — de,** at the bottom of; **en —,** below
bas *m.* stocking
base *f.* foundation
bassesse *f.* baseness
bassin *m.* basin (*of a fountain*)
bassine *f.* pan
bataille *f.* battle
bateau *m.* boat; **les petits —x,** small craft
bâtiment *m.* building; warship, battleship
bâtir *v.* to build
bâtisse *f.* building
battement *m.* tapping
batterie *f.* battery
batteuse *f.* threshing-machine
battre *v.* to beat, beat against, throb; thresh
se battre *v.* to fight
bauxite *f.* bauxite, aluminum-bearing ore
bavarder *v.* to gossip, chatter
Bavière *f.* Bavaria
beau *adj.* beautiful, handsome, fine
beau-frère *m.* brother-in-law
beau-père *m.* father-in-law
bébé *m.* baby
bec *m.* beak
bégayer *v.* to stammer, stutter

belle-sœur *f.* sister-in-law
bénéfice *m.* profit, gain
bénin *adj.* mild
bénir *v.* to bless
berge *f.* bank
berger *m.* shepherd
besogne *f.* job, work
besoin *m.* need; **avoir — de,** to need
bétail *m.* cattle
bête *adj.* stupid
bête *f.* animal
bêtise *f.* stupidity
beurre *m.* butter
bibliothécaire *m.* librarian
bicyclette *f.* bicycle
bidon *m.* can
bien *adv.* really, well, quite, even
bien *m.* welfare, good; *pl.* things, goods
bientôt *adv.* soon; **à —!** so long!
bienvenu *adj.* welcome
bière *f.* beer
bijou *m.* jewel
bilan *m.* balance-sheet
billet *m.* ticket; **— de banque,** bank note
bistro(t) *m.* café
bizarrement *adv.* oddly
blâmer *v.* to blame, find fault with
blanc *adj.* white
blanchisserie *f.* laundry
blasphème *m.* curse, blasphemy
blé *m.* wheat
blême *adj.* pale
blessé *m.* wounded
blesser *v.* to wound, hurt
blessure *f.* wound
bleu *adj.* blue
blindé *adj.* armored; **— à l'épreuve de,** armor-proofed against
blindé *m.* armored division
bloc: mettre au —, to lock up
bloquer *v.* to hold up, block
bœuf *m.* ox, beef (cattle)
boire *v.* to drink
bois *m.* wood; **à travers —,** cross country
boisson *f.* drink
boîte *f.* box; **— à violon,** violin case
bombardement *m.* bombing
bombarder *v.* to bombard, shell, bomb
bon *adj.* right, good; **à quoi —,** what's the use of . . . ? **tenir —,** to stand fast
bon *m.* bond; **— d'Armement,** War Bond
bonder *v.* to cram
bondir *v.* to leap
bonheur *m.* happiness, good fortune
bonhomme *m.* friend, "guy," fellow
bonjour *m.* hello
bonnement: tout —, simply
bonnet *m.* (brimless) cap
bonté *f.* kindness
bord *m.* edge, brim; shore; curb, sill; party, side; **à —,** on board (ship)
border *v.* to line, bound; run along
bordure *f.* border, edge
borne *f.* bound, limit; **sans —s** unbounded
se borner *v.* to confine oneself
botte *f.* boot
botté *adj.* booted
bouche *f.* mouth; **la — en cœur,** simpering
bouché *adj.* plugged, filled
bouchée *f.* mouthful
boucher *v.* to cork, fill up, stop, plug; **— les yeux,** to cover the eyes
boucle *f.* ring
boue *f.* mud
bouger *v.* to stir, move, budge
bougie *f.* candle
bouillir *v.* to boil
bouillonner *v.* to froth, bubble
boulanger *m.* baker
boulangerie *f.* bakery
boule *f.* ball
bourdonnement *m.* hum, drone

bourdonner *v.* to hum, buzz, drone
bourg *m.* small town
bourgeois *adj.* middle-class
bourré *p.p.* crammed, loaded
bourreau *m.* torturer, executioner
bousculer *v.* to shove
boussole *f.* compass
bout *m.* end, bit, tip; **au — de,** after; **venir à — de,** to surmount, succeed in
bouteille *f.* bottle
boutique *f.* shop
bouton *m.* dial (*radio*); knob (*of door*)
boutonner *v.* to button (up)
brancardier *m.* stretcher-bearer
branchages *m. pl.* branches
branche *f.* branch, twig
brandir *v.* to wave
bras *m.* arm; **— de chemise,** shirt-sleeves
brassard *m.* armband
brave *adj.* (*before noun*) good, worthy; (*after noun*) brave
bref *adj.* short
breton *m.* Breton (*inhabitant of Britanny*)
brigand *m.* bandit, rascal
brigandage *m.* banditry
brillant *adj.* grand, splendid
briller *v.* to shine, glitter
brin *m.* blade
brise *f.* breeze, strong wind
briser *v.* to break, smash
britannique *adj.* British
bronzé *adj.* bronzed
brouillard *m.* fog
bruit *m.* noise, sound; rumor; **à grand —,** with great ado, with fanfare; **le — court,** it is rumored
brûler *v.* to burn; crease (*of a bullet*)
brûlure *f.* burn
brume *f.* fog, mist
brun *adj.* brown, brunette
brusque *adj.* quick, sharp
brusquement *adv.* abruptly, quickly
brusquerie *f.* abruptness
brutalement *adv.* savagely
brutaliser *v.* to maltreat, bully
bruyamment *adv.* noisily
bruyant *adj.* noisy
bûche *f.* log
bulletin *m.* certificate, bulletin; **— de recensement,** census receipt
bureau *m.* office, bureau
buste *m.* bust, torso
but *m.* end, goal, aim
buter *v.* to stumble
butin *m.* plunder, loot

C

cabane *f.* cabin, shack
cabinet *m.* cabinet, office, workroom
câble *m.* rope, cable
se cabrer *v.* to rear, rebel
cacher *v.* to hide, conceal; dissemble, mask; **se —,** to conceal oneself, hide
cachet *m.* seal, stamp
cachette *f.* hiding-place
cadavre *m.* corpse
cadeau *m.* gift
cadence *f.* tone; rhythm, rate
cadre *m.* frame, rank; cadre, cell
café *m.* coffee
cahier *m.* paper-bound book, note-book
caillou *m.* pebble
caillouteux *adj.* pebbly
caisse *f.* crate, box
caisson *m.* ammunition truck
calcul *m.* calculation
calculer *v.* to calculate, reckon
calme *adj.* quiet
se calmer *v.* to quiet down
calomnie *f.* slander
camarade *m.* friend, pal
camion *m.* truck

camionnette *f.* light truck; — **du ravitaillement,** supply truck
camoufler *v.* to camouflage
campagne *f.* field, country(side); campaign; **en** —, in the field
canard *m.* duck
cancéreux *m.* sufferer from cancer
candélabre *m.* lamp-post
candide *adj.* simple, guileless
caneton *m.* duckling
canif *m.* penknife
canne *f.* cane
canon *m.* canon, gun; — **de fusil,** gun barrel
canonner *v.* to shell
canot *m.* boat
cantine *f.* canteen
caoutchouc *m.* rubber
capital *adj.* fundamental
capitale *f.* capital (letter)
capitulard *m.* partisan of capitulation
capitulation *f.* surrender
capituler *v.* to capitulate, surrender
caprice *m.* caprice, whim
capturer *v.* to capture
carabine *f.* carbine, rifle
caractère *m.* character, type, characteristic; **en petits —s,** in small type
caresser *v.* to stroke, caress; cherish
caricaturiste *m.* caricaturist, cartoonist
carré *adj.* square; broad-shouldered
carré *m.* square
carreau *m.* pane
carrefour *m.* crossroads, square
carrier *m.* quarrier
carrière *f.* quarry
carte *f.* map, card, paper; — **d'identité,** identity card; — **postale,** postal card
cartouche *f.* cartridge
cas *m.* case, instance, situation; **en tout** —, at any rate
caserne *f.* barracks
casque *m.* helmet
casqué *adj.* helmeted
casquette *f.* cap
casser *v.* to break, smash; — **la croûte,** to break fast, get a snack
casserole *f.* saucepan
catacombes *f. pl.* catacombs
cataracte *f.* waterfall
catastrophe *f.* tragedy
catégorie *f.* group, category
catégorique *adj.* unqualified, categorical
cause *f.* reason, cause; **à — de,** on account of
causer *v.* to chat, talk, speak
causerie *f.* lecture
cavalier *m.* cavalryman
cave *f.* cellar, wine-cellar
céder *v.* to yield, give in *or* up
ceinture *f.* belt
ceinturon *m.* belt
célèbre *adj.* famous
célébrer *v.* to commemorate, celebrate
céleste *adj.* celestial, heavenly
cellule *f.* cell
cendre *f.* ashes
censure *f.* censorship
centre *m.* middle, center
cependant *adv.* meanwhile
cercueil *m.* coffin
cérémonie *f.* ceremony, ritual
cérémonieux *adj.* formal
cerise *f.* cherry
cerner *v.* to surround
certain *adj.* some, certain
certes *adv.* certainly
certificat *m.* certificate, diploma; — **de démobilisation,** discharge papers
certifié *adj.* certified
certitude *f.* certainty
cerveau *m.* brain
cessation *f.* stoppage, cessation
cesse: sans —, endlessly

cesser *v.* to cease, stop
chagrin *m.* sorrow, grief
chaîne *f.* chain, line
chaînette *f.* small chain
chair *f.* flesh, body
chaire *f.* chair, desk
chaise *f.* chair
chaleur *f.* heat
chambre *f.* room, chamber
champ *m.* field, area; — **clos,** lists, proving ground; — **de tir,** rifle range; **demander du** —, to need plenty of room
chance *f.* luck, opportunity, chance
chancelant *adj.* tottering
changement *m.* change
changer *v.* to change; — **d'avis,** — **d'idée,** to change (one's) mind
chanson *f.* song
chant *m.* song, melody
chanter *v.* to sing
chapeau *m.* hat; — **melon,** derby
chapeauté *adj.* wearing a hat
chapelet *m.* string
chapitre *m.* chapter
char *m.* tank; — **d'assaut,** assault tank
charbon *m.* coal
charbonnier *adj.* coal
chargé de *adj.* charged with, in charge of
charger *v.* to load, burden, to fill; entrust
chargeur *m.* clip, charger (*electricity*)
chariot *m.* wagon
charité *f.* charity
charme *m.* charm, attraction
charnier *m.* charnel-house
charpentier *m.* carpenter
charrette *f.* cart
chasse *f.* hunt; — **à l'homme,** manhunt; **faire la** — **à,** to hunt down
chasser *v.* to drive away
chat *m.* cat
châtelain *m.* owner of a castle
châtier *v.* to punish
châtiment *m.* punishment
chaud *adj.* warm; **avoir** —, to be hot
chauffage *m.* heat
se chauffer *v.* to warm oneself
chauffeur *m.* driver
chaussée *f.* roadway, street
chaussette *f.* sock
cheddite *f.* cheddite (*explosive*)
chef *m.* leader, head; — **de bande,** gang-leader; — **de travaux,** laboratory assistant
chef-d'œuvre *m.* masterpiece
chef-lieu *m.* chief town (of a department)
chemin *m.* way, road
cheminée *f.* chimney stack, mantelpiece
cheminer *v.* to tramp
cheminot *m.* railroad worker
chemise *f.* shirt
chenille *f.* (caterpillar) tread
cher *adj.* dear, expensive
chercher *v.* to look (for), seek
chéri *adj.* dear
chérir *v.* to hold dearly to
cheval *m.* horse; **à** —, on horseback
chevelure *f.* hair
cheveu *m.* hair
chèvre *f.* nannygoat
chicane *f.* obstacle
chien *m.* dog
chiffon *m.* rag; frippery
chiffre *m.* figure, combination (*of a safe*)
se chiffrer à *v.* to number
chimie *f.* chemistry; **de** —, chemical
chimique *adj.* chemical
chirurgien *m.* surgeon
choc *m.* blow, impact
chœur *m.* chorus
choisir *v.* to select, choose
choix *m.* choice
chômer *v.* to close down
choper *v.* to catch; — **une pneumonie,** to catch pneumonia

chose *f.* thing, matter
chrétien *adj.* Christian
chromé *adj.* chromium-plated
chronique *f.* chronicle, annal
chuchotement *m.* whisper
chuchoter *v.* to whisper
chute *f.* fall
ci-dessus *adv.* above
ciel *m.* sky, heaven
cime *f.* top, mountain top
cimetière *m.* cemetery
cinéma *m.* movies, movie theatre
circonstance *f.* occasion, case, circumstance
circulaire *adj.* *See* **coup**
circulaire *m.* memorandum
circulation *f.* traffic
circuler *v.* to move around, circulate; run
cire *f.* wax
cirque *m.* amphitheatre
citadelle *f.* stronghold
citadin *m.* townsman
cité *f.* town, city
citer *v.* to cite, recite
citerne *f.* refuelling tank, gasoline truck
citoyen *m.* citizen
civil *m.* civilian life, civilian
clair *adj.* bright, shiny, pale (*color*), clear
clair *adv.* clearly, plainly
clairement *adv.* clearly, obviously
clairon *m.* bugle
clandestin *adj.* secret, clandestine
claquement *m.* snapping
claquer *v.* to click, snap; peal out
clarté *f.* brightness, clearness
clé, clef *f.* key
cliché *m.* plate
client(e) *m. & f.* customer
cligner *v.*: — **de l'œil,** to wink
clin: — **d'œil** *m.* wink; **en un** —, in the twinkling of an eye, in a jiffy
cliqueter *v.* to clank, clatter
cloche *f.* bell
clocher *m.* belltower
clocher *v.* to limp
clos *adj.* closed
clôture *f.* fence
clouer *v.* to nail together
cochon *m.* swine, pig
coco *m.* "bud," "pal," "bub"
cœur *m.* heart; **au grand** —, goodhearted; **de grand** —, willingly, wholeheartedly; **si le** — **vous en dit,** if you feel like it
coffre-fort *m.* safe
(se) cogner *v.* to knock, bump, strike
cohorte *f.* band
cohue *f.* mob; crush
coin *m.* corner, place
colère *f.* anger
colis *m.* parcel
collaborateur *adj.* collaborationist
collaborateur *m.* fellow-worker
collaborer *v.* to contribute, collaborate
colle *f.* paste
collecter *v.* to take up a collection
collège *m.* secondary school, college
collègue *m. & f.* fellow-worker
coller *v.* to stick, adhere
collier *m.* ring, fringe
colliger *v.* to collect
colline *f.* hill
colmater *v.* to close off; "nab"
colonne *f.* column; — **vertébrale,** spinal column
coloration *f.* coloring
colorer *v.* to color
combat *m.* fight, engagement, action, battle; — **de rues,** street-fighting; **ordres de** —, fighting orders
combattant *m.* fighting man; **ancien** —, veteran
combattivité *f.* combativeness
combattre *v.* to fight
comble *adj.* heaped to overflowing
comble *m.* rafter; heaping measure; height

combler *v.* to overwhelm
comité *m.* committee
commandant *m.* major (*Army*); commanding officer (*Navy*); Sir (*used alone in address)*
commande *f.* control; order
commandement *m.* command, demand; **le haut —**, high command
commander *v.* to order, command
commencer *v.* to begin
commentaire *m.* commentary, comment
commerçant *m.* tradesman
commerce *m.* trade
commettre *v.* to commit
commisération *f.* pity
commissaire *m.* chief-of-police
commissariat *m.* police station
commissionnaire *m.* commission merchant
communale *adj.* of the commune
communauté *f.* community
commune *f.* commune (*smallest French administrative division)*
communiante *f.* communicant
communication *f.* paper, communication
communiquer *v.* to announce officially
compacte *adj.* dense
compagne *f.* comrade
compagnon *m.* comrade
comparativement à *adv.* in comparison with
comparé *adj.* comparative
se comparer *v.* to be comparable
compatriote *m.* *&* *f.* countryman, countrywoman
complaisamment *adv.* willingly, complacently
complémentaire *adj.* complementary
complice *adj.* knowing, accessory
complice *m.* accomplice
complicité *f.* collusion
compliqué *adj.* complicated
composer *v.* to set (type); compose, make up; **se — (de),** to consist (of), be composed (of)
compréhensible *adj.* understandable
compréhensif *adj.* understanding
comprendre *v.* to understand; contain, include
compromettant *adj.* compromising
compte *m.* account; **se rendre —**, to realize; **sur le — de,** about (**sur mon —**, etc., about me, etc.); **tenir — de,** to take into account
compter *v.* to count, rely
comte *m.* count
conception *f.* concept, conception
concerté *adj.* concerted, planned
se concerter *v.* to be consulting
concevoir *v.* to conceive
conciliant *adj.* conciliatory
concilier *v.* to reconcile
concision *f.* terseness, conciseness
conclure *v.* to end, conclude
concorder *v.* to agree
concours *m.* assistance, cooperation, collaboration
condamnation *f.* sentence
condamné *m.* condemned man, prisoner
condamner *v.* to condemn
condition *f.* state, condition, rank
conducteur *m.* driver
conduire *v.* to drive; lead, take; **permis de —**, driving license
confectionner *v.* to fabricate
conférence *f.* lecture
confiance *f.* trust, confidence
confidence *f.* confidence, secret
confier *v.* to entrust (to), impart; **se —**, to repose
confins *m. pl.* borders
confisquer *v.* to confiscate, seize, forfeit
conflit *m.* conflict
confondre *v.* to throw into confusion, confuse; fuse; **se —**, to merge
conforme à *adj.* corresponding to, in conformity with

se conformer *v.* to comply
confrère *m.* colleague
confus *adj.* bewildered; confused, blurred
congé *m.* leave
congrès *m.* convention, congress
conjonctivite *f.* conjunctivitis
connaissance *f.* knowledge, understanding; **perdre —,** to lose consciousness
connaître *v.* to know, be acquainted with; **se —,** to recognize oneself
connu *adj.* familiar
conquérant *m.* conqueror
conquérir *v.* to conquer, win
conquête *f.* conquest
consacré à *adj.* devoted to
consacrer *v.* to enshrine, consecrate, devote
consciemment *adv.* consciously
conscience *f.* conscience, consciousness; **— professionnelle,** professional ethics; **avoir — de,** to be aware of; **mauvaise —,** guilty conscience; **prendre —,** to become aware
consécutive (à) *adj.* resulting (from)
conseil *m.* advice, counsel; **— de l'ordre,** bar association
conseiller *v.* to advise
consentir *v.* to consent, agree
conséquent: par —, therefore
conservation *f.* self-preservation, keeping
conserver *v.* to keep, retain
considérer *v.* to regard
consigne *f.* order
consister (à) *v.* to consist (in)
consommer *v.* to achieve, consummate; use up, consume
conspirateur *m.* plotter
conspirer *v.* to plot
constamment *adv.* constantly
constance *f.* constancy
constater *v.* to ascertain, determine
consterné *adj.* dismayed, thunderstruck
constituer *v.* to constitute, make (up); frame
construire *v.* to build
consulter *v.* to consult
contact: mettre en —, to acquaint
contaminer *v.* to contaminate, infect
conte *m.* tale
contempler *v.* to look at, view, regard
contenance *f.* countenance, face; **perdre —,** to lose face
contenir *v.* to hold (in), contain
content *adj.* glad, pleased, satisfied
contentement *m.* content
contenu *adj.* restrained
contenu *m.* content
conteste: sans —, incontestably
conteur *m.* storyteller
continu *adj.* unbroken
continuel *adj.* continual, unceasing
continuer *v.* to keep on
continuité *f.* ceaselessness
contourner *v.* to go around
contracter *v.* to contract
contraction *f.* contraction, distortion
contraindre *v.* to compel
contraint *adj.* constrained, restrained
contraire *adj.* opposing, opposed; **au —,** on the contrary
contre *prep.* against, close to; **par —,** on the other hand
contredire *v.* to contradict
contre-partie *f.* counterpart
contrôle *m.* supervision
contrôler *v.* to supervise
convaincre *v.* to convince
convenable *adj.* decent, respectable; suitable, proper
convenir *v.* to suit, agree; (*impers.*) **il convient de,** it is proper (suitable) to
convenu *adj.* stipulated
converger (vers) *v.* to concentrate (on), train (on)

se convertir *v.* to become converted
conviction *f.* belief, conviction
convier *v.* to bid, invite
convocation *f.* convening; call
convoi *m.* (troop) convoy
convoquer *v.* to call up
copain *m.* buddy, pal
copie *f.* copy, transcript; **prendre —,** to make a copy
coq *m.* weathervane
corbillard *m.* hearse
corde *f.* rope
corne *f.* horn
corps *m.* body
corps-franc *m.* volunteer corps
corpulent *adj.* stout, corpulent
correct *adj.* proper, correct, accurate
correspondant *adj.* corresponding
correspondre (à) *v.* to tally, square (with)
corriger *v.* to correct
corsetière *f.* corset-maker
cortège *m.* procession
corvée *f.* fatigue squad, labor gang
côte *f.* slope; rib; coast, shore
côté *m.* side; **à — de,** next to, beside; **à ses —s,** beside him; **de —,** aside; **du — de,** near, towards
coteau *m.* hillock, slope
côtier *adj.* coastal
cou *m.* neck
couchant *m.* setting (sun); west
coucher *v.* to sleep; **se —,** to lie down
coude *m.* elbow, bend
coudre *v.* to sew; **machine à —,** sewing machine
couiner *v.* to quack
couler *v.* to flow; sink; run
couleur *f.* color; paint; *pl.* the colors (*flag*)
couloir *m.* corridor
coup *m.* blow, attempt. *Depending on context* **coup** *may mean* shot (**— de fusil**), kick (**— de pied**), sip, knock, blast, thrust, etc. **Donner un — de fusil, de pied,** etc. = to shoot, to kick, etc.; **— de téléphone,** phone call; **d'un seul —,** all at once; **il eut un — d'œil circulaire,** he glanced around; **tout d'un —,** suddenly
coupable *adj.* & *m.* & *f.* guilty
coupant *adj.* sharp
coupe-papier *m.* paper-knife
couper *v.* to cut (off); **— le souffle,** to catch the breath, cut off the wind
coupure *f.* piece of paper money; cutting
cour *f.* courtyard, court
courant *m.* current, course; **au —,** posted; **dans le — de,** during
(se) **courber** *v.* to bend
coureur *m.* racer; **— à pied,** foot racer, runner
courir *v.* to run; be current
couronne *f.* wreath
couronnement *m.* capping, crowning
couronner *v.* to crown, place a wreath on
courrier *m.* mail
cours *m.* course, race-track; class; **au — de,** during, in the course of; **en —,** in progress
course *f.* running; errand
court *adj.* short
courtois *adj.* polite, urbane
coussin *m.* cushion
cousu. *See* **coudre**
couteau *m.* knife
coûter *v.* to cost
couverture *f.* cover
couvre-feu *m.* curfew
couvre-pied *m.* coverlet, quilt
couvrir *v.* to cover
crabe *m.* crab
cracher *v.* to spit
craie *f.* chalk
craindre *v.* to fear
crainte *f.* fear

crâne *m.* skull, head
craquement *m.* snapping, crackling
craquer *v.* to snap, crack
crasseux *adj.* filthy, dirty
crayon *m.* pencil
créateur *adj.* creative
créer *v.* to set up, create
crême *f.* cream
crépitement *m.* crackling
crépuscule *f.* dusk
crête *f.* top
creuser *v.* to hollow; dig into
creux *adj.* hollow
creux *m.* hollow, inside
crever *v.* die
cri *m.* cry, shout
crier *v.* to cry, shout, call out; squeak
crieur *m.* hawker
crise *f.* attack, crisis
critique *adj.* critical
critique *f.* criticism
croire *v.* to believe, think; **tout porte à — que,** everything points toward the fact that
croiser *v.* to cross, meet; fold; **se — les bras,** to fold one's arms; stop working
croiseur *m.* cruiser
croissant *adj.* increasing
croix *f.* cross; **— gammée,** swastika
cruauté *f.* cruelty
cryptographie *f.* code
cueillir *v.* to pick up, round up, pluck, gather
cuillère *f.* spoon
cuir *m.* leather
cuirassier *m.* cuirassier, cavalryman
cuisine *f.* kitchen, cookery
cuisse *f.* thigh
cul *m.* rear, bottom
culinaire *adj.* culinary, cooking
culot *m.* base
culotte *f.* breeches
culte *m.* cult, worship
cultivateur, -trice *m. & f.* grower, farmer
cultivé *adj.* cultured
cultiver *v.* to grow
culture *f.* culture
curé *m.* priest
curieusement *adv.* peculiarly
curiosité *f.* curiosity, interest
cyanure *m.* cyanide
cygne *m.* swan

D

daigner *v.* to condescend
dame *f.* lady, woman
dangereux *adj.* dangerous
danser *v.* to dance
davantage *adv.* either, more
débâcle *f.* collapse
débarquement *m.* landing
débarquer *v.* to land, detrain
se débarrasser (de) *v.* to get rid (of)
débat *m.* discussion; *pl.* (parliamentary) proceedings
se débattre *v.* to struggle; be threshed out, be debated
débonnaire *adj.* mild
débordé *adj.* overflowing
déborder *v.* to overflow
débouché *adj.* uncorked
déboucher *v.* to issue forth, come out
déboulonner *v.* to unbolt
debout *adv.* standing
déboutonner *v.* to unbutton
débris *m. pl.* fragments
se débrouiller *v.* to manage somehow, get along
début *m.* beginning, start
débuter *v.* to start
déception *f.* disappointment
décès *m.* decease, death
décevoir *v.* to disappoint
déchaîné *adj.* unbridled

déchaîner *v.* to unleash
déchargement *m.* unloading
décharger *v.* to unload, discharge
se déchausser *v.* to take off one's shoes
déchiffrer *v.* to decipher, puzzle out, decode
déchiré *adj.* ragged; heartrending
déchirement *m.* tearing (sound)
déchirer *v.* to rip, tear up, tear to pieces; **se —**, to be torn to pieces
déchirure *f.* rip
déchu *adj.* fallen, outcast
décidé *adj.* determined
décidément *adv.* definitely
décider (de) *v.* to decide, determine
décimer *v.* to decimate
décisif *adj.* decisive, crucial
déclaration *f.* statement, declaration
déclarer *v.* to declare, state
se déclencher *v.* to start up
déclic *m.* click; catch
décolérer *v.* to cool down
se décomposer *v.* to break down
décor *m.* background
décorer *v.* to embellish, decorate; honor
découdre *v.* to rip off
découper *v.* to cut; **se —**, to stand out, be etched
découragement *m.* discouragement
se décourager *v.* to become discouraged
découvert *adj.* open; not blindfolded; **à —**, without cover; **à visage —**, openly
découverte *f.* discovery
découvrir *v.* to discover, find, perceive; uncover, disclose
décrépit *adj.* senile, decrepit
décréter *v.* to decree, order
décrire *v.* to describe
décrocher *v.* to unhook, lift (receiver)
déçu *adj.* disappointed
dédain *m.* disregard, disdain
dedans: au —, within
dédoubler *v.* to parallel
défaillir *v.* to faint; fail, falter
se défaire *v.* to unwind
défaite *f.* defeat
défaut: faire —, to be scarce, cause a shortage
défavorable *adj.* unfavorable
défendre *v.* to defend, guard; to forbid, prohibit; **se — de**, to keep oneself from; defend oneself
défense *f.* defense; **— passive**, civilian defense; **sans —**, defenseless
défenseur *m.* defender
défi *m.* defiance, challenge
déficience *f.* deficiency, shortcoming
défigurer *v.* to disfigure
défilé *m.* parade, procession
défiler *v.* to march in line, parade, file by
définir *v.* to limit, define
définitif *adj.* final
définitivement *adv.* conclusively, for good
défoncer *v.* to smash, break down
déformer *v.* to distort
dégager *v.* to clear, isolate; **se —**, to disengage, break away; stand out
dégât *m.* damage
dégénéré *adj.* degenerate
dégoût *m.* distaste, disgust
dégoûter *v.* to make sick, disgust
déguiser *v.* to disguise
dehors *adv.* outside; **au —**, without
déjà *adv.* already
déjouer *v.* to frustrate
déjeuner *m.* lunch; **petit —**, breakfast
delà *adv.:* **au — de**, across, over; **par —**, on the other side of
délabré *adj.* dilapidated
délai *m.* delay
délaissement *m.* abandonment

délation *f.* denouncement, informing, denunciation
délégué *m.* delegate
déléguer *v.* to delegate
délibéré *adj.* resolute
délibérément *adv.* deliberately
délicatesse *f.* refinement
délices *f. pl.* delight(s); **faire ses — de,** to revel in
délire *m.* delirium
délivrer *v.* to deliver, free; **se —,** to free oneself
demain *adv.* tomorrow
demander *v.* to ask, request; **se —,** to wonder
démantelé *adj.* dismantled
démarche *f.* bearing, walk, step
démarrer *v.* to get under way, set out
démasquer *v.* to unmask, expose
déménager *v.* to decamp, pull out
demeurer *v.* to remain, stop; be
démission *f.* resignation; **donner sa —,** to hand in his resignation
demi-tour *m.:* **faire —,** to about face
démolir *v.* to destroy, demolish
démontrer *v.* to demonstrate, show
dénombrer *v.* to count
dénoncement *m.* (act of) denunciation
dénoncer *v.* to denounce
dénonciateur *m.* denouncer
dénouement *m.* outcome, ending
dent *f.* tooth
dénué *adj.* devoid
départ *m.* departure, setting off
département *m.* department (*administrative division of France*)
départir *v.* to dispense, allot
dépasser *v.* to exceed, extend beyond, go beyond; by-pass, go by; surpass
dépaver *v.* to unpave
dépêche *f.* dispatch
se dépêcher *v.* to hurry
dépeindre *v.* to depict
dépendre *v.* to depend
dépense *f.* expense, cost
dépit *m.* spite; **en — de,** in spite of
déplacé *adj.* out of place
(se) déplacer *v.* to move (about), move aside
déplaisant *adj.* unpleasant
déplier *v.* to unfold
déplorer *v.* to lament, deplore
déployer *v.* to spread out, display, deploy, fan out
déposer *v.* to set down, place, lay down
dépôt *m.* shed, warehouse
dépouiller *v.* to plunder, strip
depuis *adv.* for, since
déraillement *m.* derailing
dérailler *v.* to derail, go off the track
déranger *v.* to upset
dérisoire *adj.* mocking, derisive
dernièrement *adv.* recently
dérober *v.* to conceal; **se — (à),** to escape (from), evade
dérouler *v.* to unroll, spread out; **se —,** to proceed, develop
dérouter *v.* to baffle
derrière *m.* behind
dès *prep.* since, from; **— lors,** from then on
dès que *conj.* as soon as
désagréable *adj.* displeasing
désapprobateur *adj.* disapproving
désapprobation *v.* disapproval
désarmé *adj.* unarmed, disarmed
désarmer *v.* to disarm
descendre *v.* to get down, get off, descend; go *or* come downstairs; bring down; go down into
descente *f.* (downward) slope, down grade
désert *adj.* empty, deserted, uninhabited
désespéré *adj.* despairing
désespoir *m.* despair
déshabiller *v.* to undress, strip
déshonorant *adj.* discreditable, disgraceful

déshonorer *v.* to disgrace
désigner *v.* to indicate, point (out), designate; mark; detail, assign
désir *m.* wish
désirer *v.* to desire, long for
désobligeant *adj.* ungracious
désolé *adj.* disconsolate, woe-begone; sorry
désordre *m.* disorder, confusion; **homme de —,** disturber
désorienté *adj.* at a loss, confused; turned around
désormais *adv.* henceforth, from now on
dessécher *v.* to dry up
dessein *m.* design; **avec —,** designedly
desserrer *v.* to relax
dessin *m.* drawing, outline
dessinateur *m.* draughtsman
dessiner *v.* to outline, draw, describe
dessous *prep.* below; **en —,** underneath; furtive
dessous *m.* "shady side"
dessus *prep.* over, above
dessus *m.*: **— de cheminée,** fireplace panel; **— de lit,** bedspread
destin *m.* destiny, fate
destination *f.* destination; **à — de,** intended for, headed for
destiné *adj.* designed, intended
destinée *f.* destiny
détachement *m.* detachment; **— léger,** flying squad
détacher *v.* to break off, separate; unhook; **se —,** separate oneself (from); drop; untie
se détendre *v.* to be released
détenir *v.* to hold, imprison
détenu *m.* prisoner
détonation *f.* (sound of an) explosion
détour *m.* circuitous route
détournement *m.* diversion
(se) détourner *v.* to turn away, turn aside, divert
détresse *f.* misery
détruire *v.* to destroy
deuil *m.* mourning
dévaler *v.* to whisk down
devancer *v.* to precede, get ahead of
devanture *f.* shop-window
devenir *v.* to become
déverser *v.* to dump
dévêtu *adj.* naked, unclothed
déviation *f.* deviation, divergence
deviner *v.* to make out, discern, sense, guess; **laisser —,** to reveal
dévisager *v.* to stare at, search one's countenance
devise *f.* motto, heading
dévoilé *adj.* revealed
dévoilement *m.* revelation
devoir *m.* duty, homework
devoir *v.* to owe; to be to, ought to, must, have to; **se — à,** to owe a duty towards
dévorer *v.* to devour, gobble up
dévouement *m.* devotion
se dévouer *v.* to be devoted
diable *m.* devil; **grand —,** big fellow
dictature *f.* dictatorship
dictée *f.* dictation
dicter *v.* to dictate
difficile *adj.* particular, difficult
diffuser *v.* to circulate, broadcast
digne *adj.* worthy
dignement *adv.* worthily
dignitaire *m.* dignitary
dignité *f.* dignity, high position
dilater *v.* to dilate; **— le cœur,** to gladden the heart
dilemme *m.* dilemma
dimanche *m.* Sunday
diminuer *v.* to fade away, decrease, lessen
diminution *f.* reduction, depreciation
diplomatie *f.* diplomacy, statecraft
dire *v.* to say, tell; **se —,** to call oneself
directeur *m.* manager, director

direction *f.* direction, (board of) management; — **d'entreprises,** company management
directoire *m.* staff
dirigeants *m. pl.* rulers, directors
diriger *v.* to direct, route; **se — (vers)** to head (towards); **être dirigé sur,** to be sent to
discernement *m.* discrimination
discerner *v.* to make out
disciple *m.* follower, disciple
discipliné *adj.* well-schooled
discipliner *v.* to school, discipline
discours *m.* speech
discret *adj.* cautious
se disculper *v.* to clear oneself
discussion *f.* argument, arguing
discuter *v.* to argue
disjoint *adj.* separated
disparaître *v.* to disappear, vanish
disparate *adj.* ill-assorted
disparition *f.* disappearance
dispenser *v.* to mete out, dispense
se disperser *v.* to break up, scatter
disposé *adj.* willing, disposed
disposer *v.* to dispose; — **de,** to command, have at one's disposal
disposition *f.* disposal, arrangement; provision
disque *m.* gauge, indicator, dial; (victrola) record
dissimuler *v.* to conceal
dissiper *v.* to dissipate, dispel
dissociation *f.* decomposition, disintegration
dissolution *f.* dissolving, disbandment
distinct *adj.* clear
distinguer *v.* to make out, distinguish, differentiate
distraction *f.* diversion
distrait *adj.* worried
distraitement *adv.* absently
distribution *f.* serving, distribution
dit *adj.* so-called
divers *adj.* different, various
diviser *v.* to divide, separate
divisionnaire *adj.* divisional
docile *adj.* submissive
docilement *adv.* submissively
docilité *f.* submissiveness
doctrine *f.* doctrine, policy
doigt *m.* finger; — **de pied,** toe
domaine *m.* field, domain
domestique *m. & f.* servant
domicile *m.* residence, domicile, home
domiciliaire *adj.* house
dominateur *adj.* dominating, overbearing, dominant
dominer *v.* to dominate, tower over; rule; look down on
don *m.* donation, gift; talent
donc *conj.* therefore, then (*often used for emphasis*)
donné *adj.* given, specified
donner *v.* to give; — **à laver,** to send to the laundry; — **cher,** to give a great deal; — **sur,** to open onto; — **un coup de poing,** to hit with the fist, punch; — **un tour de clé,** to turn the key
donneur *m.* donor
dont *pron.* of which, of that; whose; among (them)
doré *adj.* golden, gilded; glib
dorénavant *adv.* henceforth
dormir *v.* to sleep
dortoir *m.* sleeping quarters, dormitory
dos *m.* back; **dans le —,** behind one
dossier *m.* back; file
double *adj.* ambiguous, double
doublement *adv.* doubly
doubler *v.* to pass
doucement *adj.* gently
douceur *f.* sweet, comfort, gentleness
douer *v.* to endow
douleur *f.* sadness, pain
douloureux *adj.* painful
douloureusement *adv.* grievously, sadly, sorely

doute *m.* doubt; **sans —**, doubtless
douter *v.* to doubt, be suspicious of; **se —**, to suspect
douteux *adj.* doubtful; **il n'est pas — que,** there is no doubt that
doux *adj.* soft, quiet, gentle, sweet
doyen *m.* dean
drame *m.* catastrophe, drama, tragedy
drap *m.* sheet, cloth
drapeau *m.* flag
dresser *v.* to draw up, raise, erect; **se —**, to rise, stand
droit *adj.* straight, ahead; erect; right
droit *m.* privilege, right, law
drôle *adj.* funny; **— de,** funny, peculiar (kind of), strange; **ce n'était pas — d'être . . .**, it was no fun being . . .
dû *adj.* due, attributable
dur *adj.* harsh, "tough," hard, "stiff"
durci *adj.* hardened
durée *f.* period
durement *adv.* harshly, hard
durer *v.* to last

E

eau *f.* water; **— gazeuse,** soda water; **service des —x et des égouts,** water supply and sewers
éblouir *v.* to dazzle
éblouissement *m.* dazzlement, blinding glare
ébranler *v.* to shake; **s'—**, to begin to move, get under way
écarlate *adj.* scarlet
écart *m.* remote spot; **à l'—**, aside
écarté *adj.* wide-spread, spread apart
écarter *v.* to turn aside; **s'—**, to stray, stand aside, veer; depart; open
échafaud *m.* scaffold
échange *m.* exchange
échanger *v.* to exchange
s'échapper *v.* to escape
échec *m.* check, set-back; **faire — à,** to check, put a check on
échouer *v.* to get stranded; fail
éclairer *v.* to illuminate, light up
éclat *m.* splinter (*of a shell, shrapnel*); burst, brilliance; **avec —**, ostentatiously; **d'—**, brilliant
éclater *v.* to explode, burst out
école *f.* school
écolier *m.* schoolboy
économie *f.* economy; **faire — de,** to husband
économiser *v.* to save, husband
écoulement *m.* flow, passage
s'écouler *v.* to go by, flow, roll; circulate; produce
écouter *v.* to listen
écrasant *adj.* crushing
écrasement *m.* crushing
écraser *v.* to crush, wipe out; **s'—**, to crash
s'écrier *v.* to exclaim
écrire *v.* to write
écrit *m.* writing
écriture *f.* handwriting
écrivain *m.* writer, author
écroulement *m.* collapse, downfall
s'écrouler *v.* to tumble, collapse, topple over
écurie *f.* stable
écusson *m.* service insignia
édicter *v.* to enact
s'édifier *v.* to be erected
éditer *v.* to publish
éditeur *m.* publisher
édition *f.* publication; **— spéciale,** news extra
effacer *v.* to obliterate, wipe out, efface; **s'—**, to stand aside
effectifs *m. pl.* manpower, forces
effectivement *adv.* actually, in effect
effectuer *v.* to carry out, accomplish
effervescence *f.* agitation

effet *m.* result, effect
efficace *adj.* effective
efficacement *adv.* effectually, effectively
efficacité *f.* efficacy
effleurer *v.* to touch, graze
s'effondrer *v.* to collapse, fall
s'efforcer *v.* to strive, do one's utmost
effrayer *v.* to frighten, terrify
effrontément *adv.* brazenly
effroyable *adj.* frightful
effusion *f.* demonstration (of love)
également *adv.* likewise, also
égaler *v.* to equal
égalité *f.* evenness, equality
égard: à l'— de, concerning
égaré *adj.* lost, missing; stray
église *f.* church
égorger *v.* to butcher, slaughter
élaborer *v.* to draw up, formulate
élan *m.* enthusiasm, progress
s'élancer *v.* to thrust upward, thrust forward
s'élargir *v.* to become larger, extend
électrisé *adj.* inspired
élégance *f.* elegance, smartness, style
élève *m.* pupil
élevé *adj.* high; **bien —,** well-bred
éliminer *v.* to eliminate, strike off
élite *f.* select group
éloge *m.* praise, eulogy
éloigné *adj.* far
s'éloigner *v.* to go farther off, go away
éluder *v.* to elude
éloquence *f.* oratory, eloquence
émaner *v.* to emanate
emballer *v.* to run away; **emballé à vide,** racing in neutral
embarquer *v.* to entrain, ship off; embark, launch
embarras *m.* perplexity
embêtement *m.* annoyance
embêter *v.* to annoy
embouteillage *m.* bottleneck
embrasé *adj.* aflame, in flames
embrasser *v.* to kiss, embrace; take in
embrasure *f.* frame
embûche *f.* stumbling-block, pitfall
embuscade *f.* ambush
émerger *v.* to come out, emerge
émerveiller *v.* to fill with admiration
émigré *m.* exile, refugee
émissaire *m.* messenger
emmener *v.* to bring along, take along, carry
émission *f.* broadcast; **— radiophonique,** broadcast by radiophone
émotion *f.* excitement
émouvant *adj.* moving
s'émouvoir *v.* to become aroused
s'emparer de *v.* to take hold of, seize
empêcher *v.* to prevent, stop, keep from
empiler *v.* to stack, heap up
empire *m.* dominion, empire
emplacement *m.* location
emplir *v.* to fill
employer *v.* to use
empoisonnement *m.* poisoning
emporter *v.* to carry away; **— sur,** to prevail over
empressement *m.* eagerness
s'empresser *v.* to hurry (along), hasten, rush
emprisonné *adj.* imprisoned
emprunter *v.* to borrow, take
ému *adj.* moved, affected, agitated
enceinte *f.* ring, belt
encercler *v.* to encircle, surround
enchaîné *adj.* chained, fettered
enchaîner *v.* to bind; **s'—,** to run on together
enchanter *v.* to delight, enchant
enclos *m.* enclosure
encombre: sans —, without mishap
encombrer *v.* to get under foot, stand around
encourager *v.* to encourage, urge
encre *f.* ink
encrier *m.* ink stand

endommager *v.* to damage
endormir *v.* to put to sleep; **s'—**, to fall asleep
endosser *v.* to put on
endroit *m.* place
endurci *adj.* hardened
énervement *m.* excitement
énergie *f.* force
enfance *f.* childhood; **— ouatée,** protected childhood
enfant *m.* child
enfer *m.* hell
enfermer *v.* to shut up, lock in
enfiler *v.* to run along, thread
enfin *adv.* at last
enflammé *adj.* flaming
enflammer *v.* to kindle
s'enfler *v.* to swell
enfoncer *v.* to break down; jam; drive, thrust; **s'—**, to plunge, sink; (*of a bullet*) bed itself
enfouir *v.* to bury
enfourcher *v.* to get astride
s'enfuir *v.* to flee
engagement *m.* action, engagement
engager *v.* to pledge, enter into; **s'—**, to begin, enter; enlist; travel
engin *m.* device
engraisser *v.* to fatten; **s'—**, to thrive
enjoindre *v.* to call upon, enjoin
enlèvement *m.* removal
enlever *v.* to take off, remove
ennemi *adj.* enemy, hostile
ennemi *m.* foe, enemy
ennui *m.* boredom
s'ennuyer *v.* to get bored
ennuyeux *adj.* annoying
s'enorgueillir (de) *v.* to be proud (of)
énorme *adj.* huge
énormité *f.* enormity, great size
s'enquérir *v.* to inquire
enquête *f.* investigation, inquiry
enragé *adj.* mad
enregistrer *v.* to record
enrichir *v.* to enrich
enrôlement *m.* enlistment
enroué *adj.* hoarse
enrouler *v.* to wind
ensanglanté *adj.* covered with blood
enseigne *f.* shop-sign
enseignement *m.* teaching
ensemble *adv.* together
ensemble *m.* whole
ensommeillé *adj.* sleepy
ensuite *adv.* then, next
s'entasser *v.* to pile, crowd together
entendre *v.* to hear, understand; **s'—**, to get along
entendu *adj.* understood; **bien —**, of course
enterrement *m.* burial
enterrer *v.* to bury
enthousiasme *m.* rapture, enthusiasm
entier *adj.* whole; **en son —**, in full
entour: à l'—, round about
entourer *v.* to surround, wrap
entraînement *m.* training
entraîner *v.* to carry along, sweep along; lead, bring; encourage
entraver *v.* to hamper
entre *prep.* among, between
entrée *f.* approach, entrance, entry
entremêler *v.* to intermingle
s'entremettre *v.* to intervene, intermediate
entreprendre *v.* to undertake
entreprise *f.* company, enterprise, concern
entrer (dans) *v.* to enter, go into; **faire — qqn.**, to get someone into
entretenir *v.* to keep alive, sustain, maintain, keep on; talk with
entretien *m.* conversation
entr'ouvrir *v.* to open a crack, open partly
envahir *v.* to invade, engulf
envahisseur *m.* invader
envelopper *v.* to enwrap
envers *prep.* towards
envie *f.* desire; **avoir — de,** to want to

envier *v.* to covet, envy
environ *adv.* about
environner *v.* to surround
environs *m. pl.* suburbs; **aux —,** near by
envisager *v.* to consider, contemplate; face, foresee
envoi *m.* consignment, dispatch; **frais d'—,** mailing expenses
s'envoler *v.* to flee, fly away, take flight
envoyer *v.* to send
épais *adj.* thick
épaisseur *f.* depth, thickness
éparpiller *v.* to scatter
épars *adj.* scattered
épaule *f.* shoulder; **coup d'—,** shove
épauler *v.* to shoulder
éperdu *adj.* bewildered
épi *m.* ear
épicerie *f.* grocery store
épicière *f.* grocer woman
épidémie *f.* epidemic
épier *v.* to watch
épingle *f.* pin
éponger *v.* to sponge, wipe
épopée *f.* epic
époque *f.* time
épousée *f.* bride
épouvantable *adj.* dreadful
épouvante *f.* terror
époux *m.* husband, spouse
épreuve *f.* test
éprouver *v.* to feel, experience; test
épuisé *adj.* used up, exhausted; ended
épuiser *v.* to exhaust; **s'—,** to die out
équilibre *m.* equilibrium, balance
équipage *m.* machine, crew
équipe *f.* working party, crew, squad
équivoque *f.* ambiguity
ermite *m.* hermit
errer *v.* to wander
erreur *f.* error, mistake
erroné *adj.* erroneous
escalader *v.* to climb, go over
escalier *m.* stairway
escargot *m.* snail
esclavage *m.* slavery
esclavagiste *adj.* slave-owning
esclave *adj.* slave
escorte *m.* escort, bodyguard
escouade *f.* squad
espace *m.* space
espagnol *adj.* Spanish
espèce *f.* kind, type, sort
espérance *f.* hope, hopefulness
espoir *m.* hope
esprit *m.* spirit, mind, good sense. good humor, wit
esquisser *v.* to make a suggestion of. outline
essayer *v.* to try, attempt
essence *f.* gas, gasoline; **poste d'—,** filling station
essentiel *adj.* fundamental, essential
essentiel *m.* main point
essoufflé *adj.* out of breath
essuyer *v.* to wipe (off)
est *m.* east
estafette *f.* dispatch-rider, courier
estampe *f.* engraving, wood cut
estimation *f.* estimate
estimer *v.* to consider
estomac *m.* stomach
et . . . et, both . . . and
étable *f.* stable
établir *v.* to establish, set up, create
établissement *m.* establishment
étage *m.* story, floor
étalage *m.* display
s'étaler *v.* to spread out, extend
état *m.* state, condition
état-major *m.* general staff, headquarters
été *m.* summer
éteindre *v.* to put out (a light, fire, etc.), extinguish
éteint *adj.* extinct; unlighted; lifeless
s'étendre *v.* to stretch out, extend; lie full length

étendue *f.* stretch, expanse
éternel *adj.* perpetual, permanent
éternité *f.* eternalness, eternity
étincelle *f.* spark
étoffe *f.* material, fabric
étoile *f.* star
étoilé *adj.* starry
étoiler *v.* to bespangle
étonnament *adv.* amazingly
étonnement *m.* astonishment
s'étonner *v.* to be astonished, surprised
étouffé *adj.* choked
étouffer *v.* to stifle, choke, throttle, smother; **s'—,** to be stifled, muffled, smothered
étrange *adj.* strange, peculiar
étrangement *adv.* peculiarly, oddly
étranger *adj.* foreign
étranger *m.* stranger, foreigner
étrangler *v.* to strangle, choke
être *m.* being, person
être *v.* to be; — **bien,** to be comfortable; **s'en —,** to go
étreinte *f.* grip
étroit *adj.* narrow, close, strict
étroitement *adv.* closely
étude *f.* study
étudiant *m.* student
étudier *v.* to study
évacué *m.* evacuee
s'évacuer *v.* to be evacuated
évadé *m.* evader, fugitive
s'évader *v.* to make one's escape, escape
s'évanouir *v.* to faint, fade away, vanish
évanouissement *m.* fainting
évasion *f.* escape
éveillé *adj.* awake
éveiller *v.* to rouse
événement *m.* event
éventuel *adj.* possible, chance
évêque *m.* bishop
évidemment *adv.* obviously
évitable *adj.* avoidable
éviter *v.* to avoid, spare
évoquer *v.* to call up memories
exactement *adv.* precisely
exactitude *f.* preciseness
exaltant *adj.* exalting, exciting
exaltation *f.* exaltation, excitement
exalté *adj.* impassioned
examen *m.* examination
examiner *v.* to examine, look at
exaspéré *adj.* exasperated
excédé *adj.* tired, weary
excédent *m.* excess
excepté *adj.* left out, excepted
excitation *f.* (state of) excitement
(s')exclamer *v.* to exclaim
excuse *f.* apology
s'excuser *v.* to apologize, beg pardon, excuse oneself
exécrer *v.* to loathe
exécuter *v.* to carry out, execute
exemplaire *adj.* exemplary
exemplaire *m.* copy
exemple: par — ! the idea!
exempt *adj.* free
exempté *m.* exempted (from service)
exercer *v.* to exercise, practice; make use of, wield, carry out
exigeant *adj.* insistent, particular
exigence *f.* demand, requirement; exactingness
exiger *v.* to require, demand
existence *f.* life, existence
exorbitant *adj.* undue
expédier *v.* to send, launch
expérience *f.* experiment, experience
expier *v.* to pay the penalty for, expiate, atone for
explication *f.* explanation
expliquer *v.* to explain
s'expliquer *v.* to speak up, be explained; — **avec,** to have it out with
exploitation: mettre en —, to work
exploiter *v.* to exploit

exposé *adj.* in danger, exposed
exposé *m.* account
exposer *v.* to expose, bare; set forth, record
expression *f.* expression; **sans —,** unexpressive
exprimer *v.* to express, voice
extatique *adj.* rapturous
exténuant *adj.* exhausting
exténué *adj.* exhausted
extérieur *adj.* outside, external
exterminer *v.* to wipe out
extirper *v.* to root out
extraire (de) *v.* to extract (from), draw (from)
extrait *m.* extract
extraordinaire *adj.* special
extrême *adj.* farther
extrémité *f.* end
exulter *v.* to gloat

F

fabrication *f.* manufacture
fabriquer *v.* to forge, manufacture
façade *f.* front
face *f.* face; **en — de,** in front of, ahead of, opposite (it *or* them); towards; **faire — à,** to face, front, turn to, oppose
se fâcher *v.* to get angry
fâcheux *adj.* unfortunate
facile *adj.* easy, facile
facilité *f.* ease
façon *f.* way, kind; **de toute —,** at any rate
faction *f.* faction; **en —,** on duty
faculté *f.* school (*of a university*)
faible *adj.* weak, thin; slight
faiblement *adj.* feebly
faiblesse *f.* weakness
faillir *v.* + *inf.*, almost to + *p. part.*; **il faillit ajouter,** etc., he nearly added, etc.
faim *f.* hunger; **avoir —,** to be hungry
faire *v.* to do, make; cause; say; **— halte,** to stop; **— mal à,** to hurt; **— mieux,** to be better; **— mine de,** to appear to, pretend to; **— nuit,** to be dark; **— partie de,** to be included; **— peur à,** to frighten; **— pitié,** to be pitiful; **— semblant de,** to pretend to, make believe; **— signe,** to give a signal
se faire *v.* to be done, be accomplished; become; **— jour,** to be brought to light
faiseur *m.* maker
fait *m.* fact; **— divers,** news item; **en —,** in fact
falloir *v.* to be necessary, to need, to take; **il m'en faut,** I need
fameux *adj.* famous
familiarité *f.* familiarity, intimacy
famille *f.* family
famine *f.* starvation
fanatique *adj.* fanatical
fané *adj.* faded
fanfare *f.* trumpet blast
fanfaron *adj.* swaggering
fantaisie *f.* imagination
farceur *m.* joker, "kidder," "dope"
fard: sans —, unpretentiously, plainly
farine *f.* flour
farouche *adj.* savage
farouchement *adv.* savagely
fasciner *v.* to bewitch
fatal *adj.* deadly, deathly
fatalité *f.* fate, destiny; fatality
fatigue *f.* weariness
(se) fatiguer *v.* to tire (oneself)
faubourg *m.* suburb
faucon *m.* falcon
faussaire *m.* forger, counterfeiter
faute *f.* mistake, delinquency, fault; **— de,** for want of; **sans —,** without fail

fauteuil *m.* armchair
fauve *m.* beast
faux *adj.* false, fake
faux *m.* forgery
faux-monnayeur *m.* counterfeiter
favoriser *v.* to be partial towards
fébrilement *adv.* feverishly
fécond *adj.* fecund, fruitful
feindre *v.* to pretend
féliciter *v.* to congratulate, compliment
femme *f.* woman, wife
fenêtre *f.* window
fente *f.* slit
fer *m.* iron; *pl.* chains, shackles
ferme *adj.* strict, firm, resolute
ferme *f.* farmhouse
fermement *adv.* firmly, stoutly
fermer *v.* to close, shut (down); **— à clef,** to lock; **ferme ça,** shut up, cut it out
fermeté *f.* steadfastness; **avec —,** resolutely
fermière *f.* farmer's wife
ferroviaire *adj.* railroad
fesses *f. pl.* haunches
fête *f.* holiday, celebration
fêter *v.* entertain (formally)
fétide *adj.* stinking, fetid, foul
feu *m.* fire; home; shot; **— d'artifice,** fireworks display; **dans le —,** in the heat (of the discussion); **mettre le — à,** to set fire to, ignite
feuillage *m.* foliage
feuille *f.* leaf, sheet
feuilleter *v.* to thumb through, riffle
feutre *m.* felt
février *m.* February
fiancé *adj.* engaged
ficelle *f.* cord
fiche *f.* index card
fidèle *adj.* faithful, loyal
fidèlement *adv.* faithfully
fidélité *f.* faithfulness
fier *adj.* proud; **être — de,** to glory in
se fier *v.* to trust oneself, depend on
fierté *f.* pride
fièvre *f.* fever
fiévreusement *adv.* feverishly
fiévreux *adj.* feverish
figer *v.* to cluster
figure *f.* face, feature, image; figure
figurer *v.* to appear, figure
fil *m.* thread, line (*telephone*); **— de fer,** wire
file *f.* line
filer *v.* to hurry off, fly off, travel; slide; **faire —,** to have (something) taken away
fille *f.*, **jeune fille,** girl; **de —,** girlish
fillette *f.* young girl
fils *m.* son
fin *adj.* extreme; fine, delicate, thin; shrewd
fin *f.* end; **prendre —,** to end
finesse *f.* shrewdness
fini *adj.* "washed up"; *see* **finir**
finir *v.* to end, finish; **— par** + *inf.*, finally to do something
firme *f.* (business) firm
fixe *adj.* fixed
fixé *adj.* attached
fixer *v.* to gaze at; fix; **se —,** to settle
fixité *f.* stare
flagellation *f.* whipping
flambeau *m.* torch
flamboyer *v.* to blaze
flamme *f.* flame, passion
flammèche *f.* flake (of fire)
flanc-garde *f.* flank guard
flanquer *v.* to flank
flatter *v.* to flatter; pat
flèche *f.* arrow
fléchir *v.* to give way, relent
flegme *m.* impassivity
fleur *f.* flower
fleuri *adj.* blossom covered
fleurir *v.* to flourish, blossom
fleuve *m.* river
flot *m.* wave

flotte *f.* fleet
flotter *v.* to float, flutter
flottille *f.* fleet, flotilla
foi *f.* faith; **faire — de,** to attest
foin *m.* hay
fois *f.* time; **à la —,** at once
folie *f.* madness
folle *f.* fool
folliculaire *adj.* follicular
foncer *v.* to speed, swoop
fonction: entrer en —s, to take up one's duties
fonctionnaire *m.* official
fonctionner *v.* to function, work, operate
fond *m.* depth, bottom, foundation; **à —,** completely; **au — de,** in the back of; **du —,** in (at) the back
se fonder *v.* to be based
fondre *v.* to dissolve, melt; **se —,** to merge
force *f.* energy, force, might, strength; **à — de,** because of, by dint of; **à — de familiarité,** from sheer familiarity; **à toute —,** at all costs; **de —,** forcibly
forcé *adj.* compulsory
forcément *adj.* of necessity
forcer *v.* to compel
forêt *f.* forest
forge *f.* smithy, foundry
formalité *f.* formal procedure
formation *f.* group, body, formation
forme *f.* form, shape
former *v.* to shape, form, make, formulate; train
formidable *adj.* terrific, formidable, tremendous
formulaire *m.* collection of formulas
formule *f.* phrase
formuler *v.* to formulate, define
fort *adj.* strong, forceful, hard, loud
fort *adv.* hard, strongly
fortement *adv.* vigorously, seriously
fossé *m.* gutter, ditch
fou *adj.* crazy
fou *m.* fool, madman
fouiller *v.* to search, go through; scan
foule *f.* crowd; masses
fourchette *f.* fork
fourmis *f. pl.* tingling
fournir *v.* to provide, furnish
fournisseur *m.* supplier
fourniture *f.* supplying, provision
fourragère *f.* forage wagon
fourrure *f.* fur
foyer *m.* hearth, home
fracas *m.* noise, din
fragile *adj.* frail, weak
fraîcheur *f.* freshness
frais *adj.* fresh, new
franc *adj.* open, frank
franchir *v.* to break through, pass over, cross
franc-tireur *m.* guerrilla, sniper
frange *f.* fringe, trail
frapper *v.* to strike, knock
fraternel *adj.* brotherly
fraternité *f.* brotherhood
freiner *v.* to rein in, restrain
frémir *v.* to shiver, shudder, quiver
frémissant *adj.* quivering
frémissement *m.* shudder, tremor
frénésie *f.* madness
frénétique *adj.* frenzied
fréquenter *v.* to associate with
frère *m.* brother
friable *adj.* breakable
friponnerie *f.* knavery
frisson *m.* shiver
frivole *adj.* trifling
froid *adj.* cold
froidement *adv.* coldly
froissement *m.* crash, clash
frôlement *m.* rustling
froncer: — le sourcil *v.* to frown, knit one's brows
front *m.* brow, forehead; front
frontière *f.* boundary, frontier
frotter *v.* to rub

fructueux *adj.* profitable, fruitful
fruitier *adj.* fruit
fuir *v.* to flee, vanish
fuite *f.* flight
fumée *f.* smoke
fumer *v.* to smoke
fumeux *adj.* smoky
fureur *f.* fury, passion
furie *f.* passion, fury
fusée *f.* flare, rocket
fusil *m.* gun; **canon de —,** gun barrel
fusillade *f.* execution; gunfire, fusillade
fusiller *v.* to shoot, execute (by shooting)
fusiller *v.* to ruin
fusilleur *m.* executioner; jailer
fusil-mitrailleur *m.* automatic rifle
futile *adj.* trifling
fuyard *m.* fugitive, refugee

G

gagner *v.* to gain, win, reach; take to; **ça de gagné,** something gained
gai *adj.* jolly, cheerful
gaîté *f.* jollity, gaiety
galerie *f.* arcade, tunnel
galon *m.* stripe (*officers' gold braid*)
galonné *adj.* wearing officers' stripes
galonné *m.* one with stripes, officer
gamin *m.* youngster
gant *m.* glove
garagiste *m.* garage man
garçon *m.* boy, lad; **mauvais —,** "tough egg," "bad actor"
garçonnet *m.* little boy
garde *f.* protection, guard; **— mobile,** militia; **prendre — à,** to pay attention to, notice; **se tenir en — à,** to beware of
garde-boue *f.* mud guard
garder *v.* to keep (on), maintain; **se —,** to protect oneself
garde-voies *m.* rail guard
gardien *m.* guard
gare *f.* railroad station; **— de triage,** marshalling yard
garnir *v.* to stock, furnish
garnison *f.* garrison
gars *m.* lad, young man
gauche *adj.* left
géant *adj.* gigantic
géant *m.* giant
gelée *f.* frost, coating
gémir *v.* to creak, groan, whine
gémissant *adj.* creaking, moaning
gendarme *m.* policeman, constable
gendarmerie *f.* constabulary, police station
gendre *m.* son-in-law
gêner *v.* to annoy, embarrass; **se —,** to be embarrassed; stand on ceremony
généralissime *m.* commander-in-chief
généreux *adj.* noble
génie *m.* Engineer Corps; genius
genou *m.* knee
genre *m.* genus, species; way
gens *m. pl.* people
gentiane *f.* gentian
gentillesse *f.* graciousness, charm
gentiment *adv.* gracefully; politely
géographe *m.* geographer
geôle *f.* jail, prison
gerbe *f.* spray
germanique *adj.* Teutonic
germe *m.* germ
germer *v.* to germinate
geste *m.* gesture, sign
gifle *f.* slap in the face, box on the ears
gifler *v.* slap
gigantesque *adj.* giant
gilet *m.* vest; **— de peau,** (goat's) skin vest

giser *v.* to lie
glace *f.* mirror, (plate-)glass; ice
glacé *adj.* icy
glacial *adj.* frigid, cold
glapir *v.* to shriek, yelp
glisser *v.* to slide, slip, slink
gloire *f.* glory
glorieux *adj.* proud, conceited
se glorifier (de) *v.* to glory (in), boast (of)
glousser *v.* to cluck
golfe *m.* bay
gonfler *v.* to inflate, blow up; **se —,** to swell
gorge *f.* throat
gorgée *f.* mouthful
gosse *m.* "kid"
goulot *m.* neck
goût *m.* taste
goutte *f.* drop
gouvernant *m.* ruler
grâce *f.* charm, gracefulness; **faire des —s,** to preen oneself; **— à** *prep. phr.* thanks to, by means of, with
grade *m.* rank
gradé *m.* non-commissioned officer
gradin *m.* stand
grain: — de beauté, *m.* mole
graisse *f.* fat
graisseux *adj.* greasy
grand *adj.* large, tall, wide
grand'chose *f.* much, a great deal
grandement *adv.* greatly
grandeur *f.* importance, grandeur, nobility
grandir *v.* to mount, increase
grandissant *adj.* mounting
grand'peine: à —, with great difficulty
grand-père *m.* grandfather
grand'rue *f.* main street
grappe *f.* cluster, bunch, group
gras *adj.* fat, heavy
se gratter *v.* to scratch
gratuit *adj.* free
gratuitement *adv.* free(ly)
grave *adj.* solemn, serious
gravé *adj.* engraved
gravement *adv.* solemnly
graver *v.* to carve, engrave
gravir *v.* to climb
gravité *f.* gravity, seriousness
gravure *f.* engraving
gré *m.*: **au — de,** at the will of; **savoir — à qqn. de qqch.,** to be grateful to someone for something
grec *adj.* Greek
grenade *f.* grenade, bomb; **— à manche,** hand grenade
grenier *m.* attic
grenouille *f.* frog
grève *f.* strike; **faire —,** to go on strike
grièvement *adv.* seriously, gravely
grille *f.* grate, grating; **— d'entrée,** entrance gate
griller *v.* to broil
grimace *f.* facial gesture
grimper *v.* to climb in
grincement *m.* squeaking, grating
grincer *v.* to squeak, grate
gris *adj.* grey
grisâtre *adj.* greyish
grogner *v.* to grunt
grommeler *v.* to growl
grondant *adj.* rumbling
grondement *m.* rumbling, growl
gronder *v.* to rumble, growl
gros *adj.* large, heavy
gros *m.* bulk
grossier *adj.* coarse
se grossir *v.* to be increased
grotesque *adj.* ridiculous
grotte *f.* cave
se grouper *v.* to crowd
guéridon *m.* small table
guérilla *f.* guerrilla warfare
guérir *v.* to cure

guerrier *adj.* war, warlike
guetter *v.* to lie in wait for, watch surreptitiously; listen for
gueule *f.* muzzle. *See also* **hurler.**
gueuler *v.* to bawl, raise a row
guider *v.* to direct

H

Words beginning with an aspirate h are shown by an asterisk.

habile *adj.* able
habileté *f.* cleverness
s'habiller *v.* to dress
habit *m.* suit, uniform
habitant *m.* dweller, inhabitant
habiter *v.* to live (in), dwell (in)
habitude *f.* habit, custom; **d'—,** usual, usually; **avoir l'—,** to be accustomed (to do something); **perdre l'—,** to fall out of the habit; **prendre l'—,** to fall into the habit
habitué *adj.* accustomed
habituel *adj.* usual
habituellement *adv.* habitually, usually
habituer (**à**) *v.* to accustom (to), get one used (to); **s'— à,** to become accustomed (to)
***hagard** *adj.* haggard, drawn
***haie** *f.* hedge, hedgerow
***haine** *f.* hatred
***haïr** *v.* to hate
***haletant** *adj.* panting, breathless
***halte** *f.* halt; **faire —,** to stop
***hameau** *m.* hamlet
***hangar** *m.* shed
***hanter** *v.* to haunt, frequent
***haranguer** *v.* to harangue
***harassé** *adj.* worn-out
***harceler** *v.* to harass, pester
***hardes** *f. pl.* household belongings
***haricot** *m.* bean
***harnachement** *m.* harness
***hasard** *m.* risk, chance; **à tout —,** on the off chance; **au —,** at random; **par —,** by chance
***hasarder** *v.* to venture
***hâte** *f.* haste
***hâter** *v.* to speed; **— le pas,** to hasten; **se —,** to hasten
***hâtivement** *adv.* hastily
***hausser** *v.* to raise, lift; **— les épaules,** to shrug
***haut** *adj.* high, steep; important
***haut** *adv.* high, above, up; loudly; **— les mains!** Hands up! **tout —,** aloud
***haut** *m.* top
***hautain** *adj.* haughty
***haute-mer** *f.* high sea
***hauteur** *f.* height; **à — de,** level with
hebdomadaire *adj.* weekly
hégémonie *f.* supremacy
***hennir** *v.* to neigh
herbe *f.* grass
herbeux *adj.* grassy
hésitation *f.* hesitancy
hésiter *v.* to hesitate
heure *f.* hour, time; **de bonne —,** early; **tout à l'—,** just now
heureusement *adj.* fortunately
***heurt** *m.* shock, bump, collision
(se) heurter (à) *v.* to dash (against), smash (against), bump (into), collide (with), conflict (with)
***hibou** *m.* owl
hier *adv.* yesterday
hilare *adj.* in a jovial mood, mirthful
hilarité *f.* mirth, laughter
hirsute *adj.* hairy, bearded
***hisser** *v.* to hoist
histoire *f.* story, yarn, tale; **— de,** merely to
hiver *m.* winter
***homard** *m.* lobster

hommage *m.* homage; **rendre —,** to pay homage
homme *m.* man, husband; **— de cœur,** great-hearted man; **— de main,** henchman; **— politique,** politician
honnête *adj.* honest, decent
honnêtement *adv.* honestly
honnêteté *f.* integrity, honesty
honneur *f.* (sense of) honor
***honte** *f.* shame; **avoir —,** to be ashamed; **fausse —,** self-consciousness
***honteusement** *adv.* ignominiously, shamefully, disgracefully
***honteux** *adj.* shamefaced, shameful
hôpital *m.* hospital
horaire *m.* time-table, time system
horloge *f.* (church) clock
horreur *f.* repugnance, horror
horrible *adj.* horrifying
***hors de** *prep.* outside of
hospitalier *adj.* hospitable, giving refuge
hospitalisé *m.* hospital patient
hospitaliser *v.* to house
hostile *adj.* unfriendly, hostile
hôte *m.* host, guest
hôtel *m.* mansion, hotel
hôtelier *m.* landlord, hotel keeper
huile *f.* oil
huilé *adj.* oiled, greased
humanité *f.* humanity
humide *adj.* damp, moist
humidité *f.* dampness
humilier *v.* to humble
***hurler** *v.* to yell; **— à toute gueule,** to bawl at the top of one's lungs
hypocrite *adj.* hypocritical
hypothèque *f.* mortgage

I

idée *f.* idea, view; mental conception, notion; **— fixe,** fixed idea
idiotie *f.* idiocy, stupidity
ignoble *adj.* base
ignominie *f.* shame, ignominy
ignominieux *adj.* shameful, ignominious
ignorant *m.* ignoramus
ignorer *v.* not to know, be unaware of
île *f.* island
illégalité *f.* illegality; **dans l'—,** outside the law
illégitime *adj.* illegitimate
illustre *adj.* famous
illustrer *v.* to illustrate
îlot *m.* small island, small block (*of houses*)
image *f.* picture, image; **à l'— de,** in the likeness of
imaginaire *adj.* fictitious
imagination *f.* imagination, invention
imaginer *v.* to imagine, picture; **s'—,** to visualize
imbécile *adj.* stupid, half-witted
imbécile *m.* "dumb-bell"
immense *adj.* vast, huge
s'immerger *v.* to sink
immeuble *m.* apartment house; building
immobile *adj.* motionless
immobiliser *v.* to stall; **s'—,** to be at a stand still, come to a stop, become quiet, render incapable of motion
immonde *adj.* foul, filthy
immuable *adj.* immutable
impasse *f.* dead-end street
impassible *adj.* impassive, expressionless
impatiemment *adv.* impatiently
impeccablement *adv.* faultlessly
impénétrable *adj.* inscrutable
impérieux *adj.* imperative

imperceptiblement *adv.* imperceptibly
imperméable *m.* raincoat
impitoyable *adj.* unpitying, pitiless
impitoyablement *adv.* pitilessly
implacable *adj.* implacable, relentless
impliquer *v.* to imply
importer *v.* to matter, signify; import, bring in; **n'importe quel,** some . . . or other; **n'importe quoi,** anything at all
imposer *v.* to impose (upon), charge; undertake; **s'— à,** to force oneself upon
imprégner *v.* to permeate
impressionner *v.* to impress; awe
imprévu *adj.* unforeseen, unlooked for
imprimer *v.* to print
imprimerie *f.* printing
imprimeur *m.* printer
improductif *adj.* unproductive
impropre *adj.* unsuitable
improviser *v.* to improvise
imprudence *f.* rashness, carelessness
impudemment *adv.* shamelessly, unblushingly
impuissance *f.* impotence, powerlessness
impuissant *adj.* powerless
impunément *adv.* with impunity
impuni *adj.* unpunished
imputable *adj.* chargeable
imputer *v.* to ascribe
inactuel *adj.* nonexistent, unreal
inanimé *adj.* inanimate, senseless
inapte *adj.* unfit
inaptitude *f.* unfitness
inattendu *adj.* unexpected
inaugurer *v.* to begin, inaugurate
incandescent *adj.* glowing
incapable *adj.* unable
incarcérer *v.* to incarcerate
incarner *v.* to embody, incarnate
incendie *m.* conflagration, fire
incendier *v.* to set fire to, fire
incertain *adj.* undecided, indefinite, uncertain
incertitude *f.* uncertainty, doubtfulness
incessant *adj.* ceaseless
inciser *v.* to cut open
inclination *f.* bending
incliné *adj.* bent over, inclined, leaning over
incliner *v.* to bend; **s'—,** to bow, incline (oneself); lead (oneself)
inconnu *m.* unknown
inconsciemment *adv.* unconsciously
inconscience *f.* unawareness
inconvénient *m.* difficulty
incrédule *adj.* sceptical
incroyable *adj.* unbelievable
incroyablement *adv.* unbelievably
incrusté *adj.* studded
inculpé *m.* defendant
s'incurver *v.* to curve in
indécent *adj.* indecorous
indécis *adj.* undecided, indecisive, vague
indéfiniment *adv.* indefinitely
indéfinissable *adj.* indefinable
indescriptible *adj.* indescribable
indésirable *adj.* unwanted, undesirable
indications *f. pl.* instructions
indifférent *adj.* indifferent, apathetic
indigne *adj.* unworthy
indigné *adj.* roused to indignation
indiquer *v.* to point out *or* at; indicate
indispensable *m.* what is strictly necessary
indistinct *adj.* uncertain
individu *m.* individual, character
indivisibilité *f.* indivisibility
induement *adv.* improperly
indulgence *f.* leniency
industrie *f.* industry
industriel *m.* industrialist
inédit *adj.* unpublished
inégal *adj.* unequal, one-sided

inerte *adj.* motionless
inévitable *adj.* inevitable, unavoidable
inexistence *f.* non-existence
infâme *adj.* disgraceful, infamous
infamie *f.* dishonour, infamy
infantile *adj.* infant
infatigable *adj.* dogged, tireless
inférieur *adj.* lower
inférieur *m.* inferior, subordinate
infernal *adj.* infernal, devilish
s'infiltrer *v.* to infiltrate
infini *adj.* boundless, infinite
infiniment *adv.* infinitely
infirme *m.* cripple
infirmerie *f.* infirmary
infirmier *m.* medical corps man, male nurse
infirmière *f.* nurse
inflexion *f.* modulation
infliger *v.* to inflict, impose
influence *f.* influence, pressure
informer *v.* to inform, give information, tell; **s'—,** to inquire
informulé *adj.* unformulated
ingénieur *m.* engineer
ingéniosité *f.* ingenuity
ingénu *adj.* artless
inhumain *adj.* inhuman, not human, unfeeling
ininterrompu *adj.* uninterrupted, continuous
inique *adj.* iniquitous
s'initier (à) *v.* to begin, take (*a course*)
injuste *adj.* unjust
inlassable *adj.* tireless
inlassablement *adv.* tirelessly
innocent *adj.* blameless
innombrable *adj.* countless, innumerable
inonder *v.* to soak, bathe
inopiné *adj.* unexpected
inopinément *adv.* unexpectedly
inopportun *adj.* untimely, inopportune
inouï *adj.* unheard of
inquiet *adj.* apprehensive, uneasy
inquiétant *adj.* disturbing
s'inquiéter *v.* to be disturbed, worried
inquiétude *f.* anxiety, uneasiness
insaisissable *adj.* elusive, unseizable
inscrire *v.* to inscribe, write, enroll
insensé *adj.* mad
insensible *adj.* feelingless
insérer *v.* to insert
insigne *m.* badge
insignifiant *adj.* trivial
s'insinuer *v.* to introduce oneself; insinuate oneself
insistance *f.* earnestness
insistant *adj.* insistent
insister *v.* to insist; **— sur,** to emphasize, stress
insolemment *adv.* insolently
insolite *adj.* unusual, unwonted, out of place
insomnie *f.* lack of sleep, insomnia, sleeplessness
insouciance *f.* casualness, lack of care
insoutenable *adj.* unendurable
installation *f.* wireless (set)
installer *v.* to instal, set up; **s'—,** to be seated, settle oneself
instant *m.* instant, minute, moment; **à l'—,** immediately; **par —s,** now and then
instantané *adj.* instantaneous, immediate
instaurer *v.* to set up, establish
instituteur *m.* schoolmaster
s'instruire *v.* to be examined; instruct oneself
insu: à leur —, unknowingly, without their knowledge
insuccès *m.* failure, lack of success
insupportable *adj.* unbearable
insurgé *m.* & *adj.* insurgent
insurrection *f.* uprising, insurrection
intégral *adj.* complete
intégralement *adv.* completely, in toto
intégrant *adj.* integral
intelligence *f.* intellect, intelligence

intempestif *adj.* unseasonable, untimely
intendance *f.* quartermaster corps, supply
intense *adj.* intensive, intense
intensifier *v.* to intensify, step up
intention *f.* intent, purpose
interallié *adj.* interallied
interdiction *f.* prohibition
interdire (à) *v.* to forbid, prohibit, keep (from); — **le transit,** to deny passage
interdit *adj.* prohibited
intéresser *v.* to concern, interest; **s'—,** to become interested
intérêt *m.* self-interest, interest
intérieur *adj.* internal, interior, inner; *m.* inside; **à l'— de** *prep.* inside (of)
interlocuteur *m.* questioner, interlocuter
intermédiaire *m.* intermediary, go-between; **par l'— de,** through
interminable *adj.* endless
interné *m.* internee
interné *p.p.* interned
interpeller *v.* to call out to
interprète *m.* interpreter
interrogation *f.* question, questioning
interroger *v.* to question, ask
interrompre *v.* to break in, interrupt; **s'—,** to break off, stop
interstice *m.* opening
intervenir *v.* to intervene
intime *adj.* inner
intimider *v.* to intimidate, frighten
intimité *f.* privacy
intitulé *p.p.* entitled
intolérable *adj.* intolerable, unbearable
intriguer *v.* to puzzle
introduire *v.* to introduce, insert
intrusion *f.* forcible entry
inutile *adj.* useless
inutilisable *adj.* unusable
inventer *v.* to fabricate, invent
invertébré *adj.* spineless
invisible *adj.* invisible, unseen
invité *m.* guest
inviter *v.* to ask, invite
invoquer *v.* to put forward (as a reason), invoke
invraisemblable *adj.* unlikely
irrémédiablement *adv.* irremediably
irremplaçable *adj.* irreplaceable
irrésolution *f.* indecision
irrespirable *adj.* unbreathable
irriter *v.* to irritate
irruption *f.*: **faire — dans,** to burst into
isolé *adj.* alone, cut off (from their unit)
isolement *m.* confinement
isoler *v.* to isolate, cut off
issue *f.* conclusion; exit; **sans —,** inconclusive
ivoire *adj.* ivory
ivre *adj.* drunk
ivrogne *m.* drunkard

J

jadis *adv.* formerly; **de —,** of old
jaillir *v.* to issue forth, blare out; spring, gush, well up; burst in
jaillissant *adj.* gushing
jamais *adv.* ever, never; **à —,** forever
jambe *f.* leg
jardin *m.* garden
jardinet *m.* little garden
jardinier *m.* gardener
jauge *f.* gauge
jaune *adj.* yellow
jet *m.* spurt
jeter *v.* to throw, cast, propel, toss away; cry; — **un coup d'œil,** to take a look; **se —,** to plunge, pass, run

jeu *m.* game, sport; **— de mots,** play on words
jeune *adj.* young
jeunesse *f.* youth, youthfulness
joie *f.* joy
joindre *v.* to join, add
joint *adj.* joined
joli *adj.* pretty, nice
joue *f.* cheek; **tenir qqn. en —,** aim at someone, to keep someone covered
jouer *v.* to play; **faire —,** to bring into play
jouet *m.* toy
jouir de *v.* to enjoy, exercise
joueur *m.* player; bettor
jouissance *f.* enjoyment
jour *m.* day, daylight; sun; **de nos —s,** in our day, now, these days; **en plein —,** in broad daylight; **grand —,** broad daylight; **huit —s,** one week; **petit —,** dawn; **quinze —s,** a fortnight
journal *m.* newspaper, journal
journaliste *m.* reporter, journalist, newspaperman
journée *f.* day
joyeusement *adv.* joyously
joyeux *adj.* joyous
jugement *m.* sentence, judgment
juger *v.* to think, believe, consider, judge; pass sentence
juif *adj.* Jewish
Juif *m.* Jew
juillet *m.* July
juin *m.* June
jumeau *m. & adj.* twin
jupe *f.* skirt
jurer *v.* to swear
juridique *adj.* legal, juridical
jusque *prep.* up to, even (*intensive*); **jusqu'à,** up to, right up to, to the point of; **jusqu'ici,** up to this point, up to now; **jusqu'à ce que** *conj.* until
juste *adj.* right, proper, rightful; righteous; **c'est —,** that's right
juste *adv.* exactly, barely; **tout —,** just barely; **siffler —,** to whistle on key
justement *adv.* exactly
justice *f.* justice, law; **rendre — à,** to do justice to, give credit to
justiciable (de) *adj.* subject to trial (by)
justifier *v.* to justify, vindicate

K

kilo = kilogramme *m.* 2.2 pounds

L

là-bas *adv.* over there
label *m.* trade-union label *or* mark
labeur *m.* toil, work
laborieux *adj.* hard-working
labourer *v.* to toil; furrow
labyrinthe *m.* maze
lac *m.* pond, lake
lâche *m.* coward
lâchement *adv.* cowardly, treacherously
lâcher *v.* to let go of, drop, let loose
lâcheté *m.* slackness, cowardice; despicable act
laconique *adj.* laconic
là-dessus *adv.* thereupon, on that subject
là-haut *adv.* up there
laine *f.* wool
laisser *v.* to let, leave; **se — aller à,** to give way to; **(se) —tomber,** to drop

laissez-passer *m.* pass
lait *m.* milk
lame *f.* blade
lamentable *adj.* woeful
lancé *p.p.* started
lancer *v.* to hurl (forth), drop, throw, issue; **se —**, to dash forward
lanceur *m.* thrower
langage *m.* speech, language
langue *f.* tongue, language
lapin *m.* rabbit
laps *m.* lapse, passage
large *adj.* wide
largement *adv.* wide(ly), amply
largeur *f.* width, stretch
larme *f.* tear
las *adj.* weary
se lasser *v.* to tire
lassitude *f.* weariness
latéral *adj.* cross, side
lécher *v.* to lick
lecteur *m.* reader
lecture *f.* reading; **livre de —**, reader
légalement *adv.* legally
légendaire *adj.* legendary
léger *adj.* light, slight
légèrement *adv.* slightly, lightly
légèreté *f.* weakness, flightiness
légitime *adj.* legitimate
légitimement *adv.* justifiably
léguer *v.* to bequeath, leave
légume *m.* vegetable
lendemain *m.* next day, morrow; **le — matin,** next morning
lent *adj.* slow
lentement *adv.* slowly
lenteur *f.* slowness
lentille *f.* lentil
lésion *f.* injury
levant *m.* rising (sun), east
lever *v.* to raise, lift; **se —**, to get up, rise
lèvre *f.* lip
liaison *f.* link, contact, liaison
libération *f.* release, liberation
libéré *adj.* free, liberated
libérer *v.* to free, set free, liberate
liberté *f.* freedom, liberty
librairie *f.* bookstore
libre *adj.* free; wild; open, vacant
librement *adv.* freely
libre-penseur *m.* free-thinker
licence *f.* licence, permission
lien *m.* bond, tie
lier *v.* to bind
lieu *m.* place, reason; **au — de,** instead of; **avoir —**, to take place
lieutenant *m.* (*air corps*) first lieutenant
ligue *f.* league
limite *f.* limit, bound, boundary; **— de la rupture,** breaking point
limité *p.p.* limited, defined
limiter *v.* to limit, define
linge *m.* laundry, linen, clothes; **— de corps,** underclothes
linotypiste *m.* linotype operator
lire *v.* to read
lisse *adj.* smooth
lit *m.* bed; **— de camp,** cot
litre *m.* litre (*about 1.06 qts.*)
livraison *f.* delivery
livre *f.* pound
livre *m.* book
livrer *v.* to wage, engage in; resort; leave; betray, deliver, turn (over) to; present; **se —**, to surrender, engage (in)
livret *m.* service book
local *m.* building; **locaux** *pl.* premises, quarters
loco *f.* locomotive
logement *m.* lodging
loger *v.* to billet, quarter; put up, lodge; **se —**, to lodge
logeur *m.* keeper of a lodging-house
logique *f.* logic
logis *m.* home
loi *f.* law
loin *adv.* far; **au —**, in the distance; **de —**, from a distance

lointain *adj.* distant, far off
lointain *m.* distance
loisir *m.* leisure; chance; **à —,** leisurely, at leisure; **laisser le —,** to give a chance
long *adj.* long; **au — de,** during, the length of; **de — en large,** back and forth; **le — de,** along, beside
longer *v.* to go along
longtemps *adv.* long, a long time; **depuis —,** a long time ago
longuement *adv.* at length
longueur *f.* length; **à — de journée,** all day long
lorrain *adj.* of Lorraine
lors de *prep. phr.* at the time of
lorsque *conj.* when
louche *f.* ladle; **— de bouillon,** soup ladle
louer *v.* to rent
lourd *adj.* heavy
lucarne *f.* skylight
lucidité *f.* lucidity (of mind)
lueur *f.* gleam, ray, dim light
lugubre *adj.* dismal
luisant *adj.* shining
lumière *f.* light, gleam; **mettre en —,** to show
lumineux *adj.* dazzingly clear, luminous, lustrous
lunaire *adj.* moonlike
lune *f.* moon
lunettes *f. pl.* glasses
lustre *m.* chandelier; lustre
lutte *f.* struggle
lutter *v.* to contend, struggle
luxe *m.* luxury, richness; **de —,** wealthy, fashionable
luxueux *adj.* luxurious

M

machinal *adj.* mechanical
machinalement *adv.* mechanically
machine *f.* engine, machine; **— à coudre,** sewing machine; **— à écrire,** typewriter
machinerie *f.* plant
mâchoire *f.* jaw
mâchonner *v.* to chew on
maçon *m.* mason
magistral *adj.* masterly
magnat *m.* (industrial) magnate
magnificence *f.* splendor
magnifique *adj.* splendid
maigre *adj.* scanty, sparse, thin
maigriot *m.* skinny one
main *f.* hand; **mettre la — sur,** to lay hands on
maint *adj.* many
maintenant *adv.* now; **dès —,** from now on
maintenir *v.* to keep, maintain; **se —,** to hold one's own
maire *m.* mayor
mairesse *f.* mayoress, mayor's wife
mairie *f.* town hall
maison *f.* house, residence
maisonnette *f.* cottage
maître *m.* master, teacher
maîtresse *f.* mistress
maîtrise *f.* mastery
maîtriser *v.* to master; **se —,** to control oneself
mal *adv.* poorly, badly; wickedly; **— venu,** unwelcome; **en — de,** badly needing
mal *m.* evil, trouble; **avoir — à** + *noun*, to have a pain in . . .; **avoir du — à,** to have trouble in; **faire — à,** to hurt
malade *adj.* sick
malade *m.* sick person
maladie *f.* illness, disease
maladresse *f.* clumsiness
maladroit *adj.* blundering, maladroit
maladroitement *adv.* clumsily

malaise *f.* uneasiness
mâle *adj.* masculine, male
malfaisant *adj.* evil
malgré *prep.* in spite of
malheur *m.* misfortune; — **à qui . . .**, unlucky for him who . . .
malheureux *adj.* unhappy, unfortunate
malheureux *m.* unfortunate (person)
malice *f.* wise-crack, smart remark
malin *m.* "sharper," foxy person
malsain *adj.* pernicious
maltraiter *v.* to maltreat
manche *f.* sleeve
manche *m.* handle
manette *f.* control-lever
manger *v.* to eat
manière *f.* manner, way
manifestant *m.* demonstrator
manifestation *f.* demonstration
manifeste *adj.* obvious
manifester *v.* to reveal; demonstrate
manipulation *f.* handling
manœuvre *f.* scheme; drill
manque *m.* lack
manquer de *v.* to lack, be lacking, be missing; fail; — + *inf.*, nearly to + *inf.*, almost + *tense form*
manteau *m.* cloak, coat; — **de fourrure,** fur coat
manuel *m.* textbook
marais *m.* marsh
marbre *m.* marble
marchand(e) *m. or f.* merchant, seller
marchandise *f.* merchandise; *pl.* goods
marche *f.* progress; step, tread; advance, move; **mettre en —,** to start up (an engine)
marché *m.* market; — **noir,** black market; **pardessus le —,** into the bargain
marchepied *m.* running board
marcher *v.* to walk, march, run; — **en tête,** to lead the van
mardi *m.* Tuesday
marge *f.* margin
mari *m.* husband
se marier *v.* to get married
marin *m.* sailor
marine *f.* Navy
marinier *adj.* naval
marionnette *f.* puppet
marque *f.* brand, mark, sign
marqué *adj.* distinguished, pronounced
marquer (**de**) *v.* to indicate, show, mark; **se — (de),** to become marked (with)
martial *adj.* warlike, soldierly
martyr(e) *m. & f.* martyr
martyre *m.* martyrdom
mascarade *f.* masquerade, puppet-show
masque *m.* mask
masqué *adj.* masked
masquer *v.* to conceal, mask
se masser *v.* to mass
massif *adj.* bulky, stocky; **mass**
mastodonte *m.* mastodon
mât *m.* flagpole
matelas *m.* mattress
matelot *m.* sailor
matériel *adj.* material
matériel *m.* (war) material
matériellement *adv.* with material assistance
matière *f.* material
matin *m.* morning
matinal *adj.* morning
mauvais *adj.* bad, wicked, wrong, evil; — **garçons,** "bad actors"
mauve *adj.* purple
mécanique *adj.* mechanical
mécanisme *m.* machinery
méchanceté *f.* wickedness
méchant *m.* wicked (person)
mèche *f.* fuse
mécontentement *m.* discontent
médaille *f.* medal

médecin *m.* doctor
médiateur, -trice *m. & f.* mediator
méditatif *adj.* thoughtful
méditer *v.* to consider
méfiance *f.* distrust
méfiant *adj.* cautious
se méfier *v.* to distrust, mistrust
mégot *m.* cigarette butt
meilleur *adj.* better; **le —,** the best
mélange *m.* mixture
mélanger *v.* to mingle, mix together
mêlée *f.* conflict
(se) mêler *v.* to mingle, mix; **s'en —,** to interfere
mélinite *f.* melinite (*explosive*)
mélodie *f.* tune
même *adj.* same; even, very; **de —,** in the same way, just the same; **de — que,** as well as; **tout de —,** nevertheless
mémoire *f.* mind, memory
menaçant *adj.* threatening
menace *f.* threat
menacer *v.* to menace, threaten
ménage *m.* household
mener *v.* to lead, carry on, conduct; **— à bien,** carry out
mensonge *m.* lie
mensuellement *adv.* monthly
mentir *v.* to lie
menton *m.* chin
mépris *m.* scorn
méprisable *adj.* despicable
méprise *f.* mistake
mer *f.* sea
mercenaire *m.* mercenary; hireling
merci: sans —, ruthless, pitiless
mercredi *m.* Wednesday
mère *f.* mother
mériter *v.* to deserve
méritoire *adj.* praiseworthy
merveilleux *adj.* wonderful
mess *m.* (officers') mess
messe *f.* mass
mesure *f.* measure; arrangement, standard; **à la — de,** according to; **à — que,** as; **en — de,** in a position to
mesurer *v.* to calculate, measure, weigh, take the measure of
métallique *adj.* metal
métallo (*slang*) *m.* metal worker
métallurgie *f.* metal-working
méticuleusement *adv.* meticulously
métier *m.* trade, job
métro(politain) *m.* subway
mettre *v.* to place, put; put on; **— à la porte,** to send away; **— au bloc,** to lock up; **— en contact,** to acquaint; **— en ligne,** to place in battle; **— en lumière,** to show, **— en marche,** to start up (an engine); **— la main sur,** to lay hands on; **— le feu à,** to light, ignite, set fire to; **— les points sur les i,** to dot the *i's*, not to mince words; **— pied à terre,** to descend
se mettre *v.* to stand; **— à,** to begin, start; **— à table,** to sit down to eat; **— de,** to join; **— en route,** to set out
meuble *m.* article of furniture; *pl.* furniture
meule *f.* stack
meurtre *m.* murder
meurtrier *adj.* blood-stained, murderous
Meuse *f. river in northeastern France*
micro *m.* microphone
microbien *adj.* microbic
midi *m.* noon, midday; south
mieux *adv.* better; **aimer —,** to prefer; **faire —,** to be better; **faire de son —,** to do one's best
migraine *f.* headache
milices *f. pl.* militia troops (Vichy)
milicien *m.* militiaman (Vichy)
milieu *m.* circle, middle; walk (of life), level (of society); **au — de,** in the thick of, among

militaire *adj.* military
militaire *m.* soldier
militant *adj.* aggressive, militant
militant(e) *m. & f.* fighter (for an idea)
millier *m.* thousand
mimique *f.* dumb-show, pantomime
mince *adj.* narrow, thin
mine *f.* appearance, expression; **faire — de,** to appear to, pretend to
minier *adj.* mining
ministère *m.* ministry
ministériel *adj.* ministerial
ministre *m.* minister
minuscule *adj.* small, tiny
minutieusement *adv.* minutely, thoroughly
minutieux *adj.* thorough
miroir *m.* mirror
miroiter *v.* to glisten, ripple
misérable *adj.* poverty-stricken, wretched
misérable *m.* wretch
misère *f.* destitution, misery; trouble
miséricorde *f.* mercy
mitrailler *v.* to machine-gun
mitraillette *f.* submachine gun, tommy-gun
mitrailleur *m.* machine-gunner
mitrailleuse *f.* machine-gun; **— de campagne,** field machine-gun
mobilier *m.* furniture
mode *f.* style, method
modèle *m.* model
modeste *adj.* moderate, modest, humble
modestement *adv.* unpretentiously, modestly
modifier *v.* to change, modify
modulation *f.* cadence
moindre: le —, smallest, least, slightest
moine *m.* monk
moins *adv.* less, fewer; **— de,** fewer; **à — de,** *conj.* unless; **au —,** at least
moitié *f.* half
momentané *adj.* temporary, for the moment
momentanément *adv.* at the moment
monarchique *adj.* monarchical
monde *m.* world, people, society; **tout le —,** everyone
mondial *adj.* world
monotone *adj.* monotonous
monsieur *m.* gentleman, Mr.
monstre *adj.* huge
monstre *m.* monster; prodigy
monstrueux *adj.* shocking
montagne *f.* mountain
montée *f.* rising, mounting
monter *v.* to get in, rise, mount, climb, ascend; carry (up); **— en grade,** to rise in rank; **— une garde,** to mount a guard, set up a guard
montrer *v.* to exhibit, show, point out
se moquer (de) *v.* to make fun (of), make sport (of)
moquerie *f.* mockery
moral *m.* morale
morale *f.* morality
morbide *adj.* unhealthy
morceau *m.* piece
mordiller *v.* to chew on; nip
mordre *v.* to bite
morne *adj.* gloomy, dejected
mort *f.* death
mortel *adj.* deadly
mortellement *adv.* fatally, mortally
mot *m.* word; **— d'ordre,** order, directive; **— de passe,** password
moteur *m.* motor, engine
motif *m.* motive, reason
mou *adj.* soft
mouchard *m.* informer, stool pigeon
mouche *f.* fly
mouchoir *m.* handkerchief
mouiller *v.* to wet, moisten
moulé: bien —, in a finely blocked letter
moulin *m.* mill
mourir *v.* to die

mousqueton *m.* repeating rifle
moutarde *f.* mustard
mouvement *m.* sweep, traffic, movement, wave, bustle
moyen *adj.* medium
moyen *m.* means, way
muet *adj.* mute, without speaking, silent
muet *m.* speechless, silent person
se multiplier *v.* to increase, be multiplied
munir *v.* to equip, provide
municipalité *f.* city council
munitions *f. pl.* ammunition
mur *m.* wall
mûr *adj.* ripe
muraille *f.* wall
mûrir *v.* to ripen
murmurer *v.* to mutter
museau *m.* muzzle, head, nose
musée *m.* museum
musique *f.* air, music
mutilé *m.* maimed (person)
mutuellement *adv.* reciprocally
mystère *m.* mystery
mystérieux *adj.* mysterious, uncanny
mystique *adj.* mystic

N

nage *f.* swimming
nager *v.* to swim
nageur *m.* swimmer
naguère *adv.* a short time ago
nain *m.* dwarf
naissance *f.* birth
naître *v.* to be born; **faire —**, to bring to life
nappe *f.* table-cloth
natation *f.* swimming
natif *adj.* ingrained
naturel *adj.* natural, native
naturellement *adv.* of course, naturally
navire *m.* ship
né. *See* **naître**
ne . . . guère *adv.* hardly, scarcely
ne . . . plus *adv.* no longer, no more
ne . . . que *adv.* only
nécessité *f.* need, compulsion
nécessiter *v.* to necessitate, call for
néfaste *adj.* nefarious
négliger *v.* to ignore, disregard
neige *f.* snow
néophyte *m.* beginner, tyro
nerf *m.* nerve
nerveusement *adv.* nervously
nerveux *adj.* excitable; sinewy
nervosité *f.* nervousness
net *adj.* clear
nettement *adv.* plainly, flatly, clearly
netteté *f.* clarity
nettoyage *m.* cleaning up, clearing
nettoyer *v.* to clean
neuf *adj.* new, fresh; **à —**, newly
neutraliser *v.* to neutralize, put out of action
neutre *adj.* neutral
nez *m.* nose
nickelé *adj.* nickel-plated
nid *m.* nest
nier *v.* to deny
niveau *m.* level
noble *adj.* lofty, noble
noblesse *f.* nobility, nobleness
noce *f.* wedding
nocturne *adj.* nocturnal
Noël *m.* Christmas
nœud *m.* knot
noir *adj.* black, dark
noir *m.* night, dark
noircir *v.* to blacken
nom *m.* name
nombreux *adj.* numerous, a number of
nomenclature *f.* classified list
nommé: un — . . ., a certain . . .

nommer *v.* to give a name; **se —**, to be named
nonchalance *f.* unconcern
non plus *adv.* either, neither
nord *m.* north; **Le Nord,** The North of France
normand *adj.* Norman, of Normandy
nostalgie *f.* homesickness, nostalgia
notabilité *f.* dignitary
notaire *m.* notary (*one who draws up various legal papers*)
notamment *adv.* notably, particularly
note *f.* note; **prendre bonne —**, to take due note
noter *v.* to notice, to make a note
notice *f.* notation, memorandum
nourrir *v.* to feed, nourish; **se —**, to feed oneself; **(se) — d'illusions,** to cherish illusions
nouveau *adj.* new, fresh; **de —** (**à —**), again; **une nouvelle place,** another square
nouveau-né *adj. & m.* new born
nouvelle *f.* item of news, short story; *pl.* news
noyer *v.* to drown, drench; **se —**, to be drowning
nu *adj.* bare, naked, empty
nuage *m.* cloud
nuée *f.* cloud, crowd
nuit *f.* night, darkness; **cette —**, last night; **faire —**, to be dark
numéro *m.* number, issue
nuque *f.* back of the neck
nu-tête *adj.* bareheaded

O

obéir *v.* to obey
obéissance *f.* submission
objet *m.* article, object
obligation *f.* necessity
obligatoirement *adv.* of necessity
obligeance *f.* obligingness
obligeant *adj.* obliging, kind
obliger *v.* to compel, oblige
obscur *adj.* obscure, sombre
obscurité *f.* dimness, darkness
obséder *v.* to obsess
observation *f.* observation, comment
observer *v.* to note, watch, remark, observe; read
obstacle *m.* obstruction, obstacle
obstination *f.* stubbornness
obstiné *adj.* stubborn
obstinément *adv.* obstinately, stubbornly
obstruer *v.* to block, obstruct, cut off
obtenir *v.* to obtain, draw
obus *m.* shell
occasion *f.* opportunity, occasion; **guide d'—**, chance leader
occasionner *v.* to cause
occident *m.* west
occulte *adj.* hidden
occupation *f.* occupation, seizure
occupé *adj.* busy
occuper *v.* to take up, occupy; **s'— (de)**, to take care (of), concern oneself (with), bother with; **s'— (à)**, to be busy (at)
oculaire *adj.* eye, ocular
odeur *f.* scent, odor
odieux *adj.* hateful
œil *m.* eye
œuf *m.* egg
œuvre *f.* work, writing
offense *f.* insult
offenser *v.* to offend, insult
officine *f.* shop, factory
offrir *v.* to offer, present; **être là offert,** to chance to be there
oie *f.* goose; **marcher au pas de l'—**, to goose-step
oiseau *m.* bird
oisif *adj.* idle

oisivement *adv.* idly
ombre *f.* shade, shadow, dark
omoplate *f.* shoulder-blade
ongle *m.* nail
opacité *f.* darkness
opaline *adj.* opaline
opaque *adj.* dark
opération *f.* process, operation, procedure
opérer *v.* to carry out
opiniâtreté *f.* persistence
opinion *f.* (public) opinion, conviction
opposé *adj.* opposing
opposer *v.* to oppose, offer; — **à**, set over against; **s'— à**, to resist, oppose
oppressé *adj.* oppressed
oppression *f.* weight, oppression
opprimé *adj.* oppressed
opprobre *m.* disgrace
optimiste *adj.* optimistic
or *conj.* now
or *m.* gold
oraison *f.* oration
orbite *f.* socket
orchestrer *v.* to orchestrate; harp on
ordinaire *adj.* usual, customary; **à l'—**, usually, ordinarily; **d'—**, as usual
ordonner *v.* to order, command
ordre *m.* order, species, rank, nature; — **de repli**, withdrawal order; **sous les —s de**, under the command of
ordures *f. pl.* refuse, garbage
oreille *f.* ear
s'organiser *v.* to become organized
orgueil *m.* pride
orgueilleusement *adv.* proudly
orgueilleux *adj.* haughty, proud
orient *m.* east
oriental *adj.* eastern
orienter *v.* to face
originaire *adj.* native
orner *v.* to decorate, embellish
orphelin *m.* orphan
os *m.* bone
oser *v.* to dare
ostensiblement *adv.* publicly, openly
otage *m.* hostage
où que *conj.* wherever
oublier *v.* to forget
oublieux *adj.* forgetful
ouest *m.* west
outil *m.* tool
outrage *m.* flagrant insult
outre *prep.* beyond
ouvert *p.p.* **ouvrir: les yeux —s,** wide awake
ouverture *f.* opening
ouvrage *m.* work
ouvrier, –ère *adj.* working
ouvrier, –ère *m. & f.* worker
(s')ouvrir *v.* to open (up), force

P

pacifier *v.* to calm
pacifique *adj.* peaceable
pacifique *m.* pacifist
paille *f.* straw
pain *m.* bread, loaf of bread; — **de ménage,** homemade bread
paisible *adj.* peaceful
paisiblement *adv.* peacefully, peaceably
paix *f.* peace
palais *m.* palace, mansion
pâle *adj.* pale, white, lack-lustre
pâleur *f.* pallor, paleness
pâlir *v.* to fade, turn pale
palpiter *v.* to quiver
panier *m.* basket
panique *f.* panic
panoplie *f.* (wall)-trophy
panser *v.* to dress
pantalon *m.* pair of pants, trousers

papier *m.* paper, document; *also frequently* **papiers (d'identité)**
paquet *m.* package, bundle; **les voir faire leurs —s,** to see them packing up
parachutiste *m.* paratrooper
parader *v.* to parade
paraître *v.* to seem, appear; publish
parasitaire *adj.* parasitic
parc *m.* park; parking-lot
parcelle *f.* plot
parcourir *v.* to travel, sweep, traverse
par-dessus *prep. & adv.* over
pardessus *m.* overcoat
pardonner *v.* to pardon, forgive
paré *adj.* all set
pareil *adj.* alike, similar, like
pareil *m.* equal, like
parent *m.* relative, parent
paresse *f.* laziness, idleness
paresseusement *adv.* idly, lazily
parfaitement *adv.* completely
parfois *adv.* sometimes, at times
parier *v.* to wager, bet
parlementaire *m.* member of parliament
parlementarisme *m.* parliamentary government
parlementer *v.* to parley
parmi *prep.* among, from
parodier *v.* to burlesque, do a take-off
paroi *f.* wall
paroisse *f.* parish
parole *f.* word
paroxysme *m.* paroxysm, sensation, climax
part *f.* share; **à —,** aside from, except for; **à** *or* **d'une — . . . d'autre —,** on one hand . . . on the other hand; **de — en —,** through and through; **de ma —,** from me; **de toutes —s,** from all over; **pour ma —,** as for me; **quelque —,** somewhere
partager *v.* to share, divide
parti *m.* party, (political) party
participer (à) *v.* to take part (in)
particulier *adj.* special
particulièrement *adv.* especially
partie *f.* game, contest; part; **en —,** partly; **faire — de,** to be included; **se mettre de la —,** to take a hand
partir *v.* to leave, go; give forth; come; **— à rire,** to burst out laughing; **à — de,** from
partisan *m.* guerrilla, partisan
partout *adv.* everywhere
paru *adj.* published, issued
parvenir *v.* to come; reach; succeed; **faire —,** to forward
parvis *m.* square
pas *m.* footstep, step, pace; threshold
passage *m.* gate; **au —,** in passing
passager *m.* passenger
passant *m.* passer-by
passé *adj.* over, past
passé *m.* past
passer *v.* to pass, get through, go over, go on, pass on; run; spend; **— à pied,** to wade; **— par,** to go through; **se —,** to happen, go on, occur; **se faire — comme,** to pass oneself off as
passif *adj.* passive
passion *f.* emotion, passion
passionné *adj.* impassioned
passionné *m.* enthusiast
se passionner (pour) *v.* to be passionately fond (of)
patate *f.* (*slang*) potato
paternel *adj.* fatherly
patiemment *adv.* patiently
patrie *f.* country, fatherland
patriote *m. & f.* patriot
patron *m.* employer, "boss"; **grand —,** big boss
patronne *f.* proprietress, "boss"
patrouille *f.* patrol (squad)
patte *f.* leg, paw, foot
pâture *f.* fodder
paume *f.* palm

paupière *f.* eyelid
pause *f.* pause; **faire une —**, to pause
pauvre *adj.* poor, wretched
pauvreté *f.* poverty, poorness; lack
pavé *m.* pavement
pavillon *m.* cottage
payer *v.* to pay
pays *m.* locality, home, country
paysage *m.* landscape
paysan *m.* peasant
peau *f.* skin, hide
peindre *v.* to paint, portray
peine *f.* trouble, affliction; **à —**, hardly, scarcely, with difficulty; **ce n'est pas la —**, it isn't worth while; **faire — à**, to grieve, distress
peint *adj.* painted; done
peinture *f.* paint
pelage *m.* fur
pelle *f.* shovel
peloton *m.* squad; **— d'exécution,** firing squad
se pencher *v.* to lean forward, bend forward
pendre *v.* to hang
pendule *f.* clock
pénétrant *adj.* penetrating
pénétrer *v.* to enter
pénible *adj.* labored
pénombre *f.* semi-darkness, twilight
pensée *f.* thought; pansy
penser *v.* to think; imagine
pension *f.* boarding-house
pensivement *adv.* thoughtfully
pente *f.* slope
perceptible *adj.* audible
percer *v.* to cut, pierce
percevoir *v.* to discern
se percher *v.* to perch, cling
perdre *v.* to lose, ruin; **se —**, to lose oneself, be lost
péremptoire *adj.* peremptory
se perfectionner *v.* to improve; perfect oneself, improve one's knowledge
perforation *f.* puncture
perforer *v.* to puncture
péril *m.* danger
périlleux *adj.* perilous, dangerous
périodique *adj.* periodical, magazine
périodiquement *adv.* periodically
périr *v.* to perish
permettre *v.* to allow; **permettez!** excuse me! not so fast!
permis *m.*: **— de conduire,** driving license
permission *f.* leave, permission
pérorer *v.* to hold forth, orate
perpétrer *v.* to perpetrate
perpétuel *adj.* constant
perpétuité: à —, forever; endlessly
perron *m.* flight of steps
persévérer *v.* to persevere
personnage *m.* character, fellow
personnalité *f.* person
personne *f.* person; **ne . . . —**, no one
personnel *adj.* personal
personnel *m.* staff
perspective *f.* prospect
persuader *v.* to convince
perte *f.* loss, casualty; ruin; **à — de vue**, as far as the eye could see
pesamment *adv.* heavily, thickly
peser *v.* to weigh
peste *f.* scourge
petit *adj.* little
petit-fils *m.* grandson
pétrifié *adj.* petrified, scared stiff
peuple *m.* people, nation
peupler *v.* to people, fill
peur *f.* fear; **avoir —**, to be afraid; **faire — à**, to scare, frighten
peut-être *adv.* perhaps
phare *m.* headlight
pharmacien *m.* pharmacist, druggist
photographie *f.* photograph
photographier *v.*: **se faire —**, to have one's picture taken
photograveur *m.* photo-engraver

phrase *f.* sentence; **les belles —s,** well-turned phrases
physique *adj.* physical, bodily
physique *f.* physics
physiquement *adv.* physically
pièce *f.* room; piece; gun; **—s d'identité,** identification papers; **— D.C.A.,** anti-aircraft gun
pied *m.* foot, base; **—s-nus,** barefoot; **mettre — à terre,** to descend
piège *m.* trap
pierre *f.* stone; **— de touche,** touchstone
piétinement *m.* tramping, trampling
piétiner *v.* to trample
piéton *m.* pedestrian
pieusement *adv.* religiously
pieuvre *f.* octopus
piger *v.* (*slang*) to understand, "get it"; **je ne pige pas,** I don't get it
pile *f.* pier; stack, heap
pillage *m.* looting
piller *v.* to plunder
pilule *f.* pill
pince *f.* claw; **— de homard,** lobster claw
pioche *f.* pickaxe
piquer *v.* to dive; dent; prickle, sting
pire *adv.* worse; **le —,** the worst
pirouetter *v.* to wheel
pis: tant —, it can't be helped
pistolet *m.* pistol
pitié *f.* pity, shame; **faire —,** to be pitiful
pittoresque *m.* picturesqueness
place *f.* room; location, place; square; position; **à sa —,** for him; **il y a de la —,** there's room enough; **sur —,** on the spot
placer *v.* to get assigned, place; **se —,** to station oneself
placide *adj.* calm, placid
plafond *m.* ceiling
plaider *v.* to plead, argue
plaie *f.* wound
plaindre *v.* to pity, be sorry for; **se —,** to complain, register complaints
plaine *f.* level ground, plain
plainte *f.* moan
plaire (à) *v.* to please, be agreeable (to)
plaisanter *v.* to jest
plaisanterie *f.* pleasantry, jest, joke
plaisir *m.* pleasure, fun
plan *m.* plane; outline, diagram; plan, design
planter *v.* to plant, set
plaque *f.* sign
plat *adj.* flat
plat *m.* course, dish
plâtre *m.* plaster
plein *adj.* full; **en —,** clearly; **en — +** *noun,* right in the middle of, in the thick of, in full . . .
plein *m.* full complement
plénitude *f.* completeness, fullness
pleurer *v.* to cry, weep
pleurs *m. pl.* tears, weeping
pleuvoir *v.* to rain, fall
pli *m.* fold, wrinkle, crease
plier *v.* to bend, bow; fold; **se —,** to bend
se plisser *v.* to crease, crinkle
plomb *m.* lead
plonger *v.* to plunge, dive in
ployer *v.* to bend, bow
pluie *f.* rain
plume *f.* feather
plupart *f.* most, majority
plusieurs *adj.* several
plutôt (que) *adv.* rather (than)
pneu *m.* tire; **— de secours,** spare tire
poche *f.* pocket
poêle *m.* stove
poésie *f.* poetry
poids *m.* weight
poignard *m.* dagger
poignée *f.* handful, knob
poignet *m.* wrist
poil *m.* hair
poing *m.* fist, hand

point *m.* point, stage; spot, dot; **— commun,** common ground; **ne . . . —**, not, not at all; **mettre au —,** to perfect; **mettre les —s sur les i,** to dot the *i*'s, not to mince words
pointe *f.* headland
pointer *v.* to point, aim
pointu *adj.* pointed, sharp
poitrine *f.* breast, chest
poli *adj.* polite
police *f. civil administration for maintaining public order*
policier *m.* detective, police officer
polir *v.* to polish
politique *f.* politics, policy
Pologne *f.* Poland
pomme *f.* apple; **— de terre,** potato
pommette *f.* cheek-bone
pompe *f.* pump; display, pomp
pomper *v.* to pump
pompier *m.* fireman
pont *m.* bridge; **tête de —,** bridgehead
populaire *adj.* popular, people's
population *f.* populace, population
portail *m.* gate
porte *f.* gate, door; **— tournante,** revolving door; **mettre à la —,** to send away
porte-chargeur *m.* magazine
portée *f.* range; **à — de,** in reach of; **à leur —,** on their level; **à petite —,** at (of) short range
portefeuille *m.* billfold, pocketbook
porte-plume *m.* pen-holder, fountain-pen
porter *v.* to wear; carry, bear; cast, lead, deal; **— le regard sur,** to turn one's eyes on; **— les yeux vers,** to cast one's eyes towards
porteur *m.* bearer
portière *f.* door
posé *adj.* steady
poser *v.* to place, put, rest, put down; ask; **se —,** to settle, rest, perch
posséder *v.* to own
poste *f.* mail; post office
poste *m.* set, post; shift; **— d'essence,** gas station; **— de mitrailleurs,** machine-gun emplacement
postier, –ère *m. & f.* postal clerk, postman
posture *f.* attitude
potasse *f.* potash; **chlorate de —,** potassium chlorate
pote *m.* buddy (*slang*)
poteau *m.* pole, post, stake
pou *m.* louse, "cootie"
pouce *m.* thumb, inch
poudre *f.* powder
poudreux *adj.* powdery, dusty
poule *f.* hen, fowl
pour *prep.* for, only to, to
pourchasser *v.* to hunt, track down
pourchasseur *m.* hunter, tracker
pourparler *m.* parley, discussion
pourrir *v.* to rot, decay, corrupt
poursuite *f.* continuance
(se) poursuivre *v.* to continue, pursue
pourtant *adv.* however, yet, still
pourvoyeur *m.* procurer, supplier; panderer
pourvu *p.p.* **pourvoir,** supplied
pourvu que *conj.* provided, if only
pousser *v.* to squeeze, push, establish; grow; utter
poussière *f.* dust
poussiéreux *adj.* dusty
poutre *f.* beam, rafter
pouvoir *m.* power, authority
pouvoir *v.* to be able (can); **ne — rien,** to be powerless; **n'y — rien,** to be unable to help it; **il se peut que,** it is quite possible that
pratiquant *adj.* practising; church-going
pratique *adj.* practical
pratique *f.* practice; **mettre en —,** to put into practice, apply

pratiquer *v.* to practise, carry on, perform
pré *m.* meadow
précaire *adj.* precarious
précautionneusement *adv.* carefully
précédemment *adv.* just preceding, above
précédent *m.* precedent; **sans —,** unprecedented
précéder *v.* precede
prêcher *v.* to preach
précieux *adj.* invaluable, precious
précipitamment *adv.* in a rush
précipitation *f.* haste, speed; **pas de —,** don't rush
précipité *adj.* headlong, hasty
précipiter *v.* to hurl; **se —,** to rush
précis *adj.* exact
précisément *adv.* precisely, exactly
préciser *v.* to specify
précision *f.* accuracy; *pl.* particulars
prédilection *f.* partiality
préfectoral *adj.* prefectoral, police
Préfecture *f.* Police Headquarters
préféré *adj.* favorite
préfigurer *v.* to foreshadow
prématuré *adj.* premature
prendre *v.* to take, take off, lead off; seize; make; **— à,** to participate in; **— fin,** to end; **— garde à,** to noticc; **— la fantaisie,** to fancy; **— patience,** to keep patient; **— place,** to be stationed; **se —,** to begin
prénom *m.* given name
préoccupation *f.* concern
se préoccuper *v.* to concern oneself, be concerned
préparatifs *m. pl.* preparations
se préparer *v.* to get ready
prérogative *f.* right
près *adv.* near; **à peu —,** almost; **de —,** close to
presbytère *m.* presbytery, parochial residence
prescrire *v.* to require
présence *f.* presence, attendance
présent *adj.* present; **à —,** now; **être — à,** to attend
présentation *f.* showing; production; issuance
présenter *v.* to introduce; show; present; put in front of; hand
présider *v.* to preside over
presque *adv.* almost
presse *f.* press, journalism
pressé *adj.* in a hurry
pressentir *v.* to have a foreboding of
presser *v.* to hasten, press, squeeze; **se —,** to crowd each other
pression *f.* pressure
prêt *adj.* ready
prétendre *v.* to claim
prétendu *adj.* alleged, would-be
prêter *v.* to lend, pay
prétexte *m.* pretext, excuse
prétexter *v.* to give as a pretext, plead
prêtre *m.* priest
preuve *f.* proof, test; **faire —,** to test, attest
prévenir *v.* to warn, forewarn, notify, forestall
prévoir *v.* to foresee, envision; arrange; provide for; specify
prévu *adj.* foreseen
prier *v.* to request
principe *m.* principle, primary cause
printemps *m.* spring(time)
priorité *f.* priority
pris *p.p.* seized, caught
prise *f.* capture, seizure; **mettre aux —s,** to bring into conflict
prisonnier *adj.* imprisoned
prisonnier, -ère *m. & f.* prisoner
privé *adj.* private
priver *v.* to deprive
privilégié *m.* person of the privileged class
prix *m.* price, cost; **à tout —,** at all cost

procédé *m.* process
procès *m.* trial, case, legal proceeding
prochain *adj.* next; impending, forthcoming
proche *adj.* near, near-by
se procurer *v.* to procure, obtain
prodigieux *adj.* tremendous
prodiguer *v.* to lavish
producteur *adj.* productive; **— de,** raising
se produire *v.* to occur
produit *m.* product
profané *adj.* profaned
proférer *v.* to utter
professeur *m.* teacher
profiler *v.* to silhouette, outline
profiter *v.* to take advantage, benefit, profit
profiteur *adj.* profiteering
profiteur *m.* profiteer
profond *adj.* profound, deep
profondément *adv.* deeply, profoundly
profondeur *f.* depth
profusion *f.* profuseness
programme *m.* course of study, program
progresser *v.* to advance
progression *f.* progression, advance
proie *f.* prey; **en — à,** prey to; seized by
projet *m.* plan
projeter *v.* to cast, extend; propose
prolonger *v.* to extend
promenade *f.* walk
se promener *v.* to wander, walk
promeneur *m.* pedestrian
promesse *f.* assurance
promettre *v.* to promise
promu *p.p.* **promouvoir,** promoted to
prononcé *adj.* decided, well-defined
prononcer *v.* to utter
pronostic *m.* forecast
propagateur *m.* spreader
propager *v.* to spread
propice *adj.* favorable, propitious
propos *m.* purpose; *pl.* remarks, words; **à — de,** concerning
proposer *v.* to propose, suggest
propre *adj.* own; clean; likely
proprement *adv.* neatly; **— dit,** proper; properly called
propriétaire *m.* owner
prospère *adj.* prosperous
se prosterner *v.* to prostrate oneself
prostitué *adj.* prostitute
prostituée *f.* prostitute
prostré *adj.* prostrated
protecteur *adj.* protective
protéger *v.* to protect
protester *v.* to protest; asseverate
prouver *v.* to prove
provenance *f.* origin
provenir de *v.* to originate in
provision *f.* food
provisoire *adj.* provisional
provoquer *v.* to cause, stir up
proximité *f.* nearness; **à — de,** near
prude *adj.* prudish
prudemment *adv.* cautiously
prudence *f.* care
prudent *adj.* advisable, prudent
Prusse *f.* Prussia
psalmodier *v.* to intone
puant *adj.* stinking
publiciste *m.* writer (on matters of public and social interest)
publicité *f.* advertising
publier *v.* to publish, bring out
pudeur *f.* modesty, squeamishness
puiser *v.* to pump out
puisque *conj.* since, but
puissance *f.* power, force
puissant *adj.* strong, powerful
puits *m.* (mine) pit, well, shaft
punir *v.* to punish
punissable *adj.* punishable, subject to punishment
punition *f.* punishment
pupille *f.* pupil

pur *adj.* pure, true; plain, modest
purger *v.* to purge
purifier *v.* to purify, clean out
putride *adj.* putrifying, decomposing

Q

quai *m.* quay, embankment
qualifier *v.* to describe
qualité *f.* (good) quality
quand même *adv.* anyhow, anyway
quant à *adv.* as for
quart *m.* quarter
quartier *m.* quarter, neighborhood
quartier-maître *m.* quarter-master
quasi *adv.* almost
quatre *adj.* four; **— à —,** four at a time
que de *pron.* how many
quel *adj.* which, what; **— que soit** + *noun*, whatever may be + *noun*
quelconque *adj.* some; *pron.* some . . . or other
quelque *adj.* some, few, several
quelque . . . que *conj.* however
quelquefois *adv.* from time to time
quémander *v.* to solicit, beg
question *f.* question, subject, issue; torture
questionner *v.* to torture, question
queue *f.* tail
quiconque *pron.* anyone
quinzaine *f.* fifteen
quitter *v.* to leave; **— du regard,** to take the eyes from; **se —,** to take leave of each other
quoique *conj.* although
quotidien *adj.* daily

R

rabattre *v.* to shut down, pull down; come down; pull back, throw back
rabbin *m.* rabbi
racheter *v.* to redeem
raconter *v.* to say, relate
rade *f.* roadstead
radeau *m.* raft
radieux *adj.* radiant
radio *f.* radio
radio *m.* radio operator
rafale *f.* volley, burst
se raffermir *v.* to strengthen oneself
raffinement *m.* subtle refinement
rafle *f.* round-up
rafler *v.* to gather up, round up
rage *f.* fury, rage; **faire —,** to rage
rager *v.* to storm
rageusement *adv.* angrily, in a temper, passionately
raid *m.* raid
raide *adj.* taut, stiff
se raidir *v.* to stiffen, brace oneself
rail *m.* rail, track
raison *f.* reason; **avoir —,** to be right; **donner — à,** to prove right; **en — de,** due to
raisonnable *adj.* rational, thinking
raisonnant *adj.* arguable
ralentir *v.* to slow down, slacken
ramasser *v.* to pick up, gather up
ramener *v.* to carry back, bring back; pull down
ramper *v.* to climb
rancœur *f.* bitterness
rang *m.* rank, level; row
rangé *adj.* arranged in order, lined up
rangée *f.* row
ranger *v.* to dispose; **se —,** to align oneself
rapatriement *m.* repatriation
rapide *adj.* swift
rapidement *adv.* quickly
rapine *f.* graft

rappel *m.* recall
rappeler *v.* to call back, call back to mind; **se** —, to recall, remember
rapport *m.* report, relationship
rapporter *v.* to bring back
rapprocher *v.* to bring closer; to become closer; bring nearer
rare *adj.* infrequent, few
rarement *adv.* infrequently
raser *v.* to shave; raze
rassemblement *m.* gathering
rassembler *v.* to gather together, materialize
rassurer *v.* **to** reassure
rater *v.* to miss
rattraper *v.* to catch up with, overtake, recapture
rauque *adj.* hoarse
ravi *adj.* delighted
ravin *m.* gully
ravitaillement *m.* food control, service of supply; victualling
ravitailler *v.* to supply with food
se rayer *v.* to be streaked
rayon *m.* ray, beam; shelf
réaction *f.* recoil
réagir *v.* to react, resist
réalisation *f.* achievement
réaliser *v.* to realize, achieve, accomplish
réaliste *adj.* realistic
réalité *f.* reality, actuality; ideal
recensement *m.* census; **bulletin de** —, census receipt
réception *f.* receipt
recevoir *v.* to receive
réchappé *m.* one who escaped
réchauffer *v.* to warm (up)
rêche *adj.* rough
recherche *f.* search; **à la — de,** to look for, in search of
rechercher *v.* to seek, seek after
récit *m.* story, tale
réclamer *v.* to require
récolte *f.* harvest, crop
récolter *v.* to reap, harvest
recommandation *f.* advice
recommander *v.* to advise, recommend
réconfort *m.* consolation
réconfortant *adj.* stimulating
réconforter *v.* to cheer up
reconnaissance *f.* gratitude
reconnaissant *adj.* grateful
reconnaître *v.* to recognize, understand, know, acknowledge
reconquérir *v.* to regain
reconstitué *adj.* reconstituted
reconstruire *v.* to rebuild
recopier *v.* to make another copy of
recourir (à) *v.* to resort (to)
recouvrir *v.* to cover again, cover over, conceal
se récréer *v.* to be recreated
se récrier *v.* to exclaim
recrue *f.* recruit
recrutement *m.* recruiting
recruter *v.* to recruit
rectifier *v.* to correct
recueil *m.* collection
recueilli *adj.* meditative, thoughtful
recueillir *v.* to collect
reculé *adj.* distant
reculer *v.* to fall back
récupération *f.* salvaging, salvage
récupérer *v.* to salvage, recover; make up for
rédacteur *m.* editor
rédaction: salle de —, editorial room
reddition *f.* surrender
redevenir *v.* to become again
rédiger *v.* to draw up; edit
redonner *v.* to give back
redoublement *m.* redoubling
redoutable *adj.* deadly, formidable, fearful
redouté *adj.* dreaded
redouter *v.* to fear, dread
se redresser *v.* to straighten up again, get on one's feet, draw oneself up

réduire *v.* to reduce, decrease, lower
rééditer *v.* to re-issue
réel *adj.* real
refaire *v.* to redo, do over; make again
réfectoire *m.* dining hall
(se) refermer *v.* to close, become closed, be closed
réfléchir *v.* to reflect, consider, meditate; **se** —, to cast its reflection
reflet *m.* reflection, gleam
refléter *v.* to reflect, mirror
refleurir *v.* to flower again
réflexion *f.* thought; **cela demandait** —, that called for thinking out
refluer *v.* to overflow, surge
réformé *m.* discharged (person), disabled veteran
refouler *v.* to force back, push back
réfractaire *m.* refractory, insubordinate
refuge *m.* "hide-out," refuge
se réfugier *v.* to seek refuge
réfugié *m.* refugee
refus *m.* refusal, rejection
refuser *v.* to reject, refuse
regagner *v.* to regain, return to
regard *m.* glance, sight; concern
regarder *v.* to look, look at, watch; concern
régie *f.* bureau of revenue
régime *m.* regimen, regime, schedule; government
région *f.* area
règle *f.* rule; **en** —, in order
réglementaire *adj.* according to regulations *or* rules; regulation, regular
régler *v.* to direct, regulate, put in order
règne *m.* rule
régner *v.* to rule, hold sway; exist, reign
regret *m.* regret, sorrow; **à** —, sorry to say
regretter *v.* to be sorry for, regret; to mourn for
régulier *adj.* regular, steady, all right
reine *f.* queen; **être** —, to rule
rejaillir *v.* to gush
rejeter *v.* to reject; — **en arrière,** to throw back
rejoindre *v.* to rejoin, join up (with), come back to, meet, connect with, get back to
se réjouir *v.* to be delighted
relâche *m.* respite; **sans** —, relentlessly, unremittingly
relâcher *v.* to release
relancer *v.* to hurl
relation *f.* connection; **entrer en —s avec,** to enter into communication with
relativement *adv.* relatively
se relayer *v.* to take turns
reléguer *v.* to relegate
relève *f.* draft for replacements
relever *v.* to raise, give rise to; copy, note; relieve; — **de,** to belong (to), be dependent on; **se** —, to get up again, rise again
relief *m.* relief, raised surface
relier *v.* to lie, connect, link
religieux *adj.* religious
remarqué *adj.* distinguished
remarquer *v.* to notice; **faire — à,** to call to the attention of
remède *m.* cure, remedy
remercier *v.* to thank
remettre *v.* to put on again; replace, put back; send; hand over; — **en marche,** to start again; **se** —, to go back, return
remonter *v.* to go up, get in again; rise, rear up; remount, get on again; ascend; raise up again
remords *m.* remorse, self-reproach
remorquer *v.* to tow
rempart *m.* bulwark, rampart
remplaçant *m.* substitute
remplacer *v.* to replace, take the place of

remplir *v.* to fill up, fill out; fulfill; **se** —, to be filled
remuement *m.* stirring
remuer *v.* to shake, stir, move
renaître *v.* to be reborn
rencontre *f.* meeting; **à la — de,** towards
rencontrer *v.* to meet, encounter
rendez-vous *m.* meeting
rendre *v.* to render, make, give; subject to
se rendre *v.* to give up, surrender; **— compte de,** to understand, be aware of
renforcé *adj.* reinforced
renfort *m.* reinforcement
renier *v.* to disown
renom *m.* fame
renommée *f.* renown, fame
renoncer (à) *v.* to give up, renounce
renouveler *v.* to revive, renew
rénover *v.* to restore
renseignement *m.* information
renseigner *v.* to give information to, inform; **se** —, to get information
rentrée *f.* re-entry
renverse: à la —, backwards
renverser *v.* to turn upside down, overturn; turn back
renvoyer *v.* to send back, return
(se) répandre *v.* to spread, distribute, cast, strew
reparaître *v.* to reappear
réparation *f.* repair; **en** —, being repaired
repartir *v.* to start off again
répartir *v.* to divide
répartiteur *m.* distributor
repas *m.* meal
se repasser *v.* to hand along
repêcher *v.* to fish out again
rependre *v.* to hang over again
se repentir *v.* to be sorry
répercuter *v.* to reverberate
reperdre *v.* to lose again
repérer *v.* to spot; scan, reconnoitre
répertoire *m.* repertory
répit *m.* respite
replié *adj.* bent (over)
se replier *v.* to withdraw
réplique *f.* replica
répliquer *v.* to answer
répondre (à) *v.* to answer, correspond (to)
réponse *f.* response, answer
reportage *m.* feature story
repos *m.* repose; **en** —, at rest
reposant *adj.* restful
reposer *v.* to rest; **se** —, to rest (up)
repousser *v.* to push aside, push back, repulse; close
reprendre *v.* to take again, resume take up
se reprendre *v.* to correct oneself; recover oneself, pull oneself together
représaille *f.* reprisal
représentant *m.* representative
représenter *v.* to represent
reprise: à plusieurs —s, repeatedly
réprobation *f.* censure
reproche *m.* reproach
reprocher *v.* to reproach (for); **se** —, to reproach oneself (for)
reproduire *v.* to reproduce; **se** —, to recur
répugnance *f.* loathing, repugnance
répugnant *adj.* loathsome
répugner *v.* to revolt, loathe; be distasteful
requis *m.* labor draftee
requis *p.p.* **requérir,** requisitioned, drafted
réquisition *f.* demand, requisition
réquisitionner *v.* to demand, requisition
rescousse *f.* rescue
réseau *m.* network
réserve *f.* supply; protest, reservation
réservé *p.p.* accorded

réserver *v.* to be in store, reserve, set aside
réserviste *m.* member of the reserve
réservoir *m.* gas tank
résider *v.* to rest
résigné *adj.* meek, uncomplaining
résistance *f.* opposition, resistance
résolu *adj.* resolved
résonner *v.* to resound, echo
résoudre *v.* to solve; induce; **se —**, to bring oneself (to); be solved, settled
respect *m.* respect, deference
respectueusement *adv.* respectfully, in respect
respectueux *adj.* respectful
respiration *f.* breath
respirer *v.* to breathe, take a breath
responsable *adj.* answerable
ressemblance *f.* resemblance
ressemblant *adj.* similar
ressembler (**à**) *v.* to resemble
ressentiment *m.* resentment
ressentir *v.* to feel
se resserrer *v.* to become tighter
ressort *m.* spring, resilience
ressortir *v.* to bring out
ressusciter *v.* to bring back to life, revivify
restaurer *v.* to restore
reste *m.* remainder, rest; **du —**, moreover
rester *v.* to remain, be left, stay; come from
restriction *f.* reservation; **sans —**, unreservedly
résultat *m.* effect, result
résumer *v.* to summarize
rétablir *v.* to restore; **se —**, to be restored
retard: être en —, to be late
retarder *v.* to delay, retard, slow down
retenir *v.* to hold back, withhold; **— contre**, to have against; **se —**, to cling
retentir *v.* to ring out, sound, resound, echo
retirer *v.* to withdraw, draw out; **se —**, to withdraw (oneself), go away; **se laisser — qqch.**, to let something be taken away (from one)
retomber *v.* to rejoin, fall back
retour *m.* return, retrogression; **de —**, back; **sans —**, irrevocably
retourner *v.* to turn (back); **se —**, to turn around
retraite *f.* withdrawal, retreat, retirement; **faire une —**, to make a (religious) retreat
retrancher *v.* to entrench; **se —**, to be entrenched
retroussé *adj.* tucked up
retrouver *v.* to find again, come up with; join, encounter, meet again
réunir *v.* to gather together; bring together; meet, reconvene
réunion *f.* meeting
réussi *adj.* brilliant
réussir *v.* to bring off (successfully), succeed
revanche *f.* revenge
rêve *m.* dream
réveil *m.* awakening
réveillé *adj.* awake
réveiller *v.* to awaken; **se —**, to wake up
révéler *v.* to make known, reveal, announce; **se —**, to be revealed
revendication *f.* demand; **cahier de —s**, list of demands, list of grievances
revenir *v.* to return, come back; **— à soi**, to recover consciousness, come to; **— en arrière**, to come around from behind
rêver *v.* to ponder, muse
rêverie *f.* dream
revers *m.* back
revivre *v.* to live again, come to life
revoilà *prep.* there again is

revoir *v.* to see again; revise
révolte *f.* revolt, rebellion; revulsion
révoquer *v.* to dismiss
revue *f.* magazine, review; inspection
rhumatisant *m.* sufferer from rheumatism
ricanement *m.* sniggering; **avoir un —**, to snigger
ricaner *v.* to snigger
richesse *f.* wealth, riches, richness
ride *f.* ripple, wrinkle
rideau *m.* curtain; **— de fer,** iron shutter
rider *v.* to ripple
ridicule *adj.* ridiculous, laughable
rien *adv.* nothing
rigueur *f.* hardship
rincer *v.* to rinse
riposter *v.* to answer, riposte
rire *m.* laugh, laughter
rire *v.* to laugh
risque *m.* risk
risquer *v.* to risk, stake
rivaliser *v.* to vie, rival
rivalité *f.* rivalry
rive *f.* bank
rivière *f.* river
riz *m.* rice
robe *f.* dress, robe, cloak, gown
roc *m.* rock
rocher *m.* rock
roi *m.* king
rôle: à tour de —, in turn, in sequence
roman *m.* novel
romancier *m.* novelist
romantique *adj.* Romantic
romantisme *m.* romanticizing
rompre *v.* to break (off)
rond *m.* circle
ronde *f.*: **à la —**, around
ronflement *m.* roaring
ronger *v.* to gnaw
ronron *m.* drone
rosâtre *adj.* pinkish
rose *adj.* pink
rotativiste *m.* rotary press-man
rôti *p.p.* roasted
roue *f.* wheel
rouge *adj.* red
rougir *v.* to redden, blush, become red
roulement *m.* running; keeping open
rouler *v.* to drive; keep rolling, roll
route *f.* road, highway; **en —**, on the way; **se mettre en —**, to set out
se rouvrir *v.* to reopen
roux *adj.* red-haired, reddish
ruban *m.* ribbon
rude *adj.* rough, hard, difficult
rudement *adj.* (*used intensively*) awfully; roughly
rudimentaire *adj.* rudimentary
rue *f.* street
ruée *f.* rush, stampede
ruelle *f.* lane, alley
se ruer *v.* to rush (towards)
ruine *f.* downfall
ruisseau *m.* brook, gutter
rupture *f.* tearing up
ruse *f.* trickery, guile, trick
rusé *adj.* sly
russe *adj.* Russian
rythme *m.* tempo

S

sable *m.* sand
sabordement *m.* scuttling
saborder *v.* to scuttle; **se —**, to scuttle itself, be scuttled
sabotage *m.* bungling, sabotage
saboter *v.* to sabotage
sabre *m.* sword; **— au clair,** with drawn sabre
sac *m.* bag; **— de sable,** sandbag
saccager *v.* to sack

sacré *adj.* damned (*before noun*); sacred, holy (*after noun*)
sacrifier *v.* to give up, give over, sacrifice
sadique *adj.* sadistic; *m.* sadist
sagacité *f.* shrewdness
sage *adj.* wise, sound
sagement *adv.* soberly
saignée *f.* bloodshed
saigner *v.* to bleed
saillir *v.* to stand out
sain *adj.* healthy
sainteté *f.* sanctity, holiness
saisir *v.* to seize
saisissant *adj.* piercing, gripping, striking
saison *f.* season
salaire *m.* wage
salaud *m.* scum, "skunk," dirty bum
sale *adj.* filthy, dirty
salé *adj.* salty
saleté *f.* filth
salir *v.* to sully, soil
salle *f.* room, hall; **— à manger,** dining-room; **— d'opération,** operating room
salpêtre *m.* saltpeter rot (*on walls*), saltpeter
saluer *v.* to salute, greet, hail
salut *m.* salvation; nod, salute; **—!** hello! so long!
salutaire *adj.* wholesome
salve *f.* salvo, salute
sanction *f.* penalty
sang *m.* blood
sang-froid: de —, deliberately
sanglant *adj.* bloody
sangloter *v.* to weep, sob
sans que *conj.* without, but
santé *f.* health
saper *v.* to undermine
sapeur *m.* sapper (engineer corps)
sapin *m.* fir
satisfaire *v.* to satisfy, fill; **se —,** to be satisfied
satisfait *adj.* contented
saturer *v.* to saturate
sauce *f.* gravy, sauce
sauf *prep.* except
saupoudré *adj.* powdery
sauter *v.* to jump, leap; explode, blow up; **faire —,** to blow up
sauvage *adj.* wild
sauvagerie *f.* savage act, savagery
sauvegarde *f.* safeguard
sauver *v.* to save, rescue; **se —,** to escape
sauveur *m.* savior
savamment *adv.* learnedly, scientifically
savant *m.* learned person, scholar
saveur *f.* savor, taste
savoir *m.* learning
savoir *v.* to know, be aware; know how; **— gré à qqn. de qqch.,** to be grateful to someone for something
savon *m.* soap
savourer *v.* to savor
scandale *m.* evil example, scandal
sceller *v.* to seal up
scier *v.* to saw
scrupule *m.* doubt
scruter *v.* to scan, scrutinize
se *reflexive pronoun in* –self; *also reciprocal pronoun,* each other, one another; *often makes transitive verb passive*
séance *f.* session
sec *adj.* dry
sèchement *adv.* drily, hard
sécheresse *f.* matter-of-fact style
secouer *v.* to shake
secourir *v.* to aid
secours *m.* aid; **poste de —,** first-aid station
section *f.* platoon
sécurité *f.* secureness, security, safety
seigneur *m.* overlord, master
sein *m.* breast, bosom; midst; **au — de,** among

séjour *m.* stay
selon *prep.* according to; **— vous,** in your opinion
semaine *f.* week
semblable *adj.* like, similar
semblant: faire —, to seem, pretend
sembler *v.* to seem, appear
semer *v.* to sow
sens *m.* sense, direction, meaning; **— unique,** one-way street; **bon —,** common sense
sensation *f.* feeling
sensibilité *f.* sensitivity
sensible *adj.* sensitive; considerable, appreciable
sentier *m.* path
sentiment *m.* feeling
sentir *v.* to smell (of); feel
séparé *adj.* apart, alone
se séparer *v.* to part company, separate
serein *adj.* serene, calm
sérénité *f.* calm
sergent *m.* sergeant
série *f.* group; **en —,** wholesale
sérieux *adj.* serious, grave
sérieux *m.* gravity, seriousness
serment *m.* oath
serpenter *v.* to squirm, twist, "snake"
serré *adj.* tight, close
serrer *v.* to press, hug, huddle, pinch together; grip, clench; lock; **— les dents,** to set one's teeth; **se —,** to contract, tighten, squeeze together
servage *m.* serfdom
service *m.* course (*of a meal*), use; (military) service
servir *v.* to serve, wait on; be used; **— de,** to serve as, act as; **ne — de rien,** to be useless (to); **se — de,** to use
seul *adj.* alone, singlehanded
seulement *adv.* only
sévère *adj.* stern, forbidding; serious
sévir *v.* to prevail
si *adv.* yes
si *conj.* if, whether, suppose
side-car *m.* motorcycle with side-car
siècle *m.* century, age
siège *m.* seat
siéger *v.* to sit
sifflement *m.* whistle
siffler *v.* to hiss, whistle
sifflet *m.* whistle
signaler *v.* to alert, signal; report; **se —,** to distinguish oneself
signature *f.* signing, signature
signe *m.* sign, signal; **faire —,** to give a signal
signer *v.* to sign, subscribe to
significatif *adj.* significant
signification *f.* meaning
signifier *v.* to mean, intimate
silencieusement *adv.* silently, in silence; quietly; secretly
silencieux *adj.* silent, no seless
simple *adj.* ordinary, plain
simultanéité *f.* simultaneousness
simultanément *adv.* simultaneously, together, in concert
sincérité *f.* sincerity
singulier *adj.* odd, peculiar
singulièrement *adv.* conspicuously
sinistre *adj.* sinister
sinon *conj.* except, unless it be
sitôt *adv.* as soon as, once
situation *f.* state
situer *v.* to locate, place
sobriété *f.* moderation, soberness
sœur *f.* sister
soi-disant *adj.* self-styled, so-called
soie *f.* silk
soif *f.* thirst; **avoir —,** to be thirsty
soigner *v.* to take care of
soigneusement *adv.* carefully
soin *m.* attention, care
soir *m.* evening
soirée *f.* evening
soit . . . soit . . . ***conj.*** either . . . or . . .
sol *m.* ground

soldat *m.* soldier
soleil *m.* sun, sunlight
solennel *adj.* solemn, formal
solennellement *adv.* solemnly
solidaire *adj.* united
(se) **solidariser** *v.* to make common cause, unite solidly
solidarité *f.* solidarity, united front
solide *adj.* strong, sturdy, stable; heavy
solitaire *adj.* lonely
solitaire *m.* lonely one, recluse
sollicitation *f.* care, stress
solliciter *v.* to canvass
sollicitude *f.* care, solicitude
sombre *adj.* dull, dark, gloomy
somma re *adj.* routine; brief, summary
sommation *f.* summons
somme *f.*: **en —**, in short
sommeil *m.* sleep; **avoir —**, to be sleepy
sommer *v.* to summon, order
somptueux *adj.* lavish, rich
son *m.* sound, noise
songe *m.* dream
songer *v.* to think
sonner *v.* to ring
sonnette *f.* bell
sonore *adj.* resounding, echoing
sordide *adj.* base, vile
sort *m.* fate
sorte *f.* kind, sort; **c'est de la — que,** that is how; **de — que,** so that, the result was that; **en quelque —**, as it was
sortie *f.* exit; **à la —**, on leaving, going out
sortir *v.* to go out, come out, bring out, get out, leave, take out; **s'en —**, to "pull out of it," "come out o.k."
sottement *adv.* stupidly
sottise *f.* silly, stupid act
sou *m.* cent; **à deux —s,** cheap
souci *m.* care, concern, worry
se soucier *v.* to be concerned about, to bother
soudain *adj.* suddenly, all of a sudden
souffle *m.* breath, wind; breathing
souffler *v.* to puff, blow, catch one's breath
souffrance *f.* suffering
souffre *m.* sulfur
souffrir *v.* to suffer (from pain)
souhaiter *v.* to wish
souillé *adj.* sullied
soulagé *adj.* with relief, relieved
soulager *v.* to comfort, relieve
soulever *v.* to raise
soulier *m.* shoe
souligner *v.* to underline, stress
soumis *adj.* subject
soupçon *m.* suspicion
soupçonner *v.* to suspect
soupe *f.* soup; meal
soupière *f.* soup-tureen
soupir *m.* sigh
soupirer *v.* to sigh
source *f.* source, spring
sourcil *m.* eyebrow; **froncer le —, to** frown, knit one's brow
sourd *adj.* dull, hollow
sourdement *adv.* hollowly
sourd-muet *adj.* deaf-mute
sourire *v.* to smile
souris *f.* mouse
souscr re (à) *v.* to subscribe (to)
sous-marin *adj.* submarine, submerged
sous-marin *m.* submarine
sous-officier *m.* "non-com," non-commissioned officer
sous-secrétaire *m.* under-secretary
sous-titre *m.* sub-head
se soustraire *v.* to avoid
soutenir *v.* to maintain, uphold, stand (*battle*)
souterrain *adj.* underground, subterranean
souterrain *m.* underground passage, cavern

soutien *m.* support
souvenir *m.* remembrance, recollection
se souvenir de *v.* to recall
souvent *adv.* often
souveraineté *f.* sovereignty
spécialiste *m.* expert
spectacle *m.* show, sight, spectacle
spontané *adv.* spontaneous
spontanément *adv.* spontaneously, of one's own accord
sportif *adj.* sporting
stationner *v.* to park, be parked, stand
sténographe *m.* stenographer
stérile *adj.* barren, fruitless
strictement *adv.* rigidly, strictly
strophe *f.* stanza
studieux *adj.* studious, bookish
stupéfait *adj.* aghast, dumbfounded
stupéfiant *adj.* astounding
stupeur *f.* stupefaction
stupidement *adv.* dumbly
style *m.* style, stylishness
suant *adj.* sweating perspiring
subir *v.* to undergo, suffer
subite *adj.* sudden
subitement *adv.* suddenly
submergé *adj.* swamped
subordonné *m.* subordinate
subsister *v.* to remain
subt.l *adj.* cunning, crafty, subtle
subvention *f.* subsidy
succéder (à) *v.* to replace, follow after; **se** —, to follow each other
succès *m.* success
succomber *v.* to succumb
sucer *v.* to suck
sud *m.* south
Suède *f.* Sweden
suer *v.* to sweat
sueur *f.* sweat
suffire *v.* to be sufficient, be enough
suffisamment *adv.* sufficiently
suffoquer *v.* to suffocate
suggérer *v.* to suggest
suie *f.* soot
suite *f.* rest, result; **par la** —, afterwards; **par — de,** as a result of
suivant *adj.* next
suivre *v.* to follow, take (*courses*)
sujet *m.* topic, subject
superficie *f.* area
supérieur *adj.* upper, higher; — **à,** above
superposé *adj.* one above the other
superposer *v.* to superpose
supplication *f.* supplication, entreaty
supplice *m.* torture; execution by torture; final penalty
supplier *v.* to beg
supporter *v.* to hold up, support, withstand, put up with, bear
supposer *v.* suppose, assume; presuppose
supprimer *v.* to suppress
suppurer *v.* to suppurate
suprême *adj.* last, final
sûr *adj.* certain, safe, trustworthy; **à coup** —, for a certainty
surclassé *adj.* outclassed
sûrement *adv.* certainly
sûreté *f.* safety
surface *f.* top, surface
surgir *v.* to loom up, rise up; spring to mind
surhumain *adj.* superhuman
sur-le-champ *adv.* at once
surlendemain *m.* day after
surmonter *v.* to surmount, head
surnom *m.* surname
surplus: au —, besides
surprenant *adj.* surprising
surprendre *v.* to surprise, take by surprise, catch
sursaut *m.* jump
surtout *adv.* especially
surveillance *f.* surveillance
surveiller *v.* to keep a watch over, keep under watch; survey
survenir *v.* to happen

survivance *f.* survival
survivant *m.* survivor
survoler *v.* to fly over
susciter *v.* to bring to life, awaken
suspect *adj.* suspicious, suspect, doubtful; **se rendre —,** to place oneself under suspicion
susurrer *v.* to murmur
syllabe *f.* syllable
sympathisant *m.* sympathizer
symptôme *m.* indication
syndical *adj.* trade; **unité —e, trade** unionism
syndicat *m.* trade union

T

T.S.F. (télégraphie sans fil), wireless; **poste de —,** wireless set
tabac *m.* tobacco
tableau *m.* bulletin-board; picture; **— de bord,** instrument panel
tache *f.* stain, spot
tâche *f.* job, task
tacher *v.* to spot
tâcher *v.* to try
tactique *f.* tactics
taille *f.* stature
tailler *v.* to carve, make, cut from
tailleur *m.* tailor
se taire *v.* to keep silent, become silent
talent *m.* ability
talon *m.* heel
talus *m.* embankment, bank
tampon *m.* (rubber) stamp
tandis que *conj.* while, as
tant *adv.* so much, so many, such a lot; **— qu'il y a,** as long as there is
tantôt *adv.* soon; **— . . . — . . .,** now . . . now . . ., sometimes . . . sometimes . . .; **de —,** of just before
taper *v.* to throb
tapis *m.* rug
tard *adv.* late
tarder (de) *v.* to be long (in), delay
tardivement *adv.* late
tarir *v.* to run dry
tas *m.* heap
tasse *f.* cup
tatouage *m.* tatooing
technicien *m.* technician
technique *adj.* technical
tel *adj.* such; **un —,** such a
téléphonique *adj.* telephone
téléphoniste *m.* & *f.* telephone operator
tellement *adv.* so, quite
témoignage *m.* evidence, testimony
témoigner *v.* to witness; **— à,** to bear witness to, testify to
témoin *m.* witness; best man
tempe *f.* temple
tempêter *v.* to fume, storm
temporel *adj.* temporal
temps *m.* time; old days; weather; **en tout —,** at all times
ténacité *f.* tenacity; maintenance
tendance *f.* inclination, trend, tendency
tendre *adj.* delicate, soft
tendre *v.* to hold, stretch; hold out, extend, hand; **se —,** to tense, become taut
tendresses *f. pl.* caresses, tokens of affection
tendu *adj.* strained, stretched, taut
ténèbres *f. pl.* darkness, gloom
tenir *v.* to keep, hold; **— à** + *inf.*, to be anxious to; **— à qqch.,** to value, have a hankering for; **— à qqn.,** to owe someone; **— bon,** to hold fast; **— le coup,** to stand firm
se tenir *v.* to be; sit, perch, stand; **— debout,** to stand; **— le coup,** to hold out
tentative *f.* attempt
tenter *v.* to tempt, try, attempt

tenue *f.* uniform
terme *m.* word, expression; finish, ending
terminer *v.* to end, finish
termite *m.* termite; **travail du —,** secret destructive activities
terrain *m.* terrain, field, ground
terrasse *f.* balcony
terre *f.* earth, soil, ground; land; floor; **par —,** on the ground *or* floor
terrible *adj.* frightful
terriblement *adv.* frightfully
terrifiant *adj.* terrifying
terroriser *v.* to terrorize
tête *f.* head; **— de mort,** death's head; **éléments de —,** forward elements; **tenir — à,** to stand up to
texte *m.* textbook, text
théâtral *adj.* theatrical
théâtre *m.* theatre
thème *m.* topic, subject
théoricien *m.* theorist
théorique *adj.* theoretical
théoriquement *adv.* theoretically
ticket *m.* ticket, ration card; **— d'alimentation,** food ration ticket
tiède *adj.* warm
tiers *m.* third
tigre *m.* tiger
timbre *m.* (postage) stamp
timbré *adj.* sonorous; stamped
timidité *f.* timidity
tintement *m.* ringing
tir *m.* fire, shooting
tirage *m.* drawing
tirailler *v.* to shoot aimlessly
tirailleur *m.* rifleman, sharp-shooter
tiré *adj.* haggard, drawn
tirer *v.* to fire, shoot off; to get out, draw, pull; **se —,** to "pull out"; **se — la langue,** to stick out one's tongue
tissu *m.* cloth
titre *m.* headline, title
tituber *v.* to reel, totter, stagger
titulaire *m.* holder
toile *f.* canvas, (duck) cloth; **— d'araignée,** spider web
toit *m.* roof, top
toiture *f.* roof
tolérer *v.* to tolerate
tombe *f.* grave
tombeau *m.* tomb
tombée *f.*: **— du soir,** night fall
tomber *v.* to fall, hang; be getting low; **— sur,** to run into (static, etc.), come upon
ton *m.* tone, breeding, manners
tonne *f.* ton (*metric, i.e. 2200 lbs.*)
tonner *v.* to thunder
tonnerre *m.* thunder
torche *f.* torch; **— électrique,** flashlight
torpeur *f.* torpor
torpilleur *m.* light destroyer
tort *m.* harm; **avoir —,** to be wrong
tortueux *adj.* winding, twisting
torturant *adj.* tormenting
tôt *adv.* early
total: au —, in all
totalité *f.* whole
toucher *v.* to hit, touch; affect; **— la main à,** to shake hands with
toujours *adv.* still, yet, always; **pour —,** for good
toupet *m.* nerve
tour *f.* tower
tour *m.* turn, trick
tourelle *f.* turret
tourment *m.* torture, anguish
tourmente *f.* storm
tourmenter *v.* to torture
tournant *m.* bend, turning-point
se tourner *v.* to turn
tousser *v.* to cough
tout *adj.* all, every; (the) whole
tout *adv.* quite, completely; **— à fait,** entirely; **— à l'heure,** just now, a little while ago; **— de suite,** on the spot, immediately

tout *m.* all, everything
toutefois *adj.* nevertheless
toute-puissance *f.* omnipotence
tout-puissant *adj.* omnipotent
trace *f.* trail, track
tracer *v.* to describe, trace; write
tract *m.* leaflet
traducteur *m.* translator
traduire *v.* to translate, convey
trahir *v.* to betray
trahison *f.* betrayal, treachery, treason
train *m.* transportation, train; **— à marchandises,** freight train; **— de voyageurs,** passenger train; **en — de,** in the act of, busy
traînant *adj.* drawling; trailing
traînée *f.* train; trail
traîner *v.* to drag; hang; spend
traire *v.* to milk
trait *m.* characteristic, feature; dash, stroke; **d'un —,** in a jiffy
traité *m.* treaty
traiter *v.* to treat, discuss
traître *adj.* traitorous
traître *m.* traitor
traîtrise *f.* treachery
trame *f.* web, texture
tramway *m.* trolley
tranquille *adj.* calm; **laisser —,** not to bother
tranquillement *adv.* calmly
tranquillité *f.* peace (of mind), calm
transcrire *v.* to set down, transcribe
transfert *m.* removal
transformateur *m.* transformer
transformer *v.* to change, turn (into); **se —,** to be changed
transit *m.* passage
transmettre *v.* to transmit
transporter *v.* to carry, transport
traquer *v.* to hunt down; to beat; hound
travail *m.* work, working; **travaux forcés,** transportation with hard labor
travailler *v.* to work
travailleur *adj.* industrious
travailleur *m.* worker
travers: à —, through, from, across
traverser *v.* to cross, pierce; **— à gué,** to ford
tremblé *adj.* shaky
tremblement *v.* trembling, shaking
trembler *v.* to quiver, tremble, flutter, flicker
trembloter *v.* to quiver, tremble
tremper *v.* to soak
trentaine *f.* about thirty
trépigner *v.* to chug
trésor *m.* treasure, darling
tressaillir *v.* to shiver, tremble
trêve *f.* truce
tribu *f.* tribe
tribunal *m.* court
tribune *f.* platform, rostrum
tricoter *v.* to knit
triomphe *m.* gloating, triumph
triompher *v.* to exult, triumph, win out
triplement *adv.* trebly
triste *adj.* sorry, depressing, mournful, sad
tristement *adv.* sadly
tristesse *f.* sadness
trombe *f.* whirlwind
se tromper *v.* to be mistaken, make a mistake
tronc *m.* shaft, trunk
trottoir *m.* sidewalk
trou *m.* hole
troublant *adj.* disconcerting
trouble *m.* uneasiness, discord, disorder
troubler *v.* to worry, harry; **se —,** to get flustered
trouer *v.* to breach; drill
trouille *f.*: **avoir la —,** to lose one's nerve
troupe *f.* troop
troupeau *m.* herd

trouver *v.* to find; **se —,** to find oneself, be
truc *m.* contraption
tuberculeux *adj.* tubercular
tuer *v.* to kill
tuerie *f.* killing, slaughter
tueur *m.* killer
type *m.* "guy," "dope;" fellow; type, character
tyran *m.* tyrant

U

uhlan *m.* lancer
ultime *adj.* final
unanime *adj.* unanimous
unanimité *f.* all; **à l'—,** unanimously
uniforme *adj.* unvarying
unique *adj.* single, unparalleled
uniquement *adv.* solely
unir *v.* to unite; **s'— à,** to join, join forces with
unité *f.* unit; unity, oneness; **— syndicale,** trade unionism
urémie *f.* uremia
urgence *f.* urgency, pressure; **d'—,** urgently
usage *m.* use
user *v.* to wear out, exhaust
usine *f.* factory, plant; **— d'aviation,** plane factory
ustensile *m.* implement
usurpateur *adj.* usurping
utile *adj.* useful
utilisable *adj.* usable
utilisation *f.* use, employment

V

vacarme *m.* commotion
vacciné *adj.* inoculated, immune
vache *f.* cow; "swine"
vacillant *adj.* staggering
vaciller *v.* to totter; shimmer
va-et-vient *m.* movement to and fro
vagabond *adj.* roving
vague *adj.* indistinct, indefinite; blank
vague *f.* wave, screen
vaguement *adv.* vaguely, dimly
vaillant *adj.* staunch, valiant
vain *adj.* conceited, vain, idle
vaincre *v.* to conquer, defeat, overcome
vainement *adv.* futilely, in vain
vainqueur *m.* conqueror, winner
vaisseau *m.* vessel
vaisselle *f.* crockery
valable *adj.* valid
valablement *adv.* validly
valet *m.* lackey
valeur *f.* value
valise *f.* luggage, bag, suitcase
vallée *f.* valley
valoir *v.* to be worth, amount to, owe; win; **— mieux,** to be better, preferable; to prefer
vanité *f.* vanity
vaniteux *adj.* conceited
vantail *m.* shutter
vanter *v.* to praise; **se —,** to brag, boast
vapeur *f.* steam
vaste *adj.* extensive, large
veau *m.* calf
vedette *f.* scout boat
veille *f.* the night before, day before; eve
veiller *v.* to watch
veine *f.* vein
vélo *m.* "wheel," "bike"
vendeur *m.* seller
vendre *v.* to sell

vénérien *adj.* venereal
vengeance *f.* revenge
venger *v.* to avenge
vengeur *adj.* vengeful
venin *m.* poison
venir *v.* to come; — + *inf.*, to come + *pres. part.*; — **de** + *inf.*, to have just + *p. part.*
vent *m.* wind
ventouse *f.* sucking-disk
ventre *m.* belly, stomach; **à plat** —, flat on one's stomach
ver *m.* worm
verdure *f.* green
véridique *adj.* true
vérification *f.* check-up
vérifier *v.* to check (over)
véritable *adj.* veritable, true
vérité *f.* truth; **en** —, actually
verre *m.* glass
vers *m.* verse
vers *prep.* towards
verser *v.* to pay, pour
vert *adj.* green
vertu *f.* virtue
vertueusement *adv.* virtuously
veste *f.* jacket, coat
vestige *m.* trace, vestige
veston *m.* jacket
vêtements *m. pl.* clothes
vêtir *v.* to clothe, dress; envelop
veuf *adj.* widower
veuve *f.* widow
viande *f.* meat
vibrer *v.* to vibrate, shake; ring
vicaire *m.* vicar
vice-recteur *m.* vice-regent, sub-master
victime *f.* victim, casualty
victoire *f.* victory
victorieux *adj.* victorious
vide *adj.* empty, bare
vide *m.* gulf, emptiness; **tirer dans le** —, to fire blindly
vidé *adj.* exhausted
(**se**) **vider** *v.* to empty, drain
vie *f.* life
vieillard *m.* old man
vieilli *adj.* antiquated, out of date, obsolete
vieux *adj.* old
vieux *m.* fellow, good fellow; old man
vif *adj.* alive, brisk
vigilant *adj.* alert
vigueur *f.* force
vil *adj.* base
villa *f.* country-house, cottage
villageois *m.* villager
ville *f.* city; — **ouverte,** open city
vin *m.* wine
viol *m.* rape
violemment *adv.* violently
violer *v.* to violate
virage *m.* turning
virer *v.* to turn
visage *m.* face, countenance; **à** — **découvert,** openly
viser *v.* to aim (at), sight; allude to
visible *adj.* visible, obvious
visière *f.* visor
visiteur *m.* caller, visitor
vite *adv.* fast, quickly
vitesse *f.* gear (*automobile*); speed; **en pleine** —, at full speed; **en première** —, in low gear
viticulture *f.* grape industry
vitrail *m.* stained-glass window
vitre *f.* glass, window-pane
vitré *adj.* glazed
vivace *adj.* lively
vivant *adj.* alive
vivement *adv.* quickly
vivre *v.* to live
vivres *m. pl.* foodstuff
vocation *f.* trade, employment; calling, vocation
vociférer *v.* to yell
vœu *m.* wish
voguer *v.* to sail

voie *f.* way; track, line; channel; **— d'accès,** means of access, avenue of approach; **— ferrée,** railroad; **être en bonne —,** to be on the right track
voile *m.* veil, mask; **sans —,** without concealment
voiler *v.* to veil, conceal
voir *v.* to see, consider; **faire —,** to show; **laisser —,** to show, give a view of; **se —,** to be obvious
voisin *adj.* neighboring, next-door
voisin *m.* neighbor
voiture *f.* auto, car, vehicle, carriage; **— de gosse, d'enfant,** baby-carriage
voix *f.* voice; **à haute —,** aloud
vol *m.* theft
volant *m.* steering-wheel
volcan *m.* volcano
voler *v.* to fly; steal
volet *m.* shutter
volontaire *adj.* voluntary
volontaire *m.* volunteer
volontairement *adv.* willingly, voluntarily
volonté *f.* will, will power
volubile *adj.* talkative
volume *m.* capacity, content
vouer *v.* to devote, dedicate; doom
vouloir *v.* to wish to, want to, like to, be willing; **— dire,** to mean; **en — à,** to be vexed, bear a grudge; **s'en —,** to be vexed with oneself
voûté *adj.* vaulted
voyage *m.* trip, journey; *pl.* travels
voyager *v.* to travel
voyageur *m.* passenger, traveler
vraiment *adv.* really
vraisemblable *adj.* likely
vraisemblablement *adv.* probably
vrombir *v.* to throb, roar
vrombissement *m.* roaring, throbbing
vu que *conj.* considering that
vue *f.* sight, view, survey; **en — de,** for the purpose of

W

wagon *m.* car
wagonnet *m.* cart

Z

zébrer *v.* to streak
zèle *m.* zeal, ardor
zélé *adj.* zealous

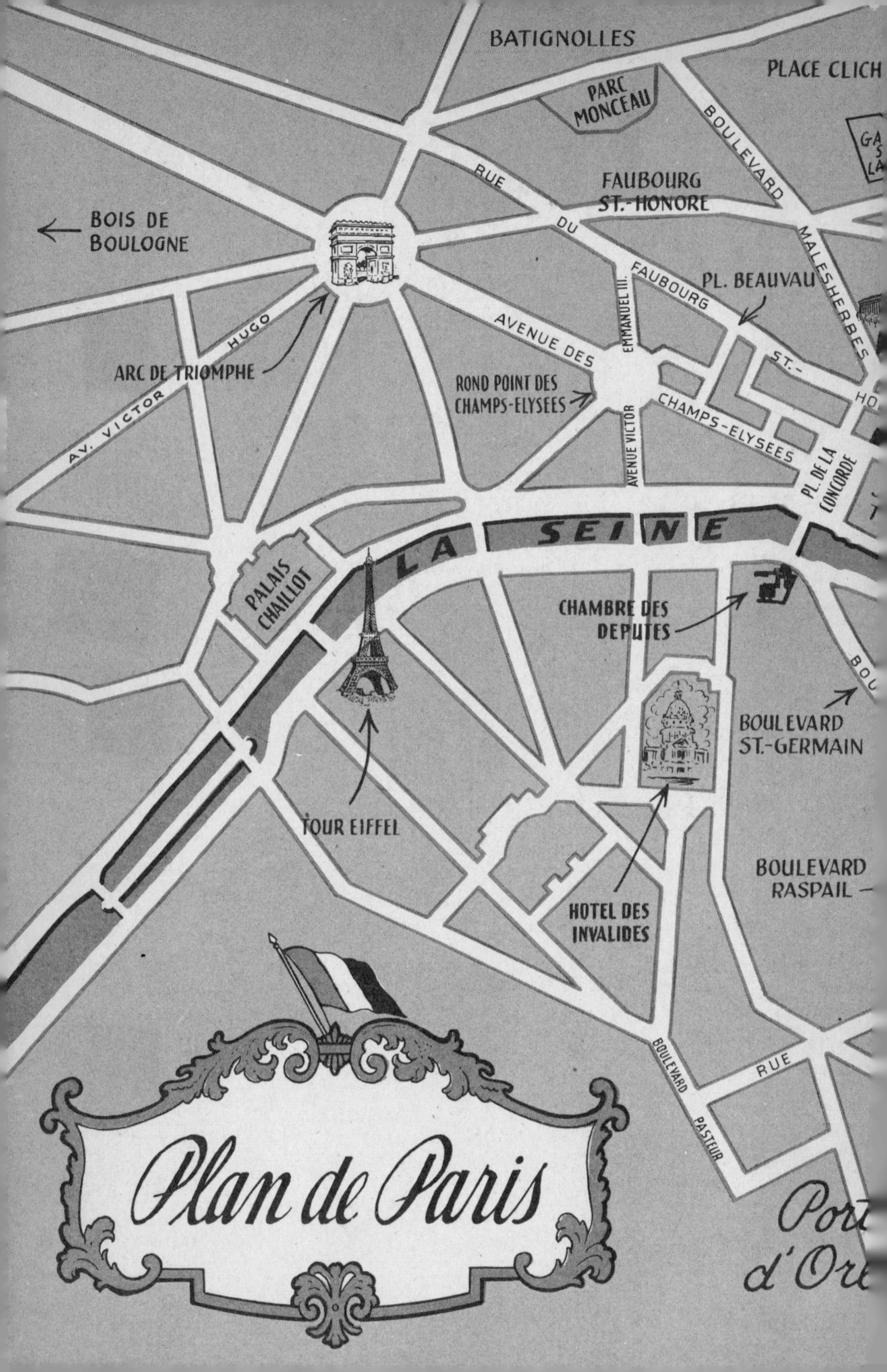

BATIGNOLLES
PARC MONCEAU
BOULEVARD MALESHERBES
RUE DU FAUBOURG ST.-HONORE
FAUBOURG ST.-HONORE
BOIS DE BOULOGNE
PL. BEAUVAU
AV. VICTOR HUGO
EMMANUEL III.
AVENUE DES CHAMPS-ELYSEES
ARC DE TRIOMPHE
ROND POINT DES CHAMPS-ELYSEES
AVENUE VICTOR
PL. DE LA CONCORDE
LA SEINE
PALAIS CHAILLOT
CHAMBRE DES DEPUTES
BOULEVARD ST.-GERMAIN
TOUR EIFFEL
BOULEVARD RASPAIL
HOTEL DES INVALIDES
RUE
BOULEVARD PASTEUR
Plan de Paris